D1244133

Le manuel de philosophie

Terminale L

Le manuel de philosophie
Terminale L

François Cavallier
Agrégé de philosophie

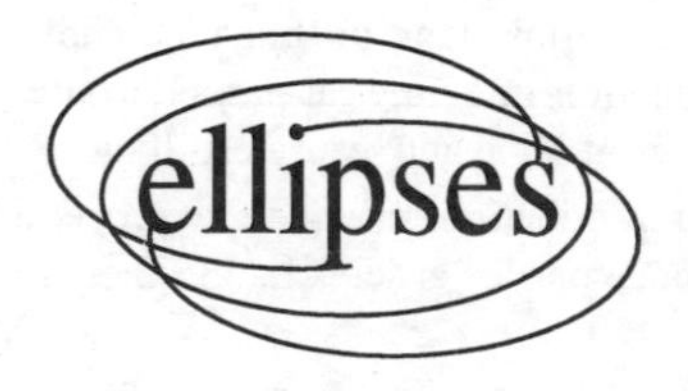

ISBN 2-7298-1593-7

www.editions-ellipses.fr

Avant-propos

Il n'y a plus guère de manuels de philosophie qui proposent un véritable cours : dans son aspect apparemment directif, un cours laisse souvent craindre un parcours normé alors que la liberté de la pensée constitue l'horizon de tout effort philosophique et pédagogique : il s'agit de se rendre maître de sa propre pensée, d'en épanouir la liberté et la dimension critique.

Le présent cours ne prétend évidemment à aucune autorité. Il n'offre ni un viatique ni un « prêt-à-penser », mais des points de départ, qui peuvent tout autant servir de recours pour les élèves, toujours scolairement soucieux de disposer de rudiments écrits sur chaque question, que de ressources exploratoires pour leurs professeurs : assez développé pour échapper à la vulgarisation, d'un ton moderne qui s'est voulu clair et sans jargon, il relève le défi d'une volonté d'éclairage positif des notions de ce nouveau programme.

Chaque chapitre se compose ainsi de quatre moments essentiels : l'introduction (qui met au premier plan l'exigence de problématisation), le développement (qui déploie l'articulation des concepts), une série de sujets (regroupés par propositions d'approches communes) avec un sujet esquissé qui renvoie au cours, et enfin trois pages de textes (exploitables pour des explications, commentaires ou exercices) introduits par une question de départ. Les repères sont brièvement éclairés, sous forme d'une table de fin de volume.

L'auteur de ces lignes voudrait remercier ceux sans lesquels ce livre n'aurait pu voir le jour, et en appelle aux remarques et réactions des lecteurs qui voudront faire en sorte que les millésimes ultérieurs de ce manuel se bonifient. Il souhaite enfin que ce livre puisse être utile, et, pourquoi pas, par moments agréable, à ceux qui l'utiliseront.

Callian, mai 2003
f.cavallier@callian.fr

Champ de problématisation

Le sujet

Définir, Problématiser

Unique et singulier, le sujet est celui qui peut dire « je », celui qui se pense. C'est l'être dans lequel il est question de son être, placé au centre du monde depuis le tournant cartésien de la philosophie qui l'a refondé sur cette notion de sujet. La conscience apparaît donc comme une donnée première et solitaire, qui s'interroge sur elle-même : l'identité personnelle qu'elle suppose dans cette notion d'un sujet, d'un substrat permanent qui relègue les variations au rang d'accidents, est-elle si assurée ? Le moi qu'établit la conscience comme conscience réfléchie résiste-t-il à une analyse critique ? Se pourrait-il alors qu'une part de ce que je suis ne me soit pas accessible, et même, pire encore, que cette part d'ombre maîtrise et domine, en dehors de mon contrôle, la part transparente de ma conscience ? **Ma vie se jouerait-elle sans moi ?**

Si le sujet est central dans la refondation moderne de la philosophie, alors le monde et les autres sont potentiellement rejetés au second plan et dans l'incertitude. Que faire alors de l'évidence de ce monde qui se donne à moi, et des autres qui le peuplent ? Faudra-t-il se méfier de la perception et en questionner les fondements ? Faudra-t-il se borner à ne comprendre l'autre qu'à partir de moi-même, que comme mon analogue ? Quand je désire l'autre, est-ce bien cet autre, tel qu'il m'est donné ou tel qu'il se donne à moi, que je désire, ou bien l'objet de mon désir est-il construit, et tout désir égoïste ?

Enfin, la conscience humaine est souci, appréhension, conscience du temps. C'est pourtant bien loin d'être un repère : même si c'est dans le temps que j'organise mon aperception du monde, je me perds autant dans le temps que je m'y retrouve. Le temps n'est-il que la dimension subjective de ma durée, de mes états, ou bien la dimension objective régulière dont nous parlent les sciences ? C'est la valeur de l'existence elle-même, et le bonheur qu'on peut y espérer, qui est alors aussi en jeu : **la vie a-t-elle un sens, ou mon existence n'est-elle qu'un fait absurde ?**

La conscience

Définir, Problématiser

La conscience s'entend en un premier sens comme une veille, comme une présence : la conscience redouble mon expérience du monde, je m'aperçois de mes perceptions. La conscience est alors la synthèse de mes perceptions. Ce premier sens de la notion (la conscience comme rapport au monde) a souvent été qualifié de conscience immédiate. L'expression ne doit pourtant pas laisser croire que la conscience est réduite à la passivité ou au réflexe : c'est toute la différence entre voir et regarder, ou entre écouter et entendre. C'est que la conscience peut être animée par l'intention, par le projet : nous ne nous apercevrions alors que de ce qui nous intéresse. **La conscience n'est-elle qu'une veille passive ou bien est-elle sélective et donc active ?**

En un second sens, la conscience est aussi rapport à soi. La notion de sujet accentue cette mise à l'écart du monde : le sujet, c'est l'esprit réflexif en tant qu'il est distingué de l'objet extérieur à connaître. Le sujet est celui qui dit « je », qui unifie sous cette unique bannière, sous ce pronom, la diversité de ses états. On a souvent utilisé l'expression de conscience réfléchie pour caractériser ce rapport à soi : mais c'est surtout la gestion de l'identité qui définit son activité. Or, cette identité ne manque pas de faire problème, dans la mesure où nous nous cherchons tous. Sommes-nous vraiment ce que nous sommes, ou bien le « moi » n'est-il qu'un mythe qui recouvre, chez chacun, une multiplicité irréductible de tendances, de rôles et de visages ? **Le « moi » est-il fondé sur une réalité unique, ou bien n'est-il qu'une fiction langagière ?**

Développer

I. L'homme et le monde : la conscience immédiate

a. Conscience et adaptation

La conscience unifie la diversité de ce qui est perçu. Pourtant, il ne suffit pas de percevoir pour être conscient. Pour être conscient, il faut manifester une capacité de s'adapter au réel. On peut dire par exemple que celui qui traverse à pied une autoroute est inconscient, non pas parce qu'il n'a pas vu le trafic, mais justement parce qu'il l'a vu sans prendre conscience du danger. La conscience s'adapte au réel en nous inscrivant dans l'espace et le temps : si je me réveille à un endroit ou une heure inhabituelle, je me demande d'abord où je suis et l'heure qu'il est. Seule la suradaptation de l'habitude (je me réveille chez moi et à six heures comme toujours) apaise cette recherche. Ainsi la conscience est-elle en un sens productrice d'habitudes, de tics et de rites qui scandent le temps et l'espace, recherchant en eux familiarité et régularité, pour désamorcer souci et inquiétude.

Mais en l'apaisant, la suradaptation menace en retour la conscience dont elle était issue : en effet l'habitude mécanise la conscience et fait retour vers le réflexe. Si la plupart des accidents de la circulation surviennent sur le trajet quotidien, c'est bien qu'à force de croire connaître la route on ne la regarde plus. L'habitude menace la conscience parce qu'elle tue l'attention. Ravaisson explique qu'« en descendant par degrés des plus claires régions de la conscience, l'habitude en porte avec elle les lumières dans les profondeurs et dans la sombre nuit de la nature. C'est une nature acquise, une seconde nature qui a sa raison dernière dans la nature primitive, mais qui seule l'explique à l'entendement[1] ». Le double réseau de métaphores de ce passage (les oppositions du haut et du bas, du clair et de l'obscur) distingue la conscience de la nature. En un premier temps la conscience s'arrache à la nature, mais c'est pour ensuite risquer d'y retomber une fois engourdie et solidifiée en habitude. L'habitude est une seconde nature qui signifie la disparition de la conscience dont elle est pourtant issue. Ainsi l'écrivain Georges Perros pouvait-il dire : « l'habitude, c'est l'animal en nous[2] ».

Cette analyse débouche implicitement sur l'idée que la conscience est fondamentalement quelque chose de culturel plutôt que quelque chose de naturel. La nature est l'autre de la conscience, qui se conquiert en dépassant la nature et se perd en y faisant retour.

b. Conscience et nature

Il y a d'abord lieu ici de tenter de distinguer deux pouvoirs apparemment très proches : l'instinct et la conscience. L'instinct se définit comme un système sensorimoteur régi par le programme génétique : le comportement instinctif est donc auto-

1. Ravaisson, *De l'Habitude*, Fayard, 1984, p. 35.
2. Perros, *Papiers Collés*, « L'Imaginaire », Gallimard, 1960, p. 111.

matique, inné et inconscient, alors que la conscience est capable de déroger à l'instinct. Ainsi, la respiration est un comportement automatique et inconscient : je ne peux me suicider en retenant ma respiration[1], parce que l'instinct finira par me refaire inhaler à nouveau. Sous l'eau c'est ma conscience qui m'interdit de respirer, alors que c'est l'instinct qui finit par me noyer (en me faisant respirer). Conscience et Instinct semblent donc bien s'opposer.

Toutefois, ne peut-on soupçonner que cette opposition est le fruit d'une position anthropocentriste qui voudrait réserver la conscience à l'homme et décréter arbitrairement que les autres animaux n'en bénéficient pas ? Deux hypothèses sont possibles ici. Selon la première, il n'y aurait entre instinct et conscience qu'une différence de degré : la conscience ne serait qu'un stade très avancé du développement de l'instinct. Le présupposé de cette hypothèse, c'est que la conscience est en elle-même quelque chose de naturel : cette hypothèse est donc typiquement celle de la neurobiologie contemporaine. L'autre thèse possible est celle de l'opposition : en réalité, cette thèse n'affirme rien d'autre que la spécificité humaine en donnant à cette spécificité le nom de conscience. Ce n'est donc pas parce que l'homme est supérieur à l'animal qu'il a une conscience, mais c'est parce qu'on veut affirmer sa singularité, sa différence (et non sa supériorité) qu'on dit qu'il a une conscience.

c. Conscience et intention

Ce qu'il peut y avoir de plus dans la conscience que dans l'instinct, c'est le projet. C'est ce qu'exprime la formule la plus célèbre de la phénoménologie de Husserl : toute conscience est conscience de quelque chose. La phénoménologie est une méthode de pensée qui entend analyser non pas le monde comme un objet réel, mais ce qui apparaît à la conscience. Par cette méthode, Husserl réfute la notion d'état de conscience, méthode qui sépare l'objet et le sujet. Conscience de quelque chose signifie donc qu'il n'y a pas d'un côté un fait psychique (l'état de conscience d'un sujet) et de l'autre un fait physique (l'objet), mais qu'au contraire la visée de la conscience implique qu'il y ait quelque chose de visé. Ainsi la conscience n'est pas une veille passive ; être conscient est une expression qui ne peut être intransitive.

Husserl a appelé « intentionnalité cette propriété qu'ont les vécus d'être conscience de quelque chose[2] ». Il s'agit là pour lui de la structure la plus fondamentale de la conscience. Comprendre la conscience à partir de l'intention, c'est aussi comprendre comment nos perceptions sont mobilisées par ce qui nous intéresse, par ce vis-à-vis de quoi nous avons un projet. Ainsi celui qui me parle pendant que je pense à autre chose (qui m'intéresse davantage) pourra me dire que je ne l'écoute pas même si je l'entends. Écouter, c'est plus et mieux qu'entendre, parce que l'écoute est active, concentrée, alors qu'entendre est seulement passif. La conscience mue par l'intentionnalité est donc sélective.

1. Les amateurs se souviendront ici du fils de Soupalognon y Crouton dans *Astérix en Hispanie*.
2. Husserl, *Idées directrices pour une phénoménologie*, « Tel », Gallimard, 1950, p. 283.

Même différence, et aussi éclairante, entre regarder et voir : quand je regarde, la vision se fonde sur une intention de voir, une visée accompagne la vision, sans quoi je me contente de voir : ainsi, comme le dit Merleau-Ponty, « on ne voit que ce qu'on regarde[1] ». Husserl a donné le nom de noèse à cette visée de la conscience, qui porte en elle son référent intentionnel, le noème. Le noème n'est pas l'objet tel qu'il est en soi (il n'y a pas en moi un petit double des choses, comme une copie ou un reflet), mais celui qui est visé intentionnellement par l'acte de la conscience, qui est une donation de sens.

II. Le moi comme centre

a. La refondation de la philosophie autour du sujet

L'idée de conscience ne prend en effet véritablement son sens qu'à partir de la philosophie cartésienne : la conscience ne représente pas en tant que telle une difficulté philosophique avant Descartes. Descartes en effet commence son entreprise philosophique par un bilan du savoir acquis pendant ses études, pour constater qu'il y a dans ce savoir des erreurs ou des contradictions, qu'il ne suffit pas de corriger isolément. Pour Descartes, c'est l'édifice entier qui doit être refondé : si le pommier porte des pommes pourries, c'est l'arbre lui-même et ses racines qui sont en cause. Le premier objectif de Descartes est donc de trouver ce premier principe sur lequel on pourra refonder l'ensemble du savoir : la démarche consiste donc à douter de tout jusqu'à trouver l'indubitable, qui sera le premier principe qu'il recherche.

Ce premier principe, sera l'évidence que je suis et que je suis conscient : c'est une évidence simultanée et première. Dans le *Discours de la Méthode* de Descartes, l'idée selon laquelle je suis et j'ai conscience d'être est la seule idée qui résiste au doute méthodique que les contradictions du savoir (et l'évidence que les sens nous trompent) ont inspiré à Descartes. Même en doutant de tout, je ne peux résister à l'évidence que je suis et que je me pense. Descartes tente de résister à l'évidence en supposant un Dieu trompeur qui ferait en sorte de me persuader à tort que je pense et que je suis : mais même pour être trompé il faut encore que je sois et que je pense. Donc le « je pense, donc je suis » est dans l'ordre chronologique la première évidence que Descartes met au jour (voir texte n° 1).

La conscience est donc la première évidence : je pense et je suis à la fois, même si cette simultanéité est le résultat d'une déduction. Poser un donc entre je pense et je suis, un donc qui n'est pas un donc de cause à effet, c'est poser la conscience comme ce qui lie l'idée que je pense et l'idée que je suis. C'est dans cette exacte mesure que la conscience est la première découverte de Descartes. Elle constitue littéralement le premier principe qu'il recherchait. Elle est aussi de ce fait le point de départ de l'entreprise de reconquête du monde extérieur, dont on a douté. La conscience pose comme évidence première un sujet face à des objets, un sujet évident face à des objets douteux.

1. Merleau-Ponty, *L'Œil et l'Esprit*, « Folio-Essais », Gallimard, 1964, p. 17.

b. Le monde entre parenthèses

Husserl a l'intention de mener l'entreprise cartésienne à son terme, car à ses yeux Descartes a manqué de radicalité dans sa tentative, en restant, en chemin, prisonnier de ce que Husserl appelle l'« attitude naturelle », et qui consiste à admettre une évidence « naïve » de l'existence du monde. Il est faux, pour Husserl, que le monde existe de façon neutre, évidente et immédiate : notre regard sur le monde n'est jamais neutre et porte toujours en lui une charge de sens quelle qu'elle soit. Alors, en quoi Descartes est-il resté prisonnier de cette évidence naïve et en quoi a-t-il manqué de radicalité ? C'est que son doute méthodique est sélectif au lieu d'être radical. Husserl reproche en quelque sorte à Descartes d'avoir feint de suspendre l'ensemble du savoir de façon radicale, alors qu'en réalité il semble ne s'agir que de choisir parmi le savoir disponible. Pour illustrer et expliciter le grief de Husserl, on peut, bien que Husserl ne cite pas ce texte, s'en référer à une certaine réponse de Descartes à un de ses objecteurs, le Père Bourdin, qui conteste justement à Descartes le droit de donner à son doute un caractère à la fois radical et sélectif.

Bourdin formule ainsi sa question : « Oserais-je [...] vous demander pourquoi, après avoir fait une abdication solennelle de toutes vos anciennes opinions, comme d'autant de choses fausses ou douteuses, vous voulez encore une fois repasser les yeux dessus, comme si vous espériez tirer quelque chose de bon et de certain de ces vieux lambeaux et fragments[1] ? ». Descartes pour répondre utilise le modèle analogique du panier de pommes : « Si d'aventure il avait une corbeille pleine de pommes, et qu'il appréhendât que quelques-unes ne fussent pourries, et qu'il voulût les ôter, de peur qu'elles ne corrompissent le reste, comment s'y prendrait-il pour le faire ? Ne commencerait-il pas tout d'abord à vider sa corbeille ; et après cela, regardant toutes ces pommes les unes après les autres, ne choisirait-il pas celles-là seules qu'il verrait n'être point gâtées ; et laissant là les autres, ne les remettrait-il pas dans son panier[2] ? »

Cette réponse est délicate, au sens où, si l'on suit bien l'analogie, il faut conclure qu'ici les idées sont dans l'esprit comme les pommes dans un panier : tout se passe dans le texte comme si le *cogito* était donné d'avance, comme une des pommes qu'on peut d'abord rejeter du panier, puis reprendre. Or il est pourtant clair que le *cogito* est d'une tout autre nature, d'une radicale : il ne saurait être comparé à une des pommes du panier, mais à l'acte de trier les pommes. Par conséquent, on peut en effet dire qu'en comparant le *cogito* à une des pommes du panier, Descartes fait de son doute un doute sélectif plutôt que radical, ce qui fonde les reproches de Husserl quant à son manque de radicalité (voir texte n° 7).

Les deux attitudes « suspensives » de Descartes et Husserl débouchent donc sur deux directions bien différentes : d'un côté Descartes finit par reprendre en compte une « chose du monde » ou en tout cas quelque chose dont il fait une « substance », qu'il transforme en chose, Husserl de l'autre côté s'en tient à une attitude différente

---

1. Descartes, « Septièmes Objections et Réponses », in *Œuvres philosophiques*, Garnier, tome 2, 1967, p. 979.
2. *Idem*, p. 982.

qui refuse l'attitude naturelle. Cette fameuse épochè[1] de Husserl, c'est une suspension, une mise entre parenthèses qui n'est déjà plus tout à fait un doute : c'est, comme l'explique Husserl lui-même, une « mise hors-jeu » de toutes les attitudes que nous pouvons prendre vis-à-vis du monde objectif[2]. »

c. La conscience n'est-elle qu'un résidu ?

Il ne s'agit pas de croire ou de se faire croire que le monde n'existe plus, car il est bien évidemment impossible de se déprendre du monde. Aussi bien, et Husserl le précise dans le texte précédent, le « moi » n'est pas un simple « résidu » d'un « anéantissement du monde » qui serait parfaitement farfelu. L'idée est plutôt ici que le monde n'est plus mis en jeu comme quelque chose qui existe, mais comme quelque chose qui apparaît, comme un phénomène. Ainsi du moi : il ne s'agit plus d'une partie (d'un résidu ou d'un reliquat, d'une dernière pomme) du monde : « ce moi et sa vie psychique, que je garde nécessairement malgré l'épochè, ne sont plus une partie du monde[3] ». La position de l'ego est transcendante à ce monde.

L'attitude de Husserl n'est donc plus l'« attitude naturelle » dont il reproche à Descartes d'être encore prisonnier, mais l'attitude dite « phénoménologique », qui considère la conscience dans son rapport à ce qui apparaît et non plus à des choses conçues comme objectivement extérieures : « je ne nie donc pas ce monde comme si j'étais sophiste ; je ne mets pas son existence en doute, comme si j'étais sceptique ; mais j'opère l'épochè phénoménologique qui m'interdit tout jugement portant sur l'existence spatio-temporelle[4] ». C'est là rompre les amarres d'avec le réalisme de Descartes. Si on pouvait parler de réalisme à propos de Descartes, parce qu'il s'agissait de retrouver, de reconstituer une réalité extérieure, il faut au contraire à propos maintenant de Husserl parler d'idéalisme. L'épochè a en effet mis hors jeu, hors circuit tout être transcendant et toute nature mondaine (du monde), par la découverte, qui est la sienne, de l'absoluité de l'être immanent de la conscience. « Si le moi n'est plus une partie réelle du monde, de même, inversement, le monde et les objets du monde ne sont pas des parties réelles de notre moi[5]. » C'est ce trait qui fait l'immanence de la conscience, et la transcendance du monde.

La leçon de Husserl est que notre regard sur le monde n'est jamais neutre, qu'il est toujours porteur de sens, et le thème de la « donation de sens » est prégnant dans la phénoménologie : la conscience est ce qui donne du sens au monde. Aussi est-il clair que la conscience n'est plus un contenant à dissocier du monde, et clair aussi qu'il émane d'elle des actes qui donnent sens à ses représentations. Ainsi, la conscience est toujours déjà engagée dans le monde : c'est pour rendre raison de cet état de choses que Husserl utilise le terme d'« intentionnalité ». L'objet de la visée de la conscience n'a donc rien à voir avec la chose réelle, « transcendante », c'est-à-dire

1. Du mot grec εποχη, qui signifie suspension.
2. Husserl, *Méditations cartésiennes*, § 8, Vrin, 1980, p. 17.
3. *Idem*, § 11, p. 21.
4. Husserl, *Idées directrices pour une phénoménologie*, § 32, « Tel », Gallimard, 1950, p. 102.
5. Husserl, *Méditations cartésiennes*, *op. cit.*, § 11, p. 22.

extérieure à la conscience, mais se confond au contraire avec le contenu de la représentation. Il n'y a donc pas deux choses, l'une transcendante (l'« objet réel »), et l'autre immanente (l'« objet mental »), mais une seule et même chose, l'objet en tant qu'il est visé par la conscience.

III. L'identité : le problème du sujet

La conscience est ici envisagée à présent comme rapport à soi-même. L'enjeu de cette relation consiste à établir une identité, référent du pronom personnel « je ». L'identité se définit comme égalité à soi-même : elle suppose donc l'unité et la permanence : l'instabilité et la multiplicité du moi sont les obstacles qui se présentent sur le chemin de l'identité personnelle.

a. Le tournant cartésien : le moi substantiel

On l'a vu, la conscience et l'identité sont au centre de la philosophie cartésienne, en tant qu'elles sont le résultat de sa démarche méthodique : le doute. Lancé dans un examen critique du savoir qu'il a acquis, Descartes a résolu de considérer comme faux tout ce dont il est possible de douter, afin de pouvoir rebâtir dans un fonds qui soit tout à fait sien. Ainsi Descartes en arrive-t-il à l'idée selon laquelle « toutes les choses qui ne m'étaient jamais entrées en l'esprit n'étaient non plus vraies que les illusions de mes songes[1] ». Mais une dernière chose résiste au doute : c'est moi. En effet je ne puis jamais douter de moi sans en même temps supposer mon existence. Même les fictions méthodologiques du malin génie et du Dieu trompeur (lesquels pourraient me faire croire que je suis alors que je ne suis pas) aboutissent encore à la même conclusion : pour être trompé, il faut bien que je sois.

L'affirmation du moi a reçu cette expression restée célèbre : « je pense, donc je suis ». C'est la consubstantialité de la pensée et de l'existence : en même temps que je pense que je suis, je suis : cette coïncidence définit la conscience. Arrivé à ce résultat, Descartes en fait le point d'Archimède qu'il recherchait et lui accorde la stabilité dont manquait le monde extérieur révoqué en doute. Il opère alors un saut : de la réalité indubitable de cette chose (le moi), Descartes en affirme la stabilité. C'est ce qu'on appelle le saut substantialiste, qui conduit à affirmer le caractère substantiel de la conscience. Substance signifie réalité permanente : étymologiquement, le terme signifie ce qui reste dessous, c'est-à-dire la base stable que n'altère pas le changement des aspects superficiels.

Descartes a ainsi abouti à une conscience solitaire, stable et sûre d'elle-même. Sa démarche entière recentre la philosophie sur la notion de sujet, cette conscience de soi séparée des objets et du monde. On appellera donc « philosophie du sujet » ou « pensée objective » la philosophie issue de Descartes, c'est-à-dire issue de ce recentrage de la pensée sur la conscience de soi identitaire, abstraction faite de tout ce qui n'est pas moi (l'autre, le monde...). Cette révolution explique qu'on date

1. Descartes, *Discours de la Méthode*, GF-Flammarion, 1966, p. 60.

traditionnellement de Descartes le virage moderne de la philosophie : l'autonomie du moi érige la subjectivité en principe du sujet moral qui décide librement de ses actes au sujet connaissant qui connaît un monde auquel il reste extérieur.

Enfin, ce recentrage de la philosophie autour du sujet jette les bases de la psychologie moderne, à partir de l'idée de transparence de la pensée à elle-même : « par le mot de penser, j'entends tout ce qui se fait en nous de telle sorte que nous l'apercevions immédiatement par nous-mêmes[1] ». Ma pensée me serait donc pleinement et continûment accessible. Pourtant Leibniz puis Kant ne tarderont pas à évoquer les possibilités de perceptions ou de représentations qui puissent échapper à notre conscience. Leibniz parlera ainsi de « petites perceptions[2] », accordant à la perception la continuité que Descartes prête à la conscience. Kant de son côté veut montrer lui aussi que même si « avoir des représentations, et pourtant n'en être pas conscient, semble contenir une contradiction[3] », il n'en est en fait rien : le champ des représentations obscures est immense, et « les représentations claires ne composent qu'un nombre infiniment réduit de points ouverts à la conscience[4] » : sur la grande carte de l'esprit, seules quelques places sont illuminées.

b. Les impasses de l'identité

La souveraineté du sujet ne va pas sans quelques ombres : ainsi, les socles de son autorité (la stabilité et l'unité du moi) ne sont pas incontestables.

En témoigne d'abord l'analyse de Hume, qui oppose son empirisme (« je ne peux rien observer que la perception ») au rationalisme de Descartes. Hume s'attaque ainsi à la « simplicité » cartésienne du moi, c'est-à-dire à l'idée que ce moi ne se composerait que d'un seul élément. Or Hume veut montrer que nous sommes au contraire multiples, toujours enfermés dans l'immédiateté de perceptions qui se suivent sans cohérence (j'ai froid puis chaud, j'aime puis je hais). C'est ce qui conduit Hume à réfuter l'emploi du mot « moi » et à lui préférer l'expression « ce que j'appelle moi » (voir texte n° 2), comme s'il voulait dénoncer dans cette subjectivité une et cohérente une simple habitude de langage. L'unité et la stabilité du moi sont inaccessibles à l'analyse empiriste. Mais au-delà du simple résultat ponctuel de l'application de la méthode empiriste, l'intuition la plus riche de Hume réside dans la mise en lumière du rôle du langage dans la construction du moi.

Le soupçon sous-jacent est celui-ci : l'identité personnelle n'est qu'une fiction langagière, et nous ne nous croyons possesseurs d'une subjectivité que par habitude de langage. C'est Nietzsche qui ira le plus loin sur ce chemin de la démolition du « je pense » cartésien : « Une pensée se présente quand "elle" veut et non quand "je" veux, en telle sorte que c'est falsifier la réalité que de dire que le sujet "je" est la condition du verbe "pense". Quelque chose pense, mais que ce soit justement l'antique et fameux "je", voilà, pour nous exprimer avec modération, une simple hypo-

1. Descartes, *Principes de la Philosophie*, I, 9, tome 3, Garnier, 1973, p. 95.
2. Voir cours sur l'inconscient, I a § 2.
3. Kant, *Anthropologie du point de vue pragmatique*, I, 1, § 5, « La Pléiade », tome 3, 1986, p. 953.
4. *Ibidem*.

thèse, une assertion, et en tout cas pas une "certitude immédiate[1]" ». Sont ici remis en cause l'ensemble des présupposés de l'analyse cartésienne de la conscience, c'est-à-dire la maîtrise de la pensée par la conscience et l'unité inaltérable dont le moi est censé être le siège. Il n'y a que dans le langage que c'est moi qui pense : en réalité, nos idées ne sont pas de nous, nous ne sommes pour elles que des lieux de passage, comme le montre l'expression : une idée m'a traversé l'esprit...

Que le moi existe ou non en dehors des mots, il apparaît en tout cas que le langage joue dans sa construction un rôle décisif. Dans son travail de définition de la conscience[2], Kant prend l'exemple du petit Karl qui, comme presque tous les enfants, commence par parler de lui-même à la troisième personne avant de conquérir le « je ». Kant analyse cette évolution comme un passage de « se sentir » à « se penser ». Se sentir, c'est n'être que ce qu'on perçoit de soi, c'est-à-dire être enfermé dans la multiplicité de perceptions contradictoires qu'évoquait Hume. Comment alors parler de soi autrement qu'en disant « il », puisque l'on est à chaque fois quelqu'un de différent ? Au contraire, se penser, c'est unifier ses états en arrivant à dépasser l'immédiateté de la perception. Ainsi le passage au « je » symbolise-t-il dans le langage la synthèse qu'opère toute conscience. Le sujet, s'il existe, est bien l'unité d'une multiplicité, et encore : « se trouve autant de différence de nous à nous-mêmes, que de nous à autrui[3] ».

c. Le sujet moral

La conscience a son sens pratique, ou plutôt moral : la conscience morale figure la présence en nous de normes du bien et du mal qui nous permettent de juger nos actes et ceux des autres. Faut-il croire que toute conscience est morale d'emblée ? C'est la position de Rousseau, qui définit la conscience comme conscience morale innée : « il est donc au fond des âmes un principe inné de justice et de vertu, sur lequel, malgré nos propres maximes, nous jugeons nos actions et celles d'autrui comme bonnes ou mauvaises, et c'est à ce principe que je donne le nom de conscience[4] ». Mais comment néanmoins faire en nous la part de ce qui est inné et naturel, ou acquis et culturel ? N'est-ce pas avec la même spontanéité que des hommes issus de civilisations différentes peuvent trouver la même pratique juste ou injuste ? Si la conscience est ainsi un produit social, comme dans l'analyse de Marx, les valeurs morales dont la conscience est porteuse ne sont finalement jamais que l'expression d'un simple rapport de force économique. Si la conscience morale est fonction du groupe, alors elle prend le visage d'une aliénation : dans mes jugements moraux, c'est le groupe qui pense en moi.

Lorsque je me juge, et que le moi se dédouble en juge et en jugé, comme l'ange Milou et le diable Milou au moment où il faut savoir s'il faut boire le whisky qui tombe

---

1. Nietzsche, *Par-delà Bien et Mal*, § 17, « Folio-Essais », Gallimard, 1971, p. 35.
2. Voir *L'Anthropologie du point de vue pragmatique*, I1, « La Pléiade », tome 3, 1986, p. 945.
3. Montaigne, *Essais*, II, 1, « Folio », Gallimard, 1965, p. 22.
4. *Idem*, p. 376.

du sac du Capitaine Haddock[1], le moi recouvre-t-il ces deux instances, est-il l'une des deux, ou leur est-il encore extérieur ? La conscience morale n'est-elle jamais que la voix des autres en moi, comme le surmoi freudien[2] en donne une figuration ? Jankélévitch estime que cette distinction est artificielle, qu'elle n'est qu'une illusion rétrospective : « le dédoublement de la conscience en accusateur et accusé n'est donc pas autre chose qu'une reconstitution métaphorique faite après coup[3] ». Il faut être de mauvaise foi pour finasser dans le vide, et se jouer la comédie de l'altérité là où il n'y a qu'une seule et même conscience morale aux prises avec elle-même.

Si c'est moi qui juge et moi qui suis jugé, quel moyen reste-t-il de fuir sa propre conscience ? Suis-je condamné à devoir éviter ma glace tous les matins, ou bien des arrangements[4] avec soi-même sont-ils possibles ? Finit-on toujours par être rattrapé par sa conscience, tel le *Dom Juan* de Molière finalement condamné par la statue du Commandeur, véritable allégorie de cette conscience insubmersible ? Kant veut le croire, en décrivant la conscience comme un juge intérieur qui tient l'homme en respect et qui « le suit comme son ombre quand il pense lui échapper ». Ainsi, même si l'on peut agir contre elle, on ne peut arriver à la faire taire tout à fait : « il est bien possible à l'homme de tomber dans la plus extrême abjection où il ne se soucie plus de cette voix, mais il ne peut jamais éviter de l'*entendre*[5] ». Pourtant, l'acte gratuit en littérature (Lafcadio dans les *Caves du Vatican* de Gide, Meursault dans l'*Étranger* de Camus) nous confronte à l'hypothèse inverse, celle du silence de la conscience morale : que resterait de notre espoir en l'autre si nous devions renoncer à la certitude, peut-être fragile, qui nous dit qu'au fond de lui, quelque chose sait et regrette le mal qu'il nous fait ?

Textes

1. Descartes

Existe-t-il quelque chose de tel que le « moi » ?

> Mais il y a un je ne sais quel trompeur très puissant et très rusé, qui emploie toute son industrie à me tromper toujours. Il n'y a donc point de doute que je suis, s'il me trompe ; et qu'il me trompe tant qu'il voudra, il ne saurait jamais faire que je ne sois rien tant que je penserai être quelque chose. De sorte qu'après y avoir bien pensé et avoir soigneusement examiné toutes choses, enfin il faut conclure, et tenir pour constant que cette proposition : je suis, j'existe, est nécessairement vraie, toutes les fois que je la prononce ou que je la conçois en mon esprit.

Descartes, *Méditations métaphysiques*, II, GF-Flammarion, 1979, p. 79-81.

1. Voir *Tintin au Tibet*.
2. Voir le cours sur l'inconscient, II a.
3. Jankélévitch, *Philosophie morale*, GF-Flammarion, 1998, p. 69.
4. Voir le cours sur autrui, texte n° 3, notamment les premières lignes.
5. Kant, *Métaphysique des mœurs*, II. I § 13, « La Pléiade », tome 3, 1986, p. 727.

2. Hume

Il y a certains philosophes qui imaginent que nous avons à tout moment la conscience intime de ce que nous appelons notre moi ; que nous sentons son existence et sa continuité d'existence ; et que nous sommes certains, plus que par l'évidence d'une démonstration, de son identité et de sa simplicité parfaites […] Pour ma part, quand je pénètre le plus intimement dans ce que j'appelle moi, je bute toujours sur une perception particulière ou sur une autre, de chaud ou de froid, de lumière ou d'ombre, d'amour ou de haine, de douleur ou de plaisir. Je ne peux me saisir, moi, en aucun moment sans une perception et je ne peux rien observer que la perception.

Hume, *Traité de la Nature humaine*, I, 4, 6, trad. André Leroy, Aubier, 1983, p. 342-343.

3. Pascal

Celui qui aime quelqu'un à cause de sa beauté, l'aime-t-il ? Non ; car la petite vérole, qui tuera la beauté sans tuer la personne, fera qu'il ne l'aimera plus.

Et si on m'aime pour mon jugement, pour ma mémoire, m'aime-t-on, moi ? Non, car je puis perdre ces qualités sans me perdre moi-même. Où est donc ce moi, s'il n'est ni dans le corps, ni dans l'âme ? Et comment aimer le corps ou l'âme, sinon pour ces qualités, qui ne sont point ce qui fait le moi, puisqu'elles sont périssables ? Car aimerait-on la substance de l'âme d'une personne abstraitement, et quelques qualités qui y fussent ? Cela ne se peut, et serait injuste. On n'aime donc jamais personne, mais seulement des qualités.

Qu'on ne se moque donc plus de ceux qui se font honorer pour des charges ou des offices, car on n'aime personne que pour des qualités empruntées.

Pascal, *Pensées*, 323, GF-Flammarion, 1976, p. 141.

4. Bergson

La conscience est-elle naturelle ou culturelle ?

Qu'arrive-t-il quand une de nos actions cesse d'être spontanée pour devenir automatique ? La conscience s'en retire. Dans l'apprentissage d'un exercice, par exemple, nous commençons par être conscients de chacun des mouvements que nous exécutons, parce qu'il vient de nous, parce qu'il résulte d'une décision et implique un choix ; puis, à mesure que ces mouvements s'enchaînent davantage entre eux et se déterminent plus mécaniquement les uns les autres, nous dispensant ainsi de nous décider et de choisir, la conscience que nous en avons diminue et disparaît […] Les variations d'intensité de notre conscience semblent donc bien correspondre à la somme plus ou moins considérable de choix, ou, si vous voulez, de création, que nous distribuons sur notre conduite. Tout porte à croire qu'il en est ainsi de la conscience en général. Si conscience signifie mémoire et anticipation, c'est que conscience est synonyme de choix.

Bergson, *L'Énergie spirituelle*, « Quadrige », Puf, 1982, p. 11.

5. Merleau-Ponty

Nous sommes pris dans le monde et nous n'arrivons pas à nous en détacher pour passer à la conscience du monde. Si nous le faisions, nous verrions que la qualité n'est jamais éprouvée immédiatement et que toute conscience est conscience de quelque chose. Ce « quelque chose » n'est d'ailleurs pas nécessairement identifiable. Il y a deux manières de se tromper sur la qualité : l'une est d'en faire un élément de la conscience, alors qu'elle est un objet pour la conscience, de la traiter comme une impression muette alors qu'elle a toujours un sens, l'autre est de croire que ce sens et cet objet, au niveau de la qualité, soient pleins et déterminés. Et la seconde erreur comme la première vient du préjugé du monde.

Merleau-Ponty, *Phénoménologie de la Perception*, « Tel », Gallimard, 1945, p. 11.

6. Hegel

Pourquoi y a-t-il un malheur de la conscience ?

La conscience malheureuse est la conscience de soi, comme essence doublée et encore seulement empêtrée dans la contradiction. Cette conscience malheureuse, scindée à l'intérieur de soi, doit donc forcément, puisque cette contradiction de son essence est pour elle une conscience unique, avoir dans une conscience toujours l'autre aussi ; ainsi elle est expulsée immédiatement et à nouveau de chacune, au moment où elle pense être parvenue à la victoire et au repos de l'unité. Mais son vrai retour en soi-même ou sa réconciliation avec soi, présentera le concept de l'esprit devenu vivant et entré dans l'existence : et cela parce qu'en elle déjà dans sa nature même, comme conscience indivisée unique, elle est en même temps une conscience doublée ; elle-même est l'acte d'une conscience de soi regardant dans une autre, et elle-même est les deux ; et l'unité des deux est aussi sa propre essence ; mais pour soi, elle n'est pas encore cette essence même, elle n'est pas encore l'unité des deux consciences de soi.

Hegel, *Phénoménologie de l'Esprit*, tome 1, trad. Jean Hyppolite, Aubier, 1941, p. 176-177.

7. Husserl

Le moi n'est-il qu'un résidu ?

Il est manifeste que, malgré le radicalisme qu'il exige dans l'absence de présuppositions, Descartes possède d'avance un but, en vue duquel la percée vers cet ego doit servir de moyen. Il ne voit pas qu'il a déjà abandonné ce radicalisme dès lors qu'il s'est laissé convaincre de la possibilité de ce but et de ce moyen. La simple décision de l'épochè, la simple décision d'une abstention radicale à l'égard de toute donnée préalable, de toute validité préalable du mondain, n'ont encore rien fait. Il faut que l'épochè soit, et reste accomplie sérieusement. L'ego n'est pas un résidu du monde, mais la position absolument apodictique qui n'est rendue possible que par l'épochè, que par la mise entre parenthèses de l'ensemble de la validité du monde, et qui est ainsi rendue possible comme quelque chose d'unique.

Husserl, *La Crise des sciences européennes et la phénoménologie transcendantale*, § 18, « Tel », Gallimard, 1976, p. 92.

8. Kant

Le *je pense* doit pouvoir accompagner toutes mes représentations, car autrement serait représenté en moi quelque chose qui ne pourrait pas du tout être pensé, ce qui revient à dire ou que la représentation serait impossible, ou que du moins elle ne serait rien pour moi. La représentation qui peut être donnée avant toute pensée s'appelle *intuition*. Par conséquent, tout le divers de l'intuition a un rapport nécessaire au *je pense* dans le même sujet où se rencontre ce divers. Mais cette représentation est un acte de la *spontanéité*, c'est-à-dire qu'on ne saurait la considérer comme appartenant à la sensibilité. Je le nomme *aperception pure* pour la distinguer de l'aperception *empirique*, ou encore *aperception originaire* parce qu'elle est cette conscience de soi qui, en produisant la représentation, *je pense*, doit pouvoir accompagner toutes les autres, et qui est une ou identique en toute conscience, ne peut être accompagnée d'aucune autre.

Kant, *Critique de la Raison pure*, « Quadrige », Puf, 1984, p. 66.

Sujets approchés

Que peut-on savoir de soi ?
Qu'est-ce qui fait l'identité de chacun d'entre nous ?
Peut-on se connaître soi-même ?
Peut-on se mentir à soi-même ?

→ ***Approche commune* : Mettant en cause la capacité d'accéder à soi-même, ces questions nous invitent à nous demander si le sujet est transparent ou opaque à lui-même.**

Peut-on ne pas être soi-même ?
Le moi s'identifie-t-il à la conscience ?
Qui parle quand je dis « je » ?
Si la connaissance de soi est utopique, devons-nous pour autant y renoncer ?
L'inconscient permet-il autant que la conscience de définir l'homme ?

→ ***Approche commune* : Le sujet qui est présupposé par le « Je » est-il de l'ordre de la réalité ou de la fiction ?**

Suis-je le mieux placé pour savoir qui je suis ?
Est-ce dans la solitude que l'on prend conscience de soi ?
Comment comprendre la notion de vie intérieure ?
La connaissance de soi peut-elle être sincère ?
La conscience de soi suppose-t-elle autrui ?
Suffit-il d'être différent des autres pour être soi-même ?
Quelle conception de l'homme l'hypothèse de l'inconscient remet-elle en cause ?

→ ***Approche commune* : Le sujet se suffit-il à lui-même ou bien ai-je besoin d'autrui pour être moi ? Le sujet se définit-il dans l'indépendance ou l'interdépendance ?**

Pourquoi l'homme peut-il parfois désirer l'inconscience ?
L'homme est-il plutôt celui qui existe ou celui qui vit ?
Peut-on considérer le corps comme le malheur de la conscience ?

La conscience est-elle source d'illusions ?
Qu'est-ce que prendre conscience ?
Pourquoi la vraie vie est-elle toujours ailleurs ?

→ ***Approche commune* : La conscience fait-elle le bonheur ou le malheur de l'homme ?**

Doit-on apprendre à devenir soi ?
Qu'est-ce que rester soi-même ?
Peut-on dire qu'on change avec le temps ?

→ ***Approche commune* : Le moi est-il une donnée permanente, substantielle, ou dois-je devenir ce que je suis ? Le moi est-il donné ou construit ?**

Sujet esquissé : Qui parle quand je dis « je » ?

Introduction

Chacun de nous parle de lui-même en employant le « je », et fait comme si ce pronom renvoyait bien toujours à la même personne, à un « moi » stable et identifiable. L'énoncé remet en question cette habitude de pensée et de langage, et fait porter l'interrogation sur le référent du pronom personnel « je ». Un pronom, comme son nom l'indique, s'utilise à la place d'un nom : ce référent remplacé n'est-il pas finalement indéterminé ? Son existence n'est-elle pas constamment supposée ? Le sujet grammatical correspond-il vraiment à un sujet psychologique ? Ainsi centré, l'énoncé pose implicitement la question de savoir si l'identité existe vraiment (comme référent du « je ») ou si elle n'est qu'un mythe posé par nos habitudes de langage. Le sujet, réalité ou fiction langagière ?

Lignes directrices

1. L'unité pleine : c'est moi qui parle, et ce moi existe.

Le moi permanent et substantiel du rationalisme. Ce socle peut être analysé avec le recul critique de Kant comme une conquête langagière (cf. cours III b § 2). Passer du il au je, c'est identifier la variété de nos états à un même référent, le sujet. La prise de conscience (au sens de la conscience réfléchie) est un acte de langage.

2. L'unité remise en cause : celui qui parle est toujours moi, mais à chaque fois un nouveau locuteur.

Le moi discontinu des empiristes n'est plus vraiment le sujet substantiel. Du coup, est-il encore légitime de renvoyer à tous ces états à partir du même pronom ? Hume montre bien que non, en substituant au moi l'expression « ce que j'appelle moi » (cf. cours III b § 2 et texte n° 2). Le soupçon porte ici sur le « moi » comme abus de langage.

3. L'unité éclatée : ça pense et ça parle en moi.

Nietzsche ira plus loin dans cette voie du soupçon : pour lui, la relation du « je » sujet du verbe pense au sujet psychologique substantiel relève de la supercherie grammaticale. Il y a bien de la pensée mais dire que c'est moi qui pense, c'est postuler un sujet permanent là où il n'y est pas (cf. cours III b § 2). Qui parle alors en moi quand je dis je ? Répondre : le surmoi freudien, c'est encore postuler un sujet…

La perception

Définir, Problématiser

La tradition classique s'est largement nourrie de la méfiance inspirée par le sensible. La perception n'échappe pas à cet opprobre : le sensible est le monde du changeant, du mouvant, là où la philosophie et la science, dans leur coup d'envoi grec, se sont constituées autour de l'idée qu'il n'est de savoir que de ce qui est stable et fixe. Ce faisant, la raison, comme faculté des principes et de l'universel, s'arroge le monopole du sens, s'accordant à elle-même un crédit unilatéral et exclusif. Le mépris du sensible et de la perception n'est-il que le contrecoup de cette volonté de la raison, ou bien est-il fondé par ailleurs sur une fausseté, une inauthenticité qui leur serait intrinsèque ? L'enjeu n'est autre que le monde et que la connaissance que nous en prenons : **faut-il, pour avoir accès au monde et pour le connaître, s'arracher à la perception, ou bien au contraire essayer de rétablir les conditions d'une épiphanie du sensible ?**

Il faut d'abord comprendre ce à quoi renvoie la distinction de la perception et du sensible. Le sensible est ce qui nous est donné à sentir, et non à percevoir. La distinction est d'importance : la sensation rencontre un divers et un donné qui précèdent tout jugement (on parlera pour cette raison de donné antéprédicatif), alors que la perception est déjà organisation, unification de ce donné. Le sensible, c'est donc cette part de notre expérience du monde qui est irréductible à la présence de la raison, qui ne peut voir dans le sensible que son autre. Penser la spécificité du sensible est alors bien difficile : le sensible n'est-il pas victime du rejet des sens, la raison y affrontant ce qu'elle reconnaît le moins ? **Suffira-t-il, pour penser le sensible, de réhabiliter la perception ou au moins de lui donner droit de cité, ou bien le sensible reste-t-il irréductiblement spécifique ?**

La perception se comprend donc comme organisation d'un divers sensoriel. Il faut considérer les conditions de cette organisation : doit-on y voir l'indice que la perception signifie quelque chose dans notre rapport au monde, ou au contraire suspecter que cette organisation ne lui est pas intrinsèque, et que finalement la perception est indiscernable du jugement et de la conscience ? **La perception est-**

elle capable de s'organiser par elle-même, de se suffire à elle-même, ou bien au contraire dépend-elle d'autre chose que d'elle-même ?

Développer

I. Le mépris du sensible

La tradition classique est profondément marquée par le rejet du sensible. Il s'agit d'abord d'en comprendre le fondement, pour repérer le discrédit de la perception dans cette constitution autarcique de la raison, qui n'est pas chez elle dans le sensible.

a. S'arracher au sensible

Le discrédit du sensible, ou « l'abolition du sensible par un verdict global qui le déclare mauvais et l'envoie promener[1] » nous renvoie à la naissance même du savoir, à son origine grecque. La philosophie et la science se constituent en effet d'emblée comme refus. Ce qui est refusé est à la fois l'objet et le cauchemar de notre étonnement : le changement. Le réel est le lieu de toutes les contradictions, les choses y sont à la fois elles-mêmes et leur contraire. La raison se veut au contraire faculté du même, du stable et de l'universel[2]. Pour connaître, il s'agit donc de s'arracher au sensible, cet arrachement étant la condition de l'accès à ce qui est rationnel. L'être vraiment être est alors identifié à l'idée, et le sensible se voit rejeté du même coup au plus bas degré de l'être. Sous le nom générique du visible, le sensible fait figure, dans l'analogie platonicienne de la ligne (voir texte n° 5), de degré subalterne de l'être. L'allégorie qui vient donner, dans le chapitre VII de la *République* une figuration accessible à cette analogie de la ligne, identifie le sensible au monde souterrain de la caverne, qui est à la fois un sous-monde, inférieur en dignité au monde intelligible, et un faux monde, celui des copies et de l'apparence, où le prisonnier prend tour à tour pour hommes l'ombre portée du mannequin sur la paroi, puis le mannequin lui-même.

Pareil arrachement ne va pas de soi : il faut sortir de la caverne, renoncer à l'opinion. Comme le prisonnier de la caverne, nous sommes enchaînés dans le sensible, mais cet enchaînement est en même temps une séduction. La métaphore de l'arrachement, que celle de la prison du sensible vient filer, se justifie alors pleinement. Le saut vers l'intelligible renonce à un bonheur originel et suppose des voies d'accès, des propédeutiques. Dans la *République*, c'est la géométrie qui joue ce rôle propédeutique, dans le *Banquet*, c'est l'amour[3]. Mais à chaque fois, l'arrachement est une ascension, une dialectique ascendante : le sensible est en bas et l'intelligible est en haut. Pour y revenir, il faut y redescendre, comme le prisonnier le fait à la fin de l'allégorie, pour aider les autres à s'en détacher, comme aussi Socrate se confronte, dans la Cité, aux opinions pour les remettre en cause. On sait que cette démarche n'a

1. Jankélévitch, *Le Sérieux de l'Intention*, Champs-Flammarion, 1983, p. 125.
2. Voir le chapitre sur la démonstration, notamment en I a.
3. Voir le *Banquet*, p. 209-211.

porté bonheur ni à l'un ni à l'autre, le prisonnier ayant été mis à mort par ses congénères comme Socrate par les Athéniens : arracher chacun au sensible est un travail ingrat et de longue haleine.

Ce travail est aussi celui de la raison scientifique et de la raison morale. Dans son effort pour penser l'objectivité scientifique, Bachelard rencontre le sensible comme un obstacle dans sa démarche épistémologique. En effet, les tendances normales de la connaissance sensible sont marquées par une fausse immédiateté et une fausse satisfaction, et « il faut donc accepter une véritable rupture entre la connaissance sensible et la connaissance scientifique[1] ». Puisqu'en laissant une place au sensible dans la connaissance, on ne peut que faire le jeu d'une réduction au sensible de la connaissance, il faut une séparation nette, une rupture (voir texte n° 4). La raison morale a à faire à la résistance du sensible, des penchants et des sentiments. Rejetant le sensible vers le pathologique, Kant formule sa théorie de la morale par un commandement exclusif de la raison : comme faculté supérieure de désirer, celle-ci doit soumettre à elle la faculté inférieure de désirer qui se fonde sur le plaisir et la peine[2].

b. Le procès de la sensibilité comme source du savoir

Pour réduire le sensible, il s'agit donc de le subordonner : le sensible n'est qu'un pourvoyeur de représentations fausses, une source critiquable du savoir. On sait que Descartes a entrepris de confondre les sens par l'épreuve du morceau de cire. Dans un premier temps, ce sont apparemment les sens qui peuvent me dire ce qu'est la cire. Multipliant les notations sensibles sur ce morceau (dur, froid, etc.), Descartes conclut que « toutes les choses qui peuvent distinctement faire connaître un corps, se rencontrent en celui-ci[3] ». Mais le passage du morceau de cire au feu infirme aussitôt cette conclusion provisoire. Pris au piège du changement, les sens me donnent certes à nouveau des informations sur la cire, mais des informations différentes, et qui mèneraient à conclure, si l'on s'y fiait, que l'on a à faire à un morceau de cire différent. Or, il s'agit en réalité de la même cire, si bien que ce qui est connu de la cire « ne peut être rien de ce que j'y ai remarqué par l'entremise des sens », puisque les données sensibles « se trouvent changées, et cependant la même cire demeure[4] ».

La diabolisation rationaliste de la perception se heurte ici à un obstacle retors : les données des sens sont peut-être contestables, mais de fait elles existent. Ce que le sensible nous dit est peut-être faux, mais néanmoins, il nous dit bien quelque chose. Quelle place ménager alors à cette présence encombrante ? Que faire du sentir ? Puisque son existence est incontestable, il faut au moins que le rationnel soit sa condition de possibilité : « il se rencontre en moi une certaine faculté passive de sentir, c'est-à-dire de recevoir et de connaître les idées des choses sensibles ; mais elles me seraient inutiles, et je ne m'en pourrais aucunement servir, s'il n'y avait en moi, ou en autrui, une autre faculté active, capable de former et produire ces

---

1. Bachelard, *La formation de l'esprit scientifique*, Vrin, 1983, p. 240.
2. Voir la *Critique de la raison pratique*, livre premier.
3. Descartes, *Méditations métaphysiques*, II, GF-Flammarion, 1979, p. 89.
4. *Ibid.*

idées[1] ». Pourtant, l'expérience elle-même de la cire paraît moins catégorique, car si à vrai dire la même cire demeure, il n'est pas incontestable que ce soit la seule raison qui nous le dise. Le passage au feu se fait en effet sous les yeux du narrateur (« mais voici que, cependant que je parle, on l'approche du feu[2] ») au point qu'on pourrait prétendre que ce sont au contraire ici les sens qui donnent à l'idée substantielle de la raison sa condition de possibilité. Si en effet le passage au feu se faisait en un autre lieu, même la raison serait bien en peine de dire, au retour du morceau, s'il s'agit de la même cire que la précédente.

Mais en réalité, les choses sont moins simples, à la mesure de la difficulté de la distinction cartésienne entre l'exercice des sens et celui de la raison. En effet, la perception n'est autre qu'un mode de l'activité rationnelle, et l'analyse de Descartes paraît contourner l'obstacle du sensible en l'indexant d'emblée à autre chose qu'à lui-même. Par exemple, Descartes ne parle finalement pas à proprement parler de la vision, mais de la pensée de la vision. Une réponse à Gassendi l'établit explicitement : « vous m'arguez ici en passant de ce que, n'ayant rien admis en moi que l'esprit, je parle néanmoins de la cire que je vois et que je touche, ce qui toutefois ne se peut faire sans yeux ni mains ; mais vous avez dû remarquer que j'ai expressément averti qu'il ne s'agissait pas ici de la vue ou du toucher, qui se font par l'entremise des organes corporels, mais de la seule pensée de voir et de toucher, qui n'a pas besoin de ces organes, comme nous expérimentons toutes les nuits dans nos songes[3] ». Voilà le sensible annexé par le rationnel, et voilà sa différence annulée. Le sensible n'est plus rien par lui-même puisqu'il n'est plus qu'un mode du rationnel.

c. Le sensible exclu de l'être

Le double opprobre jeté sur le sensible (la distinction et la dévalorisation) se trouve thématisé dans la distinction des qualités premières et des qualités secondes. Telle que Locke l'a définie[4], il s'agit d'une distinction entre les qualités qui sont inséparables de l'objet qui les produit dans notre esprit, et qui sont dans ces corps indépendamment de nous (les qualités premières) ; et des qualités qui ne sont que l'effet des premières sur nous, et qui ne sont donc dans les corps que pour nous (les qualités secondes). Son enjeu, en distinguant dans la chose ce qui lui appartient en propre, est de garantir la réalité de cette chose en la prémunissant contre l'altération du point de vue subjectif. L'idée sous-jacente selon laquelle le réel est stable et immuable perpétue l'exclusion du sensible, dont cette distinction devient l'instrument. Cela voudrait dire « que les qualités "premières", qui restent quand on *retranche* les précédentes, appartiendraient à la chose telle qu'elle est objectivement et véritablement[5] ».

---

1. Descartes, *op. cit.*, VI, p. 177.
2. Descartes, *op. cit.*, p. 89.
3. Descartes, *Réponse aux cinquièmes objections*, « Classiques Garnier », Bordas, tome 2, 1988, p. 802-803.
4. Voir l'*Essai sur l'entendement humain*, II, 8, § 8 à 26.
5. Husserl, *Idées directrices pour une phénoménologie*, § 40, « Tel », Gallimard, 1950, p. 128.

La distinction des qualités premières et des qualités secondes réduit la chose à ses qualités non sensibles, excluant ainsi le sensible du réel. Appliqué aux sciences, cet outil réduit la chose à une quantité (c'est la *res extensa* cartésienne), et en exclut les aspects qualitatifs. En cela, l'exclusion du sensible est étroitement solidaire de la révolution galiléo-cartésienne et de la mathématisation du réel. « Il est impossible de fournir une déduction mathématique de la qualité. Nous savons bien que Galilée, comme Descartes un peu plus tard, et pour la même raison, fut obligé de supprimer la notion de qualité, de la déclarer subjective, de la bannir du domaine de la nature. Ce qui implique en même temps qu'il fut obligé de supprimer la perception des sens comme la source de connaissance[1] ».

Le rationalisme scientifique ne peut donc guère se déprendre de la distinction : ainsi Bachelard, même s'il en remet lucidement en question les fondements (« Il faudrait se demander si cette distinction n'est pas une simplification rapide fondée sur l'idéalité des formes et sur le sensualisme de certaines qualités[2] ») ne peut finalement qu'en rester solidaire. Son analyse de l'exemple de l'or le conduit à rejeter son poids, son jaune et son brillant comme autant d'irréalités pour privilégier le réel rectifié et ordonné des qualités premières et non sensibles. Duhem ira plus loin encore dans la réduction du sensible et des qualités secondes. En montrant que les qualités sont elles aussi susceptibles de plus ou de moins (par la notion d'intensité), il ouvre la voie à une thèse selon laquelle il n'est plus même besoin d'exclure les qualités secondes de la physique ; il ne s'agit pas pour autant de prendre en compte le sensible, mais bien au contraire d'en écraser une bonne fois la spécificité en ramenant le quantitatif au qualitatif. Le projet cartésien est ainsi réalisé au-delà de toute espérance : « il n'est point nécessaire d'imiter le grand philosophe et de rejeter toute qualité, car le langage de l'Algèbre permet aussi bien de raisonner sur les diverses intensités d'une qualité que sur les diverses grandeurs d'une quantité[3] ». Le réel est donc assimilé à une matière elle-même comprise comme figure et mouvement, et dont la raison a exclu le sensible.

II. Quelle valeur pour la perception ?

Qu'est la perception au sein du sensible ? Il faut en venir à une caractérisation plus précise, pour que le perçu puisse répondre aux griefs introduits contre le sensible en général.

a. La perception entre jugement et sensation

La perception se présente manifestement comme unité d'un divers, fort difficile à distinguer de la sensation et du jugement. Classiquement, la sensation est considérée comme étant en amont de la perception : la multitude du donné senti serait ensuite ordonnée par la perception qui serait déjà peu ou prou opération de jugement, don

1. Koyré, *Études d'histoire de la pensée scientifique*, Gallimard, « Tel », 1973, p. 190.
2. Bachelard, *Le matérialisme rationnel*, Puf, « Quadrige », 1990, p. 193.
3. Duhem, *La théorie physique*, 2e édition, Vrin, 1989, p. 178.

d'une forme à la matière. Cela revient à reléguer chaque sensation au rang d'élément simple, facile à identifier et à isoler. Or ce présupposé, naïve transposition des ambitions du scientisme[1], ne va pas de soi. L'exemple de la mélodie musicale montre au contraire que la perception de la structure, de la forme précède celle de ses éventuelles parties que seraient les sensations auditives prises une par une. Ainsi, il reste trop simple de voir dans la sensation l'élément simple et isolable dont la perception serait la combinaison complexe.

Comment alors reconnaît-on un objet par la perception ? Descartes a donné, par son analyse du morceau de cire[2], une réponse tranchée à cette question : je ne connais pas la cire par l'entremise de mes sens mais par la seule inspection de l'esprit. Descartes sera ainsi conduit à annexer la perception pour en faire un mode de la pensée. La perception n'est alors plus rien d'autre qu'une construction intellectuelle, au prix des qualités perçues en elles-mêmes : « on les perd de vue parce qu'il faut des déterminations de l'ordre prédicatif pour lier des qualités tout objectives et fermées sur soi. Les hommes que je vois d'une fenêtre sont cachés par leur chapeau et par leur manteau et leur image ne peut se peindre sur ma rétine. Je ne les vois donc pas, je juge qu'ils sont là[3] ». Merleau-Ponty rejette en cette conclusion cartésienne ce qu'il résume dans l'expression de « pensée objective », dont le but est de placer la perception dans une perspective objective de connaissance.

Dans une telle perspective, percevoir, c'est déjà savoir, mais imparfaitement et incomplètement. Alain renchérit dans cette voie à partir de son analyse de l'exemple du dé à jouer. Peut-on dire qu'on touche un cube ? Ce serait là verser dans la thèse commune, qui soutient que « c'est le toucher qui nous instruit, et par constatation pure et simple, sans aucune interprétation[4] ». Or je ne touche pas à proprement parler le cube, mais bien plutôt « des arêtes, des pointes, des plans durs et lisses, et réunissant toutes ces apparences en un seul objet, je juge que cet objet est cubique[5] ». L'objet n'est donc plus qu'une synthèse, laquelle synthèse suppose l'intervention d'une interprétation, d'un jugement, bref de l'entendement. Sartre reprenant l'exemple du cube considère la thèse comme acquise : puisque « je ne puis savoir que c'est un cube tant que je n'ai pas appréhendé ses six faces ; je puis à la rigueur en voir trois à la fois, mais jamais plus[6] », alors l'objet lui-même est une synthèse de tous les profils et de toutes les projections sous lesquelles il m'apparaît. La perception ne peut donc se suffire à elle-même.

---

1. Voir le chapitre sur la matière et l'esprit, notamment la IIIe partie.
2. Voir le chapitre sur Théorie et expérience, la § 2.
3. Merleau-Ponty, *Phénoménologie de la Perception*, « Tel », Gallimard, 1945, p. 41.
4. Alain, *Élements de Philosophie*, « Folio-Essais », Gallimard, 1941, p. 28.
5. *Ibidem*.
6. Sartre, *L'imaginaire*, « Idées », Gallimard, 1940, p. 23.

b. La perception entre immédiateté et médiation

Que manque-t-il à la perception ? Elle manque l'essentiel par sa singularité : l'analyse de Hegel la voue au ceci, à ce qui est ici et maintenant. Sa certitude sensible ne saurait, en elle-même, trouver les ressources qui lui seraient nécessaires pour s'arracher à l'immédiateté. Or le vrai est mouvement, médiation, devenir : c'est donc faute de pouvoir dépasser et nier l'immédiateté de l'ici et du maintenant que la perception ne peut atteindre l'essence. Ainsi, explique Alquié en faisant allusion à Hegel, « le retour aux seules données sensibles, bornées, comme le remarque cette analyse, à un "maintenant" et à un "ici", m'abandonnerait en un monde où l'être se réduirait au seul objet de la perception immédiate, où la vérité ne se distinguerait plus de ce que m'offrirait l'instant[1] ». Dans le *Théétète*, Socrate combattait déjà la thèse selon laquelle la science est sensation en demandant quel sens pouvait coordonner la diversité des impressions sensibles.

Pourtant, quelque chose qui est de l'ordre de cette médiation pourrait bien avoir lieu dans la perception elle-même. C'est ce que défend la thèse husserlienne de la synthèse passive. Dans nos perceptions inadéquates, la chose à percevoir ne se donne que par esquisses, par profils : même dans nos perceptions adéquates, le flux perceptif reste complexe, et il suppose une unité. Cette unité est-elle l'œuvre du jugement intellectuel ? Husserl propose une autre vision de cette unité, intrinsèque au processus perceptif, à partir de la notion de co-données (voir texte n° 6). Pour reprendre l'exemple du cube, les faces que je ne vois pas ne me sont pas données mais elles me sont pourtant co-données, données en même temps que les autres faces, par une synthèse perceptive immédiate et non réflexive : c'est là le processus que Husserl nomme synthèse passive.

c. La perception entre passivité et activité

Cette synthèse passive ne l'est pas du tout au même sens que celui de cette passivité qui a souvent été conférée à la perception. La synthèse passive se fait sans intervention d'un pouvoir rationnel abstrait, mais elle ne signifie pas pour autant que la perception soit quelque chose de passif. C'est donc tout l'opposé de la thèse kantienne, qui rejetait la perception du côté de la réception et donc, de la passivité. Kant définit en effet la sensibilité à partir de « la *réceptivité* de notre esprit, le pouvoir qu'il a de recevoir des représentations d'une manière quelconque[2] », par opposition avec l'entendement, faculté de produire des représentations, et donc d'agir. La perception, comme grandeur intensive, ne se distingue alors que par degrés de la sensation, définie comme grandeur extensive : la perception est qualitative là où la sensation est quantitative.

1. Alquié, *L'Expérience*, Puf, 1970, p. 14.
2. Kant, *Critique de la Raison pure*, « Quadrige », Puf, 1984, p. 76.

C'est sur ce dernier avatar de la tradition classique qu'il faut donc revenir pour sortir la perception de son rôle d'auxiliaire de la connaissance. Bergson critique implicitement la thématique kantienne pour distinguer la perception du souvenir : en effet le souvenir rattache la perception à un flux rationnel qui repérerait les ressemblances, et à une tradition qui veut mesurer la valeur de la perception de façon objective. Parallèlement à la phénoménologie, sur laquelle nous reviendrons, Bergson s'affranchit du champ orthodoxe de l'objectivité. Les perceptions, dit-il, sont « des hallucinations vraies, des états du sujet projetés hors de lui[1] ». La perception n'est donc plus passive mais active : « l'*actualité* de notre perception consiste donc dans son activité, dans les mouvements qui la prolongent, et non dans sa plus grande intensité [...] Mais c'est là ce qu'on s'obstine à ne pas voir, parce qu'on tient la perception pour une espèce de contemplation[2] ». La voie est alors ouverte pour donner à la réflexion un nouveau rôle, non pas comme garant de l'objectivité du perçu, mais comme expression de la vie de la conscience, ce qui relègue la question de l'objectivité au rang de faux problème : comme le disait Éluard, je ne vois pas le monde comme il est, mais comme je suis.

III. La gloire du sensible

Même si la perception n'est pas la vérité, il doit bien y avoir une vérité du sensible. Comment faire alors pour rendre au sensible un droit de cité sans tomber dans l'empirisme ou le sensualisme ?

a. La réhabilitation de la sensibilité

Réveillé, comme il le disait lui-même, de son sommeil dogmatique par la lecture des empiristes, Kant a entrepris de donner à la sensibilité un nouveau statut. Dans l'Esthétique Transcendantale, Kant a ainsi arraché la sensibilité à l'empirique, en repérant dans la sensibilité de l'*a priori*, c'est-à-dire des éléments qui précèdent l'intuition sensible et qui n'en proviennent pas. « J'appelle pures [...] toutes les représentations dans lesquelles ne se rencontre rien de ce qui appartient à la sensation. Par suite, la forme pure des intuitions sensibles en général se trouvera *a priori* dans l'esprit dans lequel tout le divers des phénomènes est intuitionné sous certains rapports[3] ». Ces deux formes pures de l'intuition sont l'espace et le temps. Mais paradoxalement, ces deux formes de la sensibilité relèvent de l'esprit et non du corps comme si l'on avait à faire ici à une théorie de la sensibilité qui ne prend pas encore en compte le sensible.

Kant en appelle par ailleurs à une apologie en faveur de la sensibilité. Il s'agit de revenir, pour la corriger, sur la « mauvaise réputation[4] » de la sensibilité. Kant offre ainsi une série de contre-arguments visant à désamorcer la sévérité classique : les

1. Bergson, *Matière et Mémoire*, « Quadrige », Puf, 1985, p. 70.
2. *Idem*, p. 71.
3. Kant, *Critique de la Raison pure*, « Quadrige », Puf, 1984, p. 54.
4. Kant, *Anthropologie du point de vue pragmatique*, § 8, « La Pléiade », tome 3, 1986, p. 961.

sens ne sauraient nous troubler ou nous tromper, ces erreurs étant à imputer à l'entendement, et ils n'ont pas non plus la prétention de commander à l'entendement. À chaque fois, le propos consiste à réimputer à l'entendement les travers qu'il était plus commode d'attribuer à la sensibilité. Mais cette atténuation du discrédit de la sensibilité, si elle a la vertu de diminuer les prétentions de la raison, ne redonne pas encore une place à la perception, qu'il ne suffit pas de réhabiliter pour lui donner sa vraie place.

L'existence même du sensible ne peut être niée. Il y a donc une marge entre l'attitude qui entend purement et simplement l'escamoter, et celle[1] qui, en le réduisant au degré le moins clair de l'être ou du sens, en reconnaît au moins l'existence. Dans sa *Propédeutique philosophique*, Hegel insiste ainsi sur ce que la perception a de composite. En effet, elle a « pour objet le sensible, dans la mesure, non plus où il est immédiat, mais où il est en même temps à titre d'universel[2] ». Ce mélange n'est autre que celui de l'individuel singulier (propre au sensible) et de l'universel, qui suppose que la perception n'en reste pas au sensible tant ce dernier ne saurait se suffire à lui-même. Ainsi, les propriétés de la chose n'appartiennent pas qu'à une seule chose, « et si d'un côté, elles sont, à cet égard, saisies dans la singularité de cette chose, d'un autre côté, elles ont une universalité qui leur permet de dépasser cette chose singulière[3] ».

b. Le retour aux choses mêmes

La singularité et l'immédiateté du sensible ne constituent peut-être pas que ses limites mais au contraire les raisons d'y faire retour. La notion de phénomène montre par exemple que ce qui est donné dans l'intuition sensible est fondé à défaut d'être complet. Husserl le met en évidence dans l'interprétation qu'il entreprend des données de l'intuition sensible, qu'il entend prendre en tant que telles. Comment la chose se donne-t-elle ? « Ce qui est vu dans le voir, est, en et pour soi, un autre que ce qui est touché tans le toucher, mais cela ne m'empêche pas de dire "la même chose" — sont seulement différents les modes de son exposition sensible[4] ». La perception est une synthèse de ces perspectives différentes, mais elle n'est ni préalable ni postérieure aux sensations, elle est toujours en train de se faire. Ainsi, le « pur visible » est d'abord la surface de la chose, que je perçois côté par côté : « mais dans ces côtés, ce qui s'offre pour moi dans une synthèse continue, c'est la surface[5] » Le sensible nourrit donc cet enrichissement progressif du sens, il n'en est plus l'auxiliaire et c'est ce qui éclaire l'idée husserlienne d'un retour aux choses mêmes.

C'est qu'à force de s'être habitué au général et à l'universel, l'individualité de ce qui est ici et maintenant échappe à notre regard. Bergson remarque ainsi que notre

1. C'est la différence entre le rationalisme (première attitude) et l'idéalisme (seconde attitude).
2. Hegel, *Propédeutique philosophique*, § 13, « Médiations », Gonthier, 1964, p. 19.
3. *Id.*, § 14, p. 20.
4. Husserl, *La crise des sciences européennes et la phénoménologie transcendantale*, § 45, « Tel », Gallimard, 1976, p. 179.
5. *Ibid.*

œil saisit l'harmonie avant l'individualité, le genre avant la différence. « Enfin, pour tout dire, nous ne voyons pas les choses même ; nous nous bornons, le plus souvent, à lire des étiquettes collées sur elles. Cette tendance, issue du besoin, s'est encore accentuée sous l'influence du langage[1] ». Réduit à une habitude utile à la vie, le langage porte en lui l'usage de l'exclusion du sensible, et contribue à nous couper de la mobilité et de la singularité des choses. Une véritable réhabilitation du sensible ne fera donc pas l'économie d'une remise en question de nos habitudes de pensée.

Réhabiliter le sensible, c'est d'abord remettre en cause le primat de la raison, ce qui suppose que l'on sorte de la pensée objective, de la philosophie du sujet issue de Descartes. Pour soustraire le sensible à la domination de la raison, il ne faut plus le penser comme représentation mais comme présence.

c. L'épiphanie du sensible

L'art nous confronte à cette présence, à cette épiphanie du sensible. C'est que l'œuvre d'art est l'expérience d'une présence dans laquelle la dualité de la matière et de la forme n'est plus pensable. La classification hégélienne voulait extraire l'idée du sensible comme un signifié d'un signifiant. Il faut ici opposer à cette conception l'idée que dans l'art, le statut du sensible ne consiste plus à avoir du sens, mais à être le sens. La définition que propose Focillon de l'œuvre d'art comme signe absolu dit bien que dans l'œuvre, le sensible est tout entier sens.

Le signe artistique élabore si finement le sensible qu'il s'affranchit de sa pesanteur matérielle pour s'immatérialiser. Le narrateur de la *Recherche du temps perdu* l'éprouve dans la poésie des noms propres « qui abolit la distinction du signifiant et du signifié » comme dans la voix de la Berma, où plus rien n'est réfractaire à l'esprit, ou dans le petit pan de mur jaune où c'est le jaune lui-même qui devient signe immatériel. Ainsi l'art, puisant à cette « nappe de sens brut[2] » dont parle Merleau-Ponty, abolit les seuils qui séparaient le sensible du sens : ce n'est plus indirectement, ni sous conditions, ni à titre auxiliaire, que le sensible fait sens, c'est de plein droit et par lui-même. Le sensible n'est plus une simple matière que la raison devrait venir informer, et qui resterait informe sans la raison. C'est au contraire la forme qui est le résultat de la matière, comme veut le montrer Merleau-Ponty citant Cézanne : « quand la couleur est à sa richesse, la forme est à sa plénitude[3] ».

La perception apparaît alors sous un angle nouveau et différent. Elle n'est plus un déchiffrage ou une interprétation, et le sensible n'est plus assimilé et réduit à la matière. Le visible et l'audible ne portent plus en eux des indices à décoder, mais ils font directement sens, ils sont directement signifiants. C'est donc à une certaine conception de la sensibilité, comme faculté, qu'il faut ici renoncer : en effet ce statut de la sensibilité est solidaire de l'intellectualisme, qui tient que le monde est une élaboration intellectuelle. C'est là le piège tendu au sensible par l'intellectualisme, qui

1. Bergson, *Le rire*, Puf, « Quadrige », 1989, p. 117.
2. Merleau-Ponty, *L'Œil et l'esprit*, « Folio-Essais », Gallimard, 1964, p. 13.
3. Merleau-Ponty, *Sens et Non-sens*, « Nrf », Gallimard, 1996, p. 20.

récuse le sensible. Plus que matière, le sensible est pulpe ou chair. La notion de chair est porteuse d'une véritable « réhabilitation ontologique du sensible[1] », selon l'intuition de Husserl que Merleau-Ponty reprend. « La chair est d'une façon tout à fait unique toujours présente dans le champ de la perception, avec une immédiateté entière, dans un sens d'être tout à fait unique, précisément ce sens d'être qui est désigné par le mot "organe" (pris ici dans son acception originaire). Un ego, c'est ce dans quoi je suis en tant qu'ego de l'affection et des actions d'une façon tout à fait unique et tout à fait immédiate[2]... ». La chair fait donc figure de texture du monde, elle est ce par quoi le fait même du sensible est pensé. La chair est aussi la métaphore qui dit, par le sensible, la corporéité du monde, qui n'est pas un squelette : le sensible est toujours, au sens propre, incarné.

La reconnaissance du sensible est donc inséparable de celle du corps, lui aussi si longtemps méprisé et dévalué. Or, comme le dit Valéry « le corps est de la partie[3] », « mon corps mobile compte au monde visible, en fait partie [...] Le monde visible et celui de mes projets moteurs sont des parties totales du même Être[4] ». Il ne s'agit donc pas seulement de réhabiliter le corps en tant qu'il est le siège de la sensation, c'est-à-dire en tant qu'il est sentant, mais aussi et en même temps en tant qu'il est sensible. « Un corps humain est là, quand, entre voyant et visible, entre touchant et touché, entre un œil et l'autre, entre la main et la main se fait une sorte de recroisement, quand s'allume l'étincelle du sentant-sensible[5] ». Merleau-Ponty a donné à cette coïncidence, à ce recroisement qui est la présence même de l'être, le nom de chiasme. Il n'y a pas de pensée du sensible qui ne doive reconsidérer le sort du corps. L'âme n'est pas extérieure au corps, elle y est incarnée dans la chorégraphie ; le corps n'est pas un extérieur qui recèlerait un intérieur, puisque la caresse est peut-être l'accès le plus intime à un corps, alors même qu'il ne paraît se limiter qu'à une superficie : la peau, comme le disait Valéry, est ce que nous avons de plus profond.

Textes

1. Kant

Pourquoi la sensibilité a-t-elle mauvaise réputation ?

> À l'*entendement*, chacun témoigne toute considération, ainsi que l'indique déjà sa dénomination de faculté *supérieure* de connaissance ; quiconque voudrait chanter ses louanges se verrait régler son compte de cette raillerie à l'adresse d'un orateur qui exaltait les mérites de la vertu [...]. La sensibilité, elle, a mauvaise réputation. On en dit beaucoup de mal : par exemple 1° qu'elle *trouble* le pouvoir de représentation ; 2° qu'elle a le verbe haut et que, *maîtresse* de l'entendement, alors qu'elle ne devrait en être que la *servante*, elle est entêtée et difficile à dompter ; 3° qu'elle pratique

1. Merleau-Ponty, *Éloge de la philosophie*, « Idées », Gallimard, 1960, p. 257.
2. Husserl, *op. cit.*, § 28, p. 121.
3. Voir texte n° 2.
4. Merleau-Ponty, *L'Œil et l'Esprit*, 1964, p. 16-17.
5. *Id.*, p. 21.

même l'*imposture*, et qu'avec elle on ne saurait jamais être assez sur ses gardes [...] Le *côté passif* de la sensibilité dont nous ne pouvons nous défaire est, à la vérité, la cause de toutes les médisances à son endroit. La perfection intérieure de l'homme réside en ce qu'il dispose de l'usage de toutes ses facultés pour le soumettre à son *libre arbitre*. Il faut à cet effet que l'*entendement* commande, sans affaiblir toutefois la sensibilité.

Kant, *Anthropologie du point de vue pragmatique*, § 8, « La Pléiade », tome 3, 1986, p. 961-962.

2. Valéry

N'a-t-on accès à rien avec le corps ?

Je te dirai cette chose étrange *qu'il me semble que mon corps est de la partie*... Laisse-moi dire. Ce corps est un instrument admirable, dont je m'assure que les vivants, qui l'ont tous à leur service, n'usent pas dans sa plénitude. Ils n'en tirent que du plaisir, de la douleur, et des actes indispensables, comme de vivre. Tantôt ils se confondent avec lui ; tantôt ils oublient quelque temps son existence ; et tantôt brutes, tantôt purs esprits, ils ignorent quelles liaisons universelles ils contiennent, et de quelle substance prodigieuse ils sont faits. Par elle cependant, ils participent de ce qu'ils voient et de ce qu'ils touchent : ils sont pierres, ils sont arbres ; ils échangent des contacts et des souffles avec la matière qui les englobe. Ils touchent, ils sont touchés.

Valéry, *Eupalinos*, « La Pléiade », tome 2, 1960, p. 98-99.

3. Descartes

Premièrement donc j'ai senti que j'avais une tête, des mains, des pieds, et tous les autres membres dont est composé ce corps que je considérais comme une partie de moi-même, ou peut-être aussi comme le tout. De plus j'ai senti que ce corps était placé entre beaucoup d'autres, desquels il était capable de recevoir diverses commodités et incommodités, et je remarquais ces commodités par un certain sentiment de plaisir ou volupté, et les incommodités par un sentiment de douleur. [...] Et certes, considérant les idées de toutes ces qualités qui se présentaient à ma pensée, et lesquelles seules je sentais proprement et immédiatement, ce n'était pas sans raison que je croyais sentir des choses entièrement différentes de ma pensée, à savoir des corps d'où procédaient ces idées. Car j'expérimentais qu'elles se présentaient à elle, sans que mon consentement y fût requis, en sorte que je ne pouvais sentir aucun objet, quelque volonté que j'en eusse, s'il ne se trouvait présent à l'organe d'un de mes sens ; et il n'était nullement en mon pouvoir de ne le pas sentir, lorsqu'il s'y trouvait présent.

Descartes, *Méditations métaphysiques*, VI, GF-Flammarion, 1979, p. 169.

4. Bachelard

Le sensible est-il ce à quoi il faut s'arracher ?

Notre débat sur les rapports de la connaissance commune et de la connaissance scientifique sera peut-être plus clair si nous arrivons à séparer nettement la connaissance scientifique et la connaissance *sensible*. Pour être absolument net, nous croyons pouvoir rompre avec ce postulat plus ou moins explicite qui prétend que toute connaissance est toujours réductible, en dernière analyse à la sensation. Il ne vient pas toujours à l'esprit que les conditions de la synthèse ne sont pas symétriques des conditions de l'analyse. Il nous faudra donc attirer l'attention sur les produits synthétiques de la connaissance et de la technique scientifique. La *domination* du sensible s'oppose par un trait caractéristique du rationalisme à la *réduction* au sensible. Étant donné que la plupart des philosophes acceptent sans discussion le postulat que toute connaissance sur le réel est issue de la connaissance sensible, ils formulent souvent, comme une objection dirimante contre la connaissance scientifique, le fait que cette connaissance scientifique ne peut rendre compte de la sensation elle-même.

Bachelard, *Le rationalisme appliqué*, « Quadrige », Puf, 1949, p. 113.

5. Platon

SOCRATE : [509d] Conçois donc, dis-je, comme nous sommes en train de le dire, que bien et soleil sont deux, et qu'ils règnent l'un sur le genre et l'espace intelligibles, l'autre de son côté sur le genre et l'espace visibles, mais sans dire sur le ciel, pour éviter de te paraître faire le sophiste à propos de l'origine du mot. Mais tu saisis bien ces deux classes, le visible, l'intelligible ?

GLAUCON : Je les saisis.

SOCRATE : En supposant maintenant que tu as une ligne partagée en deux segments inégaux, partage à nouveau chaque segment selon la même proportion, celui du genre qu'on voit et celui du genre intelligible, et tu auras, en fonction de la clarté et de l'obscurité des choses les unes par rapport aux autres, dans ce qu'on voit, le premier segment [509e] : les images. Et j'appelle images en premier lieu [510a] les ombres, ensuite les apparences qui se produisent avec les eaux et tous les corps compacts, lisses et brillants, et tout ce qui s'y apparente, si tu me comprends.

GLAUCON : Mais oui, je comprends.

SOCRATE : Pour le second segment, maintenant, dispose-le à l'image du précédent : les êtres vivants dont nous faisons partie, tous les produits venus naturellement, et tous ceux de l'industrie humaine.

GLAUCON : Je le fais, dit-il.

SOCRATE : Voudrais-tu bien admettre aussi, dis-je, qu'il se trouve divisé selon ce qui relève de la vérité et ce qui n'en relève pas, et que comme ce qui relève de l'opinion se distingue de ce qui relève de la connaissance, de même ce qui ressemble se distingue de ce à quoi il ressemble ?

GLAUCON : Pour ma part [510b], dit-il, certainement.

SOCRATE : Alors examine également de l'autre côté comment il faut partager le segment de l'intelligible.

GLAUCON : Comment ?

SOCRATE : De cette façon-ci : dans la première partie de ce segment, en se servant comme d'images des choses imitées dans le segment précédent, l'âme est forcée de mener ses recherches à partir d'hypothèses, en se dirigeant non pas vers un principe mais une conclusion ; dans sa seconde partie, au contraire, c'est vers un principe absolu, en partant d'une hypothèse et sans recourir aux images utilisées dans la précédente, qu'elle dirige sa démarche à travers les idées à l'aide des idées elles-mêmes.

Platon, *La République*, livre VI, 509d-510b, traduction G. Bounoure.

6. Husserl

La perception se suffit-elle à elle-même ?

La perception de la chose implique en outre — c'est encore là une nécessité d'essence — une *certaine inadéquation*. Par principe une chose ne peut être donnée que « sous une face », ce qui signifie non seulement incomplètement, imparfaitement en tous les sens du mot ; le mot désigne une forme d'inadéquation requise par la figuration au moyen d'esquisses. Une chose est nécessairement donnée sous de simples « *modes d'apparaître* », on y trouve donc nécessairement un *noyau* constitué par ce qui est « réellement figuré » et, autour de ce noyau, au point de vue de l'appréhension, tout un horizon de « *co-données* » dénuées du caractère authentique de données et toute une zone plus ou moins vague d'*indétermination*. Le sens de cette indétermination est à son tour indiqué par le sens général de la chose perçue, considérée absolument et en tant que perçue : bref par l'essence générale de ce type précis de perception que nous nommons perception de chose.

Husserl, *Idées directrices pour une phénoménologie*,
§ 44, « Tel », Gallimard, 1950, p. 140-141.

Sujets approchés

Peut-on apprendre à percevoir ?

La perception est-elle déjà une science ?

Percevoir, est-ce seulement recevoir ?

→ ***Approche commune* : Ce qui est perçu est-il donné ou construit ?**

Voit-on jamais les choses comme elles sont ?

La perception ne nous permet-elle d'atteindre que des apparences ?

Le réel se réduit-il à ce que l'on en perçoit ?

Peut-on dire que la perception est une connaissance ?

Nos sens nous trompent-ils ?

Qu'y a-t-il de vrai dans la sensation ?

Une illusion des sens fait-elle la preuve que les sens sont trompeurs ?

Faut-il mépriser l'apparence ?

L'apparence est-elle toujours trompeuse ?

→ ***Approche commune* : Ces sujets ont en commun de réduire le rôle de la perception à celui d'un auxiliaire de la connaissance. La perception est-elle source de vérité ou de fausseté ?**

Sujet esquissé : Percevoir, est-ce seulement recevoir ?

Introduction

La question posée reprend à son compte la thèse classique qui fait de la perception une pure passivité, et nous incite à remettre en cause cette thèse classique. Il s'agit de savoir si la perception peut être réduite (est-elle « seulement » ?) à la passivité ou bien si elle peut être autre chose, par exemple au contraire un pouvoir actif. Si la perception est passive, c'est que sa matière lui est donnée ; si au contraire elle ne l'est plus, c'est qu'elle peut en quelque manière participer à la construction de ce sur quoi elle porte. La perception est-elle donnée ou construite ?

Lignes directrices

1. La perception est seulement passive, et ne peut donc constituer une source de vérité ni revêtir une quelconque stabilité (cf. cours I a). Le rationalisme définira ainsi la perception comme pure passivité, définition qui se retrouve jusque chez Kant ; c'est l'entendement comme faculté des règles qui donne sa part active à la connaissance.

2. C'est parce que la perception est passive qu'elle doit être complétée. Kant montre que des intuitions sensibles sans concepts sont vides : il faut ajouter un concept à la perception pour donner naissance à un jugement. Mais le complément de la perception vient peut-être déjà de la perception elle-même. Dans sa théorie phénoménologique, Husserl montre que les données de la perception ne se suffisent pas à elles-mêmes et qu'elles sont complétées par des co-données (cf. cours I c).

3. Percevoir, c'est aussi inventer. La vision du peintre pratique, comme le disait Merleau-Ponty un certain forage dans l'en-soi. La perception ne peut être condamnée comme passive que dans le strict cadre de la théorie de la connaissance, alors qu'elle est aussi à l'œuvre dans l'art.

L'inconscient

Définir, Problématiser

La notion d'inconscient suppose d'abord une délimitation précise de la signification du terme, et ce d'autant plus que le succès d'une certaine théorie de l'inconscient, celle de Freud, occulte parfois l'existence d'autres acceptions possibles du terme. Le mot « inconscient » est un adjectif substantivé : à première vue, il s'agit d'une qualification négative, qui renvoie au domaine de tout ce qui échappe à la conscience. Tant que nous nous en tenons à cette définition négative, l'inconscient n'est que le non-conscient, le résultat d'une distraction ou d'une absence : seul un effort de ma part sépare ce non-conscient du conscient, et nous n'avons encore affaire ici qu'à une définition par défaut. Tout change au contraire si l'inconscient se voit pourvu d'une réalité propre, comme lieu non seulement de ce qui n'est pas conscient, mais aussi comme origine d'un principe de fonctionnement de la pensée. **L'inconscient est-il quelque chose de relatif ou quelque chose d'absolu ?**

La notion est d'autant plus féconde qu'on la rapporte à mon paysage intérieur : s'il existe quelque chose de tel qu'un inconscient, alors une part de mes pensées et désirs se déploie sans que je m'en aperçoive. Nous pouvons nous surprendre nous-mêmes, voir surgir une facette de notre personnalité que nous ne connaissions pas et que parfois nous refusons. Il y aurait alors une part d'ombre en chacun de nous, c'est-à-dire une part de nous-mêmes qui ne bénéficie pas du témoignage de la conscience. Cette intrusion d'une part d'ombre en moi menace la lumineuse toute-puissance de la conscience cartésienne. **Sommes-nous transparents à nous-mêmes, ou bien y a-t-il au contraire entre moi et moi de l'opacité ?**

S'il existait effectivement en moi un inconscient non pas seulement par défaut, mais une réalité positive et dynamique, c'est non seulement ma lucidité, mais aussi ma souveraineté qui se trouverait mise en cause. En effet, l'inconscient comme principe dynamique se trouverait érigé au rang de cause de ma pensée ; dès lors qu'autre chose que moi est à l'origine de ma vie intérieure, que garde-t-elle de sa liberté ? La question est évidemment amplifiée par les prétentions scientifiques de la théorie freudienne, qui défend un véritable déterminisme psychique. **La conscience dans son fonctionnement est-elle déterminée ou libre ?**

Développer

I. L'inconscient : quelle réalité ?

a. La continuité de la conscience

La psychologie moderne est assise sur une base cartésienne et repose sur l'idée d'une transparence du sujet à lui-même. Tout ce que je pense, je sais que je le pense : « par le mot de penser, j'entends tout ce qui se fait en nous de telle sorte que nous l'apercevions immédiatement par nous-mêmes[1] ». Ma pensée me serait donc pleinement et continûment accessible, ainsi d'ailleurs que toute perception, puisque la pensée coïncide d'avance, chez Descartes, avec l'ensemble du vécu psychologique. Il est frappant de constater que l'exemple du rêve, dont usera Freud pour montrer que « ce n'est qu'au prix d'une prétention intenable que l'on peut exiger que tout ce qui se produit dans le domaine psychique soit aussi connu de la conscience[2] », est exploité par Descartes, dans une réponse à Gassendi, pour justifier au contraire l'annexion de toute perception à une pensée transparente à elle-même : « vous avez dû remarquer que j'ai expressément averti qu'il ne s'agissait pas ici de la vue ou du toucher, qui se font par l'entremise des organes corporels, mais de la seule pensée de voir et de toucher, qui n'a pas besoin de ces organes, comme nous expérimentons toutes les nuits dans nos songes[3] ». La théorie issue de Descartes implique donc que soit relégué hors de la pensée, comme n'en méritant pas le nom, tout ce qui échappe à la conscience.

Leibniz fera pourtant observer que certaines perceptions, auxquelles il donnera le nom de « petites perceptions » (voir texte n° 6), échappent à notre conscience : « puisque réveillé de l'étourdissement on s'aperçoit de ses perceptions, il faut bien qu'on en ait eu immédiatement auparavant, quoiqu'on ne s'en soit point aperçu ; car une perception ne saurait venir naturellement que d'une autre perception, comme un mouvement ne peut venir naturellement que d'un mouvement[4] ». Si je me réveille en ayant mal aux dents, la douleur ne commence pas avec ma prise de conscience : j'avais mal aux dents en dormant, au point que c'est peut-être la douleur qui m'a réveillé. Là où Descartes postulait la continuité de la conscience, Leibniz affirme la continuité de la perception, tout en ouvrant la voie à la possibilité de perceptions non conscientes.

b. L'inconscient comme conscient virtuel

Pour autant, il serait abusif de voir dans la théorie leibnizienne des petites perceptions un signe avant-coureur ou une préfiguration de la théorie freudienne. Chez Leibniz en effet, il s'agit de perceptions qui ne sont pas prises en compte par la conscience du fait de leur nombre, de leur intensité ou de l'habitude qui s'y attache :

---

1. Descartes, *Principes de la Philosophie*, I, 9, tome 3, Garnier, 1973, p. 95.
2. Freud, *Métapsychologie*, Gallimard, 1968, p. 66.
3. Descartes, *Réponse aux cinquièmes objections*, « Classiques Garnier », Bordas, tome 2, 1988, p. 803.
4. Leibniz, *Monadologie*, § 23, Delagrave, 1983, p. 153.

« c'est ainsi que la coutume fait que nous ne prenons pas garde au mouvement d'un moulin ou à une chute d'eau, quand nous avons habité tout près depuis quelque temps[1] ». Si je ne suis pas voisin du moulin mais nouveau venu, son mouvement ne me restera pas inaperçu : c'est ce qui fait que l'inconscient leibnizien, si l'expression a un sens, n'est jamais que du conscient virtuel. Chez Leibniz, le terme renvoie non pas à ce qui est hors de portée de la conscience, mais à du perçu qui n'a pas fait l'objet d'une aperception, c'est-à-dire à du perçu non aperçu.

Ce n'est qu'après coup que l'on peut dire qu'une analyse comme celle de Leibniz est une analyse de l'inconscient : le terme n'apparaît pas encore, et ne commence à se diffuser que vers la fin du XIXe siècle, pour trouver une première expression théorique chez Ribot. Pour l'une des premières fois, le terme y est assumé explicitement comme outil théorique, mais c'est au service d'une réflexion essentiellement physiologique. Considérant le problème de l'unité du moi comme un problème biologique, Ribot considère que la personnalité consciente n'est qu'une part émergée de la personnalité physique : cette dernière est organiquement inconsciente. Cette théorie de l'inconscient est une théorie déterministe, mais de façon matérialiste ; seules des raisons matérielles, organiques, rendent raison de la ligne de partage entre ce qui est conscient et ce qui ne l'est pas.

Autant dire qu'il s'agit là d'approches qui ne franchissent pas encore le pas décisif que franchira Freud : accorder un rôle dynamique à l'inconscient, et non pas se contenter d'une définition négative. Tout se passe comme si la réalité clinique des phénomènes inconscients ne pouvait être prise en compte qu'en douceur, et d'une façon qui en désamorce d'avance les enjeux les plus inquiétants. Pareil ton peut être discerné chez Bergson, par exemple, qui entend banaliser le terme : « l'idée d'une représentation inconsciente est claire, en dépit d'un préjugé répandu ; on peut même dire que nous en faisons un usage courant et qu'il n'y a pas de conception plus familière au sens commun[2] ». L'inconscient n'est que ce que la conscience actuelle, tournée vers l'utile, rejette comme superflu : il reste donc du conscient virtuel. Ainsi, précisant que « notre répugnance à concevoir des états psychologiques inconscients vient surtout de ce que nous tenons la conscience pour la propriété essentielle des états psychologiques[3] », Bergson n'entend pas démentir ce postulat mais au contraire montrer que l'inconscient ne le remet pas fondamentalement en cause.

c. L'inconscient, une réalité indépendante ?

C'est son expérience de médecin qui a mené Freud à l'hypothèse de l'inconscient. Selon lui en effet, un certain nombre de phénomènes, comme les lapsus, les rêves ou les actes manqués, ne trouvent place dans aucun des cadres théoriques existants, au point que leur réalité ou leur caractère significatif paraissent mis en cause. Il s'agit donc pour Freud de « sauver » ces phénomènes en établissant leur réalité effective. Il faut pour cela les insérer dans un cadre théorique qui sera celui de l'hypothèse de

1. Leibniz, *Nouveaux Essais sur l'entendement humain*, préface, GF-Flammarion, 1990, p. 41.
2. Bergson, *Matière et Mémoire*, « Quadrige », Puf, 1957, p. 157-158.
3. *Idem*, p. 156.

l'inconscient. L'ambition de Freud est en effet d'expliquer scientifiquement (sur le modèle des sciences de la nature sans pour autant tomber dans le physiologisme de Ribot) ces phénomènes, c'est-à-dire de les caractériser comme effets d'une cause : c'est l'hypothèse de l'inconscient qui jouera ce rôle. L'inconscient n'est donc plus un négatif qui se définit relativement au seuil mouvant de la conscience : il devient une réalité propre absolue.

Le terme d'« inconscient » admet alors trois sens : un premier sens d'adjectif descriptif, qui qualifie un processus psychique dont l'existence nous est démontrée par ses manifestations mais dont par ailleurs nous ignorons tout bien qu'il se déroule en nous ; un second sens dynamique et causal, ensuite, au sens de l'élément dynamique qui a produit ces manifestations, ces symptômes. Au troisième sens, au sens de substantif, l'« inconscient » est topique (du grec *topos*, lieu) : il désigne un lieu psychique. La théorie de Freud est une véritable économie de ce lieu et des rapports qui s'y tissent : de ce point de vue, la pulsion est le réquisit ultime de l'économie du système : en effet, la pulsion est le point d'articulation ultime de l'organique et du psychique. Or, le système freudien est bien une tentative d'explication de phénomènes organiques visibles par du psychique invisible.

L'existence d'un inconscient psychique relève donc de l'hypothèse. Comment en établir la réalité ? Il paraît bien difficile de manifester l'existence de l'inconscient si celui-ci échappe à la conscience. Freud raisonne donc par induction : l'inconscient est la cause invisible d'effets visibles. C'est ce qui explique que Freud défend d'abord son hypothèse en invoquant un « gain de sens et de cohérence[1] » plutôt que d'en invoquer la réalité effective. C'est qu'il ne peut y avoir de preuve de l'inconscient que par induction : le succès de la psychanalyse, sous sa forme hypnotique puis sous sa forme dialoguée, constitue donc aux yeux de Freud une preuve suffisante de l'existence de l'inconscient. Invention ou découverte, l'inconscient fait en tout cas dorénavant partie intégrante de l'héritage culturel européen : considérer, comme nous le faisons tous, que le lapsus est révélateur ou que le rêve peut être interprété, ce n'est là rien d'autre qu'un legs freudien.

II. Le système de l'inconscient freudien

a. La description freudienne de la personnalité

La description freudienne de l'appareil psychique s'apparente à une cartographie symbolique : elle suppose la maîtrise de trois éléments-clés de la personnalité, le ça, le moi et le surmoi.

Le ça est le nom du lieu de l'inconscient, et du siège des pulsions primitives qui sont les premières façons d'exister de tout être humain. Ces tendances, primales, sont sans se connaître ni se comprendre : l'irrationalité les caractérise. Freud en fait le siège de ce qu'il appelle le principe de plaisir, qui, en gouvernant tous les processus inconscients ou primaires, se définit avant tout comme répulsion face à la douleur,

1. Voir texte n° 8.

sans prendre en compte les conditions morales et sociales imposées par le monde extérieur. Si c'est le principe de plaisir qui régit le ça, on comprend d'autant mieux le rôle, aussi révolutionnaire que parfois excessif, que Freud fait jouer dans ces analyses à la sexualité, et en particulier à la sexualité infantile (« le petit enfant est, comme on le sait, amoral, il ne possède pas d'inhibitions internes à ses pulsions qui aspirent au plaisir[1] »). Comme tendance au plaisir, le ça est dépositaire d'un rapport à la sexualité antérieur à toute règle et à toute inhibition. Il faut ainsi distinguer l'inconscient primitif de ce qui est refoulé, c'est-à-dire de ce qui, au fur et à mesure de l'histoire infantile et de l'intériorisation des règles, est relégué dans l'inconscient pour satisfaire aux exigences du moi tel que nous allons le définir. Compte non tenu de ce qui est refoulé et de ce qui s'y surajoute, le ça constitue d'emblée un pôle pulsionnel et chaotique de la personnalité. Substrat infrapersonnel inné, il prédétermine, sans la régler d'avance, mon histoire : ce ne sont pas mes tendances qui me définissent, mais ces tendances vont se personnaliser dans mon histoire. Le ça prédispose en tout cas la personnalité à se construire dans le conflit intérieur plutôt que dans l'unité.

Le moi est l'autre grand pôle de cette personnalité bipolaire. C'est la part du sujet qui dit je, qui est consciente de ses actes et de ses projets. Le moi est régi par le principe de réalité, qui tend au même but que celui de plaisir, mais par une voie opposée c'est-à-dire en tenant compte des conditions imposées par le monde extérieur. Le principe de réalité nous fait donc dire non au ça, à la tendance primaire, refusant donc le principe de plaisir tout en remplissant la même fonction. C'est ici le conflit entre les tendances les plus souterraines et nos obligations vis-à-vis du monde extérieur qui structure la personnalité tout en générant à chaque fois une angoisse insupportable. Principe de plaisir et principe de réalité sont donc deux attitudes d'évitement du conflit, qui le préviennent en choisissant la voie des tendances ou la voie de l'obligation.

Pour que le moi arbitre entre les tendances et les interdits, il faut que ces derniers soient mis en avant par une instance intérieure qui les promeut. C'est le surmoi, troisième concept fondamental de la description freudienne de la personnalité. Intériorisation des interdits reçus de l'éducation et de la société, le Surmoi nous fait produire un moi idéal, une image à laquelle nous nous efforçons de ressembler. À la fois censeur et modèle le Surmoi me donne l'image normative de ce que je crois devoir être. Le rôle décisif de cette instance explique aussi l'importance fondamentale que Freud et les psychanalystes accordent à la petite enfance, période pendant laquelle le Surmoi parental inocule la personnalité de l'enfant. L'enfance même se voit promue dans cette théorie à un rôle complètement nouveau : loin d'être une période neutre ou idyllique, elle apparaît au contraire ici, sous l'ombre portée du Surmoi, comme la part de notre vie que nous passons le reste de notre existence à surmonter.

1. Freud, *Nouvelles Conférences d'introduction à la psychanalyse*, Gallimard, 1984, p. 86.

b. La dynamique déterminante de l'inconscient

Le contenu du ça n'est pas seulement inné : aux tendances primitives viennent se surajouter ceux de nos désirs et de nos pensées qui ont été écartés par le Surmoi. L'opération par laquelle un désir qui ne peut être assumé (parce qu'il provoquerait sinon un conflit insupportable) est relégué dans l'inconscient s'appelle le refoulement. Une fois devenus inconscients, ces désirs troublent le moi sous forme de symptômes qui les déguisent : ce sont les peurs, les rêves, les actes manqués qui, lorsque la censure se relâche, marquent le retour de ces contenus refoulés. L'inconscient ne se limite plus ici à être un lieu, il devient dynamique et agissant. Donnant à nos pensées les plus anodines[1] une origine inconsciente, et se compliquant en symptômes compulsionnels selon la force du conflit intérieur, il en devient même déterminant, donnant à notre vie intérieure une cause qui est en moi mais dont je suis exclu.

Freud entend exclure de chaque idée que nous produisons sa part de contingences ou d'arbitraires. Dans une théorie comme celle de l'inconscient freudien aucune idée n'est indéterminée : Freud défend de la façon la plus claire un déterminisme psychique qui donne à la notion d'inconscient son sens le plus fort, non pas comme un décalque négatif de la conscience, mais comme une force souveraine et autonome qui me détermine. : « je m'étais déjà permis une fois de vous reprocher votre croyance profondément enracinée à la liberté et à la spontanéité psychologiques, et je vous ai dit à cette occasion qu'une pareille croyance est tout à fait antiscientifique et doit s'effacer devant la revendication d'un déterminisme psychique[2]. »

Mais si l'inconscient forme un système clos et déterminant, il supprime toute liberté de pensée. En effet, en raisonnant scientifiquement, en termes de causes et d'effets, Freud fait de l'inconscient la cause de toute la vie de la pensée, ce qui a pour effet de la déterminer entièrement, et donc de lui ôter toute liberté. Si l'inconscient est à ma place la cause de mes pensées, je n'en suis plus le maître libre, mais du coup je n'en suis plus non plus le responsable, et la notion d'inconscient devient un alibi : en postulant que quelque chose en moi maîtrise mes pensées, qu'en moi se joue « ma vie sans moi[3] », Freud diminue la responsabilité de la pensée en en niant la liberté, reléguée au rang d'illusion gratifiante et donc forcément suspecte.

c. La scientificité de la démarche psychanalytique

On sait que c'est en tant que médecin, et notamment à partir des expériences et pratiques de Charcot (et notamment le traitement de l'hystérie par l'hypnose), que Freud a élaboré sa théorie de l'inconscient. D'emblée, cette théorie se présente et se revendique davantage comme une théorie scientifique, c'est-à-dire médicale, que psychologique. C'est en tant que théorie scientifique que Freud entend défendre son hypothèse (voir le début du texte n° 8). Son argumentation se déploie sur deux fronts.

---

1. Voir texte n° 7.
2. Freud, *Introduction à la psychanalyse*, Payot, 1970, p. 92.
3. L'expression est ici empruntée au beau titre d'un recueil d'Armand Robin (« Poésie », Gallimard, 1979).

Le premier front est celui de l'explication : Freud soutient que le don de sens apporté par l'hypothèse, en tant qu'elle donne un cadre théorique à des phénomènes (lapsus, actes manqués, rêves) qui en seraient sans cela dépourvus, légitime à lui seul sa scientificité. À défaut que des preuves directes puissent être données de l'existence de l'inconscient (qui n'est pas une réalité organique observable), Freud raisonne par induction, assignant l'inconscient comme cause invisible de ces phénomènes visibles. Le pouvoir explicatif peu niable de cette théorie en entraîne-t-il pour autant la vérité, la scientificité, ou les deux ? Popper a porté un regard dubitatif sur la théorie freudienne, l'accusant non pas de manquer de confirmations, mais d'en trouver au contraire de trop nombreuses. Rapportant notamment une conversation avec Adler sur un cas dont il trouvait qu'Adler le comprenait trop vite et trop bien, il rapporte ainsi : « ce qui me préoccupait, c'était que ses observations antérieures risquaient de n'être pas plus fondées que cette nouvelle observation, que chacune d'elles avait été interprétée à la lumière de l'"expérience antérieure", mais comptait en même temps comme une confirmation supplémentaire[1] ». Pouvoir interpréter des cas à l'aide d'une théorie n'établit au mieux que sa vraisemblance ; l'absence de falsifiabilité de la théorie est le signe, pour l'empirisme de Popper, de la non-scientificité de la théorie.

Le second front est celui de la pratique : Freud soutient qu'une « pratique couronnée de succès » (la cure psychanalytique, voir texte n° 8) constitue une preuve, par les effets, de l'hypothèse sur laquelle elle est fondée. Cette dimension pratique de la théorie ne doit pas être négligée : la psychanalyse, par le travail de médiation du praticien qui fait parler le patient avec lui-même, montre que l'inconscient peut devenir conscient, par le support du langage et du dialogue. Mais là encore, le succès d'une cure reste difficile à assigner, et, même si succès il y a, rien n'indique en toute rigueur que ce soit aux présupposés théoriques de la démarche qu'on puisse infailliblement l'imputer.

III. L'inconscient : un soleil noir[2] ?

La théorie freudienne connaît une postérité extraordinaire : chacun semble dorénavant persuadé que ses rêves sont interprétables, que le lapsus est révélateur, et que l'humeur de la voisine a quelque chose à voir avec sa vie sexuelle. Est-ce à dire que cette théorie fait désormais partie de notre vision du monde ?

a. L'inconscient n'est-il qu'un autre moi ?

Dans sa critique de l'inconscient freudien, Alain (voir texte n° 2) soulignait qu'il serait erroné de croire que « l'inconscient est un autre Moi [...] une sorte de mauvais ange[3] ». La critique s'attaque surtout à ce qu'est devenu l'inconscient vulgarisé, devenu un obscur fantôme censé nous habiter. Ce serait finalement là en revenir au sujet cartésien en le déguisant. Mais ce déguisement lui-même est la marque de la

1. Popper, *Conjectures et réfutations*, Payot, 1979, p. 61.
2. Le titre est emprunté à un essai de Julia Kristeva.
3. Alain, *Éléments de philosophie*, Gallimard, 1941, p. 155.

désillusion freudienne, qui désenchante idées, émotions et sentiments. Dénonçant comme illusoire la liberté de pensée, Freud va jusqu'à en réduire le fonctionnement à des forces qui sont finalement essentiellement sexuelles, puisque c'est par excellence dans ce domaine que les contraintes sociales nourrissent les névroses. Adler a ainsi fondé sa dissidence vis-à-vis de Freud sur le refus de reconnaître l'origine sexuelle des névroses.

C'est encore un sujet que voit Sartre dans l'inconscient, mais un sujet de mauvaise foi (voir texte n° 4), c'est-à-dire un sujet qui se trompe soi-même en le sachant. Sartre soupçonne ainsi la censure freudienne, parce qu'il considère que le tri auquel elle se livre entre les impulsions licites et illicites suppose un choix et donc une conscience : « comment la censure discernerait-elle les impulsions refoulables sans avoir conscience de les discerner[1] ? ». Sartre en conclut que la censure ne saurait être inconsciente et qu'elle est donc de mauvaise foi. Se cacher quelque chose à soi-même suppose en effet bien qu'une même instance puisse repérer et cacher le désir inacceptable. Il y aurait donc encore un sujet, qui se cache à lui-même pour mieux se réapproprier par son travail sur soi.

b. Une théorie totalitaire ?

Il peut être tentant d'interpréter, à la lumière de la psychanalyse, les analyses précédentes qui lui sont opposées : le rejet même de l'inconscient peut confirmer son existence. Mais ne peut-on dire alors d'une théorie qui peut transformer tout fait en signe de sa vérité, et qui est capable d'expliquer tous les cas, qu'elle a le pouvoir magique un rien suspect de voir en toute chose l'indice de sa vérité ? Popper le laisse entendre quand il dénonce à mots couverts le totalitarisme quasi théologique des disciples de Freud : « l'étude d'une quelconque de ces théories paraissait agir à la manière d'une conversion, d'une révélation intellectuelle, exposant aux regards une vérité neuve qui devait demeurer cachée pour ceux qui n'étaient pas encore initiés. Dès lors qu'on avait les yeux dessillés, partout l'on apercevait des confirmations : l'univers abondait en *vérifications* de la théorie[2] ». Popper voit ainsi dans ce que le freudisme prend pour son point fort (le fait que tout la confirme) ce qui au contraire l'affaiblit.

C'est sans doute d'autant plus aigu que le succès même de la théorie freudienne, et sa diffusion universelle, la banalise et désamorce son pouvoir d'interrogation et d'explication[3]. Adorno remarque ainsi qu'« au lieu d'en passer par l'anamnèse réflexive, ceux qui savent quelque chose de la psychanalyse acquièrent la faculté de subsumer tous les conflits pulsionnels sous des concepts comme ceux de complexe d'infériorité, de fixation à la mère, d'introversion et d'extraversion, mais au fond ils ne se laissent plus du tout mettre en cause par ses concepts[4] ». La théorie freudienne jouerait alors le même rôle rassurant que les théories qu'elle a voulu démystifier : « à

1. Sartre, *op. cit.*, p. 88.
2. Popper, *op. cit.*, p. 61.
3. Une relecture des *Frustrés* de Claire Brétécher s'impose. Voir aussi le texte n° 5.
4. Adorno, *Minima Moralia*, § 40, Payot, 1980, p. 63.

la catharsis psychanalytique, dont le succès reste de toute façon problématique, vient se substituer la gratification qu'on retire à voir dans ses propres faiblesses la confirmation qu'on est bien un exemplaire conforme à la majorité[1] ». À devenir conventionnelle, la psychanalyse a peut-être perdu, avec le souffle démystificateur de ses débuts, son vrai sens.

c. Le clair est-il obscur ?

Freud évoque[2] une triple humiliation[3] pour l'humanité : la première (infligée par Copernic) consistait en la perte par la Terre de sa position centrale. La seconde (infligée par Darwin) consiste dans la perte par l'homme de son statut de but final de la Création. Et la troisième (infligée, donc, par Freud lui-même), consiste dans la perte par l'homme de sa maîtrise de lui-même (voir texte n° 8). La tonalité de l'humiliation est au diapason de ce à quoi la théorie paraît devoir nous condamner : la psychanalyse aboutit à une désillusion générale sur les idées ou les sentiments, et à une dévaluation de la sentimentalité et de l'affectivité par la sexualité. Même si pareil reproche exprime une vision tributaire d'*a priori* rétrogrades (comme l'idée que la sexualité, justement, dévalue ce qu'elle concerne), il nous indique que la théorie freudienne explique peut-être un peu trop imparablement le clair par l'obscur et le haut par le bas. Faut-il croire, depuis Freud, qu'une idée est vraisemblable à proportion de l'humiliation qu'elle nous inflige ? Le pire est-il toujours sûr ?

Ricœur considère par exemple que « le freudisme est entré dans nos mœurs comme le type même de l'explication descendante, de la réduction de l'inférieur au supérieur [...] le goût pour les explications freudiennes, en tant qu'elles sont une doctrine *totale* de l'homme en chacun, c'est le goût pour les descentes aux enfers, afin d'invoquer les fatalités d'en bas[4] ». La question de la sexualité, omniprésente chez Freud[5], résume l'ambiguïté qui entoure cet enjeu. Puisqu'« il ne peut être question de noyer la sexualité dans l'existence, comme si elle n'était qu'un épiphénomène[6] », Freud a fait œuvre salutaire en insistant sur ce que Merleau-Ponty appelle l'infrastructure sexuelle de la vie. En tant qu'« elle "gonfle" la sexualité au point d'y intégrer toute l'existence[7] », la psychanalyse ne dit peut-être pas que tout ce qui est existentiel a une signification sexuelle, mais au contraire que la sexualité a une signification existentielle. Ce n'est donc peut-être pas le pire qui est sûr (à savoir que la sexualité mène la vie), mais ce qui passait pour le pire (la sexualité) qui ne l'est pas.

1. *Ibidem.*
2. Voir l'*Introduction à la Psychanalyse*, *op. cit.*, p. 266 *sq.*
3. Voir le texte n° 1.
4. Ricœur, *Le Volontaire et l'involontaire*, Aubier, 1963, p. 378-379.
5. Sur ce grief de « pansexualisme », voir le texte n° 6 du chapitre sur l'interprétation.
6. Merleau-Ponty, *Phénoménologie de la Perception*, « Tel », Gallimard, 1945, p. 186.
7. *Idem*, p. 185.

Textes

1. Nietzsche

La volonté libre n'est-elle qu'un mythe ?

Nous en sommes à la phase où *le conscient devient modeste*. En dernière analyse, nous ne comprenons le moi conscient lui-même que comme un instrument au service de cet intellect supérieur, qui voit tout d'ensemble : et nous pouvons alors nous demander si tout *vouloir* conscient, toute *fin consciente*, tout jugement de *valeur* ne seraient pas de simples moyens destinés à atteindre quelque chose d'essentiellement différent de ce qui nous apparaissait à la lumière de la conscience [...] Il faudra montrer à quel point tout ce qui est conscient demeure *superficiel*, à quel point l'action *diffère* de l'image de l'action, combien nous savons peu de ce qui *précède* l'action ; combien chimériques sont nos intuitions d'une « volonté libre », de « cause et d'effet » ; comment les pensées, les images et les mots ne sont que les signes des pensées, à quel point toute action est impénétrable.

Nietzsche, *La Volonté de Puissance*, I, § 261, « Tel », Gallimard, 1995, p. 314.

2. Alain

L'inconscient, un autre Moi ?

Il faut éviter ici plusieurs erreurs que fonde le terme d'*inconscient*. La plus grave de ces erreurs est de croire que l'inconscient est un autre Moi ; un Moi qui a ses préjugés, ses passions et ses ruses ; une sorte de mauvais ange, diabolique conseiller. Contre quoi il faut comprendre qu'il n'y a point de pensées en nous sinon par l'unique sujet, Je ; cette remarque est d'ordre moral. Il ne faut pas se dire qu'en rêvant on se met à penser. Il faut savoir que la pensée est volontaire ; tel est le principe des remords : « Tu l'as bien voulu ! ». On dissoudrait ces fantômes en se disant simplement que tout ce qui n'est point pensée est mécanisme, ou encore mieux, que ce qui n'est point pensée est corps, c'est-à-dire chose soumise à ma volonté ; chose dont je réponds [...] L'inconscient est donc une manière de donner dignité à son propre corps ; de le traiter comme un semblable ; comme un esclave reçu en héritage et dont il faut s'arranger. L'inconscient est une méprise sur le Moi, c'est une idolâtrie du corps.

Alain, *Éléments de Philosophie*, II, 16, note, « Idées », Gallimard, 1983, p. 155.

3. Husserl

L'*illusion* de l'immédiateté quotidiennement donnée concerne l'« inconscient » lui aussi, comme elle concerne la conscience : ne connaissons-nous pas tous les phénomènes du sommeil, de l'évanouissement, de l'abandon à la force obscure des tendances, des états créateurs, et ainsi de suite ? La naïveté de la théorie banale de l'« inconscient » consiste en ce qu'elle s'enfonce dans les phénomènes intéressants qui se rencontrent quotidiennement, qu'elle met en œuvre une empirie inductive et projette des « explications » constructives, et que pendant tout ce temps-là elle est toujours déjà guidée, mais en silence, par le dogmatisme naïf d'une *théorie implicite de la conscience*, dont il est fait constamment usage dans toutes les façons dont on se démarque des phénomènes de conscience, pris eux aussi dans la familiarité quotidienne.

Husserl, *La Crise des sciences européennes et la phénoménologie transcendantale*, § 46, appendice, « Tel », Gallimard, 1976, p. 527.

4. Sartre

La censure est-elle de mauvaise foi ?

Si en effet nous repoussons le langage et la mythologie chosiste de la psychanalyse nous nous apercevons que la censure, pour appliquer son activité avec discernement, doit connaître ce qu'elle refoule. Si nous renonçons en effet à toutes les métaphores représentant le refoulement comme un choc de forces aveugles, force est bien d'admettre que la censure doit *choisir*, et, pour choisir, *se représenter*. D'où viendrait, autrement, qu'elle laisse passer les impulsions sexuelles licites, qu'elle tolère que les besoins (faim, soif, sommeil) s'expriment dans la claire conscience ? Et comment expliquer qu'elle peut *relâcher* sa surveillance, qu'elle peut même être *trompée* par les déguisements de l'instinct ? Mais il ne suffit pas qu'elle discerne les tendances maudites, il faut encore qu'elle les saisisse comme à refouler, ce qui implique chez elle à tout le moins une représentation de sa propre activité. En un mot, comment la censure discernerait-elle les impulsions redoutables sans avoir conscience de les discerner ? Peut-on concevoir un savoir qui serait ignorance de soi ?

Sartre, *L'Être et le Néant*, « Tel », Gallimard, 1943, p. 88.

5. Sollers

La psychanalyse, seule contre tous ?

En réalité, la psychanalyse a dû et doit encore se battre constamment sur tous les fronts. Aux religions, elle oppose sa théorie des névroses. À la science, sa revendication du sujet inconscient. À la philosophie, sa pratique concrète du symptôme et son ambition de connaissance scientifique. Au rationalisme général, son « décentrement » prouvant à la pelle, à chaque instant, que je pense où je ne suis pas et que je ne pense pas où je suis. À la vision politique du monde et à son ordre (donc aussi bien au marxisme) le rappel des exigences sexuelles insolubles de l'espèce. Aux idéologies libertaires, la différence sexuelle, le « roc de la castration », la certitude qu'il n'y a pas de « bonne société » ni d'épanouissement sans entraves du désir [...] Elle peut donc être à chaque instant considérée tantôt comme réactionnaire, tantôt comme subversive.

Sollers, *Théorie des Exceptions*, « Folio-Essais », Gallimard, 1986, p. 242-243.

6. Leibniz

Comment nos perceptions nous échappent-elles ?

Pour juger encore mieux des petites perceptions que nous ne saurions distinguer dans la foule, j'ai coutume de me servir de l'exemple du mugissement ou du bruit de la mer dont on est frappé quand on est au rivage. Pour entendre ce bruit comme l'on fait, il faut bien qu'on entende les parties qui composent ce tout, c'est-à-dire le bruit de chaque vague, quoique chacun de ces petits bruits ne se fasse connaître que dans l'assemblage confus de tous les autres ensemble, et qu'il ne se remarquerait pas si cette vague qui le fait était seule [...] Ces petites perceptions sont donc de plus grande efficace qu'on ne pense. Ce sont elles qui forment ce je ne sais quoi, ces goûts, ces images des qualités des sens, claires dans l'assemblage, mais confuses dans les parties, ces impressions que les corps environnants font sur nous, et qui enveloppent l'infini, cette liaison que chaque être a avec tout le reste de l'univers.

Leibniz, *Nouveaux Essais sur l'entendement humain*, préface, GF-Flammarion, 1990, p. 41-42.

7. Freud

Savons-nous tout ce qui se passe en nous ?

Tu crois savoir tout ce qui se passe dans ton âme, dès que c'est suffisamment important, parce que ta conscience te l'apprendrait alors. Et quand tu restes sans nouvelles d'une chose qui est dans ton âme, tu admets, avec une parfaite assurance, que cela ne s'y trouve pas. Tu vas même jusqu'à tenir « psychique » pour identique à « conscient », c'est-à-dire connu de toi, et cela malgré les preuves les plus évidentes qu'il doit sans cesse se passer dans la vie psychique bien plus de choses qu'il ne peut s'en révéler à la conscience. Tu te comportes comme un monarque absolu qui se contente des informations que lui donnent les hauts dignitaires de la cour et qui ne descend pas vers le peuple pour entendre sa voix. Rentre en toi-même profondément et apprends d'abord à te connaître, alors tu comprendras pourquoi tu vas tomber malade, et peut-être éviteras-tu de le devenir [...] Le moi n'est pas le maître dans sa propre maison.

Freud, *Essais de psychanalyse appliquée,* « Idées », Gallimard, 1933, p. 144-146.

8. Freud

On nous conteste de tous côtés le droit d'admettre un psychique inconscient et de travailler scientifiquement avec cette hypothèse. Nous pouvons répondre à cela que l'hypothèse de l'inconscient est nécessaire et légitime, et que nous possédons de multiples preuves de l'existence de l'inconscient. Elle est nécessaire parce que les données de la conscience sont extrêmement lacunaires ; aussi bien chez l'homme sain que chez le malade, il se produit fréquemment des actes psychiques qui, pour être expliqués, présupposent d'autres actes qui, eux, ne bénéficient pas du témoignage de la conscience. Ces actes ne sont pas seulement les actes manqués et les rêves, chez l'homme sain, et tout ce qu'on appelle symptômes psychiques et phénomènes compulsionnels chez le malade ; notre expérience la plus quotidienne nous met en présence d'idées qui nous viennent sans que nous en connaissions l'origine, et de résultats de pensée dont l'élaboration nous est demeurée cachée.

Freud, *Métapsychologie*, Gallimard, 1968, p. 66.

Sujets approchés

L'idée d'inconscient exclut-elle celle de liberté ?
Puis-je invoquer l'inconscient sans ruiner la morale ?
Le recours à l'inconscient autorise-t-il l'alibi de l'inconscience ?
Être conscient de soi est-ce être maître de soi ?
Suis-je responsable de ce dont je n'ai pas conscience ?

→ ***Approche commune* : Ces questions envisagent le problème de la liberté (et donc la responsabilité) de la pensée que la notion d'inconscient paraît menacer. La conscience dans son fonctionnement est-elle déterminée ou libre ?**

L'inconscient parle-t-il en nous ?
Quelle conception de l'homme l'hypothèse de l'inconscient remet-elle en cause ?
L'hypothèse de l'inconscient contredit-elle l'exigence morale ?
La libération passe-t-elle par le refus de l'inconscient ?
La connaissance de l'inconscient apporte-t-elle quelque chose d'essentiel à la vie de l'homme ?
La notion d'inconscient introduit-elle la fatalité dans la vie de l'homme ?

→ ***Approche commune* : Ces questions nous interrogent sur les effets de l'hypothèse de l'inconscient comme système. L'inconscient est-il une fatalité déterminante ou au contraire un élément dont la connaissance et l'exploration peuvent devenir pour nous (pour guérir, pour nous connaître nous-mêmes) une ressource ?**

Peut-on refuser l'hypothèse d'un inconscient psychique ?
Sur quoi se fonder pour admettre l'hypothèse d'un inconscient psychique ?
Peut-on connaître l'inconscient ?
Les rêves ont-ils un sens ?

→ ***Approche commune* : Ces questions attirent notre attention sur le statut d'hypothèse de l'idée d'inconscient. Le gain de sens qu'offre l'hypothèse est-il une raison suffisante pour conclure à sa vérité ? L'hypothèse doit-elle être abordée comme explication ou comme détermination positive ?**

L'existence de l'inconscient est-elle une hypothèse ou une certitude ?
Peut-il y avoir une science de l'inconscient ?
L'inconscient est-il psychique ?
L'inconscient est-il en moi nature ou histoire ?

→ ***Approche commune* : Comme les précédents, ces sujets prennent en compte le caractère hypothétique de la notion d'inconscient, ici sous l'angle particulier du déterminisme culturel. Détermination psychique ou physiologique, naturelle ou culturelle ?**

Sujet esquissé : Le recours à l'inconscient autorise-t-il l'alibi de l'inconscience ?

Introduction

Il est fréquent, en justice, de voir des prévenus et leurs défenseurs invoquer des motifs psychologiques ou même psychanalytiques au titre de circonstances atténuantes. Le libellé, qui demande si pareil recours peut aller jusqu'à l'alibi, n'échappe pas à cette tonalité judiciaire. L'inconscient peut-il me disculper, m'ôter toute responsabilité ? Si la question se pose, c'est qu'en recourant à l'inconscient on recourt à une théorie déterministe, qui nie la liberté de la pensée et de l'action humaines. Mais n'y a-t-il pas un peu trop de facilité à instrumentaliser ainsi la théorie, à en faire le moyen magique d'échapper à nos responsabilités ? Même en prenant en compte une théorie « dure » de l'inconscient, faut-il conclure que ma pensée et mon action perdent toute liberté ou est-ce que j'en demeure au contraire irréductiblement responsable ?

Lignes directrices

1. Admettre l'hypothèse d'un inconscient psychique, c'est l'admettre d'avance comme déterminante.

Dans sa formulation freudienne, l'hypothèse de l'inconscient fait système, et elle exprime très clairement un déterminisme. Freud nie la liberté de l'esprit (cf. cours II b § 2). L'inconscient fait donc destin, et il suffit d'invoquer cette théorie pour mettre en évidence que je ne suis pas l'auteur réel de mes pensées et de mes actes.

2. Même à admettre l'hypothèse, l'inconscient ne fait pas pour autant destin.

Lier systématiquement l'hypothèse d'un inconscient à l'abandon possible de nos responsabilités, ce n'est finalement rien d'autre que dévoyer l'esprit de la théorie de l'inconscient. D'abord parce qu'on n'y peut recourir que pour savoir, pour se connaître, non pour l'instrumentaliser ; ensuite parce que sa valeur tient aussi à ce qu'elle peut nous permettre de reconquérir notre inconscient (cf. cours II c 3), et de guérir peut-être de ce dont nous souffrons.

3. La nécessité de la responsabilité justifie alors au contraire la méfiance devant toute théorie de l'inconscient.

La facilité qu'il y a à appliquer et à exploiter une théorie de l'inconscient (cf. cours III b) est précisément le signe de son totalitarisme et l'indice de ce qu'elle a de contestable. Quitte à vouloir donner du sens, on en donne peut-être plus à ses actes en les revendiquant jusqu'au bout qu'en les imputant à une cause souterraine.

Autrui

Définir, Problématiser

Autrui est celui qui dit moi sans être moi, il est en quelque sorte le moi qui n'est pas moi. Dans cette première définition de l'autre, c'est encore de moi qu'il est question, comme si je ne pouvais finalement définir les autres qu'à partir de moi, en neutralisant l'altérité de l'autre, qui est ce qui fait problème en lui. Dans des métaphores comme celles des « proches », du « cercle » ou de l'« entourage », je suis au centre et l'autre est périphérique. L'adjectif « autre » est lui-même ambigu dans le langage courant, il peut signifier un deuxième exemplaire du même (comme dans « une autre bière ») ou bien au contraire une différence. En sommes-nous réduits à penser autrui en partant toujours de nous-mêmes ou bien est-ce qu'autrui m'impose au contraire l'épreuve de sa différence ? **Autrui n'est-il qu'un alter ego (un autre moi-même) ou bien un étranger irréductible ?**

D'un autre côté, je suis aussi un autre : pour l'autre, autrui c'est moi. Autrui est à la fois un objet (pour moi) et un sujet (pour lui), ou, en termes hégéliens et sartriens, un en-soi et un pour-soi à la fois. En tant qu'il n'est pas seulement objet mais aussi sujet, l'autre a droit, de notre part, à une attitude inédite, qui n'est plus celle que nous observons avec les objets. Dans une rame de métro bondée, les autres sont à la fois pour moi des volumes dans l'espace à travers lesquels je me fraye un chemin, et des personnes humaines dont je ne peux écraser les pieds ni toucher certaines parties du corps. C'est le respect, qui consiste à traiter l'autre comme une personne humaine, c'est-à-dire à voir dans l'autre une fin et non un moyen. Et pourtant, même au fond de l'altruisme, l'égoïsme pointe encore : est-ce pour moi ou pour l'autre que je respecte autrui ? **Arrivons-nous à traiter l'autre comme une fin ou en faisons-nous toujours un moyen ?**

Développer

I. L'analogie

Une analogie est possible entre l'autre et moi : ce qu'il vit est pour lui ce que je vis est pour moi. C'est ainsi que nous nous consolons ou nous conseillons les uns les autres : en postulant que nous pouvons comprendre l'autre à partir de nous-mêmes.

a. L'égologie cartésienne

La perspective issue de Descartes repose sur une philosophie du sujet, centrée sur l'ego. C'est à une théorie de ce genre, qui met l'ego au centre, que l'on peut donner le nom d'égologie. C'est essentiellement à partir de Descartes que la question d'autrui commence à devenir un problème, parce que le *cogito* apparaît comme absolument insulaire : la philosophie cartésienne, qui fonde la modernité philosophique, a mis le moi en son centre en posant autrui comme absent ou au mieux comme « le second de ma solitude » (Rilke). Chez Descartes, les autres ne sont alors qu'un cas particulier de l'extériorité, de ce au sujet de quoi nos sens peuvent nous tromper, au même titre que les objets. Ces « chapeaux et manteaux[1] » de la *Seconde Méditation* qui sont peut-être juchés sur des automates : voilà le premier visage d'autrui chez Descartes.

Au même titre que le reste du monde sensible tel qu'il a été révoqué en doute, autrui n'est reconquis et redécouvert par déduction que dans la *Sixième Méditation.* En effet « la nature m'enseigne que plusieurs autres corps existent autour du mien, entre lesquels je dois poursuivre les uns et fuir les autres [...] Et aussi, de ce qu'entre ces diverses perceptions des sens, les unes me sont agréables, et les autres désagréables, je puis tirer une conséquence tout à fait certaine, que mon corps (ou plutôt moi-même tout entier, en tant que je suis composé du corps et de l'âme) peut recevoir diverses commodités ou incommodités des autres corps qui l'environnent[2] ». C'est donc par analogie que je peux connaître l'autre : de même qu'il peut m'être corporellement agréable ou désagréable, je peux moi-même à mon tour lui être agréable ou désagréable. C'est à partir de moi que je connais l'autre : ce qui me donne chaud peut lui donner chaud : « que dans un corps qui est chaud, il y ait quelque chose de semblable à l'idée de la chaleur qui est en moi[3] ».

Dans l'analogie entre l'autre et moi, je suis le comparant et l'autre est le comparé. L'analogie ne peut rester un modèle d'intelligibilité sans devenir en même temps un modèle normatif : la norme est donc de mon côté et l'autre n'est normal qu'à condition d'être moi. La source du racisme n'est pas loin : en pensant autrui à partir de nous-mêmes, nous ne pouvons respecter en lui que ce qui est déjà en nous. C'est la différence de l'autre qui reste difficile à penser. La consolation nous en donne un exemple riche : d'un côté, je peux essayer de consoler l'autre à partir du souvenir

1. Voir texte n° 8.
2. Descartes, *Méditations métaphysiques*, VI, GF-Flammarion, 1979, p. 181.
3. *Ibidem.*

que j'ai d'un chagrin semblable et de la solution que j'y ai trouvée ; mais d'un autre côté, l'irréductible différence de l'autre fait qu'il ne souffre pas de la même souffrance que moi, et qu'il reste donc finalement irréductiblement autre, c'est-à-dire jamais vraiment consolable. L'altérité radicale de l'autre commence là où la consolation échoue : « Ta douleur, Du Périer, sera donc éternelle, et les tristes discours Que te met en l'esprit l'amitié paternelle L'augmenteront toujours[1] ? »

b. Les limites de l'analogie

Il devient donc manifeste qu'on ne peut arriver à donner une place à l'autre qu'en sortant de ce point de vue cartésien. La philosophie du XXe siècle issue de la phénoménologie se sert justement de la question d'autrui pour en finir avec la philosophie cartésienne, et pour s'affranchir du dualisme du sujet et de l'objet. Ainsi, une analyse célèbre de Merleau-Ponty veut montrer qu'il n'y a pas de place pour autrui dans la pensée objective, la philosophie du sujet issue de Descartes. En effet, « autrui serait devant moi un en-soi et cependant il existerait pour-soi, il exigerait de moi pour être perçu une opération contradictoire, puisque je devrais à la fois le distinguer de moi-même, donc le situer dans le monde des objets[2] ». La contradiction que dénonce ici Merleau-Ponty est celle de l'en-soi et du pour-soi : comment autrui peut-il être à la fois un objet pour moi et un sujet qui peut à son tour faire de moi un objet ? Ce qu'il s'agit donc de faire, c'est changer de primat, de fondement : l'autre est peut-être premier.

L'analogie se voit donc réfutée comme accès méthodologique à autrui. Ce sont les fondements mêmes de cette analogie qui doivent être ainsi remis en question : « quand je me tourne vers ma perception et que je la ré-effectue, je retrouve une pensée plus vieille que moi à l'œuvre dans mes organes de perception et dont ils ne sont que la trace. C'est de la même manière que je comprends autrui. Ici encore, je n'ai que la trace d'une conscience qui m'échappe dans son actualité et, quand mon regard croise un autre regard, je ré-effectue l'existence étrangère dans une sorte de réflexion. Il n'y a rien là comme un raisonnement par analogie[3] ». Il n'y d'analogie possible qu'en apparence entre l'autre et moi, parce que toute analogie repose sur une pétition de principe, ne reconnaissant en l'autre que ce qu'elle suppose pouvoir reconnaître : « le raisonnement par analogie présuppose ce qu'il devrait expliquer. L'autre conscience ne peut être déduite que si les expressions émotionnelles d'autrui et les miennes sont comparées et identifiées et si des corrélations précises sont reconnues entre ma mimique et mes "faits psychiques". Or, la perception d'autrui précède et rend possible de telles constatations, elles n'en sont pas constitutives[4]. »

C'est ce qu'on retrouve dans la question de l'exotisme, rapidement devenu une mode littéraire à partir des récits des premiers explorateurs. L'exotisme n'est que de pacotille tant qu'on ne part voir l'autre qu'avec la certitude de sa propre supériorité.

1. Malherbe, *Consolation à M. du Périer.*
2. Voir texte n° 4.
3. Merleau-Ponty, *Phénoménologie de la Perception*, « Tel », Gallimard, 1945, p. 404.
4. *Ibidem.*

Dans ses premières expressions, du *Supplément au Voyage de Bougainville* de Diderot jusqu'à la *Connaissance de l'Est* de Claudel, l'exotisme ne voit l'autre qu'à partir de nos propres yeux, pour imposer sa certitude de soi. L'exotisme véritable commence justement lorsqu'on adopte sur soi le point de vue de l'autre, comme Montesquieu s'y exerce dans ses *Lettres Persanes* en décrivant Paris vu d'un point de vue persan. Dans ses *Essais sur l'Exotisme*, Ségalen essaie ainsi de montrer que je ne peux me voir que comme les autres me voient : le véritable exotisme consiste ainsi à perdre sa certitude de soi pour apprendre du regard de l'autre, devenu premier.

c. Autrui comme médiateur

S'il faut adopter sur soi le point de vue de l'autre, c'est peut-être aussi parce que c'est à l'autre qu'il incombe de me dire qui je suis.

Ainsi toute conscience vit pour être reconnue : c'est le point de départ de l'analyse de Hegel. On voit par là que même dans une perspective solipsiste, l'autre est nécessairement conduit à prendre un rôle fondamental, ne serait-ce que dans la mesure où lui aussi vit pour être reconnu. S'engage alors une lutte pour la reconnaissance (voir texte n° 6). C'est que je dois être reconnu, mais seulement par celui que je reconnais (qu'importe si tout le monde me trouve beau, je veux que ce soit celle que je trouve belle qui me trouve beau). Ainsi dans toute relation, celui qui est reconnu en premier est en position de force : le demandé domine le demandeur, comme le *Banquet* de Platon reconnait lui aussi la meilleure place à celui qui est aimé plutôt qu'à celui qui aime. Hegel dit donc que « le comportement des deux consciences de soi est donc déterminé de telle sorte qu'elles se prouvent elles-mêmes l'une à l'autre au moyen de la lutte pour la vie et la mort[1] ». Seule une lutte à mort est le moyen de la reconnaissance, parce qu'elle offre à la reconnaissance l'un de l'autre des sujets libres, libérés de l'attachement à la vie.

Toute conscience de soi a sa propre certitude sur soi, mais ma certitude n'est pas encore la vérité. Il faut qu'elle soit reconnue par l'Autre. La relation à l'autre n'est pas une reconnaissance superflue : elle est un mouvement et un processus absolument nécessaires dans la formation de la conscience de soi. Ce n'est qu'ainsi que l'en-soi et le pour-soi seront réconciliés, surmontant ainsi la division originelle de la conscience qui est la source de son malheur[2]. On retrouve ici à l'œuvre le dynamisme de la dialectique hégélienne : une chose ne devient ce qu'elle est qu'en en passant par l'épreuve de son contraire. Ainsi, j'ai besoin de l'autre pour devenir moi : l'autre est un médiateur entre moi et moi. L'analyse hégélienne montre bien que la conscience n'est plus auto-suffisante, et qu'elle n'advient à elle-même que dans un réseau serré de relations qui est plus vieux qu'elle : l'intersubjectivité devient alors un champ originaire qui prime le subjectif.

---

1. Hegel, *Phénoménologie de l'Esprit*, tome 1, trad. Jean Hyppolite, Aubier, 1941, p. 158
2. Voir le cours sur la conscience, texte n° 6.

Sartre a montré quelle était la médiation de moi à moi qu'opérait l'autre (voir texte n° 3). Le désir[1], peut ainsi être compris comme un mode premier de la relation à autrui. En effet, je désire non pas tant l'autre que la liberté de l'autre, dont j'attends qu'elle se soumette à moi en restant paradoxalement libre. Une pure soumission ne me reconnaît en rien comme être désirable : le désir est désir du désir de l'autre. Quand l'autre me désire, je suis dépositaire d'une liberté captive, qui me reconnaît comme désirable : il faut que ce soit librement que l'autre se soumette, faute de quoi l'objectif du processus de reconnaissance sous-jacent n'est pas rempli.

II. L'intersubjectivité

La notion d'intersubjectivité désigne ce qu'il y a entre les sujets : ce qui est premier, ce n'est donc ni moi, ni l'autre, mais ce qu'il y a entre nous.

a. Autrui en son visage

Il s'agit de séparer, comme Descartes ne l'a pas fait, le problème d'autrui de celui de la connaissance et du rapport à l'extériorité en général : autrui n'est pas un objet extérieur comme un autre, et réclame davantage qu'une déduction ou qu'une analogie. C'est ce dont veut témoigner Levinas en expliquant que « l'intrigue de la proximité n'est pas une péripétie de l'intrigue de la connaissance ». Autrui est celui qui m'apporte ce dont une déduction sur lui ne saurait rendre raison, c'est-à-dire du sens. Le sens qu'offre Autrui, dans sa variété, dépasse et déjoue les systèmes de pensée. Autrui se définit donc comme un signe, c'est-à-dire par son ambiguïté. Or l'autre ne cesse jamais complètement d'être ambigu, sans avoir besoin pour cela de jouer avec moi : l'autre est un signe et me fait des signes. Cela signifie d'abord qu'il y a toujours en l'autre une part irréductible de mystère qui nous échappe, et que nous voudrions à la fois épuiser, réduire et vider (« à quoi tu penses ? ») et en même temps préserver : plus moyen d'aimer l'autre quand il n'a plus de mystère, même si en même temps on voudrait pouvoir lire en l'autre à livre ouvert.

Autrui n'est pas un objet qui s'analyse, mais un humain à rencontrer : ce n'est pas pour rien que les bourreaux nazis effaçaient le visage de leurs victimes[2]. Ce sont d'abord nos regards et nos visages qui se croisent ou se fuient. Autrui est d'abord dans son visage, aux multiples significations. Dévisager l'autre, c'est chercher à pénétrer son intériorité. Ainsi aussi, le rapport à autrui, comme par exemple la caresse, n'est pas de l'ordre du savoir ou de la connaissance : dans la caresse, ce n'est pas la peau de l'autre, mais l'autre qu'on touche : Valéry disait que la peau est ce que nous avons de plus profond. L'intériorité de l'autre n'est pas forcément là où je l'attends : le chirurgien qui m'opère n'est pas nécessairement mon intime, alors qu'un regard imprévu peut me percer à jour, me dévisager impudiquement, m'ouvrir de part en

1. Voir aussi le cours sur le désir, texte n° 8.
2. Voir Antelme, l'*Espèce humaine*, « Tel », Gallimard.

part, et me faire rougir : en rougissant, je contiens ma réaction et l'intimité de ma pensée d'une façon qui la révèle.

Le thème du visage, mieux qu'aucun autre, montre que toute rencontre avec l'autre produit plus de signification qu'il n'est possible de se le représenter. Le visage exprime et réprime, il « est présent dans son refus d'être contenu. Dans ce sens il ne serait être compris, c'est-à-dire englobé[1] ». La résistance du visage de l'autre à ma compréhension est totale, parce que son visage ne me montre jamais vraiment rien ni jamais tout non plus, et que je ne peux démasquer un bon menteur même en l'obligeant à me regarder dans les yeux. Comme le dit Levinas « le visage se refuse à la possession, à mes pouvoirs. Dans son épiphanie, dans l'expression, le sensible, encore saisissable se mue en résistance totale à la prise.[2] » L'expression de l'autre ne nous donne pas son intériorité parce que l'autre conserve toujours la possibilité de se cacher et de mentir. Même si nous croyons « percevoir directement dans le sourire d'un autre sa joie, dans ses larmes son chagrin et sa douleur, dans la rougeur de son visage sa honte [...] il est essentiellement impossible de décomposer l'unité d'un phénomène d'expression (un sourire, un "regard" menaçant ou bienveillant ou tendre) en une multitude d'unités plus petites et d'obtenir ensuite, par leur recomposition, la même perception que celle que nous avait fourni le phénomène primitif et total[3]. »

b. La destitution du moi

Être destitué, c'est perdre une position dominante : or le visage et le mystère de l'autre m'enlèvent abruptement ma position première et centrale. L'existence de l'autre témoigne de ce qu'on peut être et vivre autrement que moi, remettant ainsi en cause mon équilibre et mes certitudes. Toute relation à autrui est marquée d'avance par une certaine asymétrie qui défie ma position centrale et m'en destitue. Reprenant la formule cartésienne du *je pense* solitaire, du *cogito*, Merleau-Ponty conclut à son échec : « le *cogito* d'autrui destitue de toute valeur mon propre *cogito* et me fait perdre l'assurance que j'avais dans la solitude d'accéder au seul être pour moi concevable[4] ». Ainsi, pour pouvoir penser autrui, il faut renoncer à la solitude cartésienne, c'est-à-dire à une attitude qui réduisait autrui à la cire, aux chapeaux ou aux manteaux (voir texte n° 8), c'est-à-dire à un simple avatar de la philosophie de la connaissance.

On est encore bien loin de prendre la mesure des difficultés qu'autrui nous pose tant qu'on ne l'aborde que par le prisme de la métaphore du prochain. Si le prochain est celui qui est comme moi, que recouvre l'amour du prochain, sinon ma complaisance pour ma propre personne ? Dénonçant l'amour du prochain comme une forme hypocrite de l'amour de soi, Nietzsche nous invite ainsi à l'amour du lointain (voir texte n° 5). L'autre véritable n'est donc pas celui qui est comme moi et qui pense ce

1. Levinas, *Totalité et Infini*, « Biblio-essais », 1971, p. 211.
2. *Ibidem*.
3. Scheler, *Nature et Formes de la sympathie*, Payot, 1928, p. 380-382.
4. Merleau-Ponty, *op. cit.* p. 405.

que je pense, mais au contraire celui dont la différence menace d'avance toute communicabilité. Lorsque Malebranche évoque les Chinois au moment de savoir si la raison est universelle, ou lorsque Hume évoque l'Indien dont je peux préférer prévenir le malaise plutôt que ma ruine (pour montrer que la raison ne peut rien contre la passion), c'est bien de cet étranger radical qu'il s'agit, celui avec qui mes repères familiers et les présomptions de l'analogie s'effacent pour laisser place à l'altérité la plus radicale.

c. Altruisme et égoïsme

Le confort de l'analogie et de la métaphore du prochain sont aussi le signe que d'une certaine façon l'altruisme peut recouvrir de l'égoïsme : le cadeau est souvent plus facile à offrir qu'à recevoir, et nous sentons bien que les gros cadeaux que nous recevons font de nous des obligés. C'est aussi ce que laisserait soupçonner l'analyse qu'Aristote fait de l'égoïsme : avant que la tradition judéo-chrétienne ne fasse de l'amour d'autrui une sorte de devoir, son analyse tend au contraire à montrer qu'aimer les autres c'est finalement toujours s'aimer soi-même.

Ainsi l'opinion commune dira qu'est égoïste celui qui revendique « une part trop large dans les richesses, les honneurs ou les plaisirs du corps », mais n'est-ce pas là ce que « la plupart des hommes désirent » (voir texte n° 1) ? Cela reviendrait à dire que la critique commune de l'égoïsme ne recouvre en fait qu'une jalousie frustrée, et qu'en réalité « il ne peut rien exister d'autre que l'égoïsme[1] ». L'analyse s'affine encore lorsqu'Aristote prend l'exemple d'un homme qui au contraire s'appliquerait « toujours à revendiquer pour lui-même ce qui est honnête », pour remarquer que « nul assurément ne qualifierait cet homme d'égoïste », alors que pourtant il s'attribue « les avantages qui sont les plus nobles ». Ce second égoïsme est l'apanage de celui qui s'assure le beau rôle, qui peaufine son image, et que Hegel appelait « la belle âme ». On n'est donc vraiment moral qu'en ne le montrant pas : « les belles actions cachées sont les plus estimables[2] », comme le disait Pascal. L'égoïste n'est donc peut-être pas celui qu'on aurait cru, et l'égoïsme ne coïncide pas avec son image commune. Mais finalement, si l'altruisme est le tout-pour-autrui et le désintéressement absolu, est-ce seulement possible ? Et n'est-ce pas dangereux ?

Jankélévitch aborde cette question de l'altruisme en montrant que la question se présente en effet sous l'apparence d'une « aporie misanthropique », qui fait qu'il y a toujours moyen de dénoncer « l'altruisme comme une périphrase clandestine de l'égoïsme[3] ». Pourtant, même s'il est vrai que « le sentiment altruiste suppose un sujet qui l'éprouve[4] », cette subjectivité de l'altruiste n'est pas nécessairement un handicap originel de la disposition du sujet mais au contraire ce qui la valorise : l'égoïsme n'est pas qu'une ombre qui menacerait l'altruisme, il est au contraire le risque qui rend l'altruisme courageux et qui lui donne sa valeur : « c'est l'ego qui rend

1. Nietzsche, *La Volonté de Puissance*, tome I, § 253, « Tel », Gallimard, 1995, p. 116.
2. Pascal, *Pensées*, 159,GF-Flammarion, 1976, p. 94.
3. Jankélévitch, *Traité des Vertus*, I, Champs-Flammarion, 1983, p. 23.
4. *Ibidem*, p. 23

possible l'altruisme, mais c'est l'égoïsme qui le rend méritoire[1] ». Ainsi le prochain redevient-il plus difficile à aborder et à respecter que le lointain, parce que ce dernier représente finalement « notre semblable en individualisme[2] ». L'altruisme garde ses mérites, que même la possible intervention de l'égoïsme ne diminue pas.

III. Autrui comme personne

La notion de personne incarne la dimension proprement morale du problème d'autrui : considérer autrui comme une personne, c'est adopter sur lui un point de vue qui exhorte son humanité.

a. La notion de personne

Une personne n'est pas un objet ou une chose : elle incarne ce que chacun a de respectable et d'humain. La notion de personne a d'abord été, historiquement, juridique et romaine : la personne se définissait comme un sujet de droit. Sur le plan moral, la personne se caractérise par sa dignité : ainsi ceux qui s'opposent à l'avortement considèrent-ils le fœtus comme une personne, et leurs adversaires comme un organisme. La notion de personne se comprend alors plutôt comme un point de vue qui renvoie à la singularité et à la respectabilité de chacun. Kant définit donc la notion de personne par la rationalité qui est le fondement de toute morale : « les êtres raisonnables sont appelés des personnes parce que leur nature les désigne déjà comme des fins en soi, autrement dit comme quelque chose qui ne peut pas être employé simplement comme moyen[3] ». Voir en l'autre une fin et jamais un moyen, c'est la définition même du respect.

La notion de personne incarne ce qu'il y a en l'autre de respectable. Il ne s'agit donc pas d'un critère objectif qui distinguerait les uns (ceux qui peuvent en propre être appelés des personnes) et d'autres (qui ne mériteraient pas ce rang), mais plutôt d'un point de vue sur chacun. En un sens, c'est celui qui exclut d'avance du rang des personnes humaines telle ou telle catégorie d'hommes qui déroge aux exigences de la personnalité. Lévi-Strauss analyse par exemple la façon dont l'antiquité grecque repoussait sous le nom de barbares tous ceux qui ne relevaient pas de la culture grecque. Ainsi, « en refusant l'humanité à ceux qui apparaissent comme les plus "sauvages" ou "barbares" de ses représentants, on ne fait que leur emprunter une de leurs attitudes typiques. Le barbare, c'est d'abord l'homme qui croit à la barbarie[4] ».

Ce que l'autre a de respectable n'est donc pas seulement ce que lui et moi avons en commun, comme le dit Durkheim qui veut nuancer la définition kantienne de la personnalité : « pour lui, la clef de voûte de la personnalité est la volonté. Or la volonté est la faculté d'agir conformément à la raison, et la raison est ce qu'il y a de plus impersonnel en nous. Car la raison n'est pas ma raison : c'est la raison humaine

1. *Idem*.
2. *Idem*, p. 249.
3. Kant, *Fondements de la Métaphysique des Mœurs*, Delagrave, 1985, p. 149.
4. Lévi-Strauss, *Race et Histoire*, Denoël, 1968, p. 22.

en général[1] ». L'individualité, la singularité, doivent demeurer des aspects essentiels de la notion de personne, ne serait-ce que parce qu'ils donnent à cette dernière toutes ses difficultés : il semble en effet infiniment plus difficile de respecter la différence que la ressemblance.

b. Respect du même et respect de l'autre

Il est toujours bien difficile de respecter la différence de l'autre parce que cela consisterait à respecter l'autre pour lui plutôt que pour nous ; et plus facile de respecter ce qui nous ressemble parce que c'est finalement moi que je respecte en respectant mon prochain. Que dit d'autre la morale courante, quand elle dit qu'il ne faut pas faire à autrui ce qu'on ne voudrait pas qu'on nous fît[2] ? Ainsi aimer son prochain comme soi-même veut dire non pas qu'il faille ne le respecter que parce qu'on se respecte mais qu'il ne faut pas, dans sa bienveillance, faire de différence entre soi et l'autre. Mais cela ne veut pas dire non plus qu'il faille aimer l'autre plus que tout et plus que soi. Le respect ne signifie en effet plus rien s'il nous coûte celui que chacun se doit. Ainsi le suicide est-il un crime réprimé par la loi, parce que je me dois le même respect qu'à tout autre : me tuer, c'est tuer quelqu'un, et porter atteinte à l'humanité en moi. Il y a par exemple des gens qu'on ne peut plus aimer à cause de leurs efforts pour nous aimer : qui veut encore de quelqu'un qui s'humilie pour lui ?

Trop d'altruisme peut devenir dangereux ou suspect : il y a aussi des devoirs envers soi. « Il y a des situations où, sans être un égoïste, après une évaluation juste et impartiale, nous avons non seulement le droit mais même le devoir de faire passer nos souhaits propres avant ceux d'autrui[3] ». Il n'est donc pas non plus nécessaire de se sacrifier pour l'autre, et l'engagement religieux nous donne ici la limite de l'humain, comme dans l'Évangile selon saint Luc (XIV, 26) : « Si quelqu'un vient à moi sans me préférer à son père, sa mère, sa femme, ses enfants, ses frères, ses sœurs et même à sa propre vie, il ne peut être mon disciple ». Kant dira au contraire que puisque l'adversité, la douleur et l'indulgence constituent des motifs d'enfreindre ses devoirs en général, alors « la force, la santé et la prospérité en général, qui s'opposent à cette influence, peuvent donc aussi, semble-t-il, être regardées comme des fins qui sont en même temps des devoirs, à savoir celui de travailler à *son propre* bonheur et non pas de s'appliquer à celui d'autrui[4] ». Se respecter, c'est respecter en moi ce qui fait l'humanité de tout homme. Il y a donc, comme le disait Descartes, une part d'estime de soi qui n'est pas orgueilleuse, si ce que j'admire en moi dépasse le moi et ses petites vicissitudes[5].

1. Durkheim, *Les Formes élémentaires de la vie religieuse*, Le Livre de Poche, 1991, p. 467.
2. Voir le texte n° 7.
3. Spaemann, *Notions fondamentales de morale*, Champs-Flammarion, 1999, p. 109.
4. Kant, *Métaphysique des Mœurs*, II, 5, « La Pléiade », tome 3, 1987, p. 668.
5. Voir notamment les articles 149 à 151 des *Passions de l'âme*.

c. L'épreuve du respect

Si la question se pose, c'est qu'il semble que pour respecter l'autre il faille se haïr. Pascal le disait : « le respect est "Incommodez-vous[1]". Dans le respect, il y a quelque chose d'humiliant pour moi : j'y fais l'expérience de la valeur de l'autre. Encore faut-il s'entendre sur ce qu'on appelle respect : il ne s'agit pas ici des manifestations formelles et convenues de la politesse (ce que Pascal appelait le respect d'établissement), mais du respect qui vient de ce que l'autre a su m'inspirer (le respect d'estime). »

C'est pour cela que Kant faisait du respect un sentiment rationnel : c'est la manifestation d'une loi rationnelle tellement exigeante pour nous que nous ne pouvons l'appréhender que par un sentiment. C'est en cela que le respect est une épreuve (voir texte n° 2), et ce n'est pas pour rien que le langage courant fait du respect une épreuve de force : le respect se gagne, se mérite, l'autre me tient en respect. Respecter l'autre pour lui ne se fait qu'au prix d'un passage par ce moment négatif, qui se résout dès que la valeur que je reconnais à l'autre ne diminue plus la mienne.

Textes

1. Aristote

Qu'est-ce que l'égoïsme ?

Ceux qui en font un terme de réprobation appellent égoïstes ceux qui s'attribuent à eux-mêmes une part trop large dans les richesses, les honneurs ou les plaisirs du corps, tous avantages que la plupart des hommes désirent et au sujet desquels ils déploient tout leur zèle, dans l'idée que ce sont là les plus grands biens et par là même les plus disputés. Ainsi, ceux qui prennent une part excessive de ces divers avantages s'abandonnent à leurs appétits sensuels, et en général à leurs passions et à la partie irrationnelle de leur âme. Tel est d'ailleurs l'état d'esprit de la majorité des hommes, et c'est la raison pour laquelle l'épithète égoïste a été prise au sens où elle l'est : elle tire sa signification du type le plus répandu, et qui n'a rien que de vil. C'est donc à juste titre qu'on réprouve les hommes qui sont égoïstes de cette façon. Que, d'autre part, ce soit seulement ceux qui s'attribuent à eux-mêmes les biens de ce genre qui sont habituellement et généralement désignés du nom d'égoïste, c'est là un fait qui n'est pas douteux : car si un homme mettait toujours son zèle à n'accomplir lui-même et avant toute chose que les actions conformes à la justice, à la tempérance, ou à n'importe quelle autre vertu, et, en général, s'appliquer toujours à revendiquer pour lui-même ce qui est honnête, nul assurément ne qualifierait cet homme d'égoïste, ni ne songerait à le blâmer. Et pourtant un tel homme peut sembler, plus que le précédent, être un égoïste : du moins s'attribue-t-il à lui-même les avantages qui sont les plus nobles et le plus véritablement des biens ; et il met ses complaisances dans la partie de lui-même qui a l'autorité suprême et à laquelle tout le reste obéit.

Aristote, *Éthique à Nicomaque*, IX, 8, Vrin, 1990, p. 457-458.

1. Pascal, *Pensées*, 317, *op. cit.*, p. 140.

2. Kant

Est-il facile de respecter l'autre ?

Le respect est si peu un sentiment de plaisir qu'on ne s'y laisse aller qu'à contre-cœur à l'égard d'un homme. On cherche à trouver quelque chose qui puisse en alléger le poids, une raison quelconque de blâme pour se dédommager de l'humiliation qui a été causée par un tel exemple. Les morts eux-mêmes, surtout si l'exemple qu'ils donnent paraît ne pouvoir être imité, ne sont pas toujours à l'abri de cette critique. Bien plus, la morale elle-même, dans sa majesté solennelle, est exposée à ce que les hommes tournent contre elle les efforts qu'ils font pour se défendre du respect. Pense t-on qu'il faut attribuer à une autre cause notre désir de rabaisser la loi morale à notre penchant familier ? Que nous prenions toutes les peines possibles pour faire de cette loi un précepte bien entendu, pour d'autres raisons que pour nous débarrasser de ce respect effrayant, qui nous montre si sévèrement notre propre indignité.

Kant, *Critique de la Raison pratique*, « Quadrige », Puf, p.81.

3. Sartre

Comment s'opère la médiation de l'autre ?

Je viens de faire un geste maladroit ou vulgaire : ce geste colle à moi, je ne le juge ni ne le blâme, je le vis simplement, je le réalise sur le mode du pour-soi. Mais voici tout à coup que je lève la tête : quelqu'un était là et m'a vu. Je réalise tout à coup la vulgarité de mon geste et j'ai honte. Il est certain que ma honte n'est pas réflexive, car la présence d'autrui à ma conscience, fût-ce à la manière d'un catalyseur, est incompatible avec l'attitude réflexive : dans le champ de ma réflexion je ne puis jamais rencontrer que la conscience qui est mienne. Or autrui est le médiateur indispensable entre moi et moi-même : j'ai honte de moi tel que j'apparais à autrui. Et, par l'apparition même d'autrui, je suis mis en mesure de porter un jugement sur moi-même comme sur un objet, car c'est comme objet que j'apparais à autrui.

Sartre, *L'Être et le Néant*, « Tel », Gallimard, p. 265.

4. Merleau-Ponty

Descartes nous permet-il de penser autrui ?

Il y a deux modes d'être et deux seulement : l'être en soi, qui est celui des objets étalés dans l'espace, et l'être pour soi qui est celui de la conscience. Or, autrui serait devant moi un en-soi cependant il existerait pour soi, il exigerait de moi pour être perçu une opération contradictoire, puisque je devrais à la fois le distinguer de moi-même, donc le situer dans le monde des objets, et le penser comme conscience, c'est-à-dire comme cette sorte d'être sans dehors et sans parties auquel je n'ai accès que parce qu'il est moi et parce que celui qui pense est celui qui est pensé se confondent en lui. Il n'y a donc pas de place pour autrui et pour une pluralité des consciences dans la pensée objective. Si je constitue le monde, je ne peux penser une autre conscience, car il faudrait qu'elle le constituât elle aussi, et, au moins à l'égard de cette autre vue sur le monde, je ne serais pas constituant. Même si je réussissais à la penser comme constituant le monde, c'est encore moi qui la constituerais comme telle, et de nouveau je serais le seul constituant. Mais justement nous avons appris à révoquer en doute la pensée objective.

Merleau-Ponty, *Phénoménologie de la Perception*, « Tel », Gallimard, 1945, p. 401-402.

5. Nietzsche

Aimer le prochain ou le lointain ?

Vous vous pressez autour du prochain et vous avez pour cela de belles paroles. Mais moi, je vous dis : votre amour du prochain n'est que votre mauvais amour pour vous-mêmes.

Vous vous réfugiez auprès du prochain pour vous fuir vous-mêmes et vous voudriez vous en faire une vertu : mais je perce à jour votre « désintéressement ».

Le toi est plus vieux que le moi ; on a sanctifié le toi mais pas encore le moi : c'est ainsi que l'homme se presse vers son prochain.

Vous conseille-je l'amour du prochain ? Je préfère plutôt vous conseiller de fuir votre prochain et d'aimer le plus lointain !

Plus haut que l'amour du prochain est l'amour du lointain et du futur ; plus haut que l'amour des hommes est l'amour des choses et des fantômes.

Nietzsche, *Ainsi parlait Zarathoustra*, Poche, 1983, p. 81.

6. Hegel

Comment reconnaître l'autre ?

D'abord, la conscience de soi est être-pour-soi simple égal à soi-même en excluant de soi tout ce qui est autre ; son essence et son objet absolu lui sont le Moi ; et dans cette immédiateté ou dans cet être de son être-pour-soi, elle est quelque chose de singulier. Ce qui est autre pour elle est objet, comme objet inessentiel, marqué du caractère du négatif. Mais l'autre est aussi une conscience de soi. Un individu surgit face à face avec un autre individu. Surgissant ainsi immédiatement, ils sont l'un pour l'autre à la manière des objets quelconques [...] En d'autres termes, ces consciences ne sont pas encore présentées réciproquement chacune comme pur être-pour-soi, c'est-à-dire comme consciences de soi. Chacune est bien certaine de soi-même, mais non de l'autre ; et ainsi sa propre certitude de soi n'a encore aucune vérité : car sa vérité consisterait seulement en ce que son propre être-pour-soi se serait présenté à elle comme objet indépendant, ou, ce qui est la même chose, en ce que l'objet se serait présenté comme cette pure certitude de soi-même. Mais selon le concept de la reconnaissance, cela n'est possible que si l'autre objet accomplit en soi-même pour le premier, comme le premier pour l'autre, cette pure abstraction de l'être-pour-soi, chacun l'accomplissant par sa propre opération et à nouveau par l'opération de l'autre.

Hegel, *Phénoménologie de l'Esprit*, tome 1, Aubier, 1941, p. 158-159.

7. Rousseau

À quoi la nature me prédispose-t-elle avec l'autre ?

Il est donc certain que la pitié est un sentiment naturel, qui, modérant dans chaque individu l'activité de l'amour de soi-même, concourt à la conservation mutuelle de toute l'espèce. C'est elle qui nous porte sans réflexion au secours de ceux que nous voyons souffrir : c'est elle qui, dans l'état de nature, tient lieu de loi, de mœurs, et de vertu, avec cet avantage que nul n'est tenté de désobéir à sa douce voix : c'est elle qui détournera tout sauvage robuste d'enlever à un faible enfant, ou à un vieillard infirme, sa subsistance acquise avec peine, si lui-même espère pouvoir trouver la sienne ailleurs ; c'est elle qui, au lieu de cette maxime sublime de justice raisonnée : *Fais à autrui ce que tu veux qu'on te fasse*, inspire à tous les hommes cette autre maxime de bonté naturelle bien moins parfaite, mais plus utile peut-être que la précédente : *Fais ton bien avec le moindre mal d'autrui qu'il est possible.*

Rousseau, *Discours sur l'Origine et les Fondements de l'Inégalité parmi les hommes*, GF-Flammarion, 1971, p. 198-199.

8. Descartes

Les autres, des sujets ou des objets ?

Cependant je ne me saurais trop étonner, quand je considère combien mon esprit a de faiblesse, et de pente qui le porte insensiblement dans l'erreur. Car encore que sans parler je considère tout cela en moi-même, les paroles toutefois m'arrêtent, et je suis presque trompé par les termes du langage ordinaire ; car nous disons que nous voyons la même cire, si on nous la présente, et non pas que nous jugeons que c'est la même, de ce qu'elle a même couleur et même figure ; d'où je voudrais presque conclure, que l'on connaît la cire par la vision des yeux, et non par la seule inspection de l'esprit, si par hasard je ne regardais d'une fenêtre des hommes qui passent dans la rue, à la vue desquels je ne manque pas de dire que je vois des hommes, tout de même que je dis que je vois de la cire ; et cependant que vois-je de cette fenêtre, sinon des chapeaux et des manteaux, qui peuvent couvrir des spectres ou des hommes feints ne se déplaçant que par ressorts ? Mais je juge que ce sont de vrais hommes, et ainsi je comprends, par la seule puissance de juger qui réside en mon esprit, ce que je croyais voir de mes yeux.

Descartes, *Méditations métaphysiques*, II, GF-Flammarion, 1979, p.91-93.

Sujets approchés

Autrui est-il un autre moi-même ?

Qu'est-ce que je sous-entends lorsque je parle d'autrui comme de mon semblable ?

Faut-il être autrui pour être soi-même ?

Autrui peut-il être à la fois lui-même et un alter ego ?

→ ***Approche commune : Autrui est-il un autre moi ou n'est-il qu'un étranger ?***

Autrui peut-il m'aider ?

Les autres nous aident-ils à nous connaître ou nous en empêchent-ils ?

L'influence d'autrui empêche-t-elle mon originalité ?
Faut-il vivre pour autrui ?
La difficulté de comprendre les autres fausse-t-elle tout rapport à autrui ?

→ ***Approche commune* : Reposant sur la communicabilité, ces sujets posent la question du rôle de l'autre dans la construction de ma personnalité. Autrui me dissout-il ou me constitue t-il ?**

Faut-il aimer pour respecter ?
Faut-il craindre le regard d'autrui ?
Pourquoi l'homme désire-t-il être reconnu par les autres ?
Qu'est-ce qui justifie le respect d'autrui ?
Faut-il (ou doit-on) respecter autrui pour qu'il vous respecte ?

→ ***Approche commune* : Autrui est-il un autre moi ou un étranger ?**

Sujet esquissé : Suis-je capable de vouloir du bien à autrui ?

Introduction

De plus en plus, l'intérêt fait figure d'unique lien social : la mise en cause de la sociabilité humaine a ainsi jeté le soupçon sur le rapport à autrui : comment puis-je être désintéressé si autrui m'intéresse ? Ce que je peux faire pour lui, ne le fais-je pas aussi pour moi ? Le soupçon induit par l'énoncé, c'est qu'aucun altruisme n'arrive à être autre chose qu'une forme déguisée d'égoïsme. Quelle conception d'autrui se fait-on alors ? Si autrui est un alter ego, un autre moi, c'est bien par référence à moi que je l'analyse et que j'agis envers lui. Si au contraire autrui est un pur étranger, alors la possibilité d'un désintéressement apparaît, mais s'en trouve d'autant plus fragile qu'autrui n'est plus pour moi le prochain familier, celui qu'il est facile d'aimer, mais qu'il porte la figure inquiétante du lointain. Même ambiguïté dans la définition du « bien » : ce que je prends pour le bien d'autrui n'est-il pas plutôt ce qui m'est agréable ? Autrui peut-il être une fin pour moi ou n'est-il finalement jamais qu'un moyen ?

Lignes directrices

1. Je ne peux vouloir du bien à l'autre si je ne veux pas d'abord mon bien.

Le tout-pour-autrui, l'altruisme absolu, peut d'abord être dénoncé comme une illusion aussi irréaliste que dangereuse (cf. cours III b 2). Il faut donc récuser toute recherche du bien d'autrui qui me conduise à sacrifier le mien.

2. Ce que je veux pour autrui n'est jamais que mon bien.

L'attitude altruiste peut aisément être déniaisée (cf. cours 3 a et le texte n° 1) : certaines formes d'altruisme ne recouvrent en effet rien d'autre que le plus hypocrite des égoïsmes. Nietzsche disait d'ailleurs que l'égoïsme est le seul fait. Mais on peut aussi, avec Jankélévitch, récuser le pessimisme anthropologique de ces analyses pour montrer que l'égoïsme n'est pas la limite, ni le visage caché, mais le faire-valoir de l'altruisme.

3. Il est possible de concevoir en direction d'autrui une action désintéressée.

Le paradoxe d'autrui est qu'il exigerait de moi, pour que je sois moral, une opération contradictoire : que d'un côté j'éprouve à son endroit de l'intérêt, et qu'en même temps cet intérêt se présente en quelque sorte sous une forme désintéressée, c'est-à-dire que ce soit bien pour lui et non pour moi que je le respecte. Il s'agit donc que la recherche du bien d'autrui non seulement ne m'entraîne pas à négliger mon bien propre, mais même qu'elle puisse la supposer comme condition (voir Kant dans le cours, III b 3).

Le désir

Définir, Problématiser

Le désir peut d'abord être saisi dans sa relation avec le besoin, même si l'apparente synonymie des deux termes rend la tâche difficile. Quelle différence entre avoir soif et désirer un verre d'eau ? Une première ligne de partage possible est celle de la nature et de la culture. Le besoin en effet se comprend comme nécessité naturelle, alors que le désir est culturel : j'ai soif, c'est-à-dire besoin de boire, mais le choix de la boisson et la façon de la boire sont libres et culturels. La question du critère se reporte alors sur celle de la frontière, de la limite : à partir de quoi, de quand, un besoin devient-il un désir ? Le désir est-il l'inévitable prolongement du besoin, son expression humaine si tant est qu'en l'homme nature et culture sont indiscernables, ou bien le désir recèle-t-il une différence irréductible, comme dans la gourmandise, où le désir ne se fonde plus sur aucun besoin ? **Entre besoin et désir, y a-t-il continuité ou discontinuité ?**

Si l'objet du besoin est naturel, il est nécessaire ; si l'objet du désir est culturel, il est donc contingent. Alors pourquoi notre désir se porte-t-il sur tel objet plutôt que sur tel autre ? Qu'est-ce qui fait que je désire ceci plutôt que cela ? Deux pistes se présentent : mon désir peut être imputé au mérite de son objet. Cette femme est désirable, et m'inspire donc du désir. Mais je puis être indifférent à celle que mon voisin désire. Je ne désire donc pas tout le désirable, ni même que le désirable, puisqu'aussi bien l'interdit est l'objet du désir. L'autre voie consiste donc à dire que je suis un être désirant, qui investit tel ou tel objet comme corrélat de son désir : je ne l'aime pas parce qu'elle est aimable, mais elle est aimable parce que je l'aime et que je suis aimant. Le désir relève-t-il de l'attractivité de l'objet ou d'une disposition du sujet ? **L'objet du désir est-il donné ou construit ?**

Le désir n'est pourtant pas seulement contingent : l'objet du désir peut importer davantage que celui du besoin ; j'aime, je n'en dors plus et n'en mange plus. C'est la notion de passion qui articule ici besoin et désir, en cumulant la nécessité du besoin et l'apparent arbitraire de l'objet du désir. La passion exacerbe ma dépendance vis-à-vis de l'objet du désir, menaçant ma liberté, tout en nourrissant la surenchère du désir : il n'en faut pas plus pour justifier de la passion sa réputation ambiguë et sulfureuse. Une passion est-elle ce qui éclaire une vie ou ce qui l'obère ? La question ici relève de la morale (est-il bon d'être passionné ?) mais surtout de la sagesse : **la passion est-elle ce qui fait notre malheur ou notre bonheur ?**

Développer

I. Le désir n'est-il qu'un besoin ?

a. Besoin et nature

Le besoin apparaît à première vue comme un fait de la nature. Le besoin se définit en effet par la nécessité physiologique : je dois boire, manger, dormir, etc. Encore faut-il savoir où s'arrête cette liste, c'est-à-dire s'il y a une limite au caractère naturel du besoin. Cette limite est déterminante dans la philosophie épicurienne, parce qu'elle a mis la compréhension de la nature en son centre. Ainsi la vie y est-elle définie comme un état d'équilibre naturel, entre douleur et plaisir. Tout homme en effet poursuit le plaisir et repousse la douleur : « Ne voyez-vous pas ce que crie la nature ? Réclame-t-elle autre chose que pour le corps l'absence de douleur, et pour l'esprit un sentiment de bien-être, dépourvu d'inquiétude et de crainte[1] ? ». L'épicurisme, contrairement à la caricature qu'on en popularise souvent, ne cultive pas sans distinction besoins et désirs, mais s'efforce de distinguer le naturel de ce qui ne l'est pas, le besoin du désir (voir texte n° 1).

Il suffirait donc en gros de s'en tenir au besoin naturel pour échapper à la tourmente du désir. Mais cela est-il seulement possible ? Puisque l'homme « qui ne voudrait que vivre vivrait heureux » (Rousseau), c'est vouloir avoir qui nous éloigne du bonheur. Il faudrait pour cela qu'existe un état de nature, fiction de méthode qui décrit un état dans lequel la malédiction de la surenchère des besoins ne s'est pas encore produite (voir texte n° 3). Mais n'a-t-il pas toujours été trop tard ? Rousseau le dit bien implicitement, qui reconnaît « que moins les besoins sont naturels et pressants, plus les passions augmentent, et, qui pis est, le moyen de les satisfaire[2] ». Il y aurait donc non pas une rupture radicale, mais au contraire une certaine continuité entre les vrais besoins (ceux qu'il suffirait de satisfaire pour être heureux), et les faux, ceux qui nous engagent dans la surenchère. Ainsi le besoin est-il aliénant parce qu'il est insatiable, et qu'il nous contraint à la malédiction du travail[3] : la décadence vers l'état civil est chez Rousseau le saut du travail et de la propriété.

Il paraît donc impossible, utopique, de confier son bonheur à la seule satisfaction des besoins, parce que la limite qui les sépare des désirs semble toujours déjà perdue ou franchie en nous. À quoi en moi pourrais-je faire confiance pour distinguer vrai et faux besoin ? Y a-t-il en nous quelque instinct capable de nous dire quels aliments

---

1. Cicéron, *De Natura Rerum*, II, 16-19, Les Belles Lettres, 1984, p. 42.
2. Rousseau, *Discours sur l'Origine et les Fondements de l'Inégalité parmi les hommes*, GF-Flammarion, 1971, p. 173.
3. Le mot latin *tripallium* signifie torture. Le chapitre consacré au travail et aux échanges serait ici une lecture complémentaire utile.

sont nécessaires à notre équilibre nutritif, ou bien au contraire puis-je repousser un aliment qui est bon pour la santé et convoiter un champignon vénéneux ? Descartes, qui veut montrer que le goût est trompeur, note bien par exemple que « nous nous trompons aussi assez souvent, même dans les choses auxquelles nous sommes directement portés par la nature, comme il arrive aux malades, lorsqu'ils désirent de boire ou de manger des choses qui leur peuvent nuire[1] ». Puisque le désir peut déborder le besoin (dans la gourmandise, je désire manger sans faim) ou le méconnaître (l'anorexique ne désire pas manger alors qu'il en a besoin), rien en nous ne semble nous indiquer la limite de nos besoins naturels.

b. Vrais et faux besoins

La frontière entre vrais et faux besoins est aussi la frontière du luxe : on peut parler de luxe à partir du point où non seulement le superflu s'affirme au-delà du nécessaire, mais encore où cette recherche du superflu paraît s'exercer au détriment de la satisfaction du nécessaire (chez chacun, ou plutôt chez les uns au détriment des autres, très riches au détriment des très pauvres, par exemple). On peut certes, comme Rousseau, dénoncer l'engrenage de la perfectibilité, qui raffine les besoins[2] et les rend de plus en plus superflus à mesure qu'il les satisfait : mais il ne s'agit pas encore de luxe, tant celui-ci ne commence à proprement parler que là où le superflu remplace le nécessaire au lieu simplement de s'y surajouter. Ainsi ne peut-on, pour Bergson, dénoncer un progrès technique coupable d'imposer aux hommes « des besoins de plus en plus artificiels[3] », car ce n'est pas la nouveauté du besoin qui est en cause, mais l'oubli des besoins anciens. Du progrès il faut donc conclure que « sans négliger le nécessaire, il a trop pensé au superflu[4] ».

Si donc le nécessaire mène imparablement au superflu, le besoin ne peut mener qu'au désir. En s'arrachant à sa dépendance vis-à-vis de la nature par le travail, l'homme rentre dans la culture : le passage du besoin au désir est le prix de sa conquête de la liberté. La nature n'est donc pas auto-suffisante, comme l'exprime la critique hégélienne de Rousseau : « c'est une opinion fausse de penser que l'homme vivrait libre par rapport au besoin dans l'état de nature, où il n'éprouverait que des besoins naturels soi-disant simples[5] ». La simplicité du besoin naturel n'est donc qu'illusoire : en réalité tout besoin est complexe, composite, parce qu'en l'homme nature et culture sont indiscernables (je ne peux séparer ma soif, besoin naturel, du mode de satisfaction que j'envisage, mettons un jus d'orange, désir culturel). C'est d'ailleurs là ce qui fait pour Hegel l'humanité de l'homme : l'homme ne peut en rester au besoin comme l'esprit ne peut rester engoncé dans la nature.

Le besoin est donc toujours déjà composite et complexe, le culturel y est inscrit d'avance. Aussi n'est-il pas rare de voir dans l'emploi du mot « besoin » une méta-

1. Descartes, *Sixième Méditation métaphysique*, GF-Flammarion, 1979, p. 185.
2. Et crée ces « fantaisies » qu'évoque *L'Émile*, ces désirs qui ne sont pas de vrais besoins.
3. Bergson, *Les deux sources de la morale et de la religion*, « Quadrige », Puf, 1984, p. 325.
4. *Id.*, p. 326.
5. Hegel, *Principes de la philosophie du droit*, § 194 R., Gallimard, « Tel », 1940, p. 226.

phore du désir : Nietzsche par exemple explique la régression à l'infini de la notion de travail par une surenchère du besoin : « l'habitude du travail en général qui se fait à présent sentir comme un besoin nouveau, adventice : il sera d'autant plus fort que l'on est plus fort habitué à travailler, peut-être même que l'on a souffert plus fort des besoins[1] ». Ce propos éclaire la continuité du besoin au désir : dès lors que la borne naturelle du besoin est introuvable, il n'y a plus de limites à la sécurité : quand est-on à l'abri du besoin ? Ainsi le besoin, en ce qu'il peut être second, créé, adventice, n'est-il qu'une métaphore du désir, ou, si l'on préfère, le signe de la continuité humaine du besoin au désir : seul l'animal n'aurait que des besoins, mais à proprement parler il n'en a pas, puisqu'il lui suffit de les satisfaire. Nos besoins à nous mènent au désir.

c. La surenchère du désir

C'est la surenchère qui marque la différence de degré du désir sur le besoin : le besoin devient désir lorsque plus rien ne le limite. Jamais à l'abri du besoin, je le serai encore moins du désir : aucune richesse ne me suffira jamais, et le gagnant du Loto, que j'imagine comblé parce que je ne le suis pas encore, trouve rapidement qu'il peut rêver à plus. Michaux le disait : « le continent de l'insatiable, tu y es. De cela au moins, on ne te privera pas, même indigent[2] ». C'est que le désir renaît renforcé de sa propre satisfaction, comme dans l'analyse hégélienne, où c'est le caractère fini de son objet qui rend le désir infini par définition : « puisque la satisfaction ne peut se produire que dans ce qui est singulier, et que ce dernier est simplement passager, le désir s'engendre lui-même à nouveau dans sa propre satisfaction[3] ». C'est la régression à l'infini du désir, et comme « il ne faut donc pas être émerveillés que les désirs des hommes aillent en augmentant à mesure qu'ils acquièrent plus de richesses, d'honneurs ou de pouvoir[4] », le désir ne paraît promettre le bonheur qu'à condition de désirer toujours et encore.

Entre le désir qui poursuit sa satisfaction, et la satisfaction qui ranime le désir, un cercle vicieux s'esquisse : cette convoitise inextinguible, qu'elle soit besoin ou désir, est prise dans la dialectique du plaisir. En effet, « le besoin appelle insatiablement le plaisir sensible qui, loin d'apaiser le besoin, le redouble ; en sorte que le besoin, tournant en rond, se grise de lui-même par causalité cyclique[5] ». C'est là le débat du *Gorgias*, sur les implications morales duquel nous reviendrons : Calliclès le sophiste y défend l'idée d'une vie exaltant tous les plaisirs, à partir de l'image socratique du tonneau. « La vie de plaisirs est celle où on verse et reverse autant qu'on peut dans son tonneau[6] ! » : il faut donc pouvoir vider le tonneau pour pouvoir le remplir. À tout prendre, « la maladie qui empêche de se vider est pire que celle qui empêche de se remplir[7] », conclut cet épicurien cynique qu'est Ceronetti.

---

1. Nietzsche, *Humain, trop humain*, I, § 611, « Folio-Essais », Gallimard, 1988, p. 320.
2. Michaux, *Poteaux d'Angle*, Gallimard, 1981, p. 27.
3. Hegel, *Encylopédie des sciences philosophiques en abrégé*, § 428, « Nrf », Gallimard, 1970, p. 389.
4. Hobbes, *Traité de la Nature humaine*, VII, « Babel », Actes-Sud, p. 54.
5. Jankélévitch, *Le Sérieux de l'Intention*, Champs-Flammarion, 1983, p. 78.
6. Platon, *Gorgias*, 494b, GF-Flammarion, 1987, p. 233.
7. Ceronetti, *Le Silence du Corps*, Albin Michel, 1984, p. 49.

Au fond, la perspective de la satisfaction ne l'emporte pas sur celle du désir ultérieur, comme si tout désir était finalement désir de désirer. Cela ne va pas sans paradoxes, puisque je suis finalement conduit à condamner la jouissance en la retardant au nom d'un désir ultérieur qui entre-temps m'aura fui : ainsi Leopardi note-t-il que « l'homme est condamné soit à consumer sans but sa jeunesse, alors que c'est pour lui la seule période qu'il peut consacrer à son entretien futur ; soit au contraire à la perdre, afin d'offrir des jouissances à cette partie de la vie où il ne sera plus capable de jouir[1] ». Il s'agit donc de se garder quelque chose à désirer, quitte à devoir spéculer en vain : la cigale prend le risque de la faim, mais la fourmi celui de l'ennui. Le bonheur de la chasse surpasse encore celui de la prise, tout n'est pas dans la satisfaction achevée mais dans la satisfaction imminente : Hobbes dit justement que « la félicité, par laquelle nous entendons le plaisir continuel, ne consiste point à avoir réussi mais à réussir[2]. »

II. Désirer toujours en vain ?

Le désir ne se satisfait pas de la satisfaction si celle-ci devait compromettre le retour du désir.

a. La médiation de l'autre

C'est là d'abord le résultat de la médiation d'autrui : lorsque Sartre dit que le désir est une « invite au désir[3] », c'est au désir de l'autre. Ainsi pouvons-nous comprendre le seuil du désir par rapport au besoin : c'est la médiation des autres hommes qui mue le besoin en désir. Je désire avoir toujours plus, mais toujours plus que l'autre, être l'objet de son envie : c'est précisément en cela que le désir relève de la culture. Le caprice est de ce point de vue le prototype du désir, en ce qu'il relègue son objet au second plan : sitôt obtenu, l'objet du caprice est dédaigneusement rejeté, tant il s'agit plutôt, dans le caprice, de manifester ma volonté et d'imposer aux autres mon pouvoir d'obtenir (« souvent les femmes ne nous plaisent qu'à cause du contrepoids d'hommes à qui nous avons à les disputer[4] », dit le narrateur de la *Recherche*). Se pourrait-il alors que finalement l'objet d'une passion ne soit que son objet apparent, la rivalité avec l'autre demeurant son azimut ? L'analyse kantienne fait valoir que « toutes les passions sont des désirs qui vont seulement d'humains à humains et non vers des choses[5] ». Je veux non pas avoir de plus en plus d'argent, mais en avoir plus que les autres et devenir l'objet de leur envie.

Le désir n'est donc rien d'autre que le désir du désir de l'autre. Proust a donné à cette idée, dans son analyse de la relation qui lie le narrateur à Albertine, toute son acuité. Lorsqu'Albertine enfin se donne à lui, non sans une complaisance passive et

1. Leopardi, *Pensées*, XLVII, Allia, 1996, p. 60.
2. Hobbes, *op. cit.*, p. 55.
3. Sartre, *L'Être et le Néant*, « Tel », Gallimard, 1945, p. 446.
4. Proust, *La Prisonnière*, « Folio », Gallimard, 1954, p. 498.
5. Kant, *Anthropologie du point de vue pragmatique*, I3 § 81, « La Pléiade », tome 3, 1986, p. 1084.

opportuniste, le narrateur s'aperçoit en effet que plus il la possède, et moins son désir est satisfait, parce que son désir finalement était qu'elle le désire, et non qu'elle se laisse faire. Le contrepoint est offert par les femmes des maisons closes : « si elles nous attirent si peu, ce n'est pas qu'elles soient moins belles que d'autres, c'est qu'elles sont toutes prêtes ; que ce qu'on veut précisément atteindre, elles nous l'offrent déjà ; c'est qu'elles ne sont pas des conquêtes[1] ». Le désir veut conquérir, il veut, en termes hégéliens, être reconnu par ce qu'il reconnaît : c'est en cela que le désir est désir d'être désiré par ce qu'on désire.

b. Désir et bonheur

Déçu et dépouillé quand il est satisfait, frustré quand il ne l'est pas, le désir peut-il prétendre au bonheur ? N'est-il pas au contraire l'expression même de l'inquiétude, dont il devrait continuellement nous divertir sans s'arrêter jamais à aucun objet ? C'est bien en ces termes que Leibniz définit le désir : « l'inquiétude qu'un homme ressent en lui-même par l'absence d'une chose qui lui donnerait du plaisir si elle était présente, c'est ce qu'on nomme désir[2] ». Mais c'est encore là une définition qui fait la part belle à l'idée de satisfaction, que l'objet puisse ou non être atteint : c'est une définition non tragique. La question que pose Rosset : « le manque dont manque le désir pour définir son objet doit-il être reporté sur l'inaccessibilité de l'objet ou sur l'incapacité du sujet à définir son propre désir[3] ? » ouvre, dans la seconde hypothèse, à un désir tragique. Dans ce cas en effet, « le désir lui-même ne renvoie à aucune satisfaction possible ni pensable[4] ». Le désir est alors besoin de ce qui n'est pas, d'un objet qui n'est pas inaccessible mais, pire encore, introuvable. Et si le désir était par définition désir de ce qu'on ne peut avoir[5] ? Comment désirer ce que l'on a, et qui ne nous manque donc pas ?

Telle est la contradiction inhérente au désir : il veut d'un côté jouir et de l'autre côté rester désir, et recherche ce contradictoire « amour réalisé du désir demeuré désir[6] » qu'évoquait Char. En un sens, la jouissance est objet de méfiance parce qu'elle éteindra le désir, ou plutôt parce qu'elle en repoussera plus loin l'incertaine limite. C'est le lieu de se demander si un fantasme doit être ou non réalisé : si non, je risque frustration et névrose, mais si oui, que me restera-t-il à désirer ? Considérant que « l'illusion cesse là où commence la jouissance[7] », Rousseau exhibe finement le bonheur du désir comme un bonheur du juste-avant, dans la promesse imminente du bonheur : « Malheur à qui n'a plus rien à désirer ! Il perd pour ainsi dire tout ce qu'il possède. On jouit moins de ce qu'on obtient que de ce qu'on espère, et l'on n'est heureux qu'avant d'être heureux[8] ». Ainsi faut-il chérir le désir, et n'entrevoir de

1. Proust, *op. cit.*, p. 167.
2. Leibniz, *Nouveaux Essais sur l'entendement humain*, II 20, GF-Flammarion, 1990, p. 129.
3. Rosset, *Logique du Pire*, « Quadrige », Puf, 1993, p. 36.
4. *Id.*, p. 37.
5. La *Carmen* de Bizet a bien raison : « si je ne t'aime pas tu m'aimes, mais si je t'aime... prends garde à toi ! »
6. Char, *Seuls demeurent*, « La Pléiade », 1983, p. 162.
7. Rousseau, *La Nouvelle Héloïse*, VI 8, GF-Flammarion, 1967, p. 528.
8. *Id.*

satisfaction que pour l'attiser, comme le narrateur des *Nourritures terrestres* en instruit Nathanaël : « Il y a profit aux désirs, et profit au rassasiement des désirs — parce qu'ils en sont augmentés. Car [...] chaque désir m'a plus enrichi que la possession toujours fausse de l'objet de mon désir[1] ». Mais le risque alors est que le bonheur ne soit qu'une promesse de bonheur, et que le désir soit conduit à se priver toujours pour rester désirant. Il y a donc une malédiction du désir, conduit à repousser toujours plus loin sa proie, comme la poursuite du bonheur éloigne toujours plus le bonheur[2].

c. L'homme comme être de désir(s)

Si l'important est que le désir demeure désir, alors peut-être faut-il aller jusqu'à voir dans cette notion de désir l'essence même de l'homme. Pour Spinoza, l'appétit « n'est rien d'autre que l'essence même de l'homme, essence d'où suivent nécessairement toutes les conduites qui servent sa propre conservation[3] ». Voilà qui détache le désir de ses objets, comme si finalement tel et tel objet n'étaient que des étapes jalonnant la route du passionné. La Rochefoucauld a décrit ce continuum passionnel : « il y a dans le cœur humain une génération perpétuelle de passions, en sorte que la ruine de l'une est presque toujours l'établissement d'une autre[4] ».

Il est donc de moins en moins évident que l'objet apparent du désir soit son objet réel. Ce ne serait pas le cas si c'était l'objet de mon désir qui éveillait mon désir, si l'objet du désir était le moteur du désir (en ce cas, la séduction consiste pour moi à me faire désirer de l'autre en lui démontrant que je suis désirable). Mais on peut soupçonner ici au contraire que l'objet du désir n'en est pas le moteur, mais le prétexte. Spinoza l'affirme avec force : « nous ne nous efforçons pas vers quelque objet, nous ne le voulons, ne le poursuivons, ne le désirons pas parce que nous jugeons qu'il est un bien, mais au contraire nous ne jugeons qu'un objet est un bien que parce que nous nous efforçons vers lui, parce que nous le voulons, le poursuivons et le désirons[5] ». Lorsque je justifie mon désir auprès d'autres (en réponse à la question : mais que lui trouves-tu donc ?) j'invoque ce qui me fait désirer : mais ces causes que j'allègue ne sont jamais que des justifications après coup. Cela voudrait dire que le désir tient davantage à une disposition du sujet désirant qu'au mérite de l'objet désiré, que par exemple les qualités de l'être aimé ne sont pas données mais construites par l'amant. Ainsi Pascal, se demandant ce que c'est d'être aimé, ne tarde pas à conclure que les qualités sont « périssables », non du fait du déclin du corps, mais du fait des intermittences du cœur de l'autre (elle disait que j'étais intelligent lorsqu'elle m'aimait, mais maintenant qu'elle ne m'aime plus elle dit que je suis bête). Ainsi, « on n'aime donc jamais personne, mais seulement des qualités[6] ».

1. Gide, *Les Nourritures terrestres*, « Folio », Gallimard, 1936, p. 21.
2. Voir les analyses de Max Scheler dans *Le Sens de la souffrance*.
3. Spinoza, *Éthique*, III, 9, proposition et scolie, Puf, 1990, p. 165.
4. La Rochefoucauld, *Maximes*, 10, Le Livre de Poche, 1991, p. 77.
5. Spinoza, *id.*
6. Pascal, *Pensées*, 323, GF-Flammarion, 1976, p. 141.

C'est là le syllogisme (sophistique) du désir : je te désire, donc tu es désirable. Dans cette logique passionnelle, « c'est l'amour immotivé qui rend l'aimé aimable, ce n'est pas l'aimable qui est le motif raisonnable et bienséant de l'amour[1] ». Il y a donc un impératif catégorique de l'amour, qui « règle du dedans le processus central de sublimation et de cristallisation[2] ». Cette dernière allusion est à Stendhal, qui a inauguré cette métaphore chimique[3] dans *De l'Amour*. Le désir reconstruit donc son objet, lui prêtant toutes ses qualités : « il suffit de penser à une perfection pour la voir dans ce qu'on aime[4] ». Mais les qualités qu'on prête ne viennent que de nous : « cette femme n'a fait que susciter, par des sortes d'appels magiques, mille éléments de tendresse existant en nous à l'état fragmentaire et qu'elle a assemblés[5] », constate le narrateur de *La Recherche*, surpris d'éprouver à présent pour une autre, après Albertine, un sentiment qu'il croyait « spécial à elle[6] ». Ainsi le désir crée-t-il le désirable, en se polarisant arbitrairement sur un objet ; c'est cette polarisation même qui définit la notion de passion.

III. Passion et sagesse

L'analyse combinée des notions de besoin et de désir aboutit logiquement à celle de passion : la passion en effet donne au désir le caractère du besoin : la nécessité.

a. L'idéal apathique

Dans la passion, la logique du désir, déjà désignée comme objet de défiance par de nombreux courants moraux, est portée à l'absolu. Non seulement donc la passion est prise dans la surenchère du désir, mais sa polarisation vers son objet est de l'ordre du nécessaire et non plus du contingent, au point de dépasser le besoin lui-même : le passionné oublie le besoin au profit du désir, et peut mourir d'aimer. Il paraît donc encore plus difficile de lutter contre une passion que de réfréner un désir, mais dans le même temps encore plus souhaitable : quel équilibre, quel bonheur peut-on espérer d'une passion ? C'est tout l'enjeu de la notion de sagesse, telle qu'elle est mise en jeu dans la question qui est au centre du dernier tiers du *Gorgias* : quel genre de vie faut-il mener[7] ? Calliclès défend l'idée du tout-passionnel : « si on veut vivre comme il faut, on doit laisser aller ses propres passions, si grandes soient-elles, et ne pas les réprimer[8] ». Cette position s'oppose à la position socratique : « au lieu d'une vie déréglée, que rien ne comble, une vie d'ordre ; qui est contente de ce qu'elle a[9] ». Le désir est au ban des accusés, lui qui dérègle la vie humaine en nous

1. Jankélévitch, *op. cit.*, p. 226.
2. *Ibid.*
3. Qui renvoie à la solidification en cristaux d'un corps gazeux.
4. Stendhal, *De l'Amour*, Garnier, 1959, p. 8.
5. Proust, *Albertine disparue*, « Folio », Gallimard, 1954, p. 122.
6. *Ibid.*
7. Voir le *Gorgias* en 500c.
8. Platon, *op. cit.*, 491e, p. 229.
9. *Id.*, 493c, p. 232.

conduisant au toujours-plus. Se dessine ici une opposition qui structurera l'histoire de la morale classique, celle de la raison chargée, au nom de la sagesse, de la lutte contre les passions : « cela veut dire être raisonnable, se dominer, commander aux plaisirs et passions qui résident en soi-même[1] ».

Comment dès lors s'attaquer à la passion ? D'abord par la critique du désir, accusé d'être un mode désinvolte de la volonté. C'est qu'en effet, « le désir veut la fin sans les moyens qui la médiatisent, le résultat tout de suite et magiquement, sans la malédiction du travail, de la discursion et du devenir[2] ». Implicitement, la passion désirante est ici jugée à l'aune de la volonté rationnelle, qui évalue des moyens en même temps qu'elle pose la fin. Voilà en quoi le désir n'est, en termes kantiens, qu'une modalité inférieure du vouloir, là où au contraire la raison « est une véritable faculté supérieure de désirer[3] ». Voilà posée la grande alternative de la sagesse : quelle forme du vouloir est la plus sage ? Le désir et la passion, qui nous font prendre le risque de l'inquiétude, puisque jamais on ne saurait les satisfaire, ou la volonté rationnelle, qui nous gouvernera au risque de l'ennui ?

La position stoïcienne est typiquement celle qui la première a choisi nettement la seconde alternative, et l'a thématisée. Puisque les choses extérieures ont sur nous, lorsque nous les désirons, l'effet d'une sujétion, alors la seule liberté consiste à nous libérer du désir qui nous soumet, « car ce n'est pas par la satisfaction des désirs que s'obtient la liberté, mais par la destruction du désir[4] ». Ainsi l'idéal stoïcien est-il apathique, son programme moral n'est rien d'autre que la libération vis-à-vis des affects par la lutte. C'est l'accent stoïcien qui ré-affleure chez Descartes : mieux vaut « changer [s]es désirs que l'ordre du monde[5] ». Ainsi encore de la théorie kantienne de la morale, qui entend gagner l'autonomie (la situation dans laquelle seule la raison dirige la volonté) et fuir l'hétéronomie, dans laquelle la volonté est désirante, déterminée par de l'empirique et du sensible. Dans tous les cas, c'est la notion de liberté que cette opposition raison-passion recouvre.

b. La transcendance du désir

Il n'est pourtant pas dit que le désir soit irrémédiablement engoncé dans l'empirique, et qu'il ne puisse prétendre lui aussi à la transcendance. Dans son analyse du *Désir d'Éternité*, Alquié critique certes la passion comme refus du temps, comme négation du devenir, mais n'est-ce pas là aussi en même temps le signe que la passion est ce par quoi une transcendance est possible ? Partant elle aussi de l'idée d'un désir d'immortalité, Diotime en déduit, dans le *Banquet* de Platon l'escalade érotique par laquelle, par degrés, d'un beau corps à tous, « des beaux corps aux belles occupations, et des occupations vers les belles connaissances qui sont certaines, puis des belles connaissances qui sont certaines jusqu'à cette connaissance qui constitue le

1. *Id.*, 491 d-e, p. 228-229.
2. Jankélévitch, *op. cit.*, p. 183.
3. Kant, *Critique de la Raison pratique*, « Quadrige », Puf, 1985, p. 23.
4. Épictète, *Entretiens* I-IV, IV 1, « Tel », Gallimard, 1991, p. 302.
5. Descartes, *Discours de la Méthode*, III, GF-Flammarion, 1966, p. 53.

terme[1] », l'Idée du Bien. Ainsi la passion peut-elle être comprise comme un moment d'un processus rationnel. Hegel a célébré cette réconciliation : dans toute passion particulière, quelque chose contribue au concept de l'Esprit, selon un « désir inconscient[2] ». La passion n'est ainsi rien d'autre qu'une ruse de la raison, qui choisit cette figure particulière pour mieux réaliser son universalité.

Pourtant, la logique du désir doit-elle être réduite de toute force au rationnel ? N'y a-t-il pas là une forme de prétention et de dictature de la raison, comme si un phénomène ne pouvait recevoir du sens que de sa réduction possible à la raison ? Hume devait le soupçonner en protestant de ce que « si une passion ne se fonde pas sur une fausse supposition et si elle ne choisit pas des moyens impropres à atteindre la fin, l'entendement ne peut ni la justifier ni la condamner[3] ». Raison et Passion sont donc strictement hétérogènes, si bien qu'il s'agit davantage d'essayer de comprendre nos affects que de les condamner. La sagesse doit-elle forcément se laisser enfermer dans une alternative du tout-passionnel ou du tout-rationnel ? Plutôt qu'une vaine maîtrise des passions, la sagesse ne consisterait-elle pas dans la compréhension des passions et dans leur équilibre ? Après tout, comme le disait Spinoza, la sagesse n'est pas une méditation de la mort, mais de la vie : la sagesse peut être allègre et non austère, parce qu'elle mène à la joie.

Textes

1. Épicure

Annihiler le désir et s'en tenir aux besoins ?

Il faut se rendre compte que parmi nos désirs les uns sont naturels, les autres vains, et que, parmi les désirs naturels, les uns sont nécessaires et les autres naturels seulement. Parmi les désirs nécessaires, les uns sont nécessaires pour le bonheur, les autres pour la tranquillité du corps, les autres pour la vie même. Et en effet une théorie non erronée des désirs doit rapporter tout choix et toute aversion à la santé du corps et à l'ataraxie de l'âme, puisque c'est là la perfection même de la vie heureuse. Car nous faisons tout afin d'éviter la douleur physique et le trouble de l'âme. Lorsqu'une fois nous y avons réussi, toute l'agitation de l'âme tombe, l'être vivant n'ayant plus à s'acheminer vers quelque chose qui lui manque, ni à chercher autre chose pour parfaire le bien-être de l'âme et celui du corps.

Épicure, *Lettre à Ménécée*, « Les Intégrales de Philo », Nathan, 1998, p. 78.

2. Hegel

C'est une opinion fausse de penser que l'homme vivrait libre par rapport au besoin dans l'état de nature, où il n'éprouverait que des besoins naturels soi-disant simples et où il n'utiliserait pour les satisfaire que les moyens qu'une nature contin-

1. Platon, le *Banquet*, 211c, GF-Flammarion, 1998, p. 158.
2. Hegel, *La Raison dans l'Histoire*, 10/18, 1965, p. 110.
3. Hume, *Traité de la Nature humaine*, III, 3, Aubier, 1983, p. 525.

gente lui procure. Elle est fausse, même si l'on ne considère pas l'élément de libération qui est dans le travail dont on parlera plus loin. En effet, le besoin naturel en tant que tel et sa satisfaction immédiate ne seraient que l'état de spiritualité enfoncée dans la nature et, par conséquent, l'état de sauvagerie et de non-liberté, tandis que la liberté n'existe que dans la réflexion du spirituel en lui-même, dans sa distinction d'avec la nature et dans son action réfléchie sur elle.

Hegel, *Principes de la philosophie du droit*, § 194 R., « Tel », Gallimard, 1940, p. 226-227.

3. Rousseau

L'homme sauvage, quand il a dîné, est en paix avec toute la nature, et l'ami de tous ses semblables. S'agit-il quelquefois de disputer son repas ? Il n'en vient jamais aux coups sans avoir auparavant comparé la difficulté de vaincre avec celle de trouver ailleurs sa subsistance et comme l'orgueil ne se mêle pas du combat, il se termine par quelques coups de poing. Le vainqueur mange, le vaincu va chercher fortune, et tout est pacifié, mais chez l'homme en société, ce sont bien d'autres affaires ; il s'agit premièrement de pourvoir au nécessaire, et puis au superflu : ensuite viennent les délices, et puis les immenses richesses, et puis des sujets, et puis des esclaves ; il n'a pas un moment de relâche. Ce qu'il y a de plus singulier, c'est que moins les besoins sont naturels et pressants, plus les passions augmentent, et, qui pis est, le moyen de les satisfaire.

Rousseau, *Discours sur l'Origine et les Fondements de l'Inégalité parmi les hommes*, GF-Flammarion, 1971, p. 173.

4. Spinoza

De quoi le désir est-il désir ?

L'Esprit s'efforce de persévérer dans son être pour une durée indéfinie, et il est conscient de son effort [...] Quand on rapporte cet effort à l'Esprit seul, on l'appelle Volonté, mais quand on le rapporte simultanément à l'Esprit et au Corps, on l'appelle Appétit ; et celui-ci n'est rien d'autre que l'essence même de l'homme, essence d'où suivent nécessairement toutes les conduites qui servent sa propre conservation ; c'est pourquoi l'homme est nécessairement déterminé à les accomplir. En outre, il n'y aucune différence entre l'Appétit et le Désir, si ce n'est qu'en général on rapporte le Désir aux hommes en tant qu'ils sont conscients de leur appétit ; c'est pourquoi on pourrait le définir ainsi : le Désir est l'appétit avec conscience de lui-même. Il ressort donc de tout cela que nous ne nous efforçons pas vers quelque objet, nous ne le voulons, ne le poursuivons, ne le désirons pas parce que nous jugeons qu'il est un bien, mais au contraire nous ne jugeons qu'un objet est un bien que parce que nous nous efforçons vers lui, parce que nous le voulons, le poursuivons et le désirons.

Spinoza, *Éthique*, III, 9, proposition et scolie, Puf, 1990, p. 165.

5. Kant

Le désir est la détermination autonome du pouvoir d'un sujet par la représentation d'une chose à venir qui en serait l'effet. Le désir sensible inscrit dans l'habitude est l'*inclination*. L'impulsion à désirer sans qu'elle s'accompagne de l'effort pour produire l'objet est le *souhait*. Il peut être orienté vers des objets dont le sujet se sent lui-même impuissant à les mettre à sa portée, c'est alors un souhait *vain* (et oiseux). Le souhait vain de pouvoir anéantir le temps qui sépare le désir de l'obtention de la chose désirée est la *nostalgie*. Le désir imprécis quant à l'objet, qui pousse simplement le sujet à sortir de l'état présent sans qu'il sache en quel état il se propose d'entrer, peut être appelé souhait *capricieux* (que rien ne satisfait). L'inclination que la raison du sujet ne dompte qu'avec peine ou point du tout est la *passion*.

Kant, *Anthropologie du point de vue pragmatique*, I3 § 73, « La Pléiade », tome 3, 1986, p. 1067.

6. Hobbes

Puisque nous voyons que tout plaisir est appétence et suppose une fin ultérieure, il ne peut y avoir de contentement qu'en continuant d'appéter. Il ne faut donc pas être émerveillés que les désirs des hommes aillent en augmentant à mesure qu'ils acquièrent plus de richesses, d'honneurs ou de pouvoir ; et qu'une fois parvenus au plus haut degré d'un pouvoir quelconque, ils se mettent à la recherche de quelque autre tant qu'ils se jugent inférieurs à quelque autre homme. Voilà pourquoi, parmi ceux qui ont joui de la puissance souveraine, quelques-uns ont affecté de se rendre éminents dans les arts. C'est ainsi que Néron s'est adonné à la musique et à la poésie [...] C'est avec raison que les hommes éprouvent du chagrin quand ils ne savent que faire. Ainsi la félicité, par laquelle nous entendons le plaisir continuel, ne consiste point à avoir réussi mais à réussir.

Hobbes, *Traité de la Nature humaine*, VII, « Babel », Actes Sud, p. 54-55.

7. Nietzsche

Le désir nous condamne-t-il à la surenchère ?

Le besoin nous contraint au travail dont le produit apaise le besoin : le réveil toujours nouveau des besoins nous habitue au travail. Mais dans les pauses où les besoins sont apaisés et, pour ainsi dire, endormis, l'ennui vient nous surprendre. Qu'est-ce à dire ? C'est l'habitude du travail en général qui se fait à présent sentir comme un besoin nouveau, adventice : il sera d'autant plus fort que l'on est plus fort habitué à travailler, peut-être même que l'on a souffert plus fort des besoins. Pour échapper à l'ennui, l'homme travaille au-delà de la mesure de ses propres besoins ou il invente le jeu, c'est-à-dire le travail qui ne doit apaiser aucun autre besoin que celui du travail en général. Celui qui est saoul du jeu et qui n'a point, par de nouveaux besoins, de raison de travailler, celui-là est pris parfois du désir d'un troisième état, qui serait au jeu ce que planer est à danser, ce que danser est à marcher, d'un mouvement bienheureux et paisible : c'est la vision de bonheur des artistes et des philosophes.

Nietzsche, *Humain, trop humain*, I, § 611, « Folio-Essais », Gallimard, 1988, p. 320.

8. Sartre

Le désir est une conduite d'envoûtement. Il s'agit, puisque je ne peux saisir l'Autre que dans sa facticité objective, de faire engluer sa liberté dans cette facticité : il faut faire qu'elle y soit « prise », comme on dit d'une crème qu'elle est prise, de façon que le Pour-soi d'Autrui vienne affleurer à la surface de son corps, qu'il s'étende tout à travers de son corps et qu'en touchant ce corps, je touche enfin la libre subjectivité de l'autre. C'est là le vrai sens du mot *possession*. Il est certain que je veux posséder le corps de l'Autre ; mais je veux le *posséder* en tant qu'il est lui-même un « possédé », c'est-à-dire que la conscience de l'autre s'y est identifiée. Tel est l'idéal impossible du désir : posséder la transcendance de l'autre comme pure transcendance et pourtant comme un *corps*.

Sartre, *L'Être et le Néant*, « Tel », Gallimard, 1945, p. 444.

Sujets approchés

Les hommes ne désirent-ils rien d'autre que ce dont ils ont besoin ?
Qu'est-ce qu'un besoin artificiel ?
Peut-on distinguer de vrais et de faux besoins ?
Pourquoi le désir ne se ramène-t-il pas au besoin ?
Est-il vrai de dire que l'homme a des désirs quand l'animal n'a que des besoins ?

→ ***Approche commune*** **: Ces sujets reposent sur l'évaluation d'un critère de distinction entre désir et besoin. Entre désir et besoin n'y a-t-il qu'une différence de degré ou bien y a-t-il une différence de nature ?**

Accomplir tous ses désirs, est-ce une bonne règle de vie ?
Doit-on souhaiter satisfaire tous ses désirs ?
Désirer, est-ce nécessairement souffrir ?
Au nom de quoi le plaisir serait-il condamnable ?
Faut-il revendiquer un droit à la passion ?

→ ***Approche commune*** **: Ces sujets posent la question du choix du genre de vie, moins sous l'angle moral que sous celui du bonheur ; la passion fait-elle le bonheur ou le malheur de l'homme ?**

Le désir humain peut-il prendre la forme d'un désir d'éternité ?
La passion peut-elle se comprendre comme un défi à la mort ?
Peut-on sans contradiction désirer ne pas avoir de désirs ?
Pourquoi désirer l'impossible ?

→ ***Approche commune*** **: Le désir a-t-il l'interdit pour limite ou ne désirons-nous jamais par définition que ce que nous ne pouvons avoir ? L'interdit est-il le butoir ou la condition du désir ?**

Faut-il libérer le désir ou se libérer du désir ?
La passion est-elle une excuse ?
L'homme n'est-il rien de plus que ses passions ?
Le désir n'est-il que l'expression d'un manque ?

L'existence passionnée est-elle toujours une existence aliénée ?
Sommes-nous responsables de nos désirs ?
L'homme se reconnaît-il dans ses passions ou dans leur maîtrise ?

→ ***Approche commune* : La passion est-elle aliénante ou libératrice ? L'humanité de l'homme s'accomplit-elle dans les passions ou dans le refus des passions ?**

La passion amoureuse renferme-t-elle nécessairement de l'amour ?
Ne désire-t-on que ce qui a du prix pour autrui ?
Dans tout amour n'aime-t-on jamais que soi-même ?
Sans rapport à autrui, y aurait-il des passions ?

→ ***Approche commune* : Quel rôle joue l'autre dans mon désir ? L'autre est-il, dans la passion, moyen ou fin ?**

Passion et raison sont-elles nécessairement en conflit ?
Quelle différence y a-t-il entre désirer et vouloir ?
La passion se définit-elle par son objet ?
Est-ce parce qu'ils sont ignorants que les hommes sont sujets à des passions ?

→ ***Approche commune* : L'objet du désir est-il donné ou construit ?**

Sujet esquissé : Pourquoi désirer l'impossible ?

Introduction

Le mythe d'Icare, qui s'envole à l'aide d'ailes de plumes et de cire que le soleil fera fondre, causant sa perte, témoigne d'un certain désir de l'homme de dépasser sa condition et de porter son désir justement sur ce qu'il ne pourra jamais obtenir : le désir étant justement ce qui ne se satisfait pas de l'obtention de son objet, il est presque logique que l'impossible fasse l'objet d'un désir, comme si l'impossible était par essence l'objet, l'horizon de tout désir. Comment rendre raison de ce paradoxe ? Le défi que représente une impossibilité technique pour toute intelligence, et l'attrait de l'interdit auquel renvoie l'interdit moral suffisent-ils à en rendre compte ? Dans le premier cas, on désire l'impossible pour le rendre possible, dans le second on le désire sans pouvoir vouloir le rendre possible : les hommes seraient-ils encore des hommes si rien n'était impossible ? Aussi l'intention qui régit ce désir apparaît-elle profondément ambiguë : désire-t-on l'impossible pour le rendre possible, ou au contraire pour manifester une impossibilité presque rassurante ? Ce désir est-il humain ou inhumain ?

Lignes directrices

1. On désire l'impossible pour le rendre possible. Premier sens de l'impossible : ce qui n'a jamais été fait semble impossible. Domaines d'exemples : le sport (les records du monde), l'aventure (l'extrême, les expéditions), la technique (l'idée de progrès, les vaccins, etc.). C'est la régression à l'infini du désir (cf. cours 1 c § 1).

Mais : au-delà des limites psychologiques de l'impossible apparent, il y a un impossible réel (se fonder sur l'idée de loi de nature).

2. L'impossible est par excellence l'objet de la surenchère du désir.

Deuxième sens de l'impossible : l'impossible moral, qui est techniquement possible. Analyse du fantasme, du rêve et de leur ambiguïté : sont-ils faits pour être réalisés ou justement parce qu'ils ne le seront pas ? Domaines possibles : autrui, la passion, la sexualité, la société.

3. L'impossible est l'objet du désir parce qu'il est avant tout l'objet d'un besoin qui n'est pas satisfait.

C'est justement parce qu'il est conscient de ses limites que l'homme cherche à les défier. La raison humaine ne peut se contenter d'« épeler les phénomènes » (Kant), c'est-à-dire de constater et de répertorier des lois. Elle éprouve un besoin d'« inconditionné », c'est-à-dire de ce qui dépasse la condition : l'absolu. Pour Kant, cet absolu reste inaccessible parce qu'il dépasse les conditions de l'expérience possible.

L'existence et le temps

Définir, Problématiser

Le temps est d'autant plus difficile à définir que nous sommes dedans : le temps est trop immédiat pour qu'une médiation soit possible qui le mettrait à distance comme un objet. Le temps de parler d'un instant et il est déjà passé, si bien que rien ne paraît donner prise pour définir le temps. Certes, nous avons bien inventé des conventions destinées à le rendre familier et maîtrisable : le temps mesurable de l'agenda, de la montre. Mais est-ce là le vrai temps ? Toute la vie de notre conscience, attente, soucis, spéculations, tend à reconnaître au temps une autre nature, comme le temps qui « dure » plus ou moins longtemps : la même durée chronométrique ne nous paraît-elle pas plus ou moins longue selon la qualité de ce que nous y vivons ? Laquelle de ces deux conceptions renvoie-t-elle à la réalité de la notion ? C'est en fait l'idée même d'une existence extérieure et objective du temps qui est en jeu : **le temps est-il quelque chose de concret ou d'abstrait ?**

Toute conscience est conscience du temps, temps d'une existence qui se présente comme un pur fait : elle réclame (tout comme la mort), pour être pensée, une règle ou une norme qui paraissent introuvables. Nous sommes en effet projetés dans l'existence sans avoir rien demandé. L'existence est marquée par une contingence absolue : elle pourrait être autrement, nous sommes les jouets d'une loterie génétique et sociale ; elle pourrait même ne pas être (organiquement, il s'en est fallu de si peu...). Pour l'existence, la recherche d'une norme, d'une règle, prend donc le visage d'une quête de la nécessité : **l'existence est-elle absolument contingente, ou bien revêt-elle quelque aspect nécessaire ?**

La recherche de la norme ne s'entend pas, pour moi, que du fait d'être, mais encore et aussi de la façon dont je suis censé conduire mon existence. Où est le mode d'emploi ? Des expressions comme « rater sa vie » laissent entendre qu'au moins un certain nombre d'expériences, de réalisations ou d'états (mais lesquels ?) doivent y avoir été traversés pour composer en tout une vie décente. Sur la vie que nous menons semble toujours peser l'ombre d'un rêve ou d'un modèle, celui de la vraie vie, celle que nous devrions mener. Ne vivons-nous que par défaut, comme des spectateurs navrés des miasmes quotidiens qui nous atteignent ? **Arrivons-nous jamais à vivre vraiment ou la vraie vie est-elle toujours ailleurs ?**

L'existence est hantée par la présence diffuse et la promesse d'un terme, la mort. L'existence et la mort, qui posent des difficultés analogues, sont des notions plus fécondes si elles sont pensées ensemble plutôt que séparément : c'est que l'une mène à l'autre, puisque l'ensemble des processus et réactions organiques qui me font vivre préparent en même temps ma mort. Il n'y a pas d'existence sans mort, et nous sommes des morts debout, des morts en sursis, des condamnés à mort qui n'ignorent que la date. Cela signifie-t-il que l'existence est marquée par le malheur, ou au contraire devons-nous trouver dans la mort des raisons de vivre plus et mieux, et de savourer la vie ? **La mort est-elle alors le signe de l'absurdité profonde de l'existence ou au contraire ce qui en fait le sens et le prix ?**

Développer

I. Penser le temps

a. Temps et espace

Le premier problème que le temps pose à la pensée, est symbolisé par celui du mouvement : comment rendre raison de ce qui sans cesse change, alors qu'il n'est de connaissance que du stable et du nécessaire ? Cette question forme la ligne de partage des penseurs présocratiques : pour Parménide, l'être se définit par sa fixité : « l'être est, le non-être n'est pas ». En revanche, pour Héraclite, « tout coule », tout change sans cesse, comme l'eau du torrent, jamais la même et pourtant toujours torrent. Héraclite définit donc l'être par une doctrine mobiliste du changement. Pour trancher ce différend, Aristote pense le temps par analogie avec le mouvement, qui a un point de départ et un point d'arrivée : le temps aura donc aussi un point de départ et un point d'arrivée, points que seul le mouvement permet de penser. En outre, on sait mesurer le mouvement en fonction de ces deux points (distance). Par analogie, on pourra donc quantifier aussi le temps, en fonction du mouvement (calculer la vitesse et le temps écoulé), et créer dans le temps des unités (seconde, heure, etc.) comme il en existe aussi pour le mouvement (mètre, pied, etc.). C'est ainsi qu'Aristote exprime la première définition claire du temps (voir texte n° 4), qui a explicité une convention dans le cadre de laquelle nous vivons toujours. « Le temps est le nombre du mouvement », c'est-à-dire que le temps est une grandeur mesurable elle-même calculée à partir d'une mesure de l'espace. Le temps est assimilé à l'espace de façon à être mesuré, puisque l'espace lui-même est mesurable.

Les premiers scientifiques à avoir pensé le mouvement étaient Pythagore et ses disciples, qui partent de l'idée d'un temps irrégulier, divisible, discontinu. Le problème auquel ils se sont heurtés était l'impossibilité, avec leurs moyens arithmétiques, de calculer et de formuler l'équation d'un mouvement. Zénon attribue cet échec des Pythagoriciens à leur mobilisme, et va faire apparaître ce défaut dans ses très célèbres « paradoxes », raisonnements par l'absurde. Par exemple, Achille ne rattrapera jamais la tortue partie avant lui : le temps qu'il arrive là où la tortue se trouvait à l'instant d'avant, la tortue aura un peu avancé, même si c'est très peu : et le temps qu'il arrive à ce second point, la tortue aura toujours un peu avancé, même si c'est encore moins, et ainsi de suite à l'infini. Dans les deux cas, Zénon accuse, en se moquant d'eux, Pythagore et Héraclite d'empêcher le mouvement d'exister en morcelant le temps. Mais la permanence et la continuité, qui aboutiront à la conception newtonienne du temps régulier et infini, ne vont pas à leur tour sans paradoxe scientifique : « c'est finalement à Einstein qu'il revient d'avoir mis en évidence que le temps est une forme de relation et non, comme le croyait Newton, un flux objectif[1] ».

On voit bien le sens et l'utilité de cette convention : il s'agit de supprimer ce qui est pour nous l'impensable du temps (son caractère infini, qui nous fait si peur dans son visage radical qu'est la mort) en en faisant une quantité gérable (puisque le temps, c'est de l'argent), régulière, ponctuée d'habitudes qui l'organisent. Ainsi crois-je pouvoir dire « j'ai du temps », ou « je n'ai pas le temps », comme s'il s'agissait d'un objet extérieur quantifiable, d'une portion de nature que je gère : me croyant dépositaire d'une certaine espérance de vie, je l'organise par paliers, dans le temps spatialisé de la montre et de l'agenda. Pourtant, il faudrait dire, plutôt que « j'ai tout mon temps », que « je suis mon temps » : ma durée subjective est inséparable de l'expérience que je fais, dans ce que j'appelle le temps, de mes changements.

b. Temps et expérience

C'est que, malgré le caractère apaisant de cette idée, le temps n'est pas une quantité objective, et que par conséquent je ne puis en faire l'expérience. Kant montre par exemple que le temps n'est pas l'objet d'une expérience possible : « le temps n'est pas un concept empirique qui dérive d'une expérience quelconque[2] », ni non plus « quelque chose qui existe en soi[3] ». Je ne peux faire d'expérience du temps puisque je n'en fais que dans le temps. Le temps n'est donc pas la matière d'une expérience mais la forme de toute expérience. Si je regarde mes cheveux blancs dans le miroir, ce n'est pas le temps que je vois passer, mais moi dans le temps. Kant disait ainsi que « ce n'est pas le temps lui-même qui change, mais quelque chose qui est dans le temps[4] ». Le temps sera donc défini par Kant comme une forme *a priori* (avant l'expérience) de la sensibilité. En effet, toutes les expériences que je fais supposent, pour pouvoir être classées dans l'ordre de succession, l'idée de temps. Ainsi « le temps n'est autre chose que la forme du sens interne, c'est-à-dire de l'intuition de nous-mêmes et de notre état intérieur[5] ». Le temps n'est pas un objet d'expérience, mais la dimension toujours présupposée par la succession de nos expériences : leur condition de possibilité.

---

1. Norbert Elias, *Du Temps*, « Agora », Presses Pocket, 1996, p. 54-55.
2. Kant, *Critique de la Raison pure*, « Quadrige », Puf, 1984, p. 61.
3. *Id.*, p. 63.
4. *Id.*, p. 67-68.
5. *Id.*, p. 63.

Malgré notre habitude du temps calculé, du temps de la montre, le temps vécu est irréductible au temps conçu, au temps spatialisé. En effet, ce temps scientifique, celui de l'horloge mécanique (depuis Huygens en 1639), n'a rien de commun avec la durée concrète de vie sous laquelle le temps nous apparaît dans la vie courante. Une heure ne dure jamais autant selon qu'on y fait quelque chose d'agréable ou de désagréable : le temps passe très lentement ou très vite. C'est cette durée subjective que la convention du temps calculé tente d'escamoter, ce que dénonce Bergson : « la science n'opère sur le temps qu'à condition d'en éliminer d'abord l'aspect essentiel et qualitatif, du temps la durée, et du mouvement la mobilité[1] » : l'essence du temps est qualitative (et non quantitative), c'est la durée. Bergson dénonce la conception scientifique d'un temps spatialisé, parce qu'elle élimine ce qui est pour Bergson l'essence même du temps, c'est-à-dire la durée. Il oppose donc d'un côté le temps de la science, continu, homogène et quantitatif, et celui de la vie, discontinu, hétérogène et qualitatif. Pour Bergson, la durée, c'est l'essence même non seulement du temps, mais aussi du psychisme et de la vie. La durée, c'est la création infinie d'imprévisible nouveauté. Aussi cette durée ne se laisse-t-elle pas, comme le temps de la science, réduire et analyser par des concepts ou des nombres ; on ne peut l'appréhender que par une intuition.

C'est quand le calcul et la gestion du temps calculé disparaissent que le temps prend son vrai visage. Autant l'attente est confortable quand on en connaît le terme, autant elle est au contraire pénible dès que l'heure est dépassée. Le visage du temps qui émerge alors, c'est le souci, l'angoisse : très vite, j'imagine l'autre mort quand il a du retard, alors que je ne pensais même pas à lui quand j'étais en avance. Alors, « la temporalité se révèle comme le sens et le visage propre du souci[2] » (Heidegger). Les deux attentes correspondent en fait aux deux conceptions du temps : l'attente facile, celle qui connaît son terme, gère une quantité, alors que l'attente infinie me confronte à l'épaisseur véritable du temps : cette attente, celle par exemple du *Désert des Tartares* (Dino Buzzatti), ou de *la Presqu'île* (Julien Gracq), est bien une pure expérience du temps.

c. Temps et mémoire

Quel rapport alors devons-nous avoir avec le temps ? C'est tout le problème de la mémoire, qui ne se réduit pas, malgré la métaphore informatique (la mémoire de la machine est sans souvenirs) à une capacité de stockage : je ne me souviens pas de tout, et pas de façon linéaire : la mémoire est sélective, et l'oubli est encore un travail de la mémoire. Que faut-il alors faire du passé ? L'oublier ou s'en souvenir ?

Le fétichisme se définit comme l'attitude qui tend à investir une valeur dans une chose plutôt que dans un être. En quoi la mémoire peut-elle alors confiner au fétichisme ? On peut s'enfermer complaisamment dans son propre passé, sans qu'il ait pour autant de valeur qui lui soit propre : on ne donne parfois de valeur au passé que

---

1. Bergson, *Essai sur les données immédiates de la conscience*, Puf, « Quadrige », 1985, p. 86. voir texte n° 5.
2. Heidegger, *Être et Temps*, § 40, « Nrf », Gallimard, 1986, p. 243.

par incapacité à affronter le présent. Machiavel le dit bien : « les hommes louent le passé et blâment le présent, et souvent sans raison[1] », c'est-à-dire indépendamment de la valeur réelle du passé et du présent. Ce n'est pas seulement quand le passé était heureux que nous le cultivons : il y a aussi un confort de la douleur, quand au moins celle-ci dispense d'avoir à vivre. Le deuil est justement cette expérience paradoxale dans laquelle on se sentirait coupable de revivre : la culpabilité est au centre du deuil.

C'est en ce sens qu'on peut comprendre une certaine nécessité de l'oubli. Encore faut-il s'entendre sur ce terme : ce n'est pas l'oubli comme suppression de la mémoire (« n'y pense plus ! » nous disent suavement ceux qui nous consolent, comme si c'était seulement possible), mais l'oubli comme effort pour surmonter, pour pardonner, pour vivre avec. Le travail du deuil est achevé non pas quand on ne se souvient plus du disparu, mais quand on peut à la fois y repenser et vivre quand même. C'est l'oubli volontaire, un oubli qui se souvient très bien. C'est à un oubli de ce genre que Nietzsche nous convie au nom de la vie : puisque « toute action exige l'oubli[2], il y a un degré d'insomnie, de rumination, de sens historique qui nuit à l'être vivant et finit par l'anéantir[3] ». Rien n'est plus dangereux que de ruminer l'histoire : le sens historique est certes utile à la vie, mais il peut dégénérer de façon pathologique : or la vie doit l'emporter.

D'un autre côté, le XXe siècle a popularisé l'idée d'un devoir de mémoire, lié aux crimes contre l'humanité. La Shoah exhorte un devoir de mémoire, là où justement l'oubli serait plus confortable. Or la Shoah n'est pas arrivée qu'aux Juifs, ni le goulag qu'aux Russes, ni l'esclavage qu'aux noirs, mais à nous tous : il y a en l'homme quelque chose qui est capable d'accéder à l'inhumain, et en nous quelque chose qui pourrait exterminer. Le devoir de mémoire est d'abord une vigilance qui doit nous garder de nous-mêmes : l'ennemi est en chacun de nous. Une idée (sans doute un peu plus fade) accompagne souvent cette expression d'un devoir de mémoire : il s'agirait de tirer les leçons du passé pour ne plus recommencer. Mais on peut objecter avec Hegel qu'« on recommande aux rois, aux hommes d'État, aux peuples de s'instruire spécialement par l'expérience de l'histoire. Mais l'expérience et l'histoire nous enseignent que peuples et gouvernements n'ont jamais rien appris de l'histoire, qu'ils n'ont jamais agi suivant les maximes qu'on aurait pu en tirer[4] » : plus nous nous souvenons, et plus tout recommence, comme si les hommes n'étaient que les jouets d'une puissance historique plus forte qu'eux.

1. Machiavel, *Discours sur la première décade de Tite-Live*, œuvres complètes, livre II, Gallimard, 1952, p. 509.
2. Nietzsche, *Seconde Considération intempestive*, GF-Flammarion, 1988, p. 77.
3. *Id.*, p. 79.
4. Hegel, *La Raison dans l'Histoire*, 1965, p. 35.

II. La contingence de l'existence

a. Exister plutôt que vivre

L'existence se définit d'abord par une différence : celle qui sépare le verbe exister du verbe vivre. Rousseau l'a bien dit : « nous naissons, pour ainsi dire, en deux fois : l'une pour exister, et l'autre pour vivre[1] ». Ainsi, on peut comprendre la vie au sens organique du terme, auquel se rajoute le sens laudatif : la vraie vie, la vie heureuse. Mais nous ne nous contentons pas de vivre, nous existons, c'est-à-dire : nous savons que nous vivons, nous sommes conscients. Ainsi l'existence devient-elle une dimension surajoutée : « l'homme ne peut accéder à l'universel que parce qu'il existe au lieu de vivre seulement[2] ». Sa faculté rationnelle d'abstraction a donc un revers de la médaille : la conscience transforme la vie en existence.

C'est que toute conscience est conscience de la mort : c'est le sens de l'être-pour-la-mort dont parlait Heidegger. Nous envions souvent le bonheur du bébé, qui ne se rend pas encore compte, alors que notre insouciance est définitivement feinte. Aussi l'existence se présente-t-elle comme conscience de la contingence et de la mort. On peut conclure que « toute conscience est donc malheureuse, puisqu'elle se sait vie seconde et regrette l'innocence d'où elle se sent issue[3] ». Notre vie est toujours seconde, en décalage avec une vraie vie, qui serait sans souci : étymologiquement, exister veut d'ailleurs dire être séparé. Exister, c'est devoir vivre dans l'absence de sens.

b. Existence et essence

Le verbe être s'entend de deux manières, selon l'essence ou selon l'existence et cette seconde différence contribue à son tour à éclairer ce dernier terme. L'essence dit ce qu'est une chose alors que l'existence dit qu'elle est. Les deux termes ne se confondent donc pas, puisqu'exister veut aussi dire : être réel, avoir une existence en dehors de la pensée. Il y a donc quantité de choses qui ont une essence sans avoir d'existence (les dragons, par exemple). Cela implique que l'existence échappe à l'essence, qu'elle lui est toujours plus ou moins extérieure et irréductible, et que par conséquent l'essence ne peut « contenir » l'existence.

C'est le débat qui a opposé Descartes à Kant. La preuve ontologique de l'existence de Dieu, telle qu'elle est exposée par Descartes, fait de l'existence une propriété logique de l'essence, un prédicat logique : « revenant à examiner l'idée que j'avais d'un Être parfait, je trouvais que l'existence y était comprise, en même façon qu'il est compris en celles d'un triangle que ses trois angles sont égaux à deux droits[4] ». À cela Kant répondra que quelles que soient la nature et l'étendue de notre concept d'un objet, il nous faut cependant sortir de ce concept pour attribuer à l'objet son existence. Dénonçant la pétition de principe de la preuve ontologique carté-

1. Rousseau, *Émile*, IV, GF-Flammarion, 1966, p. 273.
2. Merleau-Ponty, *Sens et Non-Sens*, Gallimard, « Nrf », 1996, p. 83.
3. *Id.*, p. 84.
4. Descartes, *Discours de la Méthode*, IV, GF-Flammarion, 1966, p. 62-63.

sienne, Kant lui oppose l'irréductibilité de l'existence : « Être n'est évidemment pas un prédicat réel, c'est-à-dire un concept de quelque chose qui puisse s'ajouter au concept d'une chose. C'est simplement la position d'une chose[1] ». L'existence ne saurait donc être conceptualisée, et, par conséquent, elle ne peut dépendre de l'essence.

L'existentialisme sartrien est le mouvement qui met ce fait en son centre : l'existence ne se laisse pas réduire au concept, elle est un fait brut et contingent, l'existence précède l'essence. *La Nausée* dit ainsi qu'« aucun être nécessaire ne peut expliquer l'existence : la contingence n'est pas un faux semblant, une apparence qu'on peut dissiper ; c'est l'absolu, par conséquent la gratuité parfaite. Tout est gratuit, ce jardin, cette ville et moi-même. Quand il arrive qu'on s'en rende compte, ça vous tourne le cœur et tout se met à flotter ». En ce sens, la grande question philosophique est celle que posait Leibniz, et qu'a relayée Heidegger : pourquoi donc y a-t-il quelque chose, et non pas plutôt rien ?

c. La facticité

L'existence se signale donc par la radicalité de sa contingence : je pourrais être autrement ou ne pas être. À parler rigoureusement, c'est même encore trop dire, puisque c'est comme supposer une autre incarnation du même, alors qu'il faut affronter l'idée même que je pourrais ne pas être et qu'il pourrait ne rien y avoir. C'est l'effroi pascalien : « je m'effraie et m'étonne de me voir ici plutôt que là, car il n'y a point de raison pourquoi ici plutôt que là, pourquoi à présent plutôt que lors. Qui m'y a mis[2] ? ». L'impossibilité de trouver une cause à cette existence contingente rejoint l'impossibilité de la conceptualiser : c'est là justement le signe de sa pure factualité. L'existence n'est qu'un fait, et rien ne permet de penser ce fait. « En regardant tout l'univers muet, et l'homme sans lumière, abandonné à lui-même et comme égaré dans ce recoin de l'univers, sans savoir qui l'y a mis, ce qu'il y est venu faire, ce qu'il deviendra en mourant, incapable de toute connaissance, j'entre en effroi, comme un homme qu'on aurait porté endormi dans une île déserte et qui s'éveillerait sans connaître où il est, et sans moyen d'en sortir[3]. »

Le fait que l'existence ne soit qu'un fait peut s'exprimer par le mot facticité, qui présente un double sens intéressant : la facticité renvoie au fait, mais dans le langage courant, l'adjectif « factice » signifie l'inauthenticité. La facticité de l'existence renvoie donc aussi ici à sa fausseté, à son caractère inauthentique : comment vivre autrement que sur le mode du « devoir être ce que nous sommes[4] ? » Ne sommes-nous jamais alors que des êtres de cérémonie, qui ne sont ce qu'ils sont que sur le mode du jeu ? Si je suis enseignant, que faire dans une salle de classe sinon faire l'enseignant, jouer au professeur, avant de jouer au mari ou à l'amant plus tard dans la journée ? Sartre prend ainsi l'exemple du garçon de café : « il a le geste vif et appuyé, un peu trop précis, un peu trop rapide, il vient vers les consommateurs d'un pas un peu trop vif

1. Kant, *op. cit.*, p. 429.
2. Pascal, *Pensées*, 205, GF-Flammarion, 1976, p. 110.
3. Pascal, *Pensées*, 693, *op. cit.*, p. 255.
4. Sartre, *L'Être et le Néant*, « Tel », Gallimard, 1943, p. 95.

[...] enfin le voilà qui revient, en essayant d'imiter dans sa démarche la rigueur inflexible d'on ne sait quel automate[1] ». Le garçon de café joue donc à être garçon de café : mais si j'y joue, c'est que je ne le suis pas de tout mon être (comme il ne suffit pas, et encore moins, de jouer au docteur pour être docteur), qu'un décalage persiste entre l'être et le devoir-être, ou, en termes sartriens, entre le pour-soi et l'en-soi.

Je ne peux choisir d'avance ma condition, ni mes attaches, ni mon corps (voir le texte n° 7). Il y a ainsi une « contingence perpétuellement évanescente de l'en-soi qui hante le pour-soi et le rattache à l'être-en-soi sans jamais se laisser saisir, c'est ce que nous nommerons la *facticité* du pour-soi[2] ». L'en-soi m'échappe toujours, de peu si je veux être garçon de café (parce que jouer à être garçon de café n'est pas si éloigné de la condition réelle de garçon de café), davantage si je veux être pilote de ligne ou avocat : j'aurai beau y jouer, je ne le serai pas. « C'est ce qui fait que je me saisis à la fois comme totalement responsable de mon être, en tant que j'en suis le fondement et, à la fois, comme totalement injustifiable. Sans la facticité la conscience pourrait choisir ses attaches au monde, à la façon dont les âmes, dans la *République*, choisissent leur condition : je pourrais me déterminer à "naître ouvrier" ou à "naître bourgeois"[3] ». Ainsi se définit la facticité de l'existence humaine.

III. La mort

a. Oublier ou affronter ?

La sagesse antique veut conjurer la mort comme pure ponctualité, comme un événement aussi instantané que soudain. C'est donc par définition qu'il n'y a aucune expérience possible de la mort : le passage de la vie à la mort est conçu ici comme un brusque passage sans fluidité, sans continuité. Cette définition est l'instrument théorique qui permet aux épicuriens[4] et aux stoïciens (« la mort n'est rien de terrible [...] mais l'évaluation prononcée sur la mort : qu'elle est terrible — voilà ce qui est terrible[5] ») chacun à leur manière, de défendre un mépris de la mort. La mort signifie l'impossibilité de ressentir, de percevoir et de souffrir. En conséquence, il n'y a aucun lieu d'en avoir peur. Montaigne défend ainsi, dans la lignée stoïcienne, la différence entre le refoulement (« le remède du vulgaire, c'est de n'y penser pas[6] ») et le mépris (« des principaux bienfaits de la vertu est le mépris de la mort[7] »). Cette domestication active de la mort atteint son comble dans le *Phédon*, où elle purifie l'âme, « en nous débarrassant de la folie du corps[8] ». Philosopher, c'est donc bien apprendre à mourir.

---

1. *Idem.*
2. *Idem*, p. 121.
3. *Ibidem.*
4. Voir le texte n° 3 d'Épicure.
5. Épictète, *Manuel*, GF-Flammarion, 1997, p. 66.
6. Montaigne, *Essais* I, chapitre XX, « Folio », Gallimard, 1962, p. 144.
7. *Id.*, p. 142.
8. Platon, *Phédon*, 67a, GF-Flammarion, 1965, p. 116.

Mais l'apprend-on jamais ? La mort telle qu'elle est domestiquée par ces traditions n'est-elle pas une imposture ? Ce n'est peut-être que contre une idée adoucie de la mort que ces sagesses nous prémunissent : Jankélévitch défend ainsi l'idée que l'intellectualisme socratique et « l'illusionisme épicurien qui anesthésie le sage en lui persuadant que la mort n'est rien[1] » se trompent sur la mort, comme nous le faisons à chaque fois que nous croyons domestiquer la mort par une représentation. La mort est bel et bien impensable. Morts en sursis qui avons simplement le bénéfice d'ignorer l'heure de la condamnation, nous ne faisons de la mort que l'expérience paradoxale de la certitude indéterminée. Le choc que ressent celui à qui une maladie incurable promet une mort prochaine annule justement ce délai qui permet aux autres mortels de vivre un peu. Comme le note Heidegger dans *Être et Temps*, « On dit : la mort viendra certainement mais pour le moment elle ne vient toujours pas. Avec ce "mais...", le on dénie la certitude à la mort [...] Ainsi le on dissimule ce qu'a de particulier la certitude de la mort : elle est à chaque instant possible. À la certitude de la mort s'associe l'indétermination de son moment[2] ».

b. Mort et temps

Est-il si facile de situer la mort ? Elle est nulle part et partout. Elle est incernable dans le temps, parce qu'il n'y a pas d'instant biologique du décès. Mais elle est partout en tant que processus : lentement, l'ensemble de ce que je fais contribue à préparer et à favoriser ma mort. Jean Cocteau le remarquait, qui disait : « Chaque jour, j'observe la mort à l'œuvre dans le miroir ». La mort est dans la putrescence de la chair, dans l'haleine de l'autre à l'aube, dans mes os que je vois en passant ma main devant le soleil. En un sens, je ne suis jamais ni mort ni vivant : je deviens mort. On proteste de ce que la mort est un accident, comme quand on plaint celui qui est mort trop tôt : mais la mort au fond n'est qu'accidentellement un accident. Montaigne nous le rappelle : « Quelle rêverie est-ce de s'attendre de mourir d'une défaillance de forces que l'extrême vieillesse apporte, et de se proposer ce but à notre durée, vu que c'est l'espèce de mort la plus rare de toutes et la moins en usage[3] ? ». C'est que la mort n'est pas qu'un accident ou un défaut du processus vital : elle en est quasiment la réalisation. La caractéristique du vivant, c'est de mourir.

En même temps, la mort n'existe que comme mort des autres : la mienne, celle que Jankélévitch nomme la « mort-propre », reste impensable. Aussi est-ce encore un faux concept de la mort que celui qui n'est qu'un « concept générique empiriquement extrait d'une multitude de cas particuliers[4] ». Tout au plus la mort des autres m'habitue-t-elle à la mienne : « peu de gens connaissent la mort. On ne la souffre pas ordinairement par résolution, mais par stupidité et par coutume ; et la plupart des hommes meurent parce qu'on ne peut s'empêcher de mourir[5] ». Or Proust notait

1. Jankélévitch, *Le Sérieux de l'Intention*, Champs-Flammarion, 1983, p. 260.
2. Heidegger, *op. cit.*, p. 313.
3. Montaigne, *id.* ; chapitre LVII, p. 446.
4. Scheler, *op. cit.*, p. 17.
5. La Rochefoucauld, *Maximes*, 23, Le Livre de Poche, 1991, p. 79.

bien combien la mort de l'autre ne désamorce pas la mienne : « la mort de Swann m'avait à l'époque bouleversé. La mort de Swann ! Swann ne joue pas dans cette phrase le rôle d'un simple génitif. J'entends par là la mort particulière, la mort envoyée par le destin au service de Swann. Car nous disons la mort pour simplifier, mais il y en a presque autant que de personnes[1] ». Ma mort singulière n'est pas une synthèse de celle des autres : ma fin absolue, la fin des temps fait s'insurger ma conscience contre la possibilité même que quelque chose soit sans moi. Ceci confirme que la pensée de la mort abstrait notre existence au temps : si c'est d'être morts que nous avons peur, beaucoup plus par exemple que nous n'avons peur de nous endormir, c'est que l'impensable éternité de la mort s'oppose au caractère provisoire du sommeil.

c. Mort et vie

Même en la refoulant, nous gardons au centre de notre conscience ce que Scheler appelle « la certitude intuitive de la mort[2] ». Ainsi l'instinct de mort est-il constitutif de la conscience, non en tant que concept, mais comme présence intuitive. Ainsi « les hommes, à mesure qu'ils vieillissent, se raidissent devant l'idée de leur fin prochaine, cela du moins jusqu'à un certain point critique où [...] un véritable instinct de la mort — qui n'est pas volonté de mourir — vient remplacer l'instinct de vie[3] ». L'oubli de la mort se rapporte alors à elle d'une manière nouvelle, qui ne signifie plus « se rapporter d'une manière inconsidérée, inauthentique et fuyante à cette possibilité que serait la mort ; c'est au contraire entrer dans la considération de l'événement nécessairement inauthentique, présence sans présence, épreuve sans possibilité[4] ».

La mort à ce compte n'est plus le scandale qui rend la vie impensable ; il faut changer de norme et se mettre à penser, non plus la mort à partir de la vie, mais au contraire la vie à partir de la mort. Citant Euripide qui posait la question de savoir si la vie que nous vivons est vie, ou si c'est la mort qui est la vie, Montaigne tire l'idée de cette norme nouvelle : la vie n'est que l'interruption de notre condition naturelle, qui est de n'être rien : « car pourquoi prenons-nous titre d'être, de cet instant qui n'est qu'une Éloise dans le cours infini d'une nuit éternelle, et d'une interruption si brève de notre perpétuelle et naturelle condition[5] ? »

Il existe donc une méditation « sèche et résolue, qui assume la mort, en faisant une conscience plus aiguë de la vie[6] ». Ainsi la mort ajoute-t-elle à la valeur de la vie, quitte même à être comprise comme la condition de cette valeur : Valéry dit ainsi que « si la puissance, la perpétuelle imminence, et, en somme, la vitalité de l'idée de la mort, s'amoindrissaient, on ne sait ce qu'il adviendrait de l'humanité. Notre vie organisée a besoin des singulières propriétés de l'idée de la mort[7] ». Ainsi cet incertain

---

1. Proust, *La Prisonnière*, « Folio », Gallimard, 1954, p. 236.
2. Scheler, *op. cit.*, p. 16.
3. *Id.*, p. 36.
4. Blanchot, *L'Entretien infini*, Gallimard, 1969, p. 291.
5. Montaigne, *Essais*, II, XII, « Folio », Gallimard, 1965, p. 251.
6. Merleau-Ponty, *op. cit.*, p. 84.
7. Valéry, *Variété*, « La Pléiade », 1957, p. 958.

délai qui me guette (délai se dit en anglais *deadline*, la ligne de la mort) me pousse-t-il à vivre : ce que le délai me force à faire est sans commune mesure avec ce que nous ferions sans cette provocation. Ainsi s'agit-il de vivre quand même, de s'exercer à ce *Métier de Vivre* dont parle Pavese. C'est peut-être de la vie qu'il faut dire ce que Socrate disait de l'immortalité de l'âme : c'est un beau risque à courir.

Textes

1. Montaigne

Où l'homme est-il chez lui ?

Ceux qui accusent les hommes d'aller toujours béant après les choses futures, et nous apprennent à nous saisir des biens présents et nous rasseoir en ceux-là, comme n'ayant aucune prise sur ce qui est à venir, voire assez moins que nous n'avons sur ce qui est passé, touchent la plus commune des humaines erreurs, s'ils osent appeler erreur chose à quoi nature elle-même nous achemine, pour le service de la continuation de son ouvrage, nous imprimant, comme assez d'autres, cette imagination fausse, plus jalouse de notre action que de notre science. Nous ne sommes jamais chez nous, nous sommes toujours au-delà. La crainte, le désir, l'espérance nous élancent vers l'avenir, et nous dérobent la considération de ce qui est, pour nous amuser à ce qui sera, voire quand nous ne serons plus.

Montaigne, *Essais* I 3, « Folio », Gallimard, 1965, p. 62.

2. Merleau-Ponty

Esquive-t-on la mort ?

On ne fera pas que l'homme ignore la mort. On ne l'obtiendrait d'ailleurs qu'en le ramenant à l'animalité ; encore serait-il un mauvais animal, s'il gardait conscience, puisque la conscience suppose le pouvoir de prendre recul à l'égard de toute chose donnée et de la nier. C'est l'animal qui peut paisiblement se satisfaire de la vie et chercher son salut dans la reproduction. L'homme ne peut accéder à l'universel que parce qu'il existe au lieu de vivre seulement. Il doit payer de ce prix son humanité. C'est pourquoi l'idée de l'homme sain est un mythe, proche parent des mythes nazis. « L'homme, c'est l'animal malade », disait Hegel [...] La vie n'est pensable que comme offerte à une conscience de la vie qui la nie. Toute conscience est donc malheureuse, puisqu'elle se sait vie seconde, et regrette l'innocence d'où elle se sent issue.

Merleau-Ponty, *Sens et Non-Sens*, « Nrf », Gallimard, 1996, p. 83-84.

3. Pascal

Sommes-nous capables de vivre au présent ?

Nous ne nous tenons jamais au temps présent. Nous anticipons l'avenir comme trop lent à venir, comme pour hâter son cours ; ou nous rappelons le passé pour l'arrêter comme trop prompt : si imprudents, que nous errons dans les temps qui ne sont pas nôtres, et ne pensons point au seul qui nous appartient ; et si vains, que nous songeons à ce qui ne sont plus rien, et échappons sans réflexion le seul qui subsiste. C'est que le présent, d'ordinaire, nous blesse. Nous le cachons à notre vue, parce qu'il nous afflige ; et s'il nous est agréable, nous regrettons de le voir échapper. Nous tâchons de le soutenir par l'avenir et pensons à disposer les choses qui ne sont pas en notre puissance, pour un temps où nous n'avons aucune assurance d'arriver. Que chacun examine ses pensées, il les trouvera toutes occupées au passé et à l'avenir. Nous ne pensons presque point au présent ; et, si nous y pensons, ce n'est que pour en prendre la lumière pour disposer de l'avenir. Le présent n'est jamais notre fin : le passé et le présent sont nos moyens ; le seul avenir est notre fin. Ainsi nous ne vivons jamais, mais nous espérons de vivre ; et, nous disposant toujours à être heureux, il est inévitable que nous ne le soyons jamais.

Pascal, *Pensées*, 172, GF-Flammarion, 1976 p. 96

4. Aristote

Le temps est-il mesurable ?

Lors donc que nous sentons l'instant actuel comme une unité, et qu'il ne peut nous apparaître ni comme antérieur ni comme postérieur dans le mouvement, ni, tout en restant identique, comme appartenant à quelque chose d'antérieur ou de postérieur, il nous semble qu'il n'y a point eu de temps d'écoulé, parce qu'il n'y a pas eu non plus de mouvement. Mais, du moment qu'il y a antériorité et postériorité, nous affirmons qu'il y a du temps. En effet, voici bien ce qu'est le temps : le nombre du mouvement par rapport à l'antérieur et au postérieur. Ainsi donc, le temps n'est le mouvement qu'en tant que le mouvement est susceptible d'être évalué numériquement. Et la preuve, c'est que c'est par le nombre que nous jugeons que le mouvement est plus grand ou plus petit. Donc, le temps est une sorte de nombre. Mais comme le mot nombre peut se prendre en deux sens, puisque tout à la fois on appelle nombre et ce qui est nombre et numérable, et ce par quoi l'on nombre, le temps est ce qui est nombré, et non ce par quoi nous nombrons ; car il y a une différence entre ce qui nous sert à nombrer et ce qui est nombré.

Aristote, *Physique*, IV, 16, « Agora », Presses Pocket, 1990, p. 306-307.

5. Bergson

La science n'opère sur le temps et le mouvement qu'à condition d'en éliminer d'abord l'aspect essentiel et qualitatif, du temps la durée, et du mouvement la mobilité [...] Il n'est donc pas question ici de durées, mais seulement d'espaces et de simultanéités. Annoncer qu'un phénomène se produira au bout d'un temps t, c'est dire que la conscience notera d'ici là un nombre t de simultanéités d'un certain genre. Et il ne faudrait pas que les termes « d'ici là » fassent illusion, car l'intervalle de durée n'existe que pour nous, et à cause de la pénétration mutuelle de nos états de conscience. En dehors de nous, on ne trouverait que de l'espace, et par conséquent des simultanéités, dont on ne peut même pas dire qu'elles soient objectivement successives, puisque toute succession se pense par la comparaison du présent au passé. Ce qui prouve bien que l'intervalle de durée lui-même ne compte pas au point de vue de la science, c'est que, si tous les mouvements de l'univers se produisaient deux ou trois fois plus vite, il n'y aurait rien à modifier ni à nos formules, ni aux nombres que nous y faisons entrer.

Bergson, *Essai sur les données immédiates de la conscience*, « Quadrige », Puf, 1985, p. 86-87.

6. Kierkegaard

Est-il concevable d'exister ?

Le champ du possible ne cesse de grandir alors aux yeux du moi, il y trouve toujours plus de possible, parce qu'aucune réalité ne s'y forme. À la fin le possible embrasse tout, mais c'est alors l'abîme qui a englouti le moi. Le moindre possible pour se réaliser demanderait quelque temps. Mais ce temps qu'il faudrait pour la réalité s'abrège tant qu'à la fin tout s'émiette en poussières d'instants. Les possibles deviennent de plus en plus intenses, mais sans cesser d'en être, sans devenir du réel, où il n'y a en effet d'intensité que s'il y a passage du possible au réel. À peine l'instant révèle-t-il un possible qu'il en surgit un autre, finalement ces fantasmagories défilent si vite que tout nous semble possible, et nous touchons alors à cet instant extrême du moi, où lui-même n'est plus qu'un mirage.

Kierkegaard, *Traité du Désespoir*, « Tel », Gallimard, 1990, p. 382.

7. Sartre

Le pour-soi *est*. Il est, dira-t-on, fût-ce à titre d'être qui n'est pas ce qu'il est et qui est ce qu'il n'est pas. Il est puisque, quels que soient les écueils qui viennent la faire échouer, le projet de la sincérité est au moins concevable. Il est, à titre d'événement, au sens où je puis dire que Philippe II *a été*, que mon ami Pierre est, existe ; il est en tant qu'il apparaît dans une situation qu'il n'a pas choisie, en tant que Pierre est bourgeois français de 1942, que Schmitt était ouvrier berlinois de 1870 ; il est en tant qu'il est jeté dans un monde, délaissé dans une « situation », il est en tant qu'il est pure contingence, en tant que pour lui comme pour les choses du monde, comme pour ce mur, cet arbre, cette tasse, la question originelle peut se poser : « Pourquoi donc cet être-ci est-il tel et non autrement ? ». Il est, en tant qu'il y a en lui quelque chose dont il n'est pas le fondement : *sa présence au monde*.

Sartre, *l'Être et le Néant*, « Tel », Gallimard, 1943, p. 117.

8. Montaigne

N'y a-t-il pas moyen d'aimer la vie ?

Pour moi donc, j'aime la vie et la cultive telle qu'il a plu à Dieu de nous l'octroyer. Je ne vais pas désirant qu'elle eût à dire la nécessité de boire et de manger, et me semblerait faillir non moins excusablement de désirer qu'elle l'eût double, ni que nous nous sustentassions seulement en la bouche un peu de cette drogue par laquelle Epiménide se privait d'appétit et se maintenait, ni qu'on produisît stupidement des enfants par les doigts ou par les talons [...] ni que le corps fût sans désir et sans chatouillement. Ce sont plaintes ingrates et iniques. J'accepte de bon cœur,

> et reconnaissant, ce que nature a fait pour moi, et m'en agrée et m'en loue. On fait tort à ce grand et tout-puissant donneur de refuser son don, l'annuler et le défigurer. Tout bon, il a fait tout bon.

Montaigne, *Essais*, III, 13, « Folio », Gallimard, 1965, p. 412.

Sujets approchés

La mort est-elle l'accomplissement de l'existence humaine ?
En quoi le culte des morts est-il signe de notre humanité ?
Penser la mort, est-ce pour vivre ou pour mourir ?
La mort ajoute-t-elle à la valeur de la vie ?
La mort abolit-elle le sens de l'existence ?

→ ***Approche commune* : Ces sujets posent la question de la valeur de la vie face à la mort : celle-ci est-elle le scandale de l'existence ou au contraire la condition de sa valeur ?**

La pensée de la mort a-t-elle un objet ?
Peut-on ne pas avoir peur de la mort ?
Faut-il vivre comme si nous ne devions jamais mourir ?
Faut-il apprendre à mourir ?
La mort est-elle pensable ?
La certitude d'être mortel est-elle un obstacle à mon bonheur ?

→ ***Approche commune* : Ces sujets posent la question de l'attitude que la pensée doit tenir face à la mort : s'agit-il de l'oublier ou de l'affronter ?**

Qu'est-ce que je perds quand je perds mon temps ?
Prendre son temps, est-ce le perdre ?
Faut-il opposer la durée vécue et le temps des choses ?
La mesure du temps nous fait-elle saisir ce qu'est le temps ?

→ ***Approche commune* : Le temps est-il quelque chose de concret ou quelque chose d'abstrait ?**

Choisissons-nous notre passé ?
Du fait que nous vivons notre présent, sommes-nous mieux placés pour le comprendre ?
Y a-t-il une actualité du passé ?
Est-il juste de dire que seul le présent existe ?

→ ***Approche commune* : Notre rapport au temps est-il à un temps donné ou bien le reconstruit-il ?**

Exister, est-ce simplement vivre ?
Faut-il vivre pour mourir ?
Être temporel nous fait-il libres ou esclaves ?
La fuite du temps est-elle nécessairement un malheur ?

→ ***Approche commune* : L'existence, en tant qu'elle est consciente d'elle-même, du temps et de la mort, est-elle fondamentalement heureuse ou malheureuse ?**

Tout s'en va-t-il avec le temps ?
Le temps est-il essentiellement destructeur ?
N'y a-t-il que le présent qui soit digne d'estime ?
L'épreuve du temps est-elle critère de valeur ?
Faut-il vivre avec son temps ?

→ ***Approche commune* : N'y a-t-il de valeur que de ce qui est stable et fixe, ou bien y a-t-il aussi une valeur du mouvant et du changeant ?**

Sujet esquissé : Faut-il vivre comme si nous ne devions jamais mourir ?

Introduction

La peur de la mort est la plus commune des peurs humaines : prêts pour la mort dès que nous venons à la vie, notre conscience nous accable de ce fardeau. Comment faire pour vivre en sachant que nous allons mourir ? Faut-il faire comme si nous ne devions jamais mourir ? La locution « comme si » renvoie à une hypothèse d'éternité que la certitude de la mort démentit. Le « faut-il » induit une valeur au nom de laquelle il faudrait se comporter, vis-à-vis de la mort, de telle ou telle manière. Alors l'oubli de la mort est-il nécessairement illusoire ? Si oui, faut-il alors au contraire affronter la mort en face ? La mort doit-elle plutôt être oubliée ou affrontée ?

Lignes directrices

1. Il faut vivre comme si nous ne devions jamais mourir : l'illusion d'éternité est nécessaire à la vie. Le caractère impensable de la mort renchérit l'illusion d'éternité (chez Freud) ou l'illusion d'une domestication abstraite (Épicure : voir cours III a § 1). Ainsi la mort est-elle faite pour être transcendée, comme dans l'idée de destin (Malraux) ou les institutions familiales : je me survivrai à moi-même par mon œuvre, ma descendance.

Mais : cette idée d'éternité ne repose-t-elle pas le même problème ?

2. Il faut vivre dans l'oubli volontaire de la mort, et non dans l'illusion d'éternité, au nom du bonheur. Ainsi Nietzsche montre-t-il que toute action exige l'oubli, mais l'oubli volontaire, un oubli qui ne fait pas comme si. La thématique du divertissement pascalien doit ici être mobilisée : comme l'ennui, le sentiment de l'absurdité de l'existence, est naturel au cœur, il faut s'en divertir, s'en détourner, par l'activité qui nous occupe l'esprit (voir cours II c).

Mais : notre salut et notre bonheur ne peuvent-ils venir que de la fuite ?

3. Il faut vivre comme si nous devions mourir demain, au nom de la lucidité.

La pensée de la mort est une pensée plus sèche et résolue de la vie, nous dit Merleau-Ponty : mais cette lucidité, aussi difficile qu'elle soit, n'est pas austère : la mort est l'aiguillon de la vie, elle ajoute à la valeur de la vie en la stimulant : cf. cours III c § 2.

Champ de problématisation

La culture

Définir, Problématiser

Comme la nature, la culture n'est ni une chose ni un ensemble d'objets. La dimension culturelle, comme dimension d'intervention humaine, est presque partout, et il n'est pas un objet, même le plus artificiel, dont la nature ne soit absolument absente. C'est dire qu'on ne peut comprendre la culture sans la nature : la culture s'applique à la nature et se comprend par rapport à elle. Nature et Culture forment un couple de concepts, qui ne sont pas deux termes qu'il est facile de définir au préalable, à part l'un de l'autre, pour tisser ensuite leurs relations : au contraire ces deux notions se présentent d'emblée comme liées, et forment une alternative qui permet d'interroger un certain nombre de phénomènes. L'alternative « nature/culture » peut être comprise comme la métaphore d'une certaine opposition, dont il existe d'ailleurs d'autres métaphores, comme celle de l'« inné » et de l'« acquis » : la « nature » peut s'opposer à l'artifice, à l'histoire, à la liberté, à la raison.

On voit bien que l'homme est celui pour qui la distinction est la plus féconde, justement parce qu'il est par excellence l'être en qui nature et culture coexistent. L'homme est bien celui qu'on peut d'un côté prendre sous le point de vue naturel : il est bien un organisme qui obéit à des lois « naturelles », physiques et chimiques. Mais on peut à la fois d'un autre côté le prendre sous le point de vue « culturel » au sens où le comportement humain ne se réduit pas à des besoins naturels et à des instincts, au sens où l'homme est aussi un être intellectuel et social. D'un côté, le naturel, l'inné, renvoient à ce qui est donné, biologique, héréditaire. De l'autre côté, le culturel, l'acquis, renvoient au domaine de ce qui est construit ou à construire, qui suppose des fins posées par la raison. Le naturel et le culturel fournissent ainsi les deux modèles à partir desquelles les conduites humaines peuvent être jugées. Pour penser ce qu'est l'homme et ce qu'il devrait être, **est-ce le modèle naturel ou le modèle culturel qui est le plus éclairant pour penser l'homme ?**

Ainsi, les phénomènes humains, son langage, son travail, ses arts et ses techniques, ses croyances religieuses, son histoire, et tant d'autres, peuvent être interrogés à partir de l'alternative de la nature et de la culture. Dans chacun de ces domaines, la norme des activités pourra être recherchée du côté de la nature ou par opposition à elle : c'est dans la mesure de cette opposition qu'apparaissent à la fois la contingence et la liberté.

Le langage

Définir, Problématiser

La notion de communication est au centre de la révolution technologique et de l'actualité économique. Dans son acception contemporaine, elle est sous-tendue par un idéal de transmission efficace, au sens où une machine communique son effet. Le langage est fréquemment défini comme moyen de communication : mais cela signifie-t-il que la communication langagière puisse en tirer ses règles ? Le langage sert à dire, et en ce sens c'est bien l'efficacité de l'expression et de la transmission qui est visée. Mais il sert aussi à parler, quitte à ce que soit, comme le dit l'expression, « pour ne rien dire » : le verbe dire est transitif là où le verbe parler est intransitif. Le verbe dire renvoie ici à l'information, et le verbe parler à la communication prise en un sens plus large, celle qui peut aussi permettre de parler pour parler, de faire primer la mise en commun sur le contenu mis en commun. **Le langage sert-il à communiquer ou à informer ?**

Les deux notions que sont langage et communication ne coïncident pas. D'une part, il y a d'autres systèmes de signes que le langage (même si on peut par métaphore les appeler des langages), et d'autre part, le langage peut servir à autre chose qu'à communiquer, comme par exemple à formuler et à expliciter sa pensée. C'est sans doute là une condition préalable à toute communication : comment le langage pourrait-il communiquer s'il échouait à exprimer la pensée ? Or la maîtrise de la pensée par le langage ne va pas de soi : y a-t-il adéquation entre langage et pensée ou bien le langage est-il inadéquat pour exprimer la pensée, comme nous en avons si souvent l'expression ? **Le langage est-il un intermédiaire transparent pour la pensée, ou bien y a-t-il au contraire une médiation du langage ?**

Doit-on comprendre le langage qui exprime la pensée et qui la communique à partir d'un code rigoureux, comme si toute compréhension était un décodage, et le sens de la communication fondé sur un système du langage ? Dans ce cas, le langage apparaîtrait comme un instrument humain au service de l'efficacité d'une fin (quitte à devoir inventer d'autres langages pour mieux communiquer), et on pourrait alors prétendre à bon droit que le langage relève du pur artifice. Mais si d'un autre côté le langage peut se définir par l'homme, vivant parlant presque au même titre qu'il est un vivant naturel, est-ce à dire que le langage relève de l'ordre de la nature ? **Le langage est-il naturel ou artificiel ?**

Développer

I. La question de l'origine du langage

a. L'origine et l'emploi

Ce qui est en question ici, dans une analyse génétique, c'est l'origine, qui ne doit pas être confondue avec le commencement. Notre recherche n'est pas de nature scientifique et historique : nous ne nous demandons pas la date de l'apparition du langage. Ce n'est pas le point de départ chronologique (commencement) mais le point de départ ou principe logique (origine) qui est en question ici, dans une analyse génétique qui n'est autre qu'une recherche du principe d'origine à travers l'évolution d'ensemble. C'est donc dans l'évolution concrète d'ensemble, dans l'emploi du langage, qu'il faut se mettre en quête de son origine.

L'emploi du langage peut d'abord être déterminé comme dénomination. La dénomination, c'est le processus par lequel un nom renvoie d'une part à une chose ou à un état, et d'autre part le processus par lequel ce renvoi fait l'objet d'un agrément général. Dans l'attribution du nom, c'est la correspondance du nom et de ce à quoi il renvoie, correspondance ininterrogée et qui semble aller de soi, qui fait question.

b. La question de la dénomination

Le dialogue de Platon qui a mis cette question en son centre (le *Cratyle*) voit deux thèses s'y opposer : l'une, conventionnaliste, défendue par Hermogène, selon laquelle la justesse du nom n'est jamais qu'une convention ; et l'autre, naturaliste, défendue par Cratyle, selon laquelle au contraire les noms sont justes par nature. La première thèse affiche visiblement une vraisemblance bien supérieure, qu'une foule d'exemples peut vérifier : quand des parents cherchent pour leur futur enfant un prénom, ils se mettent d'accord sur un prénom, ils procèdent par convention. Ainsi Hermogène peut-il soutenir qu'« aucun être particulier ne porte aucun nom par nature, mais il le porte par effet de la loi, c'est-à-dire de la coutume de ceux qui ont coutume de donner les appellations[1] ». Finalement, le nom qu'on donne à une chose est juste quel qu'il soit, du moment qu'on en prend l'habitude. La thèse de Cratyle repose au contraire sur l'ambition de l'universalité. Les noms sont justes par nature, c'est-à-dire qu'« il y a, par nature, une façon correcte de nommer les choses, la même pour tous, Grecs et Barbares[2] ». Que les Grecs et les non-Grecs appellent tous de la même façon les mêmes choses, c'est la condition pour sauver l'univocité du réel.

1. Platon, *Cratyle*, 384 d-e, GF-Flammarion, 1998, p. 69.
2. *Id.*, 383 a-b, p. 67.

Chacune de ces deux thèses va se voir réformée par Socrate, car elles entraînent toutes les deux des conséquences rationnelles intenables. La thèse de Cratyle est celle dont Socrate est le plus proche, mais il se trouve contraint de l'amender pour les raisons suivantes : après examen d'exemples, il s'avère impossible de vérifier cette thèse, c'est-à-dire d'établir le fondement rationnel, imitatif de la désignation dans tous les cas. Certes, l'exemple de l'attribution du nom des Dieux chez Homère a constitué un commencement de preuve. Certes, la justesse des noms se fonde sur la nature, car seule l'essence de la chose permet de fonder l'accord entre le nom et la chose à laquelle le nom renvoie, en tant que le nom et la chose participent tous deux de l'essence de la chose. Toutefois, certains noms résistent à cette analyse : c'est le cas du mot *sklérotès*, qui signifie la dureté. À la réserve du « sk- », le mot comporte des sonorités plutôt douces et liquides, et on comprend mal qu'il aille de soi qu'un mot doux signifie par nature la dureté ! Ainsi Socrate se voit-il contraint d'amender la thèse de Cratyle et de lui faire admettre l'existence et le rôle d'une part de convention.

Pour autant il ne veut à aucun prix épouser la thèse adverse : en effet l'adoption de la thèse adverse, celle d'Hermogène, aurait des conséquences bien pires à celle de Cratyle. En effet, si la dénomination (et la justesse de cette dénomination) n'est que par convention, alors il faut faire remonter l'origine du langage à une sorte de convention générale originaire où auraient été définis tous les termes premiers à l'aide desquels les autres auraient été attribués. Mais même cette première convention n'aurait pu se passer d'utiliser des mots pour opérer des conventions. La première convention suppose donc toujours une convention préalable, et ainsi de suite à l'infini : en d'autres termes, le langage a besoin, pour commencer à exister, de se fonder sur un langage déjà existant, et ainsi de suite. Ce qui fait ici l'objet d'une régression à l'infini, et qui se trouve donc dans le plus grand danger de ne pouvoir être pensé, c'est l'origine du langage. C'est ce danger qui est à l'origine du compromis passé par Platon dans son explication de la dénomination entre usage et convention.

c. Langage et besoin

La pierre de touche de l'analyse du langage paraît donc bien être cette question de l'origine. On ne peut la penser dans toute son ampleur que dans une analogie avec la société. En effet, chez Platon, l'idée d'un accord par nature entre le nom et la chose est solidaire de la conception de la société autour de l'idée d'un liant naturel, d'une *koïnonia*, d'une sociabilité naturelle entre les hommes. Au contraire, Rousseau récuse un tel postulat : pour lui, rien de moins naturel que la sociabilité, et rien de plus naturel au contraire que la dispersion. Les difficultés touchant à l'origine du langage s'en trouvent démultipliées.

Rousseau se heurte, en ce qui concerne le langage, au paradoxe suivant : d'un côté le langage, en vertu de la dispersion naturelle, ne peut arriver selon les principes anthropologiques : il est logiquement impossible. Mais d'un autre côté, Rousseau doit utiliser concrètement le langage pour décréter son existence impossible : il a donc bien fallu que le langage arrive : il est chronologiquement nécessaire. C'est cet écart, cet « espace immense » que Rousseau s'attache à combler. Rousseau porte alors ses investigations en deçà du règne humain de la parole ; il se place dans l'état de nature, où l'homme ne se définit que par sa transparence avec la loi de la nature. L'un et l'autre communiquent à tel point que la loi naturelle d'instinct se mue en intimation : la loi naturelle parle en l'homme. C'est la raison pour laquelle Rousseau utilise à son sujet les métaphores de la « voix » et du « cri » de la nature : langage sans paroles, ou communication sans langue, elles rendent compte de l'homme à l'état naturel.

Comment alors concevoir le passage de ce cri de la nature aux langues telle que nous les connaissons ? La difficulté, l'écart initial entre le droit et le fait, restent entiers. Mais Rousseau cherche d'autant moins à trouver de bonnes raisons à ce passage qu'il est conçu comme une dégradation, analogiquement avec le passage de l'état de nature à la société. À ce point, Rousseau bute sur ce qui paraît devoir être une inévitable pétition de principe : « la parole paraît avoir été fort nécessaire pour établir l'usage de la parole[1] ».

La critique que fait Rousseau de l'hypothèse de Condillac sur la création du langage en manifeste la conscience. Selon cette hypothèse, l'invention du langage est à mettre au crédit de deux enfants réchappés du déluge, et chez qui le cri de la nature a par la force des choses exprimé pour la première fois un étonnement inédit devant un événement fort peu naturel. Mais c'est là commettre à nouveau une pétition de principe : Condillac, selon Rousseau, a en effet le tort de prêter à des êtres de l'état de nature des sentiments et des besoins qui ne s'appliquent qu'à la civilisation. C'est pourtant d'une façon analogue que Rousseau fera de son côté appel à des cataclysmes, sous l'effet desquels, le langage passe du cri de la nature, des inflexions de la voix, aux langues, c'est-à-dire aux articulations. Les cataclysmes fonctionnent comme un principe logique imposé à l'ordre chronologique, comme un élément artificiel imposé à une continuité naturelle. Mais qu'il soit naturel ou artificiel, le langage ne peut être pensé dans son existence de fait que par le principe du besoin, qui seul permet de rendre compte de son origine.

II. Le langage comme moyen

Le langage semble donc exister comme un moyen, en tout cas comme quelque chose qui est susceptible de remplir un besoin. Il s'agit alors de déterminer dans quelle mesure le langage remplit effectivement ce besoin et arrive à maîtriser la pensée.

a. Remplir une fin ou créer la sienne propre ?

Le langage répond à des besoins naturels, mais comme l'essence de l'homme est la perfectibilité, l'homme peut raffiner cet outil qu'est le langage et ainsi littéralement créer de nouveaux besoins par le langage, besoins de plus en plus artificiels donc et

1. Rousseau, *Discours sur l'Origine et les Fondements de l'Inégalité parmi les hommes*, GF-Flammarion, 1971, p. 191.

qui à leur tour renforceront de plus en plus le caractère artificiel du langage : le langage passe en quelque sorte d'un cri naturel à des articulations artificielles par une émulation maligne entre les besoins et le langage. Rousseau donne de cette évolution une figure imagée lorsqu'il oppose les langues du Sud, restées plus transparentes aux besoins, et qui se caractérisent donc par le rythme et les accents, aux langues du Nord qui sont des langues de raisonnement.

Toutefois, sa façon de rendre compte de la nécessité de l'avènement du langage n'est qu'à moitié satisfaisante, ce qu'il entérine d'ailleurs lui-même : « quant à moi, effrayé des difficultés qui se multiplient, et convaincu de l'impossibilité presque démontrée que les langues aient pu naître et s'établir par des moyens purement humains, je laisse à qui voudra l'entreprendre la discussion de ce difficile problème, lequel a été le plus nécessaire, de la société déjà liée, à l'institution des langues, ou des langues déjà inventées, à l'établissement de la société[1] ». Le langage reste un scandale sur le plan logique. L'examen de la question de l'origine du langage met donc en lumière la relation essentielle qui lie l'idée de langage à celle de besoin, et qui reporte sur le besoin l'alternative nature artifice. Pour continuer l'élucidation de cette alternative, il faut à présent confronter ces résultats à une autre dimension du langage.

b. La pensée est-elle antérieure au langage ?

La thèse conventionnaliste recèle, entre autres conséquences, celle-ci : le langage s'y trouve désigné comme un instrument, un moyen artificiel et extérieur à la pensée. Ceci implique que la pensée s'élabore en dehors du langage, et que pour elle, le passage par le langage est un inconvénient. L'artificialité du langage condamne-t-elle la pensée à être trahie, déguisée, galvaudée ? N'arrivons-nous à penser qu'en dépit des mots, que malgré le langage ?

La position de Bergson illustre utilement ce lien entre les deux thèses, celle du conventionnalisme, et celle de l'inadéquation du langage à la pensée. Pour Bergson comme pour Hermogène, « une langue est un produit de l'usage. Rien, ni dans le vocabulaire ni dans la syntaxe, ne vient de la nature[2] ». Comme tel, le langage n'est rien d'autre qu'une habitude utile à la vie, mais qui justement nous empêche de voir la réalité. N'étant capable de désigner que ce qui est utile à l'action, il ne désigne que des généralités : il ne renvoie qu'au genre de la chose. Le mot oublie les différences, il ne permet que la fixation des généralités : c'est la raison pour laquelle Bergson défend la théorie du mot-étiquette. Le mot renvoie à une classe d'objets, mais parmi cette classe, il manque la différence spécifique de tel objet de cette classe : le langage a donc tendance à égaliser les contours de toutes choses dans une même classe, manquant par là la mobilité qui est la marque de la vraie réalité, et qui plus est nous habituant à ne plus la penser.

1. *Id.*, p. 193.
2. Bergson, *Les deux sources de la morale et de la religion*, « Quadrige », Puf, 1984, p. 23.

Les mots galvaudent alors la pensée, réduisant à du général et à du fixe ce qui est de l'ordre du singulier et du mouvant. Alors même que « chacun de nous a sa manière d'aimer et de haïr [...] cependant le langage désigne ces états par les mêmes mots chez tous les hommes[1] ». Cette analyse mène Bergson à conclure que la pensée et le langage sont radicalement hétérogènes : « la pensée demeure incommensurable avec le langage[2] ». Plus de commune mesure, mais une extériorité radicale, et une antériorité de la pensée sur le langage. Il faudrait donc en venir à se défier des mots : tout mot cache en effet un concept rigide incapable de saisir la finesse et la souplesse de ce à quoi il renvoie. Véhicule des conceptions les plus figeantes, des idoles scientistes, la rigidité du mot n'est atténuée que par l'art d'écrire de l'écrivain, qui lui redonne de la mobilité en le rendant plus indirect : seule la métaphore redonne de la fluidité aux mots, en transcendant la rigidité du concept (voir texte n° 4).

c. Le langage comme condition de la pensée

Bien souvent, quand nous éprouvons un état d'une inhabituelle intensité, nous arguons de cette inadéquation du langage : « il n'y a pas de mots pour dire ce que je ressens ». Cette idée d'un au-delà des mots, ou plutôt d'un en deçà, de cette fraction de la pensée qui échapperait au langage en voulant s'en préserver, est une idée éminemment bergsonienne : c'est l'idée qu'il y a de l'ineffable, l'idée que la part la plus précieuse, la plus intime de notre pensée se galvauderait et se dénaturerait si on tentait de l'exprimer par des mots. À l'opposé de cette conception, Platon définissait la pensée comme un silencieux dialogue intérieur de l'âme avec elle-même : comme dans l'idée littéraire contemporaine d'un « monologue intérieur », il y a là consubstantialité entre le langage et la pensée. C'est dire que les idées ne nous viennent qu'en mots, que des mots circulent en nous. Cette conception fait du mot l'élément même de la pensée. C'est justement à l'occasion d'une critique de l'ineffable (voir texte n° 6) que Hegel a écrit : « C'est dans les mots que nous pensons ». Loin d'être deux mondes radicalement extérieurs, « incommensurables » comme le disait Bergson, le langage et la pensée apparaissent ici comme absolument consubstantiels.

Que reproche Hegel à l'ineffable ? Il lui reproche de n'offrir, en fait de pensée, qu'une matière de pensée sans la forme que seule la formulation par le langage pourrait lui conférer. L'ineffable en effet, c'est la pensée informe, c'est-à-dire une pensée usurpée, une pensée qui n'en est pas vraiment une. Pour mériter ce nom, pour être vraiment la pensée, celle-ci doit en passer par l'épreuve de l'explicitation. Le critère implicite est celui de la « forme objective » (le mot) qui rend ma pensée publiable, identifiable même par moi seul. Or il s'agit là, pour elle, d'une véritable épreuve, de l'épreuve de ce que Hegel appelait le « négatif » : pour devenir ce qu'elle est, la pensée doit en passer par ce qui n'est pas elle : le langage. Dans cette épreuve par laquelle elle devient ce qu'elle est, la pensée fait donc face à d'apparents périls qui peuvent nous faire prendre le langage pour un inconvénient. Au premier rang de ces

1. Bergson, *Essai sur les données immédiates de la conscience*, « Quadrige », Puf, 1985, p. 123.
2. *Id.*, p. 124.

périls, celui qui apparemment menace ce que nous pourrions appeler notre subjectivité, notre singularité : ne risquons-nous pas, en incarnant notre intériorité dans une forme objective, d'en perdre irrémédiablement ce qui en elle nous appartient le plus ? Puisque « tout est dit depuis huit mille ans qu'il y a des hommes et qui pensent » (La Bruyère), le refus des mots ne serait-il pas le dernier refuge de l'intériorité et de l'originalité ? Ce sont ces appréhensions que la pensée hégélienne entend conjurer. Si le passage par la parole marque la vraie naissance de la pensée, c'est qu'il faut concevoir le langage comme quelque chose de plus haut qu'un simple instrument : une condition même de toute pensée.

III. La contingence du langage

La philosophie du langage est hantée par le problème de sa contingence : c'est la contingence du langage qui met en péril la communication et le sens. Mais cette contingence du langage doit-elle être dénoncée ou au contraire exploitée ?

a. L'inconvénient de la contingence

La contingence du langage ordinaire peut être conçue comme un inconvénient du langage, qui entoure l'effet de bruit. Cette critique suppose qu'on adopte, en matière de communication, le modèle du code, comme modèle rigoureux qui met au centre de la communication un système. C'est ce système qui garantit la transmission du message et la clarté du message, et qui en garantit la nécessité. On peut en voir l'expression dans l'idéal cybernétique, qui applique au langage le modèle de la transmission mécanique, et qui culmine dans le conditionnement. Ce à quoi cet idéal de nécessité entend s'appliquer, pour y remédier, c'est la contingence du langage dans tous ses aspects, le manque de rigueur des langues et sur les difficultés liées à leur multiplicité.

Dès la Genèse, la multiplicité des langues apparaît comme une malédiction, par le biais du châtiment divin (« Allons, descendons et brouillons ici leur langue, qu'ils ne s'entendent plus les uns les autres ! »), malheur auquel on peut donner le nom de syndrome de Babel. Si donc les langues sont « imparfaites en cela que plusieurs[1] », il s'agit de porter remède à cette imperfection. Telle est la source de l'idée de l'institution d'une langue universelle, qui se substituerait aux langues données. Leibniz ambitionnait ainsi un *ars combinatoria* qui veut établir l'alphabet des pensées humaines, « car il dépend de nous de fixer les significations, au moins dans quelque langue savante, et d'en convenir pour détruire cette tour de Babel[2] ». Descartes y avait également pensé, et reconnu à la fois l'utilité de ce projet (en évoquant la « corruption de l'usage[3] » et le caractère trompeur du langage ordinaire[4]) et sa possibilité théorique (« je dis que cette langue est possible, et qu'on peut trouver la Science de qui

1. Mallarmé, *Variations sur un sujet*.
2. Leibniz, *Nouveaux Essais sur l'entendement humain*, III 9, GF-Flammarion, 1990, p. 264.
3. Descartes, *Lettre au Père Mersenne du 20 novembre 1629*, « Classiques Garnier », tome 1, 1988, p. 227.
4. Voir la *Seconde Méditation métaphysique*.

elle dépend[1] »), mais c'était pour en dénoncer immédiatement l'utopie : « n'espérez pas de la voir jamais en usage ; cela présuppose de grands changements en l'ordre des choses, et il faudrait que tout le Monde fût un paradis terrestre, ce qui n'est bon à proposer que dans le pays des romans[2] ». Aussi corrupteur que puisse être l'usage, il n'est pas ce qu'il est par hasard : il est dépositaire de l'épaisseur du temps.

L'idéal d'efficacité culmine dans la direction la plus radicale prise par la philosophie analytique : cette expression est le nom générique de courants de pensée fort divers mais qui ont pour point commun de considérer que les problèmes de la pensée sont des problèmes de langage. Le courant en question vise à les résoudre par le formalisme ou le positivisme logique : Frege, puis Russell et Carnap, ont exploré la voie de l'axiomatisation logique du langage : le critère de signification d'une proposition ne serait alors plus que la conformité aux règles de la syntaxe logique. Cette entreprise de pensée est alors nécessairement conduite à sacrifier elle aussi au même idéal d'une langue universelle. Pourtant, le langage communique aussi en un autre sens : au sens où il crée et induit des réactions, des sentiments. Le langage ne communique pas comme un véhicule, mais comme le fou rire : par contagion. Ce qu'il dit se comprend non plus seulement par décodage, mais par une interprétation qui prend en compte une intention de sens.

b. Explorer la contingence

Plutôt donc que de dénoncer l'insuffisance du langage courant, n'y a-t-il pas lieu de s'attacher à mieux en comprendre l'usage ? C'est la seconde direction de la philosophie analytique, à savoir la philosophie du langage ordinaire qui, tout en partageant la même ambition thérapeutique que le positivisme logique, recherche, au contraire de ce dernier, une clarification propre à le sauver : son motif directeur, c'est que le langage ordinaire ne peut fonctionner qu'à condition que les bornes de son usage soient clairement explicitées. Ainsi, plutôt que de réduire le langage à un vecteur de communication, il va s'agir de mieux saisir l'intention de sens qui l'anime.

Dans cette direction, le travail d'Austin ne se limite pas à une typologie minutieuse des énonciations : son souci de rendre justice à la variété et à la richesse des contextes de l'énonciation, de mettre en valeur les contextes d'usage des expressions pour clarifier leur signification, sera à l'origine d'une découverte considérable. Austin disjoint l'énonciation de l'affirmation, pour montrer que toute énonciation ne renvoie pas forcément à quelque chose de vrai ou de faux : toute énonciation n'est pas nécessairement constative. Ainsi, dans des énonciations telles que le « oui » du mariage, ou « je baptise ce bateau le *Queen Elizabeth* », ou « Je lègue ma montre à mon frère », ou « je parie qu'il pleuvra demain », il n'est pas question de vérité ou de fausseté : « Pour ces exemples, il semble clair qu'énoncer la phrase (dans des circonstances appropriées, évidemment), ce n'est ni décrire ce qu'il faut bien reconnaître que je suis en

---

1. Descartes, lettre citée, p. 232.
2. *Id.*

train de faire en parlant ainsi, ni affirmer que je le fais : c'est le faire[1]. » Ainsi, la thèse d'Austin est que parler peut aussi être agir.

Ainsi donc, le langage ne peut demeurer prisonnier de l'idéal contemporain d'information efficace, pleine et rigoureuse, tant il n'y a pas d'information sans communication, et pas de communication sans l'homme, quelles que soient les contingences apparentes que cette présence humaine paraît induire. Tout ce que nous disons ne peut toujours être retenu contre nous : même si notre parole nous engage, même si parler peut être agir, même si la promesse n'est pas un acte de peu de conséquences, il y a encore et toujours dans le langage une contingence et des contextes qui font, aussi, le sens. Même Austin, le pionnier du performatif, prend à chaque fois bien soin de dire qu'un énoncé n'est performatif que dans « des circonstances appropriées » : si je dis, par dérision, « je te prends pour épouse » à un ours en peluche, je ne me marie pas pour autant.

c. Langage et intersubjectivité

Il y a donc de la place, dans le langage, pour de la contingence : nous bavardons, nous plaisantons, nous parlons pour parler. Parler pour ne rien dire, c'est encore communiquer. C'est que l'information ne signifie plus rien si je ne puis la communiquer, et qu'on ne peut finalement communiquer si ce n'est à quelqu'un, avec quelqu'un. L'horizon final de toute parole, c'est toujours l'autre : et si le flatteur de La Fontaine peut vivre de sa flatterie, c'est qu'il vit « aux dépens de celui qui l'écoute », comme dans le *Corbeau et le Renard*.

De même, la communication ne fait pas sens sans intersubjectivité, et ce terme est bien le dénominateur commun de tout ce que les fanatiques de l'information rigoureuse déplorent comme autant d'inconvénients. La parole ne signifie rien sans son destinataire. Ainsi faut-il tâcher de repenser la communication en tenant compte de l'humanité de son destinataire, à partir de l'alternative du *Gorgias*[2] sur la rhétorique : communiquons-nous pour l'emporter sur l'autre et avoir sur lui un effet, ou bien pour un échange en vue de la vérité ? Habermas, dans sa tentative pour fonder une éthique de la discussion, reformule cette distinction entre ce qu'il appelle l'activité stratégique, orientée vers le succès (dans laquelle l'interlocuteur, cajolé ou menacé, n'est qu'un moyen en vue d'une fin) et l'activité communicationnelle, « qui se produit lorsque les acteurs acceptent [...] de ne tendre vers leurs projets respectifs qu'à condition qu'une entente sur la situation et les conditions escomptées existe ou puisse être ménagée[3] ». En ce sens, la communication n'est véritablement interaction et échange qu'à la condition d'une motivation rationnelle partagée. C'est que nous nous méfions des mots, et que le parleur est suspect par définition : la parole est objet de méfiance parce qu'elle est séduction et donc pouvoir.

---

1. Austin, *Quand Dire, c'est Faire*, 1re conférence, « Points », Seuil, 1970, p. 41.
2. Voir texte n° 2 du chapitre « Le langage, la communication ».
3. Habermas, *Morale et Communication*, Champs-Flammarion, 1986, p. 148.

Textes

1. Montaigne

Est-ce l'autre ou moi qui sait ce que je dit ?

Quelqu'un, en certaine école grecque, parlait haut, comme moi ; le maître des cérémonies lui manda qu'il parlât plus bas : « qu'il m'envoie, fit-il, le ton auquel il veut que je parle ». L'autre lui répliqua qu'il prît son ton des oreilles de celui à qui il parlait. C'était bien dit, pourvu qu'il s'entende : « parlez selon ce que vous avez affaire à votre auditeur ». Car si c'est-à-dire : « il suffit qu'il vous entende » ou « réglez-vous sur lui », je ne trouve pas que ce fut raison. Le ton et le mouvement de la voix a quelque expression et signification de mon sens : c'est à moi de le conduire pour me faire comprendre. Il y a voix pour instruire, voix pour flatter, ou pour tancer. Je veux que ma voix, non seulement arrive à lui, mais aussi qu'elle le frappe et le perce [...] La parole est moitié à celui qui parle, moitié à celui qui écoute.

Montaigne, *Essais*, III, 13, GF-Flammarion, 1969, p. 298-299.

2. Rousseau

Les idées sont-elles autre chose que des mots ?

Les idées générales ne peuvent s'introduire dans l'esprit qu'à l'aide des mots, et l'entendement ne les saisit que par des propositions. C'est une des raisons pour quoi les animaux ne sauraient se former de telles idées, ni jamais acquérir la perfectibilité qui en dépend [...] Toute idée générale est purement intellectuelle ; pour peu que l'imagination s'en mêle, l'idée devient aussitôt particulière. Essayez de vous tracer l'image d'un arbre en général, jamais vous n'en viendrez à bout, malgré vous il faudra le voir petit ou grand, rare ou touffu, clair ou foncé, et s'il dépendait de vous de n'y voir que ce qui se trouve en tout arbre, cette image ne ressemblerait plus à un arbre. Les êtres purement abstraits se voient de même, ou ne se conçoivent que par le discours. La définition seule du triangle vous en donne la véritable idée : sitôt que vous en figurez un dans votre esprit, c'est un tel triangle et non pas un autre, et vous ne pouvez éviter d'en rendre les lignes sensibles ou le plan coloré. Il faut donc énoncer des propositions, il faut donc parler pour avoir des idées générales ; car sitôt que l'imagination s'arrête, l'esprit ne marche plus qu'à l'aide du discours.

Rousseau, *Discours sur l'Origine et les Fondements de l'Inégalité parmi les hommes*, GF-Flammarion, 1971, p. 191-192

3. Nietzsche

Le langage courant est-il porteur de nos conceptions les plus fausses ?

Notre plus vieux fonds métaphysique est celui dont nous nous débarrasserons en dernier lieu, à supposer que nous réussissions à nous en débarrasser — ce fonds qui s'est incorporé à la langue et aux catégories grammaticales et s'est rendu à ce point indispensable qu'il semble que nous devrions cesser de penser, si nous renoncions à cette métaphysique. Les philosophes sont justement ceux qui se libèrent le plus difficilement de la croyance que les concepts fondamentaux et les catégories de la raison appartiennent par nature à l'empire des certitudes métaphysiques ; ils croient toujours à la raison comme à un fragment du monde métaphysique lui-même, cette croyance arriérée reparaît toujours chez eux comme une régression toute-puissante.

Nietzsche, *La Volonté de puissance*, tome 1, § 97, « Tel », Gallimard, p. 43.

4. Bergson

Pensons-nous grâce aux mots ou malgré les mots ?

En réalité, l'art de l'écrivain consiste surtout à nous faire oublier qu'il emploie des mots. L'harmonie qu'il cherche est une certaine correspondance entre les allées et venues de son esprit et celles de son discours, correspondance si parfaite que, portées par la phrase, les ondulations de sa pensée se communiquent à la nôtre et qu'alors chacun des mots, pris individuellement, ne compte plus : il n'y a plus rien que le sens mouvant qui traverse les mots, plus rien que deux esprits qui semblent vibrer directement, sans intermédiaire, à l'unisson l'un de l'autre. Le rythme de la parole n'a donc d'autre objet que de reproduire le rythme de la pensée ; et que peut être le rythme de la pensée sinon celui des mouvements naissants, à peine conscients, qui l'accompagnent ?

Bergson, *L'énergie spirituelle*, « Quadrige », Puf, 1985, p. 46.

5. Bergson

Le langage même, qui lui a permis d'étendre son champ d'opérations, est fait pour désigner des choses et rien que des choses : c'est seulement parce que le mot est mobile, parce qu'il chemine d'une chose à une autre, que l'intelligence devait tôt ou tard le prendre en chemin, alors qu'il n'était posé sur rien, pour l'appliquer à un objet qui n'est pas une chose et qui, dissimulé jusque-là, attendait le secours du mot pour passer de l'ombre à la lumière. Mais le mot, en couvrant cet objet, le convertit encore en chose. Ainsi l'intelligence, même lorsqu'elle n'opère plus sur la matière brute, suit les habitudes qu'elle a contractées pendant cette opération : elle applique des formes qui sont celles mêmes de la matière inorganisée. Elle est faite pour ce genre de travail.

Bergson, *L'évolution créatrice*, « Quadrige », Puf, 1986, p. 161.

6. Hegel

C'est dans les mots que nous pensons. Nous n'avons conscience de nos pensées déterminées et réelles que lorsque nous leur donnons la forme objective, que nous les différencions de notre intériorité, et, par suite, nous les marquons d'une forme externe, mais d'une forme qui contient aussi le caractère de l'activité interne la plus haute. C'est le son articulé, le mot, qui seul nous offre l'existence où l'externe et l'interne sont si intimement unis. Par conséquent, vouloir penser sans les mots, c'est une tentative insensée [...] Et il est également absurde de considérer comme un désavantage et comme un défaut de la pensée cette nécessité qui lie celle-ci au mot. On croit ordinairement, il est vrai, que ce qu'il y a de plus haut, c'est l'ineffable. Mais c'est là une opinion superficielle et sans fondement ; car, en réalité, l'ineffable, c'est la pensée obscure, la pensée à l'état de fermentation, et qui ne devient claire que lorsqu'elle trouve le mot. Ainsi le mot donne à la pensée son existence la plus haute et la plus vraie.

Hegel, *Encyclopédie des Sciences philosophiques en abrégé*, § 462 add., Gallimard, 1970, p. 414.

7. Merleau-Ponty

L'algorithme, le projet d'une langue universelle, c'est la révolte contre le langage donné. On ne veut pas dépendre de ses confusions, on veut le refaire à la mesure de la vérité, le redéfinir selon la pensée de Dieu, recommencer à zéro l'histoire de la parole, ou plutôt arracher la parole à l'histoire. La parole de Dieu, ce langage avant le langage que nous supposons toujours, on ne la trouve plus dans les langues existantes, ni mêlée à l'histoire et au monde. C'est le verbe intérieur qui est juge de ce verbe extérieur. En ce sens, on est à l'opposé des croyances magiques qui mettent le mot soleil dans le soleil. Cependant, créé par Dieu avec le monde, véhiculé par lui et reçu par nous comme un messie, ou préparé dans l'entendement de Dieu par le système des possibles qui enveloppe éminemment notre monde confus et retrouvé par la réflexion de l'homme qui ordonne au nom de cette instance intérieure le chaos des langues historiques, le langage en tout cas ressemble aux choses et aux idées qu'il exprime, il est la doublure de l'être, et l'on ne conçoit pas de choses ou d'idées qui viennent au monde sans mots. Qu'il soit mythique ou intelligible, il y a un lieu où tout ce qui est ou qui sera, se prépare en même temps à être dit.

Merleau-Ponty, *La Prose du monde*, « Tel », Gallimard, 1969, p. 10.

8. Austin

Parler, est-ce le contraire d'agir ?

J'ai commencé par attirer votre attention, au moyen d'exemples, sur quelques énonciations bien simples, de l'espèce connue sous le nom de performatifs. Ces énonciations ont l'air, à première vue, d'« affirmations » — ou du moins en portent-elles le maquillage grammatical. On remarque toutefois, lorsqu'on les examine de plus près, qu'elles ne sont manifestement pas des énonciations susceptibles d'être « vraies » ou « fausses ». Être « vraie » ou « fausse », c'est pourtant bien la caractéristique traditionnelle d'une affirmation. L'un de nos exemples était, on s'en souvient, l'énonciation « Oui [je prends cette femme comme épouse légitime] » telle qu'elle est formulée au cours d'une cérémonie de mariage. Ici nous dirions qu'en prononçant ces paroles ; nous *faisons* une chose (nous nous marions), plutôt que nous ne *rendons compte* d'une chose (que nous nous marions).

Austin, *Quand dire, c'est faire*, 2e conférence, « Points », Seuil, 1970, p. 47.

9. Platon

Parler, pour persuader ou pour convaincre ?

J'imagine, Gorgias, que tu as eu, comme moi, l'expérience d'un bon nombre d'entretiens. Et, au cours de ces entretiens, sans doute auras-tu remarqué la chose suivante : les interlocuteurs ont du mal à définir les sujets dont ils ont commencé de discuter et à conclure leur discussion après s'être l'un l'autre mutuellement instruits. Au contraire, s'il arrive qu'ils soient en désaccord sur quelque chose, si l'un déclare que l'autre se trompe ou parle de façon confuse, ils s'irritent l'un contre l'autre, et chacun d'eux estime que son interlocuteur s'exprime avec mauvaise foi, pour avoir le dernier mot, sans chercher à savoir ce qui est au fond de la discussion. Il arrive même, parfois, qu'on se sépare de façon lamentable : on s'injurie, on lance les mêmes insultes qu'on reçoit, tant et si bien que les auditeurs s'en veulent d'être venus écouter pareils individus.

Platon, *Gorgias*, 457c-458a, GF-Flammarion, 1987, p. 145-146.

Sujets approchés

Le langage sert-il à parler ou bien à penser ?
Parle-t-on comme on pense ou pense-t-on comme on parle ?
Pourquoi parle-t-on ?
Peut-on avoir peur des mots ?
Peut-on dire que les mots nous apprennent notre propre pensée ?
Suffit-il d'apprendre à bien parler pour bien penser ?
En quel sens peut-on dire que nos paroles nous trahissent ?
En quel sens peut-on dire que nos paroles dépassent notre pensée ?
Peut-on tout dire ?

→ ***Approche commune* : Le langage est-il un obstacle pour la pensée ou bien est-il sa condition ? Sert-il à exprimer ou à communiquer ?**

Qu'est-ce que traduire ?
Puis-je créer un langage ?
Faut-il exclure les abus de langage ?
Peut-on légitimement instituer une langue universelle ?
Un mot fait-il partie d'une langue du moment qu'on l'utilise ?
Y a-t-il nécessairement des imperfections dans le langage ?

→ ***Approche commune* : Le sens du langage est-il donné d'avance ou résulte-t-il de son usage ? est-il de fait ou de droit ?**

Dans quelle mesure le langage est-il un instrument de maîtrise et de domination ?
Est-il pertinent d'opposer les actes et les paroles ?
Parler, est-ce le contraire d'agir ?
Les mots peuvent-ils agir ?
Le langage permet-il seulement de communiquer ?

→ ***Approche commune* : Le langage est-il transitif ou intransitif ? Ne porte-t-il sur rien d'autre que sur lui-même ou peut-il avoir un effet ?**

Le dialogue peut-il n'être qu'un monologue déguisé ?
Recourir au langage, est-ce renoncer à la violence ?
La discussion n'a-t-elle pour but que l'accord avec autrui ?
Le langage est-il ce qui nous rapproche ou ce qui nous sépare ?
À quelles conditions un dialogue est-il véritable ?
L'usage de la parole doit-il être soumis à des règles ?
Suffit-il de communiquer pour dialoguer ?
Le langage est-il ce qui nous rapproche ou ce qui nous sépare ?

→ ***Approche commune* : communiquer, est-ce prendre autrui comme moyen ou comme fin ? Le langage sert-il plutôt à gagner ou à s'entendre ?**

Communiquer, est-ce essentiellement transmettre des informations ?
L'ambiguïté des mots peut-elle être heureuse ?
Les règles du langage sont-elles un obstacle à la communication ?
Pour penser rigoureusement, faut-il renoncer au langage courant ?
Quel rôle joue le sous-entendu dans le langage ?
Une langue bien faite mettrait-elle fin à toute discussion ?
La science apporte-t-elle à l'homme l'espoir de constituer un langage artificiel ?

→ ***Approche commune* : Le langage est-il nécessaire ou contingent ? Faut-il exclure du langage sa part de contingence pour mieux communiquer, ou bien au contraire retenir ce qu'elle a d'humain ?**

Sujet esquissé : Le silence ne dit-il rien ?

Introduction

L'énoncé nous place devant un apparent paradoxe, puisque par définition le silence paraît devoir ne rien dire. Le silence est pourtant profondément ambigu : il peut ne renvoyer à rien, recouvrir le néant et l'absence de sens. Ou, au contraire, il peut renvoyer à un trop-plein de sens, à un au-delà du langage, à de l'inexprimable, à de l'indicible. Dans ce second cas, le silence « dirait » bien quelque chose : même si l'indicible ne peut être dit, il est bien quelque chose. On comprend donc qu'ici le verbe « dire » de l'énoncé soit une métaphore de l'expression et de la communication, ce qui lève le paradoxe initial. Reste alors à savoir si le silence est l'absence ou la présence du sens.

Lignes directrices

I. Le silence ne dit rien parce qu'il est à la limite du langage qui seul peut dire.

Le silence peut d'abord être relégué du côté de l'échec, et on peut tenir pour rien ce qui ne peut être dit. Dans la récusation de l'ineffable qui marque la pensée de Hegel (cf. cours II c), pensée et langage sont désignés comme deux ensembles congruents : il n'y a pas de pensée en dehors du langage, ce qui fait que l'ineffable n'est que la pensée qui « fermente ».

Mais pourquoi alors avons-nous autant tendance à lier l'impossibilité de dire avec l'idée de la plénitude du sentiment éprouvé ? Il faut se garder ici de confondre ineffable et inexprimable. La problématique de l'ineffable renvoie à l'inadéquation du langage, alors que l'inexprimable se définit indépendamment du langage. S'il y a de l'inexprimable, le silence ne dit plus ce que le langage est incapable de dire : il dit l'incapacité de la pensée.

2. Le silence ne dit rien là où la pensée n'a rien à dire.

Wittgenstein clôt son *Tractatus logico-philosophicus* par cet aphorisme : « ce dont on ne peut parler, il faut le taire. » Il ne s'agit pas là d'une sorte de règle morale qu'on pourrait éventuellement enfreindre, mais d'une constatation qui renvoie à une nécessité de fait. Essayer de dire ce qu'on ne peut dire, serait s'exposer à une expérience douloureuse entre toutes, celles des limites de la pensée. Aussi le propos de Wittgenstein ne consiste-t-il donc nullement dans une critique de l'insuffisance du langage. La région extérieure au langage n'est certes pas vide, mais qu'elle est également extérieure à la pensée.

3. Le silence comme signe

Si l'on entend par « dire » l'expression d'un sens, alors le silence ne dit pas rien, même s'il dit mal ou même s'il dit autrement. De ce point de vue, le silence renvoie finalement au langage lui-même : l'indicible ne se définit pas à l'extérieur mais à l'intérieur même du langage, parce qu'il permet de définir une imperfection du langage. À tout prendre, il y a aussi du silence dans le langage : nous ne parlons pas toujours pour dire quelque chose, mais aussi souvent pour ne rien dire (cf. cours III b).

L'art

Définir, Problématiser

Le premier problème qui se pose est celui de l'identification de la notion d'art : un critère est nécessaire pour distinguer ce qui est art de ce qui n'en est pas, pour départager les candidats à ce label. L'art renvoie à une technique ou à un ensemble de techniques (le même mot grec *technê* signifie d'ailleurs à la fois technique et art). La notion d'artisanat montre d'ailleurs bien qu'on peut parler d'art pour qualifier une technique. Du coup la première question qui se pose est de savoir ce qui distingue la création artistique des autres productions techniques. Si la production technique est le genre auquel l'art appartient, quelle sera la différence spécifique de ce dernier ? **L'art est-il réductible à une technique ou bien possède-t-il une spécificité qui le définit en tant que tel ?**

La différence spécifique en question pourrait être esthétique et qualitative : l'art pourrait se définir par le beau. Mais c'est à condition qu'il soit identifiable et que ce qui est beau pour moi puisse l'être aussi pour l'autre : or l'universalité du goût fait manifestement difficulté. S'il y a une norme, ou des critères, pour le goût, il sera aisé d'en questionner les fondements, qui n'échapperont pas au soupçon d'arbitraire. Si au contraire on abonde dans le sens de l'opinion (qui tient que chacun a son goût), alors la notion de beau, et avec elle celle d'art, sombre irrémédiablement dans le relativisme. **Y a-t-il une norme du goût, ou bien sommes-nous renvoyés à la multiplicité des sensibilités ?** Mais même à admettre que le beau soit communément déterminable, il resterait encore à savoir si ce critère peut valablement caractériser l'art. Chacun peut en effet observer qu'il y a du beau en dehors de l'art, et soupçonner donc que peut-être inversement ce qui n'est pas beau a sa place en art. **Quelle est alors la fonction de l'art ? Embellir ou dénoncer ?**

L'idée que l'art doit se contenter d'embellir nous renvoie au rapport le plus classique entre art et réalité. L'art s'y présente comme pure imitation : le rejet de l'art contemporain quand il n'est plus figuratif montre encore combien l'opinion demeure attachée à cette idée. Pourtant la relation est peut-être plus riche, puisque l'art peut devenir au contraire le modèle d'un réel qu'il nous apprend à voir : **l'art est-il plutôt imitation ou création ?**

Développer

I. La question du critère artistique

a. Création et production[1]

Tout art est fondé sur une technique : la question est donc de savoir ce qui distingue la création artistique de la fabrication technique, ce qu'il y a de plus dans l'art que le métier. D'un côté, l'œuvre apparaît largement dépendante de conditions techniques et historiques : l'impressionnisme en peinture est né au moment de l'invention de la peinture en tube. Ainsi l'artiste est-il « artisan d'abord[2] », et la condition technique est pour l'art une condition nécessaire : avant d'être peintre, l'artiste vénitien est coloriste, là où le Florentin est plutôt dessinateur. Faut-il aller alors jusqu'à réduire une œuvre à l'expression des techniques de son temps ? C'est le pas esquissé par Walter Benjamin quand il dit que « les Grecs se trouvaient contraints, de par la situation même de leur technique, de créer un art de "valeurs éternelles"[3] ». En ce sens, il faudrait dire qu'un film tourné en noir et blanc diffusé à la télévision en version colorisée n'est pas trahi, puisqu'il aurait été tourné en couleurs si le procédé avait existé.

Pareille thèse a au moins le mérite de montrer, en soulignant que la technique est nécessaire aux arts, que « l'opposition courante entre Art et Technique était une fausse opposition[4] ». Ainsi le développement de la civilisation mécanique et la conquête de la vitesse peut-elle rendre compte du « divisionnisme de Seurat après le luminisme de Monet[5] », du passage, chez les cubistes, de la juxtaposition des sensations au « morcellement et au montage différentiel non pas de l'objet figuratif, mais des objets concrets de l'analyse[6] ». Pour autant, il ne s'agit pas plus, entre art et technique, d'une opposition que d'une identification : même si la condition technique est nécessaire, elle n'est pas déterminante et suffisante. L'artiste est artisan, mais il n'est pas qu'artisan : il y a quelque chose dans l'œuvre d'art qui transcende, qui dépasse, les conditions techniques de sa réalisation. Ce seuil est chez Kant celui du désintéressement : « l'art est dit libéral, le métier est dit mercenaire[7] ». On peut aussi le repérer dans la reproductibilité entre un objet reproductible industriellement (parce qu'il est seulement le résultat d'une technique) et un objet unique (la haute couture est donc plus près de l'art que le prêt-à-porter).

Reste la fragilité du seuil qui distingue l'objet d'art des autres objets. Panofsky tente par exemple une classification entre les objets pratiques (les véhicules d'information et les outils ou appareils) et ceux qui sollicitent une perception d'ordre esthétique. Mais la distinction est difficile : un tombeau sculpté par Michel-Ange est à

1. L'ensemble des critères examinés dans cette analyse sont mis en jeu dans le procès *Brancusi contre États-Unis*, Adam Biro, 1995, dont la lecture est vivement recommandée.
2. Alain, *Système des Beaux-Arts*, « Tel », Gallimard, 1926, p. 36.
3. Benjamin, *Écrits français*, Gallimard, 1991, p. 150.
4. Francastel, *Art et Technique*, « Tel », Gallimard, 1956, p. 265.
5. *Id.*, p. 177.
6. *Id.*, p. 174.
7. Kant, *Critique de la Faculté de juger*, § 43, Vrin, 1984, p. 135.

la fois objet esthétique, véhicule d'information et appareil. Il ne suffit donc pas qu'un objet soit esthétique pour être artistique, ni non plus qu'il soit pratique pour ne pas être artistique. Le cas-limite nous est ici fourni par les ready-made de Duchamp, qui repoussent à l'extrême les limites du concept d'art, ou encore par les fac-similés par Warhol des boîtes de conserve de marque Brillo. Défiant la ligne de partage entre l'art et le réel, une tentative de ce genre a nourri la thèse de la philosophie analytique contemporaine : « ce qui finalement fait la différence entre une boîte de Brillo et une œuvre d'art qui consiste en une boîte de Brillo, c'est une certaine théorie de l'art[1] ». Le seuil artistique n'est-il qu'un label, qu'une convention langagière ? La signature de l'artiste une fois reconnu par une certaine intelligentsia fait-elle seule autorité[2] ?

b. La condition de l'artiste

Si tout repose sur le statut du créateur, il s'agit d'interroger sa condition, et d'abord de déterminer le degré de maîtrise du créateur sur sa création. Si l'œuvre est le moyen d'une fin voulue d'avance, alors le créateur est le maître de sa création. On peut penser, dans ce domaine, à la « théorie de l'effet » que Baudelaire développe à l'occasion de ses traductions d'Edgar Allan Poe, ou encore aux travaux de commande : les exigences qui s'appliquaient aux peintres d'icônes étaient, de ce point de vue, particulièrement rigoureuses. Il est intéressant de remarquer qu'en peinture, c'est dans la nature morte que la peinture s'est peu à peu libérée de ses fonctions sacrée et sociale par la nature morte, qui fait triompher l'acte du peintre en tant que tel. La peinture n'est plus ici moyen mais fin en soi : c'est la théorie de l'art pour l'art, sévèrement jugée par ceux qui donnent à l'art une mission précise, tel Kandinsky : « cet étouffement de toute résonance intérieure, qui est la vie des couleurs, cette dispersion inutile des forces de l'artiste, voilà "l'art pour l'art"[3]. »

Revenons alors à la première hypothèse : l'artiste sait ce qu'il fait, et à la maîtrise technique s'ajoute la conscience du projet comme préalable à l'œuvre. Un premier obstacle se présente : celui d'une possible incompatibilité entre l'intelligibilité et l'œuvre. L'*Empédocle* d'Hölderlin, projet d'une vie, en est le prototype : plus le créateur maîtrise sa création, moins il semble que la création soit possible. Il faut donc peut-être renoncer à ce que l'on pourrait appeler l'illusion démiurgique, qui donne à la création artistique la création divine pour modèle, tel l'Adoniram du *Voyage en Orient* de Nerval. Ainsi la création artistique serait le passage du non-être à l'être, de rien à tout.

Une première réserve s'applique à ce modèle, issue de la condition technique évoquée ci-dessus : Vinci disait que la perspective est « la bride et le gouvernail de la peinture » : cela signifie que cette technique est à la fois une contrainte, qu'il faut apprendre à maîtriser, et à la fois un instrument de liberté et de créativité une fois qu'elle est maîtrisée. L'originalité ne saurait donc exclure l'influence. De plus, des déterminismes extérieurs peuvent s'adresser à la création, et permettre de la

1. Danto, *Philosophie analytique et esthétique*, Klincksieck, 1988, p. 195.
2. On s'interrogera à cet égard sur ces portraits signés par Rembrandt et exécutés par certains de ses élèves.
3. Kandinsky, *Du spirituel dans l'art, et dans la peinture en particulier*, « Folio-Essais », Gallimard, 1989, p. 57.

comprendre comme résultat des conditions sociales de son temps : « la race, le milieu, le moment », comme l'affichait la critique littéraire scientiste, détermineraient ainsi l'œuvre. Ou encore, l'œuvre d'art peut aussi, dans une perspective freudienne, se comprendre comme sublimation.

c. L'œuvre infinie

Mais il y a plus : quel que soit le degré de contrôle que le créateur exerce sur sa création, il se pourrait bien que ce contrôle soit réduit à néant une fois l'œuvre livrée au public. L'œuvre est apparemment terminée quand son auteur y a mis le point final. Pourtant, d'un autre côté, elle est toujours en train de continuer à se faire. Une symphonie de Schubert peut être interprétée ou une pièce de théâtre être mise en scène sans que pour autant l'œuvre initiale soit forcément trahie : elle ne vit même qu'à condition d'être jouée. L'interprétation, le regard, la lecture continuent alors l'œuvre en l'enrichissant d'une variété de sens. Rimbaud disait du poème qu'il devait être pris « dans tous les sens possibles[1] ». Ainsi l'œuvre échappe à son auteur, qui n'en possède plus le sens du moment qu'elle est créée.

On dit que toute lecture est réécriture : le mythe de l'auteur propriétaire de son œuvre et du sens de cette œuvre doit donc être révisé. « Il n'y a pas vrai sens d'un texte » (Valéry), ce qui signifie qu'une œuvre ne saurait être analysée à partir d'une intention de son auteur, ni à l'aune d'une vérité objective : « dans les beaux livres, tous les contresens qu'on fait sont beaux[2] ». En ce sens, Rilke faisait à Supervielle le plus beau des compliments quand il lui disait que sa poésie était tellement belle qu'elle aurait pu n'être écrite par personne. Ainsi c'est œuvre qui absente son auteur : « qu'est-ce donc qui nous fera concevoir le véritable ouvrier d'un bel ouvrage ? Mais il n'est positivement *personne*[3] ». Ainsi le critère de distinction de l'art n'est peut-être pas plus dans l'objet d'art que dans l'intention de l'artiste : il est peut-être à chercher du côté du public.

II. Art et beau : le problème du goût

Le mot esthétique renvoie à la sensibilité. Dans son usage courant, il a pris une double tonalité : celle d'un adjectif signifiant la beauté, tout en renvoyant aux théories sur l'art. Cela signifie-t-il que l'art ne fait que donner à voir le beau ?

a. Art et laideur

On l'a dit, il y a du beau en dehors de l'art : il faudra voir ci-dessous d'ailleurs dans quelle mesure le beau naturel et la beauté artistique sont comparables, pensables l'un par l'autre. Le Beau et l'Art forment donc deux ensembles qui ne sont pas confondus, ce qui nous laisse soupçonner en retour que tout ce qui est artistique

1. Rimbaud, *Lettre dite du voyant*, à Paul Demeny, « Nrf », Gallimard, 1984, p. 202.
2. Proust, *Contre Sainte-Beuve*, « La Pléiade », 1971, p. 305.
3. Valéry, *Variété I*, « Au sujet d'Adonis », « La Pléiade », tome 2, 1957, p. 483.

n'est pas nécessairement beau. Cela signifie que la laideur peut faire l'objet d'une représentation artistique. Pourtant la laideur a d'abord été pensée, à partir de l'idée grecque de la beauté comme ordre et harmonie, comme désordre à éliminer. L'équivalence platonicienne du beau et du bien entraîne une analogie entre le laid et l'injuste[1]. C'est bien l'imitation qui fonde l'esthétique classique, mais comme imitation qui embellit. C'est le reproche adressé par Baudelaire à Ingres : « il croit que la nature doit être corrigée, amendée ; que la tricherie heureuse, agréable, faite en vue du plaisir des yeux, est non seulement un droit mais aussi un devoir[2] ». Boileau a donné à cette thèse une voix célèbre : « Il n'est point de serpent, ni de monstre odieux / Qui part l'art imité ne puisse plaire aux yeux : / D'un pinceau délicat l'artifice agréable / Du plus affreux objet fait un objet aimable[3]. »

Pourtant, la laideur du monde n'est pas seulement ce qui doit être escamoté ou transcendé, mais elle peut au contraire être assumée. Ainsi la laideur rentre dans l'art quand l'art accuse et dénonce. Ainsi Lautréamont détruisant le romantisme élégiaque dans les *Chants de Maldoror*. Ainsi encore, Goya (qu'on revoie son *Saturne* dévoreur !) pour Malraux dévoilait « la part nocturne du monde ». On peut donc faire un tableau splendide qui dénonce la laideur du monde, comme le *Portrait des Régents* de Frans Als, ou étaler les horreurs des extrémités des passions dans la tragédie[4]. Mais il y a moins spectaculaire : l'art peut aussi faire la part belle à ce qui est vulgairement anodin. Proust prend ainsi l'exemple[5] du jeune homme modeste écœuré de la laideur de son quotidien, et qui rêve du Louvre : les tableaux de Chardin le remettraient pourtant en face des mêmes objets anodins, mais dont la mesquinerie ne les empêche plus d'être représentés. De même Flaubert a su, peut-être le premier, conquérir la possibilité d'écrire en parlant d'objets triviaux, de ces objets tristement familiers qu'autrement on ne regarde pas : « l'ignoble me plaît, c'est le sublime d'en bas ».

b. Les visages du beau

Voilà qui remet en cause la notion de beauté dans ce qu'elle a de plus convenu. Rappelons d'abord que l'art n'en est pas le seul pourvoyeur, la beauté artistique devant être mise en rapport avec la beauté naturelle. Laquelle de ces deux beautés donnera à l'autre son modèle ? Là où Kant recherche une articulation, Hegel, lui, tranche : « le beau artistique est supérieur au beau naturel, parce qu'il est un produit de l'esprit [...] Tout ce qui vient de l'art est supérieur à ce qui existe dans la nature[6] ». C'est que l'art contient une intention, et une spiritualité qui n'existent pas dans la nature. Mais c'était déjà là, chez Kant, la source du discrédit d'une certaine conception de la beauté : non plus celle qui relève de la nature, mais celle dont on juge à partir d'une norme. Ainsi les fleurs sont certes des beautés, mais « ce que doit

1. Voir en particulier le *Gorgias*, 507-508.
2. Baudelaire, *Exposition universelle de 1855*, « La Pléiade », tome 2, 1976, p. 587.
3. Boileau, *Art poétique*, III, GF-Flammarion, 1969, p. 98.
4. C'est le sens de la catharsis aristotélicienne.
5. *Chardin et Rembrandt*, dans le volume de la La Pléiade consacré au *Contre Sainte-Beuve*, p. 372 *sq*.
6. Hegel, *Esthétique*, tome 1, Champs-Flammarion, 1979, p. 10.

être une fleur peu le savent », et même le botaniste portera sur la fleur un jugement dépourvu de « perfection de quelque sorte » et de « finalité interne[1] » : autant dire que ce n'est pas en tant qu'elle est naturelle que nous trouvons la fleur belle.

C'est là un exemple de ce que Kant appelle la beauté libre par opposition à la beauté adhérente : « la première ne présuppose aucun concept de ce que l'objet doit être ; la seconde suppose un tel concept et la perfection de l'objet d'après lui[2] ». Supposant l'accord avec un concept, la notion de beauté adhérente renvoie aux règles, aux canons de la beauté : c'est la statuaire grecque avec les têtes des kouroï qui mesurent un sixième du corps. À cette beauté normée Kant oppose une beauté libre en ce qu'elle n'est fondée sur aucune norme, comme Kandinsky défendant l'idée d'un beau intérieur « auquel on a recours par une nécessité intérieure impérative en renonçant au beau conventionnel[3] ». C'est l'occasion d'élargir la notion de beauté, et de faire rentrer dans cette notion ce qui excite en nous une émotion qui peut être négative : c'est le beau « multiforme et versicolore, qui se meut dans les spirales infinies de la vie[4] » de Baudelaire. Ainsi « le beau est toujours bizarre » en ce qu'il « contient toujours un peu de bizarrerie [...] naïve, non voulue, inconsciente[5] » : l'artiste peut donc ne pas savoir ce qu'il fait.

On sait que les surréalistes parleront de « beauté convulsive » (voir texte n° 5), c'est-à-dire d'un beau qui relève de la surprise et de la rencontre. C'est peut-être un beau de cette nature que des techniques de superposition et d'intersection, comme le collage dans les arts plastiques, ou le *sampling* du *trip-hop*, incarnent de nos jours. Mais il faut filer la métaphore de Breton et dire que l'expérience artistique n'est pas nécessairement agréable. La nouveauté de l'expérience artistique culmine dans ce que Kant appelle le sublime, « plaisir négatif[6] ». Ainsi la musique classique contemporaine, depuis le dodécaphonisme, évite l'harmonie : il arrive que le goût rejette la beauté nouvelle parce qu'il n'y est pas encore prêt, comme le notait Abel Gance qui disait au début du cinéma que « le langage des images n'est pas encore au point parce nos yeux ne sont pas encore faits pour elles ».

c. L'énigme du goût

Sur quoi fonder alors le goût ? Le goût peut d'abord être compris comme sentiment du beau, et cette définition du beau par le confort ou l'utile est celle qu'examine d'abord Hume. « Tout objet qui tend à causer du plaisir à son possesseur, ou qui, en d'autres termes, est la cause propre du plaisir, plaît sûrement au spectateur par une subtile sympathie avec le possesseur[7] ». Mais pareille définition ne tarde pas à mettre l'art en concurrence avec la nature : « beaucoup des productions de la nature tirent

1. Kant, *op. cit.*, § 16, p. 71.
2. *Ibid.*
3. Kandinsky, *op. cit.*, p. 88.
4. Baudelaire, *op. cit.*, p. 578.
5. *Ibid.*
6. Kant, *op. cit.*, § 23, p. 85.
7. Hume, *Traité de la nature humaine*, Aubier-Montaigne, 1983, p. 701-702.

leur beauté de cette source[1] », d'une façon qui ne peut, par surcroît, guère manquer de tourner au désavantage de l'art. Le goût comme sensibilité individuelle et relative n'est qu'un sentiment : c'est le goût ainsi compris qui nourrit le relativisme. Le goût n'est pas qu'un sentiment : d'abord parce que le goût s'éduque (même si le goût n'est pas que le résultat de la culture, l'inculture ne l'épanouit pas), et ensuite parce que jamais dans le goût je ne suis seul : le goût est collectif et contagieux, il y a toute une épidémiologie des représentations, dont les phénomènes de mode constituent un exemple.

Pour faire échapper le goût au relativisme et mettre en évidence son caractère culturel, il s'agit de passer de la formule « cette musique me plaît » à la formule « cette musique est belle ». Or, au contraire des jugements logiques, le jugement de goût ne dispose pas d'une norme : la beauté est libre. Comment alors le beau peut-il être universel et en même temps sans concept ? Le Beau, c'est l'expérience d'un certain accord entre deux éléments, l'un sensible, l'autre intellectuel. Faire l'expérience du beau, c'est faire l'expérience d'un certain accord entre l'imagination et l'entendement. Même si cet accord met en jeu des éléments hétérogènes entre eux, en revanche l'accord entre ces éléments est à chaque fois, chez chacun, le même. C'est ce que Kant appelle un « jugement réfléchissant », celui qui produit lui-même son universalité, faute de concept, par l'accord que présuppose le Beau. Le jugement de goût produit donc lui-même son universalité, sauvant ainsi la notion d'art du relativisme.

En même temps donc que la beauté artistique me satisfait, je ne peux « faire autrement qu'estimer que cet objet doit contenir un principe de satisfaction pour tous[2] ». Le Beau se présente comme une satisfaction universalisable, ce qui suppose l'universalité potentielle du goût comme « d'un sens commun à tous[3] ». Par ce trait, l'expérience du goût ne se réduit plus à la présence solitaire du spectateur face à l'œuvre : autrui s'y trouve réintroduit. Arrivons-nous par exemple à imputer au relativisme notre incapacité parfois à faire aimer à nos proches les œuvres d'art que nous aimons ? Kant a eu cette conscience aiguë non seulement « du caractère public de la beauté[4] », mais aussi de son caractère intersubjectif, sans lequel je peux toujours soupçonner mon propre goût. « Le plaisir que nous ressentons, nous le supposons comme nécessaire en tout autre dans le jugement de goût[5] ». Ainsi le jugement esthétique veut-il relever le défi de « rendre universellement communicable ce qui est indicible dans l'état d'âme lors d'une certaine représentation[6] ». Par l'art, nous communiquons.

---

1. *Id.*
2. Kant, *op. cit.*, § 6, p. 55.
3. *Id.*, § 40, p. 127.
4. Arendt, *La crise de la culture*, « Folio-Essais », Gallimard, 1972, p. 283.
5. Kant, *op. cit.*, § 9, p. 61.
6. *Id.*, § 49, p. 147.

III. Art et réalité

Cette communication paraît d'abord devoir se faire à partir de l'identification d'un référent commun à l'art, qui aurait donc pour mission d'imiter ce qui est.

a. L'imitation de la nature

L'esthétique classique, qui trouve en cela son sol dans la conception grecque de l'art, pense l'activité artistique en termes d'imitation : l'art est ce qui imite la nature. Il faut se garder de simplifier cette idée, et ne pas la réduire à une reproduction ou à une copie. Si l'art imite la nature c'est que, comme elle, l'art peut produire, ce qui induit une rivalité entre ces deux instances concurrentes. Ainsi Cicéron fait-il valoir que « ce que fait la main humaine dans les ouvrages de nos arts, la nature le fait avec beaucoup plus d'art encore[1] ». C'est davantage comme concurrent que comme copieur que l'art est second par rapport à la nature ; et si « les hommes ont, inscrite dans leur nature, à la fois une tendance à représenter [...] et une tendance à trouver plaisir aux représentations[2] », ce n'est pas de prime abord dans une volonté d'imitation au sens le plus servile. C'est donc en un sens réducteur que l'idée d'imitation, particulièrement dans la pensée platonicienne, relègue l'art à l'état de copie, d'illusion.

« L'art de l'imitation est assurément loin du vrai et, apparemment, s'il s'exerce sur toutes choses, c'est parce qu'il ne touche qu'à une petite partie de chacune, et qui n'est qu'un fantôme. Ainsi le peintre, affirmons-nous, nous peindra un cordonnier, un menuisier, les autres artisans, alors qu'il ne connaît rien à leurs arts. Cependant, pour peu qu'il soit bon peintre, s'il peignait un menuisier et le leur montrait de loin, il pourrait tromper au moins les enfants et les fous, en leur faisant croire que c'est véritablement un menuisier[3] ». Donc, l'art imite de façon trompeuse ce qu'il imite. Toujours second par rapport à la nature, il ne peut jamais exister que comme copie : c'est ce qu'on retrouve dans l'idéal réaliste (Stendhal : « un roman : c'est un miroir que l'on promène le long du chemin »). Or cette critique ne peut être adressée à l'art qu'à condition qu'on en attende la vérité, qu'en le réduisant à un moyen de connaissance qu'il n'est sans doute pas.

Dans l'analogie platonicienne de la ligne, l'art est à la fois moyen de connaissance et étape du savoir. Schopenhauer fait ainsi de l'art une connaissance intuitive de l'idée : « l'œuvre d'art n'est qu'un moyen destiné à faciliter la connaissance de l'idée, connaissance qui constitue le plaisir esthétique[4] ». Mais à faire de l'art un stade de la connaissance, on n'en peut faire qu'un stade subalterne et aussi dépassé. C'est le propos de Hegel : « l'art reste pour nous, quant à sa suprême destination, une chose du passé[5] » : c'est que « l'art porte en lui-même ses limites et doit, de ce fait, céder la

1. Cicéron, in *Les Stoïciens*, « La Pléiade », 1962, p. 429.
2. Aristote, *Poétique*, IV, 48b, Seuil, 1980, p. 43.
3. Platon, *République* X, 508 b-c, « Folio-Essais », Gallimard, 1993, p. 497.
4. Schopenhauer, *Le Monde comme Volonté et comme Représentation*, Puf, 1966, p. 251.
5. Hegel, *op. cit.*, p. 34.

place à des formes de conscience plus élevées[1] ». En effet, l'art est incarnation de la pensée sous une forme sensible, ce qui donne lieu chez Hegel à une classification des arts selon le degré d'inscription sensible de l'idée : plus un art abandonne le matériau sensible, plus il progresse : la poésie est cet art qui donne une forme spirituelle, et qui résout donc la contradiction, dans l'art, entre la spiritualité du contenu et la forme sensible.

b. Représenter sans imiter

Puisque la fonction de l'art est de dénaturer le matériau naturel pour lui faire exprimer la supériorité de l'esprit sur la nature, alors l'art peut entretenir un rapport avec le réel sans pour autant le recopier ou l'imiter. Ainsi l'art n'imite plus, il symbolise : et « bien que le symbole ne soit pas comme le simple signe étranger à l'idée qu'il exprime, il ne doit pas non plus, pour rester symbole, la représenter parfaitement ». C'est au point que la capacité à symboliser peut aller jusqu'à jouer le rôle de critère distinctif de l'art : « un objet devient précisément une œuvre d'art parce que et pendant qu'il fonctionne d'une certaine façon comme symbole[2] ».

L'art met l'idée dans le sensible, et aussi l'âme dans le corps : la chorégraphie, la sculpture, figurent l'idée par le corps. Reverdy qualifiait ainsi la poésie d'« acte magique de transmutation du réel extérieur en réel intérieur ». C'est cette beauté intérieure et spirituelle qui constitue chez Kandinsky la nécessité artistique, ce qu'il illustre par une analogie entre la musique et la peinture impressionniste, qui servent le même but : « les musiciens les plus modernes, comme Debussy, reproduisent des impressions spirituelles qu'ils empruntent souvent à la nature et transforment en images spirituelles sous une forme purement musicale[3] ». L'art ne reproduit donc plus l'extérieur, mais l'intérieur.

Et même si la nature constituait encore le référent de l'art, ce ne serait plus une nature reproduite mais une nature transfigurée. Ainsi le passage de la peinture d'un idéal figuratif à un Idéal abstrait (en passant par les degrés de l'impressionnisme et du fauvisme) peut être compris comme une transfiguration qui révèle mieux que la figuration n'arrive à le faire. Maldiney dit par exemple que « l'abstraction n'est pas un parti pris moderne. C'est l'acte vital de l'art ; elle représente ce pouvoir d'intériorité et de dépassement du plan visuel sans lequel il n'y a pas d'art. »

c. Apprendre à voir

Ce n'est donc pas en renonçant à imiter le réel que l'art nous en éloigne le plus, au contraire : Heidegger montre combien le jaune du champ de blé du tableau de Van Gogh est plus réel que la longueur d'onde de la lumière telle qu'elle est représentée par la science. Il y a lieu alors de renverser l'idée classique, pour se demander si ce n'est pas plutôt l'art qui imite la nature : ainsi Oscar Wilde disait-il des brouillards de

1. *Id.*, p. 152.
2. Goodman, *Manières de faire des mondes*, Chambon, 1992, p. 91.
3. Kandinsky, *op. cit.*, p. 84.

Londres que l'art les avait inventés, c'est-à-dire tant que Turner et Monet ne nous avaient pas appris à les voir…

C'est que l'art transforme notre perception du monde : « le but de l'art n'est pas de constituer un double maniable de l'univers ; il est, à la fois, de l'explorer et de l'informer d'une manière nouvelle[1] ». Par exemple on peut dire que Stravinsky a changé notre oreille. Le réel ainsi exploré et informé s'enrichit et se démultiplie : « grâce à l'art, au lieu de voir un seul monde, le nôtre, nous le voyons se multiplier, et, autant qu'il y a d'artistes originaux, autant nous avons de mondes à notre disposition, plus différents les uns des autres que ceux qui roulent dans l'infini et, bien des siècles après qu'est éteint le foyer dont il émanait, qu'il s'appelât Rembrandt ou Vermeer, nous envoient encore leur rayon spécial[2] ».

L'art se définit alors comme ce qui nous apprend à voir : ainsi, comme le disait Klee, « l'art ne reproduit pas le visible ; il rend visible[3] ». L'artiste est donc celui dont la fonction est justement de voir et de nous faire voir ce que nous n'apercevons pas naturellement[4]. Ce n'est pas que nous n'avions pas vu, puisqu'il faut que nous puissions reconnaître : « mais nous avions perçu sans apercevoir[5] ». Il nous faut donc réapprendre à voir le monde. Ainsi l'art, puisant à une « nappe de sens brut[6] », « donne existence visible à ce que la vision profane croit invisible[7] » : nous ne regardons ce que propose le peintre que pour y voir un visible resté jusque-là inaccessible à notre vision.

Textes

1. Hegel

L'art n'est-il qu'une imitation de la nature ?

C'est un vieux précepte que l'art doit imiter la nature ; on le trouve déjà chez Aristote. Quand la réflexion n'en était encore qu'à ses débuts, on pouvait bien se contenter d'une idée pareille ; elle contient toujours quelque chose qui se justifie par de bonnes raisons et qui se révélera à nous comme un des moments de l'idée ayant, dans son développement, sa place comme tant d'autres moments […] L'homme peut certes avoir intérêt à produire des apparences comme la nature produit ses formes. Mais il ne peut s'agir que d'un intérêt purement subjectif, l'homme voulant montrer son adresse et son habileté, sans se soucier de la valeur objective de ce qu'il a l'intention de produire. Or un produit tire sa valeur de son contenu, dans la mesure où celui-ci participe de l'esprit. Tant qu'il imite, l'homme ne dépasse pas les limites du naturel, alors que le contenu doit être de nature spirituelle.

Hegel, *Esthétique*, tome 1, Champs-Flammarion, 1979, p. 34-37.

1. Francastel, *op. cit.*, p. 12.
2. Proust, *Le temps retrouvé*, « Folio », Gallimard, 1954, p. 258.
3. Klee, *Théorie de l'art moderne*, « Médiations », Denoël, 1964, p. 34.
4. Bergson, *La pensée et le mouvant*, « Quadrige », Puf, 1987, p. 149.
5. *Id.*, p. 150.
6. Merleau-Ponty, *L'Œil et l'esprit*, « Folio-Essais », Gallimard, 1964, p. 13.
7. *Id.*, p. 27.

2. Baudelaire

Dans ces derniers temps nous avons entendu dire de mille manières différentes : « copiez la nature ; ne copiez que la nature. Il n'y a pas de plus grande jouissance ni de plus beau triomphe qu'une copie excellente de la nature ». Et cette doctrine, ennemie de l'art, prétendait être appliquée non seulement à la peinture, mais à tous les arts, même au roman, même à la poésie. À ces doctrinaires si satisfaits de la nature un homme imaginatif aurait certainement eu le droit de répondre : « je trouve inutile et fastidieux de représenter ce qui est, parce que rien de ce qui est ne me satisfait. La nature est laide, et je préfère les monstres de ma fantaisie à la trivialité positive ».

Baudelaire, « La Reine des facultés » in *Salons de 1859*, « La Pléiade », tome 2, 1976, p. 619-620.

3. Klee

L'art ne reproduit pas le visible ; il rend visible. Et le domaine graphique, de par sa nature même, pousse à bon droit aisément à l'abstraction. Le merveilleux et le schématisme propres à l'imaginaire s'y trouvent donnés d'avance et, dans le même temps, s'y expriment avec une plus grande précision. Plus pur est le travail graphique, c'est-à-dire plus d'importance est donnée aux assises formelles d'une représentation graphique, et plus s'amoindrit l'appareil propre à la représentation réaliste des apparences. L'art pur suppose la coïncidence *visible* de l'esprit du contenu avec l'expression des éléments de forme et celle de l'organisme formel. Et, dans un organisme, l'articulation des parties concourant à l'ensemble repose sur des rapports manifestes, basés sur des nombres simples.

Klee, *Théorie de l'art moderne*, Denoël-Gonthier, 1964, p. 31-32.

4. Merleau-Ponty

Comment l'art donne-t-il à voir ?

Pas davantage Cézanne n'a négligé la physionomie des objets et des visages [...] L'esprit se voit et se lit dans les regards, qui ne sont pourtant que des ensembles colorés. Les autres esprits ne s'offrent à nous qu'incarnés, adhérents à un visage et à des gestes. Il ne sert à rien d'opposer ici les distinctions de l'âme et du corps, de la pensée et de la vision, puisque Cézanne revient justement à l'expérience primordiale d'où ces notions sont tirées et qui nous les donne inséparables. Le peintre qui pense et qui cherche l'expression d'abord manque le mystère, renouvelé chaque fois que nous regardons quelqu'un, de son apparition dans la nature [...] La peinture de Cézanne met en suspens ces habitudes et révèle le fond de notre nature inhumaine sur lequel l'homme s'installe.

Merleau-Ponty, « Le Doute de Cézanne », *Sens et Non-Sens*, « Nrf », Gallimard, 1996, p. 21-22.

5. Breton

Qu'est-ce que le beau ?

Le mot « convulsive », que j'ai employé pour qualifier la beauté qui seule, selon moi, doive être servie, perdrait à mes yeux tout sens s'il était conçu dans le mouvement et non à l'expiration de ce mouvement même. Il ne peut, selon moi, y avoir beauté — beauté convulsive — qu'au prix de l'affirmation du rapport réciproque qui lie l'objet considéré dans son mouvement et dans son repos. Je regrette de n'avoir pu fournir, comme complément à l'illustration de ce texte, la photographie d'une locomotive de grande allure qui eût été abandonnée durant des années au délire de la forêt vierge. Outre que le désir de voir cela s'accompagne depuis longtemps pour moi d'une exaltation particulière, il me semble que l'aspect sûrement magique de ce monument à la victoire et au désastre, mieux que tout autre, eût été de nature à fixer les idées [...] La beauté convulsive sera érotique-voilée, explosante-fixe, magique-circonstancielle ou ne sera pas.

Breton, *L'Amour fou*, « Folio », Gallimard, 1937, p. 15-26.

6. Kant

L'agréable, le beau, le bon désignent donc trois relations différentes des représentations au sentiment de plaisir et de peine, en fonction duquel nous distinguons les uns des autres les objets ou les modes de représentation. Aussi bien les expressions adéquates pour désigner leur agrément propre ne sont pas identiques. Chacun appelle agréable ce qui lui fait plaisir ; beau ce qui lui plaît simplement ; bon ce qu'il estime, approuve, c'est-à-dire ce à quoi il attribue une valeur objective. L'agréable a une valeur même pour les animaux dénués de raison : la beauté n'a de valeur que pour les hommes, c'est-à-dire des êtres d'une nature animale, mais cependant raisonnables, et cela non pas seulement en tant qu'êtres raisonnables (par exemple des esprits), mais aussi en même temps qu'ils sont une nature animale ; le bien en revanche a une valeur pour tout être raisonnable.

Kant, *Critique de la Faculté de juger*, § 5, Vrin, 1984, p. 54-55.

7. Lévi-Strauss

Entre esthétique et technique, où est le sens propre du mot « art » ?

Le procès de la création artistique consistera, dans le cadre immuable d'une confrontation de la structure et de l'accident, à chercher le dialogue soit avec le modèle, soit avec la matière, soit avec l'usager, compte tenu de celui ou de celle dont l'artiste au travail anticipe surtout le message. En gros, chaque éventualité correspond à un type d'art facile à repérer : la première, aux arts plastiques de l'Occident ; la seconde, aux arts dits primitifs ou de haute époque ; la troisième aux arts appliqués. Mais, en prenant ces attributions au pied de la lettre, on simplifierait à l'excès. Toute forme d'art combine les trois aspects, et elle se distingue seulement des autres par leur dosage relatif. Il est bien certain, par exemple, que même le peintre le plus académique se heurte à des problèmes d'exécution [...] On sait enfin que, même chez nous, des ustensiles se prêtent à une contemplation désintéressée.

Lévi-Strauss, *La Pensée sauvage*, « Agora », Presses Pocket, 1962, p. 43.

8. Kant

Si l'art, conforme à la connaissance d'un objet possible, exécute seulement les actions nécessaires afin de le réaliser, alors il est *mécanique* ; si en revanche il possède pour fin immédiate le sentiment de plaisir, alors il s'appelle un art *esthétique*. Celui-ci relève soit des arts *d'agrément*, soit *des beaux-arts*. C'est le premier cas lorsque la fin de l'art est que le plaisir accompagne les représentations en tant que simples *sensations*, et c'est le second lorsque la fin de l'art est que le plaisir accompagne les représentations en tant que *modes de connaissances* [...] Les beaux-arts sont un mode de représentation qui est en lui-même final et qui contribue, bien que ce soit sans fin, à la culture des facultés de l'âme en vue de la communication dans la société.

Kant, *Critique de la Faculté de juger*, § 44, Vrin, 1984, p. 136-137.

Sujets approchés

L'artiste crée-t-il un autre monde ?

La représentation esthétique est-elle mensongère ?

L'art doit-il célébrer la réalité ou la dénoncer ?

L'art nous révèle-t-il quelque chose du réel ?

→ ***Approche commune* : L'art nous apprend-il à voir le réel en l'imitant ou en le réinventant ?**

L'amour de l'art est-il possible sans un savoir sur l'art ?

L'amour du beau s'apprend-il ?

Est-il vrai qu'on ne peut discuter des goûts ?

Peut-on convaincre autrui qu'une œuvre d'art est belle ?

Y a-t-il un mauvais goût ?

→ ***Approche commune* : Y a-t-il une norme du goût ou bien sommes-nous renvoyés au relativisme de la sensibilité de chacun ? Entre les risques d'arbitraire, d'élitisme et de relativisme, l'enjeu commun à ces sujets porte sur l'universalité d'un critère, et, dès lors, sur la communicabilité de l'expérience esthétique.**

En quoi les œuvres d'art diffèrent-elles des objets techniques ?

L'art est-il un produit du travail ?

Le beau est-il ce qui ne sert à rien ?

La nécessité de produire s'oppose-t-elle au désir de créer ?

Peut-on être artiste sans être artisan ?

→ ***Approche commune* : La capacité technique est-elle pour la création artistique une condition nécessaire ou suffisante ? Et, dans le premier cas, qu'est-ce qui fait sa différence spécifique ?**

Une œuvre peut-elle être belle et ne pas me plaire ?

L'art peut-il se passer de la référence au beau ?

La laideur peut-elle faire l'objet d'une représentation esthétique ?

La beauté artistique surpasse-t-elle la beauté naturelle ?

En quel sens une œuvre d'art peut-elle susciter notre intérêt ?

→ ***Approche commune* : L'art a-t-il pour mission de produire et de reproduire du beau, ou bien doit-il exprimer l'horreur du monde ? De là, la question est de savoir si l'expérience esthétique est nécessairement agréable, ou si elle peut au contraire choquer.**

Y a-t-il des règles de l'art ?
Peut-on expliquer une œuvre d'art ?
L'œuvre d'art a-t-elle pour fonction de porter un message ?
L'art nous libère-t-il de nos passions ?
L'historien peut-il expliquer l'apparition de l'œuvre d'art ?

→ ***Approche commune* : Peut-on rendre compte de la création artistique par un facteur déterminant (l'histoire de l'auteur, de la société, l'intention de l'auteur) ou bien au contraire est-elle tout entière dans la réception du spectateur ?**

Sujet esquissé : L'artiste sait-il ce qu'il fait ?

Introduction

Le libellé paraît provocateur et paradoxal, en ce qu'il laisse croire à l'irresponsabilité de l'artiste. Mais en fait, « ne pas savoir ce que l'on fait » est une expression qui s'entend ici en deux sens : ou bien être conscient de ses actes sans soupçonner leurs effets possibles, ou bien ne pas en être conscient du tout. Dans les deux cas, il s'agit de remettre en question l'imagerie du créateur démiurgique, qui maîtrise sa création à l'image d'un dieu, et de lui opposer une conception plus sourde, plus ingrate et obscure du processus créatif. Le créateur est-il un démiurge ou un intermédiaire ?

Lignes directrices

1. La création artistique vise à produire un effet sciemment voulu et contrôlé : l'artiste maîtrise sa création comme un démiurge. On peut penser par exemple au narrateur omniscient du roman réaliste. Le procès platonicien de l'art repose sur l'idée que l'artiste nous trompe alors qu'il pourrait ne pas le faire (cf. cours I b § 2 et III a § 2).

Mais : le modèle selon lequel la création passe du non-être à l'être oublie qu'il y a toujours un état donné du réel : des déterminismes peuvent aussi s'y appliquer.

2. L'art n'est le moyen d'aucune fin, mais il est une fin en soi : l'artiste sait donc ce qu'il fait sans savoir ce que sa création fera. Même si l'artiste veut obtenir un certain effet, il peut en obtenir un autre (cf. la figure de l'artiste maudit). En un autre sens, l'artiste peut être décrit comme le jouet de l'idéologie de son temps : en croyant faire une chose, il en fait une autre.

Mais : ces deux premières thèses supposent une intelligibilité maximale de la création depuis l'extérieur, ce qui est peut-être illusoire.

3. L'artiste n'est que le lieu d'une création qui le dépasse dès qu'elle est livrée au public. Toute lecture est réécriture : l'artiste n'est alors que le lieu d'une création qui le dépasse, l'intermédiaire entre ce à quoi il accède et nous, les spectateurs. Ceci peut être développé à partir de la critique littéraire des années 1960 et de la notion d'objet textuel (cf. cours I c).

Le travail et la technique

Définir, Problématiser

Le travail apparaît comme un moyen de libération vis-à-vis de la nature. Le travail met en effet en œuvre la ruse technique par laquelle je retourne mon rapport de dépendance à la nature et par laquelle je m'en libère. La fin de ce moyen paraît devoir être la satisfaction de besoins et de désirs matériels. D'un autre côté, on travaille aussi pour ne plus travailler : j'endure ma semaine en vue du week-end, et ma carrière en vue de la retraite. Le travail vise donc non seulement à permettre ma liberté, mais aussi à contribuer à augmenter une liberté qui se présente toujours comme future. Mais d'un autre côté, plus je travaille et moins je suis libre, puisque la réduction du temps de travail correspond à l'augmentation du temps libre. La contradiction qui apparaît ici tient à ce que je suis apparemment prisonnier de ce qui est en même temps mon moyen de libération : comment conquérir sa liberté en la perdant ? **Le travail est-il ce qui me libère ou ce qui m'emprisonne ?**

De son côté, la technique a partie liée avec cette question de la liberté, en tant qu'elle se présente comme un ensemble de moyens : la technique est moins une classe d'objets qu'une disposition et une conduite. En employant un branchage ou un stylo pour tenir une fenêtre entrebâillée, je détourne un objet naturel ou technique vers une fin décidée par moi. Telle est la technique : l'instrumentalisation de moyens en vue de fins décidées par nous. Tant que nous décidons des fins, la technique est libératrice et nous restons libres. Mais la relation à l'objet technique est réversible : est-ce que je fais de mon ordinateur ce que je veux ou est-ce lui qui me donne l'idée de son usage, l'idée d'exploiter ce qu'il sait faire ? **Restons-nous libres devant la technique, ou a-t-elle tendance à quitter son statut de moyen pour devenir une fin en soi ?**

Au fond, pourquoi travailler ? On l'a dit, parce qu'il faut bien vivre, et pour être libre après. D'un autre côté, certains loisirs se présentent aussi comme des travaux : je peux travailler mon violoncelle ou mes abdominaux. S'il en est ainsi, cela voudrait dire que la notion de travail ne se restreint pas à la sphère de l'échange économique, mais devenait un mode de toute activité humaine. Le travail ne serait plus alors simplement un moyen, mais pourrait devenir une fin en soi, un mode d'être et de comportement. L'extension de la logique du travail vers les loisirs relève-t-elle du déplacement de sens, ou bien au contraire nous éclaire-t-elle de façon décisive sur le concept de travail ? **Le travail est-il un moyen ou une fin en soi ?**

Développer

I. Travail, technique et nature

a. Comprendre et dominer la nature

Il n'est pas de technique qui ne se fonde sur une compréhension et une application des lois de la nature : ainsi c'est la notion de loi qui articule la nature et la technique. Cette compréhension peut être embryonnaire et implicite, comme dans le bricolage, ou au contraire brevetée et gérée, comme dans l'industrie pharmaceutique. La thèse aristotélicienne, selon laquelle la technique imite la nature, se comprend au sens où la technique applique les lois de la nature, ce qui suppose que la physique commence par découvrir avant que la technique n'applique : la technique se présente comme une application postérieure à la science et qui dépend d'elle, même si l'on peut nuancer cette thèse si l'on tient compte des effets en retour de la technique sur la physique (les automates de Vaucanson ont inspiré l'anatomie), ou de ce que les firmes pharmaceutiques financent celles des recherches scientifiques qui peuvent aboutir à une application technique rentable.

Bacon faisait de cette connaissance préalable la condition du but qu'il assigne à la technique : la domination de la nature. Ainsi l'enjeu pratique est-il solidaire de l'enjeu théorique : puisque « l'homme, ministre et interprète de la nature, n'étend ses actions et ses connaissances qu'à mesure de ses observations, par les choses ou par l'esprit, sur l'ordre de la nature [...] Science et puissance humaines aboutissent au même, car l'ignorance de la cause le prive de l'effet. On ne triomphe de la nature qu'en lui obéissant[1] ». La soumission théorique apparaît comme une ruse en vue d'une domination pratique : en en comprenant les lois et en faisant en sorte de la faire travailler à notre place, la technique retourne notre relation à la nature pour aboutir à la libération de l'homme.

C'est sous le nom d'idéal baconien qu'est souvent identifié cet idéal d'une maîtrise de la nature par la technique, solidaire de la révolution galiléo-cartésienne. Ainsi Descartes fait-il apparaître que la technique peut nous rendre maîtres et possesseurs de la nature (voir texte n° 3), comme pour défendre la technique, dont l'image souffrait depuis l'Antiquité d'une image détestable : « les Anciens avaient opposé, aux professions serviles et mécaniques, les professions libérales, à la vie active, le loisir contemplatif, à l'art, la nature[2] », n'attribuant évidemment de valeur qu'au deuxième terme de chaque alternative. Dans l'idéal baconien, il s'agit donc de défendre les arts mécaniques contre le mépris antique qui les accompagnait, pour

1. Bacon, *Novum Organum*, I, 1 et 3, Puf, « Épiméthée », 1986, p. 101.
2. Schuhl, *Machinisme et Philosophie*, Puf, 1969, p. 45.

rétablir l'utilité et la noblesse de la technique telle que la défend par exemple Léonard de Vinci.

b. Travail et dépendance

La nécessité qu'il y a à travailler semble elle aussi imputable à la nature : il est impossible de survivre si l'on se contente de la passivité dans le débat avec la nature. Hegel oppose d'emblée cette idée à Rousseau : « c'est une opinion fausse de penser que l'homme vivrait libre par rapport au besoin dans l'état de nature, où il n'éprouverait que des besoins naturels soi-disant simples et où il n'utiliserait pour les satisfaire que les moyens qu'une nature contingente lui procure[1] ». Le travail apparaît alors de prime abord dans le débat humain avec la nature, comme si en un sens il ne pouvait y avoir de travail que d'un élément naturel.

Le travail semble effectivement bien consister de près ou de loin dans une transformation ou une assimilation de la nature. On en veut pour preuve la façon dont on a pris l'habitude de classer les différents types de travaux dans une économie donnée : le secteur de travail sera « primaire », « secondaire » ou « tertiaire » selon le caractère graduellement indirect du débat avec la nature. Certes, la simple cueillette représente un débat plus direct, plus immédiat et moins riche avec la nature que celui qui est en jeu dans une raffinerie de pétrole, mais il n'y a entre ces deux activités qu'une différence de degré ; à chaque fois, le travail peut être défini comme une médiation avec la nature, médiation dont la cueillette nous donne un quasi degré zéro, et dont la raffinerie de pétrole représente un degré beaucoup plus élevé. C'est d'ailleurs bien comme une médiation que Hegel comprend et définit le travail : « la médiation qui prépare et obtient pour le besoin particularisé un moyen également particularisé, c'est le travail[2] ».

Cette idée d'une médiation intercale le travail entre l'homme et la nature comme moment de la libération. Cette libération intervient sous la forme d'une ruse technique dont l'agriculture nous offre l'exemple : le passage de la cueillette à l'agriculture, par la ruse technique de l'outil, me libère de la nature. Avant cette libération, je ne peux qu'être soumis et passif, dépendant des aléas ; la ruse technique inverse cette relation et fait travailler la nature pour moi pour un résultat beaucoup plus sûr : « Là, l'instinct se retire tout entier du travail. Il laisse la nature s'échiner à sa place, regarde tranquillement et ne dirige le tout qu'avec un effort minime : c'est la ruse[3] ». Ainsi le travail se fait-il libérateur.

1. Hegel, *Principes de la philosophie du droit*, § 194 R, « Tel », Gallimard, 1940, p. 226.
2. *Id.*, § 196, p. 227.
3. Hegel, *Philosophie de l'Esprit*, cité par Habermas, *La Technique et la science comme idéologie*, « Tel », Gallimard, 1986, p. 183.

c. Travail et propriété

Pour être opposée à celle de Hegel, l'analyse de Rousseau n'en est pas moins issue jusqu'à un certain point de présupposés communs. Ainsi l'origine du travail doit-elle bien être recherchée du côté de la nature, mais avec une différence fondamentale : la nature eût assuré aux hommes dispersés leur subsistance si les fruits de la terre n'avaient été raréfiés par l'institution de la propriété. Rousseau figure le premier moment de cette institution en récusant l'initiative arbitraire de celui qui enclôt son terrain et fait admettre aux autres le principe de la propriété : « gardez-vous d'écouter cet imposteur ; vous êtes perdus, si vous oubliez que les fruits sont à tous et que la terre n'est à personne[1] ». Pour Rousseau donc, le travail est le résultat indésirable d'un principe injuste qui n'est autre que la propriété.

La propriété peut pourtant être comprise en un rapport différent avec le travail. Ne peut-on imaginer que l'imposteur qu'évoque Rousseau travaillait sur le terrain qu'il a enclos, et proposer l'idée selon laquelle le fait de son travail lui confère un droit de propriété ? Locke examine ce seuil, à partir de l'exemple de la cueillette des glands et des pommes. Puisque la cueillette est de fait appropriation, où est le seuil de la propriété ? « Je demande donc : *quand est-ce que ces choses commencent à lui appartenir en propre ?* Lorsqu'il les digère, lorsqu'il les mange, ou lorsqu'il les cuit, ou lorsqu'il les porte chez lui, lorsqu'il les cueille[2] ? ». Le seuil en question est en réalité un critère, et ce critère n'est autre que le travail : « il est visible qu'il n'y a rien qui puisse les rendre siennes, que le soin et la peine qu'il prend de les cueillir et de les amasser. Son travail distingue et sépare alors ces fruits des autres biens qui sont communs ; il y ajoute quelque chose de plus que la nature, la mère commune de tous, n'y a mis[3] ». Ainsi la propriété est-elle non plus la cause injuste du travail, mais au contraire son juste résultat. Mais l'enjeu de l'analyse de Locke dépasse la question de la propriété : il s'agit d'ériger le travail en critère, ici de la propriété, et potentiellement de bien plus encore.

II. Technique, travail et liberté

a. Le progrès technique est-il libérateur ?

Que la technique ne soit qu'un moyen à notre disposition, c'est là ce qu'assure la thèse de la neutralité. D'après cette thèse, la technique en elle-même n'est ni bonne, ni mauvaise et ne peut être jugée : ce qui peut être jugé, c'est ce que nous en faisons, c'est la finalité que nous lui donnons. Après tout, ce n'est pas le pistolet qui est jugé au tribunal, mais l'homme qui a choisi d'appuyer sur la détente.

Sur la voie de cette thèse, on peut donc disjoindre jugement moral et jugement technique : on peut remarquer la qualité technique d'une ruse traîtresse ou meur-

1. Rousseau, *Discours sur l'Origine et les Fondements de l'Inégalité parmi les hommes*, GF-Flammarion, 1971, p. 205.
2. Locke, *Traité du gouvernement civil,* V, § 28, GF-Flammarion, p. 164.
3. *Ibid.*

trière tout en la jugeant très sévèrement d'un point de vue moral. Aristote a posé le principe d'une telle disjonction : « dans le domaine de l'art, l'homme qui se trompe volontairement est préférable à celui qui se trompe involontairement, tandis que dans le domaine de la prudence, c'est l'inverse qui a lieu, tout comme dans le domaine des vertus également[1] ». Ce que l'homme qui agit mal volontairement a de supérieur, en tout cas techniquement, c'est qu'il maîtrise un processus technique, il a trouvé le meilleur moyen pour sa fin. Techniquement, le tueur à gages est un meilleur assassin que le chauffard occasionnel, alors que moralement, le cas de ce dernier, qui peut se prévaloir de son absence d'intention de tuer, est presque un peu moins grave que celui du tueur à gages. De même, techniquement, il n'y a pas meilleur empoisonneur qu'un médecin, parce qu'il est le plus qualifié pour cela : c'est moralement que le médecin choisit d'utiliser son savoir pour guérir. Le tout est donc de savoir utiliser la technique à bon escient, en vue d'une bonne fin : or un tel savoir semble extérieur à la technique elle-même : la raison technicienne n'est pas d'emblée morale, comme le souligne Épictète : « si tu écris à un ami, le fait que tu dois choisir ces lettres-ci, la grammaire te le dira. Quant à savoir s'il faut oui ou non écrire à cet ami, la grammaire ne te le dira pas[2]. »

Il se pourrait pourtant que la neutralité morale de la technique puisse être contestée. Autant en effet nous jugeons volontiers réactionnaires les protestations des ligues de vertu devant l'installation de distributeurs de préservatifs en milieu scolaire (sans doute en jugeant que l'accès à cet accessoire n'est pas en soi une incitation déterminante), autant nous serions certainement majoritairement opposés à la libre diffusion de fusils d'assaut dans les hypermarchés. Il paraît donc douteux que les finalités techniques ne viennent pas de la technique elle-même. Ainsi, « si l'on parle à propos de technique de "moyens", il faut reconnaître qu'il s'agit de moyens très particuliers, lesquels ne sont plus au service d'aucune fin différente de mais constituent eux-mêmes la "fin[3]" » Il faudrait alors penser que les finalités ne sont pas imposées à la technique de l'extérieur et après coup, mais au contraire qu'elles sont intrinsèques à l'objet technique lui-même.

La notion de progrès technique recèle donc une ambivalence majeure. Comme augmentation quantitative des performances et des possibilités, le progrès contemporain est incontestable. Mais la surenchère des performances est devenue une fin en soi. « Le paradoxe profond du pouvoir que procure le savoir, un paradoxe non entrevu par Bacon, consiste en ceci que sans doute il a conduit à quelque chose comme une "domination" sur la nature (c'est-à-dire à son exploitation accrue) mais qu'en même temps il a conduit à la *soumission la plus complète à lui-même*[4] ». Ainsi, nous avons affaire à un progrès essentiellement auto-justificateur[5], à des « procédés de plus en plus efficaces et sophistiqués, dont le développement toutefois ne connaît d'autre stimulation ni d'autre loi que lui-même et se produit ainsi comme un auto-

1. Aristote, *Éthique à Nicomaque*, VI, 5, 1140b23, Vrin, 1990, p. 287.
2. Épictète, *Entretiens*, I 1 3, « Tel », Gallimard, 1991, p. 13.
3. Henry, *La barbarie*, « Biblio essais », Poche, 1987, p. 65.
4. Jonas, *Le principe responsabilité*, V 2, Éd. du Cerf, 1990, p. 193.
5. Comme dit une certaine marque d'ordinateurs : « à suivre ! ».

développement[1] ». Comme fuite en avant des performances, le progrès technique court-circuite de cette façon notre liberté.

C'est, en même temps que la liberté humaine, une certaine idée de l'homme qui est en jeu. En effet, le fait technique a pris de telles proportions qu'il jette une lumière nouvelle sur la définition de l'homme. Faut-il continuer à définir classiquement l'homme comme *homo sapiens*, comme être pensant, ou doit-on désormais aller jusqu'à définir l'homme par sa capacité technique, c'est-à-dire le définir comme un fabricateur, comme *homo faber* ? Heurtant un préjugé du sens commun, et en appelant à une vision de l'histoire à échelle élargie, Bergson choisit la seconde voie (voir texte n° 4). Seul l'orgueil humain nous a jusqu'ici empêchés de reconnaître le fait technique comme majeur et constitutif de l'homme : l'homme est bien un *homo faber*. Jonas prend acte de ce glissement, non sans une certaine critique (voir texte n° 1), en dénonçant l'inversion d'un certain rapport de force en l'homme, corrélatif d'une valeur revendiquée par la technique en tant que telle dans la civilisation technologique. Ainsi la technologie n'est autre que la constitution de la technique en valeur propre et autonome.

b. Le travail comme auto-production

La notion de travail recèle elle aussi sa dimension libératrice, humanisante, et en même temps les conditions de leur compromission. Le travail n'a pas d'effet que sur un objet qui lui serait extérieur, un résultat ou une œuvre, mais aussi et peut-être avant tout sur celui qui travaille. Il existe un effet en retour, un choc en retour du travail sur le travailleur dans lequel ne se joue rien de moins que sa conquête de lui-même. Ce devenir est complémentaire de l'analyse préalablement menée sur la libération : dans l'analyse hégélienne, elle se comprend en termes de différenciation et de spécification : en rendant conscients les besoins et en faisant intervenir des moyens techniques de les satisfaire, l'homme se distingue de la nature et conquiert par là non seulement sa liberté, mais son être même.

Puisque le désir qui était intérieur à la conscience est devenu extérieur par le travail, la conscience s'est finalement extériorisée elle-même, et elle se met à éprouver dans le monde sa réalité, à proportion de ce que la ruse a retardé la réalisation du désir : « le travail [...] est désir *réfréné*, disposition *retardée* : le travail devient *forme*. Le rapport négatif à l'objet devient forme de cet objet même, il devient quelque chose de permanent, puisque justement, à l'égard du travailleur, l'objet a une indépendance[2] ». La thématique de la ruse prend ici tout son sens : la ruse du désir par le travail consiste à retarder sa réalisation pour mieux le réaliser, et c'est bien ici d'une réalisation au sens propre, d'une effectuation extérieure et objective, qu'il s'agit ici. « Cet être-pour-soi, dans le travail, s'extériorise lui-même et passe dans l'élément de la permanence ; la conscience travaillante en vient ainsi à l'intuition de l'être indépendant, comme intuition de *soi-même*[3]. »

1. Henry, *ibid.*
2. Hegel, *Phénoménologie de l'Esprit*, I, Aubier, 1941, p. 165.
3. *Ibid.*

Le travail peut donc être défini comme auto-production, comme production de l'homme par lui-même : la conscience affronte cet autre qu'est la nature et s'y réifie, passant du pour-soi à l'en-soi. Marx, dans ce prolongement, a montré en quoi cet effet en retour dépassait, pour le travailleur, le cadre du simple rapport à la nature : « ce n'est pas qu'il opère seulement un changement de forme dans les matières naturelles ; il y réalise du même coup son propre but dont il a conscience, qui détermine comme loi son mode d'action[1] ». Marx reconnaîtra d'ailleurs sa dette à Hegel, dans le troisième de ses *Manuscrits de 1844*, en lui rendant le mérite d'avoir saisi « l'essence du travail » et « l'homme objectif, véritable parce que réel, comme le résultat de son propre travail. » Le travail n'est plus seulement libérateur : il est littéralement la production de l'homme par lui-même.

c. Les conditions de la liberté

L'analyse de Marx est contemporaine des débuts de l'organisation de la productivité dans la grande industrie. L'humanité que donne au travail son caractère d'auto-production peut être remise en cause si on comprend le travail comme englué dans une certaine réalité, celle de son organisation. Tel est la problème de Marx : il faut montrer comment le travail, proprement humain en lui-même, peut perdre cette humanité dans l'organisation capitaliste du travail. Le « travail social » est le travail considéré par Marx dans le cadre de cette organisation. Ce à quoi renvoie l'expression, c'est la division du travail, à savoir la répartition des tâches telle que l'organise une économie avancée. Ce contexte social explique que le travail, de concret, devienne abstrait, et, de libérateur, devienne aliénant.

Si le travail peut être aliénant, il le sera d'autant plus à proportion qu'il devait (et qu'il devrait) être libérateur et humanisant : « l'objet du travail est donc l'objectivation de la vie générique de l'homme : car celui-ci ne se double pas lui-même d'une façon seulement intellectuelle, comme c'est le cas dans la conscience, mais activement, réellement, et il se contemple donc lui-même dans un monde qu'il a créé. Donc, tandis que le travail aliéné arrache à l'homme sa production, il lui arrache sa vie générique, sa véritable objectivité générique, et il transforme l'avantage que l'homme a sur l'animal en ce désavantage que son corps non organique, la nature, lui est dérobé[2]. »

Ce n'est pas le travail en lui-même qui est aliénant, mais son mode d'organisation capitaliste. À quelles conditions alors le travail peut-il rester humain et humanisant ? Le passage de l'outil à la machine est ici en cause, en tant qu'il renverse la relation de dépendance entre l'homme et ce sur quoi il travaille, relation originellement renversée et emportée par l'homme contre la nature. De moyen de ruser avec la nature pour se libérer, la technique devient ici un facteur d'aliénation, de perte de liberté. Dans le passage des métiers, des ateliers, du compagnonnage et des confréries au machinisme industriel, le travailleur perd la maîtrise de l'ensemble du processus et de

1. Marx, *Le Capital*, I, III, 7, Éditions sociales, 1967, p. 180.
2. Marx, *Manuscrits de 1844*, Éditions sociales, 1972, p. 64.

l'ensemble des moyens techniques : devenu parcellaire, son travail ne maîtrise plus la machine mais au contraire se trouve maîtrisé par elle : « Dans la manufacture et le métier, l'ouvrier se sert de son outil ; dans la fabrique il sert la machine », ajoute Marx.

III. Travail, technique et bonheur

a. Nature, confort et bonheur

La conscience écologique contemporaine prétend incarner la prise de conscience d'un nécessaire souci de la nature. Ainsi, les perturbations induites par l'activité humaine dans la chaîne alimentaire (par la transformation des bovidés en animaux carnivores et cannibales), ou dans la composition de l'atmosphère terrestre (par la déforestation amazonienne) sont désignées par elle comme un danger. Le tout est de savoir pour qui ou pour quoi il s'agit d'un danger, et au nom de quoi il faudrait le conjurer. Est-ce le risque de difficulté dans la consommation de viande bovine ou même le risque des inondations résultant des fontes des glaces polaires qui sont principalement en cause ? Si tel était le cas, alors ce ne serait jamais qu'au nom de notre confort que cette question serait soulevée. En ce sens, il n'y aurait plus entre protestation écologique et industrialisation post-baconienne qu'une différence de degré, puisqu'il ne s'agirait plus que de distinguer deux conceptions opposées d'un même bien : notre confort.

Ce stade ne fait-il que révéler ce que des succès trompeurs avaient autrefois dissimulé, à savoir le malentendu selon lequel la maîtrise de la nature aurait jamais permis le bonheur ? C'est à partir d'une telle hypothèse que l'on peut concevoir la maîtrise technique comme une malédiction. C'est par exemple la thèse d'Érasme, qui part de l'idée que puisqu'il n'y a rien de malheureux à être ce qu'on est, il a bien fallu un ennemi du genre humain pour laisser croire à l'homme que l'utilisation des sciences était un privilège plutôt qu'une damnation. On sait que le mythe platonicien d'Épiméthée n'était guère plus optimiste, et que la compensation accordée à l'homme (le feu) est rapidement devenue la source de maux et d'injustices. Ainsi Érasme rappelant Platon peut-il conclure que les sciences sont « si peu utiles au bonheur qu'elles ne servent même pas à réaliser le bien que l'on attend de chacune d'elles[1] ».

Cette thèse trouve naturellement son écho le plus amplifié chez Rousseau. Pour lui en effet, la technique est irrémédiablement synonyme d'état social, et donc de propriété et d'injustice, alors même que l'état naturel sous le droit de la nature exprime un bonheur originel toujours déjà perdu. Ainsi, tant que les hommes « ne s'appliquèrent qu'à des ouvrages qu'un seul pouvait faire, et qu'à des arts qui n'avaient pas besoin du concours de plusieurs mains, ils vécurent libres, sains, bons et heureux autant qu'ils pouvaient l'être par leur nature[2] ». L'exercice des arts (au sens aristoté-

1. Érasme, *Éloge de la Folie*, GF-Flammarion, 1964, p. 41.
2. Rousseau, *Discours sur l'Origine et les Fondements de l'Inégalité parmi les hommes*, GF-Flammarion, 1971, p. 213.

licien de technique) n'a donc fait que corrompre nos mœurs et déguiser notre bonheur.

b. Le syndrome des apprentis-sorciers

Hegel disait que la nature n'a pas d'histoire. Cette conception repose sur l'idée de l'immutabilité des lois régissant la nature, qui ne font que s'exécuter. La nature évolue, mais elle n'a pas d'histoire si l'on entend par là ce qui résulte de la libre intervention de l'homme. Or justement la limite de la maîtrise a quelque chose à voir avec ce seuil de l'intervention humaine : si l'on considère que ce sont nos actions qui font de l'histoire ce qu'elle est, alors en un sens nous sommes en train de faire de la nature ce qu'elle devient, pour y avoir libéré ce que Merleau-Ponty appelle des forces qui ne sont plus dans le cadre du monde. Hannah Arendt peut donc dire que « nous savons aujourd'hui que bien que nous ne puissions faire la nature au sens de la création, nous sommes tout à fait capables de déclencher de nouveaux processus naturels, et qu'en un sens par conséquent nous faisons la nature, dans la même mesure que nous faisons l'histoire[1] ». Nous avons donc donné à la nature une histoire, nous avons commencé notre histoire de la nature. Ce commencement est moins une date de départ chronologique qu'une origine logique qui correspond au seuil qui marque la limite de la maîtrise de la nature.

Dorénavant le destin de la nature est inséparable du nôtre, et il est le nôtre, parce que la distinction entre ce qui est humain et ce qui est naturel est devenue rigoureusement inassignable : « la différence de l'artificiel et du naturel a disparu, le naturel a été englouti par la sphère de l'artificiel[2] ». La technoscience issue de Galilée a changé notre façon d'habiter le monde si tant est que ce soit encore en l'habitant que nous y soyons présents. Le monde est un univers qui « porte les marques visibles du travail conscient, et il est, en fait, impossible d'y distinguer ce qui relève de la nature brute, inconsciente, et ce qui procède de la praxis sociale[3] ». La limite de notre maîtrise se pose donc comme dissolution de son objet même, la nature, qui n'est plus repérable. Ainsi n'avons-nous plus à maîtriser que notre propre maîtrise.

Jonas a entrepris une révision de la question morale à la lumière du développement technologique. Son point de départ consiste à en justifier la nécessité : les théories éthiques admettaient jusqu'à présent des présuppositions (l'idée d'une condition humaine établie une fois pour toutes, et donc que le bien humain se définit facilement, et donc que la responsabilité humaine est elle-même définie dans un cadre stable), et ces présuppositions sont à présent remises en cause par la découverte fondamentale de la vulnérabilité de la nature. Cette découverte entraîne une conséquence claire : la notion d'agir humain a changé de définition, elle ne porte plus sur la maîtrise de la nature mais sur un progrès autojustificateur. Contrairement à ce qui avait été cru, on ne peut plus tenir l'idée selon laquelle « les interventions de

1. Arendt, *La crise de la culture*, « Folio-Essais », Gallimard, 1972, p. 79.
2. Jonas, *Le Principe Responsabilité*, *op. cit.*, p. 29.
3. Horkheimer, *Théorie traditionnelle et théorie critique*, « Tel », Gallimard, 1974, p. 31.

l'homme dans la nature, tel que lui-même les voyait, étaient essentiellement de nature superficielle et sans pouvoir d'en perturber l'équilibre arrêté[1] ».

Par voie de conséquence, « la nature en tant qu'objet de la responsabilité humaine est certainement une nouveauté à laquelle la théorie éthique doit réfléchir ». En quel sens doit-on envisager pareille responsabilité morale ? On sait que l'impératif moral peut se comprendre de deux façons : comme éthique de la conviction, par application d'un principe jugé objectivement rationnel quels que soient ses effets ; et comme éthique de la responsabilité, en fonction des effets prévisibles d'une décision. Ainsi Jonas se livre-t-il à une « réorientation vers le futur du concept originaire de responsabilité[2] ». Il ne s'agit pas simplement du futur prochain, qui relève encore de la sphère de notre responsabilité directe, mais aussi du futur lointain. En ce sens, la responsabilité que Jonas propose d'attacher à notre maîtrise de la nature est une responsabilité élargie au futur lointain, c'est-à-dire au-delà de la notion d'imputabilité, renversant la conception traditionnelle de la propriété et du devoir du passé vers l'avenir : comme le disait Saint-Exupéry, nous n'héritons pas la terre de nos parents, mais nous l'empruntons à nos enfants.

c. La technique nous a-t-elle libérés du travail ?

Au rêve pré-industriel des machines libérant les hommes du besoin de travailler a succédé le cauchemar du remplacement des ouvriers par des robots. Y avons-nous gagné en loisirs ce que nous avons perdu en contrainte laborieuse ?

Le travail a toujours pu être conçu comme étant lui-même un moyen en vue des loisirs, comme le moyen de ne plus travailler. Reléguant les passions qui rendent l'homme industrieux et prévoyant du côté de la société, Rousseau leur oppose le fait que l'homme est naturellement paresseux : « Ne rien faire est la première et la plus forte passion de l'homme après celle de se conserver. Si l'on y regardait bien, l'on verrait que même parmi nous c'est pour parvenir au repos que chacun travaille : c'est encore la paresse qui nous rend laborieux[3] ». Mais on peut aussi dire que les loisirs et le repos nous aident à affronter le travail, puisque c'est en prévision d'avoir à travailler que nous nous reposons. Le raisonnement est-il réversible : le repos peut-il être le moyen du travail, qui deviendrait alors la norme de lui-même comme du repos ?

Cette direction est révélatrice de l'invasion du temps du loisir par la logique du travail. Baudrillard attribue cette extension à l'interdiction de perdre son temps, interdiction issue du travail et qui aliène le loisir en le vidant du farniente (voir texte n° 7). Il est vrai que de nombreuses formes de loisirs se caractérisent par la segmentation productive et utilitariste de l'emploi du temps (le voyage organisé), ou par l'idée de la production d'une œuvre (le bricolage, la peinture, la cuisine) ou par la recherche de l'entretien d'une capacité et d'une auto-production (la musculation, la gymnastique). Friedmann note à ce propos que les conditions modernes du travail

---

1. Jonas, *op. cit.*, p. 20.
2. Ricœur, *Lectures 2*, « Points », Seuil, 1999, p. 304.
3. Rousseau, *Essai sur l'origine des langues*, IX, note, « Folio », Gallimard, 1990, p. 99.

entraînent « pour beaucoup de nos contemporains une oppression de la personnalité telle que les activités de non-travail constituent, de leur part, une riposte à ce défi[1] ». Plutôt que d'importer dans les loisirs une exigence venue du travail, ne s'agit-il pas plutôt alors de substituer au travail aliéné du monde social le travail humanisant du cercle privé, celui dont on garde pour soi l'effet en retour ?

Un besoin de travailler se glisserait donc ainsi jusque dans les loisirs, à moins même que ce ne soit que dans les loisirs qu'il puisse s'exprimer de la façon la plus humaine. Nietzsche montre ainsi que le travail ne peut se justifier longtemps par le besoin matériel, puisque l'apaisement du besoin fait naître un besoin adventice et nouveau, le besoin de travailler (voir texte n° 2). Nietzsche soupçonne donc le besoin d'être un résultat : l'habitude du travail produit le besoin du travail, qui répond donc à un besoin culturel (« nouveau », « adventice ») et non plus naturel. C'est culturellement que nous avons besoin de travailler, besoin qui envahit même ce qui n'est pas le travail. L'exemple du jeu, ce travail sans travail, est bien significatif : il n'y a finalement rien de plus sérieux qu'un jeu aux règles duquel nous sommes souvent plus attachés qu'aux lois elles-mêmes. Bref : le travail social exporte son « esprit de sérieux », à moins que ce ne soit que dans le jeu que les enjeux humains du travail ne se mettent vraiment à apparaître.

Qu'il présente sa forme pure pendant les heures ouvrées ou en dehors, le travail présente manifestement une valeur décisive. Cette valeur ne se réduit pas à une image ou à une question d'insertion. Si l'idée d'un droit au travail (qui forme l'article 26 de la deuxième section de la Déclaration des Droits de l'Homme) figure bien, et plus encore depuis la massification du phénomène du chômage, une dimension essentielle de la dignité humaine, ce n'est pas qu'à titre social, mais aussi à titre tout simplement humain. Le travail est bien, comme travail sur l'extérieur ou sur soi, acheminement vers soi-même : c'est par mon travail sur moi-même, avec ou sans la médiation de la nature et des acteurs sociaux, que je deviens ce que je suis. Si le travail peut être une fin en soi, si l'on peut travailler pour travailler, le travail peut-il être porteur d'une valeur intrinsèque ? On peut certes être heureux de son travail, s'y épanouir et s'y réaliser : c'est la thématique hégélienne et marxiste du choc en retour, mais celle-ci semble encore devoir quelque chose à la notion de réussite, dans l'activité qui ne produit rien comme dans celle qui produit quelque chose. L'idée qui manque peut-être ici pour donner au travail toute son humanité et rétablir toute sa difficulté à la fois est sans doute l'idée d'effort ou de fatigue. Le mot travail appliqué à des choses, et qui ne s'y applique bien sûr que de façon anthropomorphique, est révélateur de ce sens profond, comme on dit que le bois travaille par exemple, ou que le vin qui fermente travaille. Dans cette métaphore, le travail et la rugosité du noueux échangent à la fois leur difficulté et leur noblesse.

---

1. Friedmann, *Le travail en miettes*, « Idées », Gallimard, 1964, p. 201.

Textes

1. Jonas

Le progrès technique est-il un progrès humain ?

Aujourd'hui, sous la forme de la technique moderne, la *technè* s'est transformée en poussée en avant infinie de l'espèce et en son entreprise la plus importante. On serait tenté de croire que la vocation de l'homme consiste dans la progression, en perpétuel dépassement de soi, vers des choses toujours plus grandes et la réussite d'une domination maximale sur les choses et sur l'homme lui-même semblerait être l'accomplissement de sa vocation. Ainsi le triomphe de l'*homo faber* sur son objet externe signifie-t-il en même temps son triomphe dans la constitution interne de l'*homo sapiens*, dont il était autrefois une partie servile. En d'autres termes : indépendamment même de ses œuvres objectives, la technologie reçoit une signification éthique par la place centrale qu'elle occupe désormais dans la vie subjective des fins humaines. Sa création cumulative, à savoir l'environnement artificiel qui se propage, renforce par un perpétuel effet rétroactif les forces particulières qui l'ont engendrée : le déjà créé oblige à leur mise en œuvre inventive toujours recommencée, dans sa conservation et dans son développement ultérieur et elle la récompense par un succès accru — qui de nouveau contribue à sa prétention souveraine.

Jonas, *Le Principe Responsabilité*, I, 4, Éditions du Cerf, 1990, p. 27-28.

2. Nietzsche

Avons-nous besoin de travailler ?

Le besoin nous contraint au travail dont le produit apaise le besoin : le réveil toujours nouveau des besoins nous habitue au travail. Mais dans les pauses où les besoins sont apaisés et, pour ainsi dire, endormis, l'ennui vient nous surprendre. Qu'est-ce à dire ? C'est l'habitude du travail en général qui se fait à présent sentir comme un besoin nouveau, adventice : il sera d'autant plus fort que l'on est plus fort habitué à travailler, peut-être même que l'on a souffert plus fort des besoins. Pour échapper à l'ennui, l'homme travaille au-delà de la mesure de ses propres besoins ou il invente le jeu, c'est-à-dire le travail qui ne doit apaiser aucun autre besoin que celui du travail en général. Celui qui est saoul du jeu et qui n'a point, par de nouveaux besoins, de raison de travailler, celui-là est pris parfois du désir d'un troisième état, qui serait au jeu ce que planer est à danser, ce que danser est à marcher, d'un mouvement bienheureux et paisible : c'est la vision de bonheur des artistes et des philosophes.

Nietzsche, *Humain, trop humain*, I, § 611, « Folio », Gallimard, 1988, p. 320.

3. Descartes

La technique, pour comprendre ou pour agir ?

Sitôt que j'ai eu acquis quelques notions générales touchant la physique, et que, commençant à les éprouver en diverses difficultés particulières, j'ai remarqué jusques où elles peuvent conduire, et combien elles diffèrent des principes dont on s'est servi jusqu'à présent, j'ai cru que je ne pouvais les tenir cachées, sans pécher grandement contre la loi qui nous oblige à procurer, autant qu'il est en nous, le bien général de tous les hommes. Car elles m'ont fait voir qu'il est possible de parvenir à des connaissances qui soient fort utiles à la vie, et qu'au lieu de cette philosophie spéculative, qu'on enseigne dans les écoles, on en peut trouver une pratique, par laquelle, connaissant la force et les actions du feu, de l'eau, de l'air, des astres, des cieux, et de tous les autres corps qui nous environnent, aussi distinctement que nous connaissons les divers métiers de nos artisans, nous les pourrions employer en même façon à tous les usages auxquels ils sont propres, et ainsi nous rendre comme maîtres et possesseurs de la Nature.

Descartes, *Discours de la Méthode*, GF-Flammarion, 1966, p. 84.

4. Bergson

L'homme, un être fondamentalement technique ?

Dans des milliers d'années, quand le recul du passé n'en laissera plus apercevoir que les grandes lignes, nos guerres et nos révolutions compteront pour peu de chose, à supposer qu'on s'en souvienne encore ; mais de la machine à vapeur, avec les inventions de tout genre qui lui font cortège, on parlera peut-être comme nous parlons du bronze ou de la pierre taillée ; elle servira à définir un âge. Si nous pouvions nous dépouiller de tout orgueil, si, pour définir notre espèce, nous nous en tenions strictement à ce que l'histoire et la préhistoire nous présentent comme la caractéristique constante de l'homme et de l'intelligence, nous ne dirions peut-être pas *Homo sapiens*, mais *Homo faber*. En définitive, l'intelligence, envisagée dans ce qui paraît en être la démarche originelle, est la faculté de fabriquer des objets artificiels, en particulier des outils à faire des outils et, d'en varier indéfiniment la fabrication.

Bergson, *L'Évolution créatrice*, « Quadrige », Puf, 1986, p. 139-140.

5. Marx

Quel est le sens humain du travail ?

Le travail est de prime abord un acte qui se passe entre l'homme et la nature. L'homme y joue lui-même vis-à-vis de la nature le rôle d'une puissance naturelle. Les forces dont son corps est doué, bras et jambes, tête et mains, il les met en mouvement, afin de s'assimiler des matières en leur donnant une forme utile à sa vie. En même temps qu'il agit par ce mouvement sur la nature extérieure et la modifie, il modifie sa propre nature, et développe les facultés qui y sommeillent. Nous ne nous arrêterons pas à cet état primordial du travail, où il n'a pas encore dépouillé son mode purement instinctif. Notre point de départ, c'est le travail sous une forme qui appartient exclusivement à l'homme. Une araignée fait des opérations qui ressemblent à celles du tisserand, et l'abeille confond par l'habileté de ses cellules de cire l'habileté de plus d'un architecte. Mais ce qui distingue dès l'abord le plus mauvais architecte de l'abeille la plus experte, c'est qu'il a construit la cellule dans sa tête avant de la construire dans la ruche. Le résultat auquel le travail aboutit, préexiste idéalement dans l'imagination du travailleur.

Marx, *Le Capital*, I, III, 7, Éditions sociales, 1967, p. 180.

6. Serres

La maîtrise de la nature est-elle un progrès ?

Pourquoi faut-il, désormais, chercher à maîtriser notre maîtrise ? Parce que, non réglée, excédant son but, contre-productive, la maîtrise pure se retourne contre soi. Ainsi les anciens parasites mis en danger de mort par les excès commis sur leurs hôtes, qui, morts, ne les nourrissent plus ni ne les logent, deviennent obligatoirement des symbiotes. Quand l'épidémie prend fin, disparaissent les microbes mêmes, faute des supports de leur prolifération. Non seulement la nouvelle nature est, comme telle, globale mais elle réagit globalement à nos actions locales. Il faut donc changer de direction et laisser le cap imposé par la philosophie de Descartes. En raison de ces interactions croisées, la maîtrise ne dure qu'un terme court et se tourne en servitude ; la propriété, de même, reste une emprise rapide ou se termine par la destruction. Voici la bifurcation de l'histoire : ou la mort ou la symbiose.

Serres, *Le Contrat naturel*, Champs-Flammarion, 1992, p. 61-69.

7. Baudrillard

Le travail nous sauve-t-il de l'ennui ?

Le repos, la détente, l'évasion, la distraction sont peut-être des « besoins » : mais ils ne définissent pas en eux-mêmes l'exigence propre du loisir, qui est la consommation du *temps*. Le temps libre, c'est peut-être toute l'activité ludique dont on le remplit, mais c'est d'abord la liberté de perdre son temps, de le « tuer » éventuellement, de le dépenser en pure perte. (C'est pourquoi dire que le loisir est aliéné parce qu'il n'est que le temps nécessaire à la reconstitution de la force de travail — est insuffisant. L'« aliénation » du loisir est plus profonde : elle ne tient pas à sa subordination directe au temps de travail, elle est liée à l'impossibilité même de perdre son temps). [...] Partout ainsi, et en dépit de la fiction de la liberté dans le loisir, il y a impossibilité logique du temps « libre », il ne peut y avoir que du temps contraint. Le temps de la consommation est celui de la production. Il l'est dans la mesure où il n'est jamais qu'une parenthèse « évasive » dans le cycle de la production. Mais encore une fois, cette complémentarité fonctionnelle (diversement partagée selon les classes sociales) n'est pas sa détermination essentielle. Le loisir est contraint dans la mesure où derrière sa gratuité apparente il reproduit fidèlement toutes les contraintes mentales et pratiques qui sont celles du temps productif et de la quotidienneté asservie.

Baudrillard, *La Société de consommation*, « Idées », Gallimard, 1970, p. 242-246.

8. Arendt

Le travail est-il conquête de notre humanité ?

Dire que le travail et l'artisanat étaient méprisés dans l'Antiquité parce qu'ils étaient réservés aux esclaves, c'est un préjugé des historiens modernes. Les Anciens faisaient le raisonnement inverse : ils jugeaient qu'il fallait avoir des esclaves à cause de la nature servile de toutes les occupations qui pourvoyaient aux besoins de la vie. C'est même par ces motifs que l'on défendait et justifiait l'institution de l'esclavage.

Travailler, c'était l'asservissement à la nécessité, et cet asservissement était inhérent aux conditions de la vie humaine. Les hommes étant soumis aux nécessités de la vie ne pouvaient se libérer qu'en dominant ceux qu'ils soumettaient de force à la nécessité. La dégradation de l'esclave était un coup du sort, un sort pire que la mort, car il provoquait une métamorphose qui changeait l'homme en n être proche des animaux domestiques.

Arendt, *Condition de l'homme moderne*, « Agora », Presses Pocket, 1983, p. 128.

9. Hegel

La médiation qui prépare et obtient pour le besoin particularisé un moyen également particularisé, c'est le travail. Par les procédés les plus variés, il spécifie la matière livrée immédiatement par la nature pour différents buts. Cette élaboration donne au moyen sa valeur et son utilité. L'homme dans sa consommation rencontre surtout des productions humaines et ce sont des efforts humains qu'il utilise. Dans la diversité des conditions et des objets qui interviennent, se développe la culture théorique. C'est non seulement un ensemble varié de représentations et de connaissances, mais aussi une mobilité et une rapidité des représentations et de leur enchaînement, la compréhension de relations compliquées et universelles, etc. C'est la culture de l'esprit en général et aussi du langage. La culture pratique par le travail consiste dans le besoin qui se reproduit lui-même et dans l'habitude de l'occupation en général. Elle consiste aussi dans la limitation de l'activité par la nature de la matière, par la volonté des autres, ce dressage faisant gagner l'habitude d'une activité objective et de qualités universelles.

Hegel, *Principes de la philosophie du droit*, § 196-197, « Tel », Gallimard, 1940, p. 225-226

Sujets approchés

Y a-t-il en l'homme des fonctions qu'il ne puisse déléguer à des machines ?

Est-il juste d'affirmer que l'activité technique dévalorise l'homme ?

Le progrès de l'humanité se réduit-il au progrès technique ?

La valeur d'une civilisation se réduit-elle au développement de sa technique ?

Les progrès de la technique sont-ils nécessairement des progrès de la raison ?

→ ***Approche commune*** **: Ces sujets posent la question d'une réduction du progrès humain au progrès technique. L'homme est-il par essence un être technicien dont l'humanité s'exprime par le progrès ? L'homme est-il fondamentalement *homo faber*, un fabricateur ou *homo sapiens*, un être pensant ?**

La technique engendre-t-elle ses propres fins ?

La technique n'est-elle pour l'homme qu'un moyen ?

Peut-on légitimement parler de la neutralité de la technique ?

Le développement technique est-il un processus aveugle ?

Le développement de la technique obéit-il à une fatalité ?

Est-il illusoire de tenir la technique pour l'instrument de notre liberté ?

→ ***Approche commune* : Il s'agit ici de savoir si la technique est réellement l'instrument de notre libération ou bien si l'évolution technologique nous échappe parce qu'elle est auto-justificatrice. La technique est-elle un moyen ou une fin ?**

La technique peut-elle être tenue pour la forme moderne de la culture ?
L'homme doit-il craindre que la machine travaille pour lui ?
Peut-on dire en toute rigueur qu'il existe une culture technique ?
Est-il raisonnable d'avoir peur du progrès technique ?
Faut-il redouter les machines ?
A-t-on raison d'accuser la technique ?
En quoi la technique peut-elle constituer un danger pour l'homme ?

→ ***Approche commune* : L'attitude sceptique devant le progrès technique n'est-elle fondée que sur une imagerie technophobe et ignorante ? Ou bien le rempart devenu nécessaire contre les dangers de l'idolâtrie technophile ? Mais n'avons-nous pas à chaque fois affaire à des images ? Le danger technique vient-il intrinsèquement de la technique ou bien est-il imputable à notre ignorance ?**

À quelles conditions une activité est-elle un travail ?
Le travail s'oppose-t-il au divertissement ?
Pourquoi travaillons-nous ?
Le loisir est-il le but véritable du travail ?
Est-ce la nécessité qui pousse l'homme à travailler ?
Faut-il travailler pour être heureux ?
En quel sens le travail peut-il avoir une valeur ?

→ ***Approche commune* : Ces sujets posent la question de la cause et du but du travail. Travaillons-nous en vue de la libération, du bonheur, du loisir, bref faisons-nous du travail un moyen en vue d'une fin ? Ou bien le travail pourrait-il être sa propre fin, et être une valeur par lui seul ? Le travail est-il moyen ou fin ?**

La division du travail sépare-t-elles les hommes ?
Le travail nous libère-t-il de la nature ?
Le travail n'est-il qu'une contrainte ?
Y a-t-il un droit au travail ?
Le travail est-il nécessairement aliénant pour l'homme ?

→ ***Approche commune* : Ces sujets mettent en cause la libération que le travail nous assure vis-à-vis de la nature. Ne nous en libère-t-il que pour nous faire tomber dans l'aliénation de la division du travail ? Le travail est-il libération ou aliénation ?**

Y a-t-il un droit au travail ?
Les animaux travaillent-ils ?
Aimer son travail, est-ce encore travailler ?
Le travail peut-il être l'expression de la dignité humaine ?
Faut-il travailler moins pour vivre mieux ?
Le travail est-il un moyen pour l'individu de devenir une personne ?
En quoi peut-on définir l'homme par son travail ?

→ ***Approche commune* : Par la question de la dignité, du confort ou du droit, ces sujets posent la question de savoir si l'homme est constitué par son propre travail, si le travail est auto-production de l'homme par lui-même. Le travail est-il humanisant ou déshumanisant ?**

Sujet esquissé : Notre rapport au monde est-il en train de devenir essentiellement technique ?

Introduction

La question se présente sous l'apparence d'une question d'actualité, comme si l'évolution de fait de la civilisation et le poids que la technique y prend la provoquaient. L'adverbe « essentiellement » l'oriente dans un double sens : la question de l'essance (la technique est-elle la vérité, jusque-là plus ou moins recouverte, de notre rapport au monde) et la question du monopole (la technique est-elle la seule voie d'accès efficace et donc légitime au monde qui nous entoure ?). La technique comme ensemble de moyens relève classiquement de l'ordre du fait ; la question ici est de savoir s'il faut accepter qu'avec la technologie et la techno-culture, la technique se mue ainsi en valeur, au risque peut-être d'ensabler l'idée de l'homme et de sa liberté : la technique demeure-t-elle un simple fait ou devient-elle une valeur ?

Lignes directrices

1. La technique a toujours été le moyen de la médiation avec la nature, et donc un élément privilégié, presque une interface, de notre rapport au monde. Ce fait-là n'a rien de contemporain, mais tient à la nature même de l'homme qu'on peut définir comme *homo faber* (voir cours II a§ 5 et texte n° 4). Aussi faut-il dire que l'évolution contemporaine ne fait que mettre au premier plan une disposition qui ne l'a pas attendue pour être vraie et que seules les simplifications technophobes nous empêchent de reconnaître.

2. La techno-culture est effectivement cette tendance de la technique à revendiquer le monopole de notre rapport au monde. Michel Henry dit que la science qui se croit seule au monde est la technique, pour dénoncer ce que la médiation de la technique nous fait perdre en termes d'authenticité dans notre rapport au réel. Notre dépendance vis-à-vis de la technique, corollaire d'ailleurs de l'ignorance dans laquelle nous sommes du fonctionnement du moindre objet technique quotidien, forme vis-à-vis de la réalité un écran obscur.

3. Le danger de l'artificialisme absolu s'exprime plus spécialement dans la cyber-culture, comme modèle technique du réel : si le modèle s'inverse, et que la technique n'est plus l'application des lois du réel, mais le modèle de toute réalité (voir *Matrix*, par exemple), alors la relation au monde elle-même est en jeu, plus rien ne formant repère et plus rien ne pouvant être décrit comme réel ou vrai.

La religion

Définir, Problématiser

Une analyse philosophique de la religion doit considérer ici la religion comme un fait, et l'analyser comme tel. Il ne s'agit pas ici de débattre sur la véracité ou non du référent auquel telle ou telle foi renvoie, mais d'analyser le fait religieux. C'est qu'il a existé et qu'il existe, au-delà de la variété des temps, des lieux et des peuples, quantité de religions plus ou moins constituées : c'est la récurrence, la persistance de ce fait religieux que notre analyse doit tâcher d'appréhender. Il serait d'ailleurs fécond qu'elle se préoccupe en premier lieu de la variété des phénomènes religieux : n'est-il pas tentant en effet, dans le contexte largement judéo-chrétien qui est le nôtre, de considérer que religion, christianisme et monothéisme sont synonymes ? À l'encontre de cela, il faut affirmer la profusion déroutante des religions humaines, profusion qui est peut-être telle que la notion de religion elle-même voit son sens menacé : force est en effet de constater qu'il existe et qu'il a existé une extraordinaire variété de courants religieux et de phénomènes d'expression religieuse. Parler de « la » religion, c'est supposer qu'il existe au-delà de cette variété un facteur d'unité, quelque chose qui soit commun à toutes les religions. Il ne s'agit évidemment pas de prendre telle ou telle religion donnée comme norme ou comme modèle, mais bien **d'essayer de savoir si les religions sont irréductiblement multiples, ou bien si au contraire il existe quelque critère qui permette d'unifier la notion de religion.**

De quel côté chercher cette unité ? L'étymologie suggère ici une première voie (qui, on le verra, n'est pas la seule possible) : le verbe *religere*, qui signifie recueillir, réfléchir, renvoie la religion à la vie intérieure, et la caractérise par l'attitude religieuse, c'est-à-dire la foi. Or la notion de foi est par elle-même ambiguë dans son rapport à son objet, quel que soit ce dernier. S'agit-il d'une affection rationalisée ou s'appuyant sur la raison, ou bien au contraire d'un simple sentiment ? En d'autres termes, la **foi est-elle rationnelle, rationalisable, ou irrationnelle ?**

Mais il y a aussi lieu de questionner l'objet de cette attitude, ce sur quoi elle porte. Une seconde origine étymologique possible du mot *religio* permet de le comprendre : c'est le verbe *religare*, qui signifie attacher, relier. La religion peut-elle alors se définir par son objet ? Cela paraît difficile : s'il y a autant de courants religieux différents, c'est peut-être d'abord parce qu'il y en a autant qu'il y a d'objets de ces courants. La question qui se pose ici n'est donc pas d'étudier l'objet en tant que tel de la religion (Dieu dans le monothéisme, le divin dans le polythéisme), mais d'examiner le lien que dresse la religion entre elle et son objet. Le point commun des religions ne consiste-t-il pas à postuler une rupture essentielle entre un au-delà et un ici-bas, qu'il s'agirait d'essayer de relier ? Le panthéisme nous offre au contraire la présence immanente des dieux, mais n'y perd-il pas justement tout caractère religieux ? **N'y a-t-il de religion que de ce qui nous transcende, ou bien y a-t-il une religion de l'immanence ?**

En tant qu'elles ont partie liée avec la notion de transcendance, les religions offrent souvent réponse à toutes les questions qu'on appelle souvent « métaphysiques » au sens où elles nous transcendent : d'où venons-nous, pourquoi mourir, etc. Faut-il alors chercher dans l'élaboration d'un sens, et dans l'attention au sacré le fondement de l'attitude religieuse, plus que dans la possible invention de dieux dont l'existence demeure hypothétique ? **Y a-t-il une religion de ce qui est donné ou bien toute religon construit-elle son objet ?**

Développer

I. De Dieu

C'est l'objet de la religion, en tant qu'il est divin, qui retient d'abord ici l'analyse. Encore faudra-t-il se souvenir que tous les dieux ne sont pas nécessairement religieux : c'est alors justement dans ce qui fait qu'ils ne le sont pas que nous pourront dégager les critères du religieux.

a. Le Dieu des philosophes

Le Dieu des philosophes est une figure non religieuse du divin. L'expression est de Pascal, qui oppose, dans le *Mémorial*, le Dieu « des philosophes et des savants », celui qui n'est pas objet de foi, au Dieu d'Abraham, d'Isaac et de Jacob, celui qui est objet de foi. L'expression renvoie donc à ce que Dieu peut être d'autre qu'un objet de croyance et de foi. Or c'est d'abord dans le champ du savoir que la philosophie a besoin de Dieu. Depuis ses premières ambitions grecques, la connaissance se définit en effet comme connaissance du nécessaire : il s'agit de connaître en chaque chose ce qu'elle a de nécessaire, ce qui la détermine à être ce qu'elle est, c'est-à-dire sa cause. Mais comment tenir cette règle jusqu'au bout sans tomber dans la régression à l'infini des causes, chaque cause appelant elle-même sa propre cause à l'infini ?

Ce que Pascal appelle le Dieu des philosophes est le Dieu qui donne solution à ce problème[1]. C'est déjà le Dieu d'Aristote, premier moteur que la contingence du monde rend nécessaire : « puisque ce qui est à la fois mobile et moteur n'est qu'un terme intermédiaire, on doit supposer un extrême qui soit moteur sans être mobile,

1. Cf. à ce sujet le texte n° 1.

être éternel, substance et acte pur. Or, c'est de cette façon que meuvent le désirable et l'intelligible : ils meuvent sans être mus[1] ». Dieu est ici ce qui rend pensable, par sa position logique, le reste de la série causale qui meut le « monde sublunaire ». C'est aussi le Dieu de Descartes : « revenant à examiner l'idée que j'avais d'un Être parfait, je trouvais que l'existence y était comprise, en même façon qu'il est compris en celles d'un triangle que ses trois angles sont égaux à deux droits, ou en celle d'une sphère que toutes ses parties sont également distantes de son centre, ou même encore plus évidemment ; et que par conséquent, il est pour le moins aussi certain que Dieu, qui est cet Être parfait, est ou existe, qu'aucune démonstration de géométrie le saurait être[2] ». L'essence enveloppant l'existence encore plus nécessairement qu'il y a de liaison entre l'idée de triangle et ses propriétés, l'existence de Dieu, comme vérité métaphysique, est plus certaine encore qu'une vérité mathématique.

b. Le Dieu sensible au cœur

Pascal n'a pas de mots assez amers pour stigmatiser la réduction de Dieu par les philosophes à un premier moteur : « je ne puis pardonner à Descartes ; il aurait bien voulu, dans toute sa philosophie, pouvoir se passer de Dieu ; mais il n'a pu s'empêcher de lui faire donner une chiquenaude, pour mettre le monde en mouvement ; après cela, il n'a plus que faire de Dieu[3] ». Ainsi la philosophie cartésienne, comme le disait Pascal, ne vaut-elle pas une heure de peine, au premier chef qu'elle a galvaudé Dieu et la religion, en se trompant d'objet. Il ne saurait donc être religieux, ce Dieu intelligible dont l'existence peut être établie *more geometrico*, à la façon des géomètres. Notre rapport à Dieu n'est religieux au contraire que dans la mesure même de l'absence de Dieu, de sa non-manifestation. L'Écriture, dit Pascal, « dit au contraire que Dieu est un Dieu caché » (*Pensées*, 242), un Dieu que l'aveuglement des hommes ne mérite pas. *Deus absconditus*, Dieu caché : le Dieu de Pascal est un Dieu de l'inquiétude, jamais absent au point que son inexistence soit établie (« s'il n'avait jamais rien paru de Dieu, cette privation éternelle serait équivoque », *Pensées*, 559), mais parcimonieux dans ses manifestations à des hommes qui ne Le méritent pas. Dieu est tragique chez Pascal, ce qui ne serait pas moins faux s'il était rationnellement établi (comme chez Descartes) que s'il était radicalement absent : c'est parce que sa présence est incertaine que la question est tragique.

C'est à partir de cette incertitude que Pascal a thématisé la foi sur le modèle du pari (voir texte n° 1), mais d'un pari qui ne se définit pas que par l'incertitude de son résultat. À la différence des autres paris, celui-là est de ceux qu'on n'a pas le choix de faire : « il faut parier. Cela n'est pas volontaire : vous êtes embarqué » (*ibidem*). Puisque la raison n'est pas en position de décider de l'existence de Dieu, ce n'est pas à elle que Dieu s'adresse mais au cœur : « C'est le cœur qui sent Dieu et non la raison. Voilà ce que c'est que la foi : Dieu sensible au cœur, non à la raison » (*Pensées*, 278). Le cœur est chez Pascal cette intériorité que seul Dieu peut sonder, intériorité

---

1. Aristote, *Métaphysique*, livre Λ, 7, 1072a25, Vrin, 1981, p. 675.
2. Descartes, *Discours de la Méthode*, IV, § 5, GF-Flammarion, 1966, p. 62-63.
3. Pascal, *Pensées*, 77, GF-Flammarion, 1976, p. 72.

qui est aussi, en l'homme, l'amont de toute raison. Ainsi, la religion n'a de sens qu'en tant qu'elle s'adresse au cœur, et perd toute signification quand elle tombe dans cette impasse philosophique qu'est la recherche de preuves, comme le dit Pascal pour défendre la foi des chrétiens : « vous vous plaignez de ce qu'ils ne la prouvent pas ! S'ils la prouvaient, ils ne tiendraient pas parole ; c'est en manquant de preuves qu'ils ne manquent pas de sens » (*Pensées*, 233). Pour autant, l'Écriture, à laquelle Pascal fait souvent appel, doit bien secourir le croyant : même si elle n'établit pas rationnellement l'existence de Dieu, elle a au moins la vertu de faire que la religion, à défaut d'être rationnelle, soit au moins raisonnable.

La distinction entre le Dieu des philosophes et le Dieu sensible au cœur peut être affinée encore davantage par la compréhension du rôle de l'Écriture. Développant l'idée d'un Dieu sensible au cœur, sans pour autant en reprendre à son compte la formulation de Pascal, Rousseau en fera l'instrument d'une bataille nouvelle, la dénonciation des doctrines religieuses comme autant de questions oiseuses. Rousseau définit en ces termes sa religion naturelle : « Je crois que le monde est gouverné par une volonté puissante et sage ; je le vois, ou plutôt je le sens, et cela m'importe à savoir. Mais ce même monde est-il éternel ou créé ? Y a-t-il un principe unique des choses ? Y en a-t-il deux ou plusieurs ? Et quelle est leur nature ? Je n'en sais rien, et que m'importe[1] ». Ce que récuse Rousseau, c'est l'idée même de révélation, au sens où nous devrions attendre d'une église confirmation de ce qu'il ne nous suffirait pas de ressentir. À l'encontre de ce théisme, Rousseau affirme son déisme, c'est-à-dire l'existence de Dieu comprise en dehors des controverses théologiques. La caractéristique des Lumières est d'ailleurs de s'attaquer moins à la religion elle-même qu'aux contenus doctrinaux et aux théismes.

c. Dieu en image

La religion naturelle postule donc que la représentation qu'on se fera de Dieu sera d'autant plus véridique qu'on ressentira, comme de façon innée, sa présence immanente dans la nature humaine. Mais le refus des doctrines constituées et de la révélation peut aussi revêtir un sens tout autre, comme dans ces religions dans lesquelles Dieu n'est pas représentable ou nommable. Il s'agit au contraire dans ce cas de ne pas risquer de désacraliser Dieu en le représentant à partir de traits humains. Que l'homme ait pu dresser du divin un portrait humain est sans doute riche d'enseignements. En un sens, par exemple, l'anthropomorphisme des représentations de Dieu peut permettre de déniaiser la religion, en y dénonçant une simple projection d'une réalité défavorable. C'est l'analyse que fait Marx dans le *Capital*, qui établit que « le monde religieux n'est que le reflet du monde réel. Une société où le produit du travail prend généralement la forme de la marchandise, et où, par conséquent, le rapport le plus général entre les producteurs consiste à comparer les valeurs de leurs produits et, sous cette enveloppe de choses, à comparer les uns aux autres leurs travaux privés à titre de travail humain égal, une telle société trouve dans le

1. Rousseau, *Émile*, IV, GF-Flammarion, 1966, p. 359.

christianisme, avec son culte de l'homme abstrait, et surtout dans ses types bourgeois, protestantisme, déisme, etc. le complément religieux le plus convenable[1] ».

Ainsi expliquée par le principe du besoin, la religion n'est finalement rien d'autre que la production par l'homme d'une abstraction à taille humaine. Dans l'analyse de Feuerbach, l'homme est aliéné dans la religion, parce qu'elle est l'activité par laquelle l'homme pose son essence au-delà de lui-même, en autre chose que lui (être aliéné, c'est bien devenir autre). Ainsi Feuerbach explique-t-il que « l'homme — et c'est là le mystère de la religion — objective son essence, puis se constitue lui-même en objet de cet être objectivé, transformé en sujet et une personne ; il se pense, il est son propre objet, mais comme objet d'un sujet, d'un être autre que lui[2] ». Humaniser Dieu, c'est donc pour l'homme se dessaisir de sa subjectivité, s'aliéner dans une transcendance qui le magnifie en même temps qu'elle l'humilie ; comme le disait Nietzsche à partir de l'exemple du brahmanisme, ce n'est peut-être pas « la peur seule » qui a créé les dieux, mais aussi paradoxalement la puissance[3].

La transcendance (ici dénoncée comme processus retors initié par les hommes) reste donc plus que jamais au centre de la problématique religieuse. Ainsi peut-on quasiment aller jusqu'à présenter l'immanence des dieux et le caractère religieux d'une expérience comme inversement proportionnels. La présence familière des dieux, sans tension et sans transcendance, mérite alors beaucoup moins le nom de religion que la transcendance induite par un Dieu qui resterait radicalement absent. Nietzsche ironise à ce sujet : « Homère est si bien chez lui parmi ses dieux et trouve un tel plaisir de poète à leur compagnie qu'il a dû être, en tout état de cause, foncièrement irréligieux[4] ». Les dieux grecs, qui ne sont ni maîtres des hommes ni au-dessus d'eux, sont nettement plus sympathiques à Nietzsche que celui du christianisme, qui écrase l'homme dans l'abjection : mais c'est sans doute justement là ce qui fait que ceux-ci sont plus proprement religieux que ceux-là. Que l'irruption de la transcendance soit potentiellement le trait le plus désagréable de la religion n'en diminue pas le caractère essentiel. Il apparaît donc que l'objet de la religion déborde le divin : l'essence de la religion se joue ailleurs, dans sa relation à ce divin, qu'il soit donné ou construit, en tant qu'il est transcendant.

II. La foi entre confiance et raison

La relation à l'objet de la religion ne peut qu'être de l'ordre de la foi : l'analyse de Pascal a assez montré que le Dieu des philosophes, Dieu de raison et de géométrie, ne pouvait être religieux. Est-ce à dire que pour autant la foi religieuse se passe de toute raison, au risque de cultiver l'absurde et de manquer de sens ? Voilà la foi religieuse prise entre le marteau et l'enclume : si elle est raisonnable, elle court le risque de ne devenir qu'une péripétie de la rationalité, et de tomber sous le coup de nos

1. Marx, *Le Capital*, I, 1, 1, Champs-Flammarion, 1985, p. 74.
2. Feuerbach, *L'essence du christianisme*, Puf, 1973, p. 91.
3. Voir Nietsche, *La volonté de puissance*, tome I, § 322 et 328, « Tel », Gallimard, 1995, p. 154-157.
4. Nietzsche, *Humain, trop humain*, tome I, § 125, « Folio-Essais », Gallimard, 1988, p. 116.

objections précédentes ; mais si au contraire elle est irrationnelle, alors elle risque de perdre tout fondement et de glisser aisément vers la crédulité : c'est dans cette porte étroite, entre ces deux risques, qu'il faut tenter de penser la foi.

a. La foi, croyance ou confiance ?

La foi se présente en premier lieu comme une épreuve d'une solitude radicale. En faisant le pari d'avérer l'existence de son objet, elle se condamne en effet à une relation absolument verticale (c'est entre Dieu et moi) mais aussi remarquablement ingrate : Dieu ne me parle pas. La croyance qu'est la foi doit donc parer à ce qu'on peut appeler le vide de sa relation à son objet. Faute de relation directe, il faut bien que le nécessaire élément de garantie soit issu d'une relation indirecte. La croyance peut-elle jamais être assez forte pour ne tenir que sur soi seule ? Dès lors que son solipsisme est devenu par trop insupportable, la foi, de verticale qu'elle était dans la solitude, devient horizontale, comme recherche d'autres fois qui lui ressemblent, ou, mieux, qui la garantissent. La foi admet alors un intermédiaire : c'est la foi de l'autre, foi qui conforte la mienne. Mais cet autre accomplira d'autant mieux sa médiation qu'il sera moins loin de Dieu que je ne le suis : aussi le prophète et l'apôtre comptent-ils au nombre des figures privilégiées de cette fonction d'intermédiaire.

Certes, pareille médiation ne saurait suffire à invalider la foi religieuse ou à remettre en cause la réalité de son objet, ce qui n'est d'ailleurs aucunement le dessein de notre analyse. Dans son éclaircissement de l'idée de révélation, Scheler justifie par exemple cette médiation en l'élevant au rang de loi : « l'idée de révélation, quels que soient son sens et sa portée dans les religions positives, pose, avant tout, que certaines vérités et certaines valeurs objectives peuvent être *communiquées* aux hommes (privés de l'organe leur permettant de les appréhender directement) par des êtres d'une science ou d'une sensibilité plus élevée. Ceux-là devront "croire" ce que les autres "voient[1]" ». Il n'en demeure pas moins un certain paradoxe de la foi : c'est qu'elle veut se présenter comme un rapport direct à son objet, une communication transparente et exclusive avec Dieu, alors que dans le même temps, la religion a pourtant besoin d'une caution, d'un intermédiaire dans la relation à Dieu. Cette caution est celle du témoin : la foi relève toujours du parrainage d'un témoin. Les apôtres sont les premiers témoins qui portent la parole : en ce sens ils mettent en jeu une structure ternaire qui semble bien être celle de la foi. Cette structure met en jeu le croyant, Dieu et le témoin.

Dès lors que le sentiment religieux repose sur une médiation, il se place sous le signe de la dépendance vis-à-vis de l'autorité d'autrui, qui déplace l'objet de la foi : ce que je crois, ce n'est plus Dieu, mais celui qui me dit de le croire. Ensuite, la foi ainsi comprise repose naturellement davantage sur un assentiment inexplicable que sur un examen rationnel (voir texte n° 2). Dieu ne daignant jamais me garantir son existence, le premier témoin doit le faire à sa place (d'où le rôle de médiation rempli par les témoins des miracles). La croyance qui s'en remet à ce témoin devient confiance,

1. Scheler, *L'Homme du Ressentiment*, « Idées », Gallimard, 1970, p. 154.

et l'étymologie ne dit pas autre chose : le latin *fides*, d'où le mot foi est dérivé, signifie la confiance. : je crois parce que le témoin me dit de croire. La foi, de croyance qu'elle était, se mue en confiance dans la mesure même où la relation qui la sous-tend n'est plus une relation de sujet à objet (du croyant à Dieu), mais une relation de sujet à sujet (du croyant au prêtre, au rabbin, à l'imam, etc.), rendant plus floue la limite entre religion et secte. Rousseau y voyait le pire trait de la révélation : « Et comment savez-vous que votre secte est la bonne ? Parce que Dieu l'a dit. Et qui vous dit que Dieu l'a dit ? Mon pasteur, qui le sait bien. Mon pasteur me dit d'ainsi croire, et ainsi je crois[1] ».

b. La foi et les limites de la raison

La foi peut malgré tout procéder de quelque stratégie rationnelle : c'est le postulat kantien dans *la Religion dans les limites de la simple raison*. Kant admet certes volontiers que Dieu ne saurait être démontré : on se souvient de l'acuité de l'argumentation qu'il oppose à l'argument ontologique. En ce sens, la religion n'exige pas en ce qui concerne la connaissance et la confession théoriques, une connaissance assertorique (même pas celle de l'existence de Dieu ; car, étant donné notre déficience pour ce qui est de la connaissance d'objets suprasensibles, cette confession pourrait bien être une imposture[2]). Pour autant, l'inaccessibilité de Dieu à la raison théorique ne rend pas la religion irrationnelle. C'est que l'existence de Dieu n'est pas un investissement intellectuel de la raison, mais un investissement moral. Il est moralement nécessaire d'admettre l'existence de Dieu, et cette certitude morale se distingue[3] nettement de la certitude logique.

Conviction dont le besoin émane de la raison pratique, celle qui nous rend moraux, la foi n'est pas pour autant dépourvue de raison, même si elle n'affirme rien de plus, sur le plan théorique, que la possibilité de son objet. Kant parle ainsi d'une « pure croyance de la raison[4] ». La formule mérite approfondissement, en écho à cette autre, célèbre, par laquelle Kant disait avoir dû abolir le savoir pour laisser place à la croyance. L'une comme l'autre ne se comprend qu'en dissociant soigneusement foi et savoir : mais les limites du savoir ne sauraient prescrire d'interdit à la foi. Cela signifie que le fait que l'existence de Dieu ne soit que possible (et Kant d'ailleurs dit bien « je ne dois pas dire : il est moralement certain qu'il y a un Dieu, etc., mais : je suis moralement certain, etc.[5] ») ne la disqualifie pas, ne serait-ce que parce que l'impossibilité qu'il y a à prouver quelque chose n'en prouve pas l'inexistence. En ce sens, il suffit à la foi « de ne pas pouvoir alléguer la certitude qu'il n'y a pas de Dieu[6] ».

1. Rousseau, *op. cit.*, p. 386.
2. Kant, *La religion dans les limites de la simple raison*, IV, 1, « La Pléiade », tome 3, 1986, p. 183.
3. Kant commente plus avant cette distinction dans la *Critique de la Raison pure*, « Quadrige », Puf, 1984, p. 556.
4. Kant, *Critique de la Raison pratique*, « Quadrige », Puf, 1985, p. 135.
5. Kant, *Critique de la Raison pure*, *op. cit.*, 1984, p. 556.
6. *Ibid.*

La disjonction entre foi et savoir n'est pas absolument étanche : je peux croire raisonnablement, c'est-à-dire vouloir croire. Vouloir croire, ce n'est pas poser aveuglément l'existence de l'objet de ma croyance comme objet qui s'accorde à mon désir, mais croire en dépit de ce que cette existence doit être représentée comme simplement possible. La faiblesse de la probabilité théorique, même lucidement reçue, n'empêche en rien de croire. Est-ce à croire que toute croyance religieuse recèle quelque part de défi, comme s'il fallait croire d'autant plus qu'il n'y a pas de preuves de ce qu'on croit ? C'est peut-être la tentation d'un mysticisme qui pourrait faire sienne la devise célèbre de Tertullien dans la *Chair du Christ* (V, 4) : *credo quia absurdum*, je crois parce que c'est absurde. S'agit-il là d'une ultime concession au rationalisme (en tant qu'il y a une raison de croire, l'absurde), ou de la négation radicale de toute raison ? Freud choisit ce second parti quand il commente le *credo quia absurdum* en expliquant que « cela veut dire que les doctrines religieuses sont soustraites aux revendications de la raison, qu'elles sont au-dessus de la raison[1] », et, à l'évidence, il ne s'agit pas là à ses yeux d'un argument propre à revaloriser la religion.

Que peuvent les protestations de la raison contre la foi ? Ce n'est peut-être pas toujours par sectarisme que le croyant reste sourd aux arguments de la raison. C'est que tout ce qui est au-dessus de la raison n'est pas nécessairement pour autant dénué de sens. Même l'analyse de Max Weber, qui veut voir dans la théologie une « rationalisation intellectuelle de l'expérience religieuse[2] », doit ajouter que cette expérience religieuse est un donné de départ que l'entendement ne peut que justifier après coup, sans y avoir accès : loin de la comprendre, il ne peut finalement que rechercher les présuppositions qui la fondent. C'est le signe de l'échec de la raison à se retrouver dans la foi : la foi n'est pas irrationnelle au sens où elle s'oppose à la raison, mais elle l'est dans le sens où elle ne s'y laisse réduire en aucune manière.

c. La foi et la limite de la religion

La confiance ne saurait donc manquer de dénaturer la foi en ce qu'elle a de religieux : quand le lien religieux ne relie plus l'humain au divin, mais l'humain à l'humain, c'est ce dernier qui est divinisé, avec les risques que cela comporte. Quand l'essentiel de l'activité d'une religion réside dans le prosélytisme, la ligne de partage entre religion et secte se fait plus floue. Le lien qui ne vaut plus que de croyant à témoin est le lien sectaire, celui qui fait du témoin un gourou en le divinisant, et de la foi une simple crédulité, parce qu'elle a confondu l'intermédiaire et son objet. Or, en dépit des manœuvres des avocats des sectes, les sectes ne sont pas des sortes de religions, et, en dépit de l'opinion, les religions ne sont pas des sectes : c'est au prix de cette distinction que le mot foi peut garder quelque sens.

La croyance n'est plus religieuse quand elle se réduit à la confiance, et en même temps elle ne saurait rester croyance sans se diffuser, sans circuler : c'est là la seconde formulation du paradoxe de la foi. Durkheim, par le moyen des outils de la

1. Freud, *L'Avenir d'une illusion*, « Quadrige », Puf, 1995, p. 29.
2. Weber, *Le Savant et le Politique*, 10/18, 1963, p. 117.

démarche sociologique qu'il a fondée, a été le penseur de cette nécessaire circulation (voir aussi le texte n° 7) : partant du postulat que la vie sociale résulte de la combinaison des consciences, Durkheim interprétera la foi religieuse comme une synthèse, à prendre au sens le plus riche du mot. Non seulement les représentations individuelles s'agrègent en une croyance collective, mais encore, réciproquement, la croyance individuelle apparaît comme un effet de la croyance collective.

Pourtant, si la foi n'est qu'un effet en retour d'une croyance collective cautionnée par son caractère collectif, elle est potentiellement prise dans une régression à l'infini : quand commence-t-elle et qui l'initie si elle n'est individuelle que parce qu'elle a été collective ? La solution de cette impasse, c'est qu'il faut bien que la caution que je recherche ait quelque chose à cautionner, et qui est en moi avant qu'il soit question de la faire confirmer. Ainsi la foi n'est-elle pas que construite, il faut bien qu'il y ait en elle du donné, ce qui la rend irréductible à la seule confiance : « À partir de rien on ne comprend rien, et de même on ne croit pas *ex nihilo* ; mais il faut déjà croire pour commencer à croire, croire un peu pour croire beaucoup, ou, comme dit le *Mystère de Jésus*, avoir déjà trouvé pour pouvoir chercher ; en sorte qu'on va non pas de l'incrédulité à la foi progressivement, mais de la foi mal assurée à la foi convaincue, et toujours de totalité en totalité, la foi initiale elle-même naissant soudain d'une conversion gracieuse de l'âme tout entière[1] ». Ce que Jankélévitch appelle ici la « foi initiale », c'est cette part de la foi qui résiste à toute réduction à la confiance, ce donné initial qui est de l'ordre du fait.

III. La religion entre le sacré et le divin

Ce qui vient d'être dit de la foi ne s'entend pas que de la religion, et il n'est pas de foi que de Dieu : ceci nous indique qu'une définition de la religion peut aussi valablement être recherchée en dehors de la foi et de son référent.

a. La mort de Dieu

La provocation nietzschéenne est retentissante : « le plus grand des événements récents — la “mort de Dieu”, le fait, autrement dit, que la foi dans le dieu chrétien a été dépouillée de sa plausibilité — commence déjà à jeter ses premières ombres sur l'Europe[2] ». La mort de Dieu, être immortel par définition, n'offre pas de signification s'il s'agit de prendre l'imprécation au sens propre. La question est bien plutôt de savoir de quoi la mort de Dieu peut bien être la mort, autrement dit de savoir de quoi Dieu est ici la métaphore.

Nietzsche nous montre la voie en évoquant la plausibilité : il y a donc des choses qui ne sont plus plausibles, qui ne « prennent » plus, et ce bien au-delà de la seule religion chrétienne ici prise en exemple. Ce qui a fait son temps, c'est tout ce que l'histoire de la pensée a compté de systèmes métaphysiques, d'arrière-mondes et

1. Jankélévitch, *Le Sérieux de l'intention*, Champs-Flammarion, 1983, p. 199.
2. Nietzsche, *Le Gai Savoir*, § 343, « Follo-Essais », Gallimard, 1950, p. 278.

d'explication totalisantes. Dieu symbolise ainsi le référent idéal, cause physique première et garant moral. C'est ce que Heidegger désigne d'une appellation d'ensemble, le suprasensible : « les noms de "Dieu" et de "Dieu chrétien" sont utilisés, dans la pensée nietzschéenne, pour désigner le monde suprasensible en général. "Dieu" est le nom pour le domaine des Idées et des Idéaux [...] Ainsi le mot "Dieu est mort" signifie : le monde suprasensible est sans pouvoir efficient. Il ne prodigue aucune vie[1] ». Ce que le mot de Nietzsche dénonce dans la religion, c'est donc la façon dont elle a hypostasié un Dieu comme métaphore d'un référent idéal.

Encore ce référent s'entend-il aussi en un second sens, qui est cette fois-ci d'ordre moral. Nietzsche lui-même l'entendait aussi en ce sens-là : « que l'idée du Dieu disparaisse, le sentiment de "péché" disparaît aussi, de manquement aux préceptes divins, de souillure infligée à une créature vouée à Dieu[2] ». C'est encore l'arrière-monde inventé par Platon qui est en cause, au sens où les valeurs morales relèveraient de la même hypostase que l'être divin lui-même. Mais ici l'épreuve de la suspension du divin révèle un trait du religieux, que font apparaître les quelques lignes suivantes de Freud : « Si on ne doit pas tuer son prochain pour la seule raison que le Bon Dieu a interdit cet acte et le sanctionnera durement dans cette vie ou dans l'autre, mais si l'on apprend qu'il n'y a pas de Bon Dieu et qu'il n'y a pas lieu de craindre sa punition, alors on n'aura sûrement aucun scrupule à abattre ce prochain et l'on ne pourra en être empêché que par un pouvoir terrestre[3] ». Freud dénonce l'appropriation du moral par le religieux : il doit pouvoir être interdit de tuer pour une autre raison qu'une raison religieuse, faute de quoi la crise de la foi sera la crise de la morale. Mais aussi dangereux que soit l'identification de la morale à la religion, n'y a-t-il pas quelque chose de religieux dans toute institution culturelle morale, même athée, qui cherche à poser des repères moraux transcendants ?

C'est la question à laquelle nous invite un mot fameux de Dostoïevski, qui fut souvent commenté : « Si Dieu n'existe pas, tout est permis ». Sartre[4] situait dans ce mot l'origine de l'attitude existentialiste, celle qui considère que l'homme ne doit cesser d'inventer l'homme. Sartre explique par exemple : « En effet, tout est permis si Dieu n'existe pas, et par conséquent l'homme est délaissé, parce qu'il ne trouve ni en lui, ni hors de lui une possibilité de s'accrocher [...] Nous ne trouvons pas en face de nous des valeurs ou des ordres qui légitimeront notre conduite[5] ». Dieu est la métaphore d'un référent moral dont la nécessité s'impose bien au-delà de la religion, avec une ardeur que les réponses religieuses ne sauraient atténuer ou éteindre. Pour autant, même sans Dieu, la question du référent moral ne s'en repose pas moins, d'une façon qu'on peut encore appeler religieuse en tant qu'elle tend vers un repère transcendant. En ce sens, la question des repères moraux, et l'inquiétude que fait naître leur absence ou leur relativité pourra encore être appelée religieuse, avec ou sans Dieu. Perros pour sa part répondait à Dostoïevski : « Je crois que l'effrayant est

1. Heidegger, *Chemins qui ne mènent nulle part*, « Tel », Gallimard, 1962, p. 261.
2. Nietzsche, *Humain, trop humain*, tome 1, § 133, « Folio-Essais »,Gallimard, 1988, p. 121.
3. Freud, *L'Avenir d'une illusion*, « Quadrige », Puf, 1995, p. 40.
4. Dans *L'Existentialisme est un humanisme*, « Folio-Essais », Gallimard, 1996.
5. Sartre, *op. cit.*, p. 39.

que tout est permis, même s'il existe[1] ». C'est donc ici la mort de Dieu, c'est-à-dire la suspension ou la mise entre parenthèses du divin, qui laisse paraître les enjeux de la religion, comme la recherche d'un sens ou de repères qui nous seraient transcendants. C'est aussi en ce sens que cette recherche, dans sa forme athée, a encore en elle quelque chose de religieux.

b. La névrose de la contrainte

Modalité d'une recherche de repères, du refus de l'absolue contingence de l'existence, le fait religieux peut donc être compris en termes de peur, d'une peur du réel et de la vie, mais aussi (et peut-être surtout) de nous-mêmes. Analysant le fait religieux comme décadent, c'est-à-dire comme fondé sur le refus de la volonté de puissance, Nietzsche décrit la psychologie religieuse comme aliénation : « la logique psychologique est celle-ci : la *sensation de puissance* qui submerge l'homme d'une force soudaine et irrésistible (et c'est le cas de toutes les grandes passions) le fait douter de sa propre personnalité ; il n'ose se croire la cause de ce sentiment surprenant, et il postule une personnalité *plus forte* que lui, un *Dieu*[2] ». On comprend que Nietzsche ait été particulièrement féroce avec la religion chrétienne, celle de la piété qui déprécie et déprime l'énergie.

On serait donc fondé à parler de refoulement religieux. Sur cette pente, Freud se saisit du fait religieux dans *L'Avenir d'une Illusion* : il l'interprète comme une forme de refoulement hallucinatoire, un « trésor de représentations, nées du besoin de rendre supportable le désaide humain[3] ». Le désaide n'est autre, dans sa première forme, que la solitude humaine devant les « surpuissances de la nature », qu'il faut exorciser ou dépasser. Même le développement de la science, qui rationalise la nature, ne fait pas disparaître l'effroi, qui se trouve déplacé de la nature vers la culture : il s'agira alors pour la religion de « compenser les manques et dommages liés à la culture, de prendre garde aux souffrances que les hommes s'infligent les uns aux autres dans leur vie en commun[4] ». L'édification, qui en est résultée, d'un créateur, intelligence supérieure et Providence, n'est pas une simple erreur, mais une illusion, au sens où le souhait humain y prend sa part. L'illusion religieuse, comme toute illusion, relève d'un investissement psychologique, elle exprime ce que nous voudrions voir être vrai.

La sévérité du diagnostic de Freud culmine avec la définition de la religion comme névrose, c'est-à-dire comme l'expression d'un conflit intérieur, un compromis entre nos désirs inconscients et nos aspirations conscientes. Pensée sur le modèle de la névrose individuelle, liée à la relation de l'enfant au père, la relation de l'humanité à Dieu qui sous-tend la névrose religieuse serait une étape dans un processus de croissance qui tendra à la faire disparaître en amenant l'humanité à l'âge adulte (voir le texte n° 3). Pourtant, récuser la divinité, ce n'est pas nécessairement récuser la religion, ou en tout cas pas le religieux, mais bien plutôt la religion comme système de

1. Perros, *op. cit.*, p. 90.
2. Nietzsche, *La Volonté de puissance*, tome 1, § 323, « Tel », Gallimard, 1995, p. 155.
3. Freud, *op. cit.*, p. 19.
4. *ibidem.*

croyance. Cioran par exemple dit bien en quoi ce qui est véritablement religieux subsiste après que la croyance a disparu : « J'aurai connu jusqu'à la satiété le drame religieux de l'incroyant. La nullité de l'ici, et l'inexistence de l'ailleurs, écrasé par deux certitudes[1] ». L'adjectif religieux n'est-il ici qu'une métaphore, ou bien surgit-il ici dans son sens propre ? Avons-nous une manière de ne plus croire qui est encore analogue à l'attitude de foi, ou bien au contraire est-ce sans croyance que ce qui est véritablement religieux se manifeste ? C'est jusqu'au bout de ce jeu de déplacements de sens qu'il faut tenter de repérer le religieux.

c. Le profane et le sacré

Une hypothèse se dégage de l'analyse qui précède : ce n'est pas la croyance en un Dieu qui définit la religion dans son essence, mais c'est l'attitude religieuse, telle qu'elle se manifeste peut-être encore plus purement après que Dieu est mort. L'alternative est bien actuelle, telle que la donne à entendre le mot fameux de Malraux : « le XXIe siècle sera religieux ou ne sera pas ». S'agissait-il de prophétiser le développement de la foi, ou bien de dire au contraire que le sacré, référent réel du fait religieux, survivra au déclin des religions ?

Une autre structure du religieux que celle de la foi et du divin se présente ici : c'est celle de l'ici-bas et de l'au-delà. Ainsi, serait religieux ce qui suppose une distinction radicale entre l'ici-bas et l'au-delà. Cette structure a ceci de paradoxal qu'elle est absente de certaines religions ou de certaines conceptions de Dieu (dans le panthéisme par exemple, l'immanence de Dieu fait en un certain sens disparaître ce qu'il a de religieux), et qu'elle peut en même temps se manifester sans divinité. Luc Ferry note par exemple que « supposer que certaines valeurs transcendent la vie elle-même, c'est en effet reconduire, fût-ce sur le terrain de l'athéisme, la structure sans doute la plus essentielle de toute théologie : celle de l'ici-bas et de l'au-delà[2] ». Cette distinction recoupe, sans lui être tout à fait équivalente, celle de l'immanent et du transcendant : « lorsque j'ouvre les yeux sur le monde, il m'apparaît de manière indiscutable comme non créé par ma propre conscience. J'ai donc, en moi (immanence), le sentiment contraignant du "hors de moi" (transcendance[3]) ».

C'est une autre distinction, celle du sacré et du profane, qui peut éclairer cette première alternative. Il s'agit en réalité d'une opposition plutôt que d'une distinction, et d'une opposition qui se caractérise comme une opposition absolue, la seule à l'être pour Durkheim : « l'opposition traditionnelle entre le bien et le mal n'est rien à côté de celle-là ; car le bien et le mal sont deux espèces contraires d'un même, à savoir le moral, comme la santé et la maladie ne sont que deux aspects différents d'un même ordre de faits, la vie, tandis que le sacré et le profane ont toujours et partout été conçus par l'esprit humain comme des genres séparés, comme deux mondes entre lesquels il n'y a rien de commun[4] ». Sacré et profane se comprennent d'abord l'un par

1. Cioran, *Cahiers*, Gallimard, 1997, p. 66.
2. Ferry, *L'Homme-Dieu ou le sens de la vie*, Le livre de poche, 1996, p. 31-32.
3. *Idem*, p. 38.
4. Durkheim, *Les Formes élémentaires de la vie religieuse*, Le livre de Poche, 1991, p. 95.

l'autre, dans leur hétérogénéité radicale. Portant à l'absolu la distinction de l'ici-bas et de l'au-delà, celle du sacré et du profane est bien la clé du religieux, portant en elle les racines de la peur et de l'idéalisation. Alors même que le divin n'est qu'une caractéristique accidentelle des religions, la distinction du sacré et du profane paraît devoir en être une caractéristique essentielle.

Textes

1. Pascal

Faut-il croire ?

Qui blâmera donc les chrétiens de ne pouvoir rendre raison de leur créance, eux qui professent une religion dont ils ne peuvent rendre raison ? Ils déclarent, en l'exposant au monde, que c'est une sottise, *stultiniam* ; et puis, vous vous plaignez de ce qu'ils ne la prouvent pas ! S'ils la prouvaient, ils ne tiendraient pas parole ; c'est en manquant de preuves qu'ils ne manquent pas de sens. — « Oui ; mais encore que cela excuse ceux qui l'offrent telle, et que cela les ôte de blâme de la produire sans raison, cela n'excuse pas ceux qui la reçoivent » — Examinons donc ce point, et disons : « Dieu est, ou il n'est pas » [...] Ne blâmez donc pas de fausseté ceux qui ont pris un choix ; car vous n'en savez rien. — « Non ; mais je les blâmerai d'avoir fait, non ce choix, mais un choix ; car encore que celui qui prend croix et l'autre soient en pareille faute, ils sont tous deux en faute : le juste est de ne point parier. » — Oui ; mais il faut parier. Cela n'est pas volontaire : vous êtes embarqués.

Pascal, *Pensées*, 233, GF-Flammarion, 1976, p. 114.

2. Hobbes

Où est le seuil entre croyance et confiance ?

Quand les raisons, pour lesquelles nous donnons notre consentement à quelque proposition, ne sont pas tirées d'elle-même, mais de la personne qui l'a mise en avant, comme si nous estimions qu'elle est si bien avisée qu'elle ne peut se méprendre, et si nous ne voyons point de sujet qu'elle voulût nous tromper, alors notre consentement se nomme *foi*, à cause qu'il ne naît pas de notre science particulière, mais de la confiance que nous avons en celle d'autrui ; et il est dit que nous croyons à ceux auxquels nous nous en rapportons. De tout ce discours l'on voit la différence qu'il y a [...] entre la *foi* et la *science* : car en celle-ci, une proposition qu'on examine est dissoute et mâchée longtemps avant qu'on la reçoive ; mais en l'autre, on l'avale tout d'un coup et tout entière.

Hobbes, *Le citoyen*, XVIII, 4, GF-Flammarion, 1982, p. 343.

3. Freud

La religion, simple névrose ?

Je vous contredis donc lorsque vous en arrivez à déduire que l'homme, en tout état de cause, ne peut se passer du réconfort de l'illusion religieuse et que, sans elle, il ne supporterait pas le poids de la vie, la cruelle réalité effective. Bien sûr, il ne la supporterai pas, l'homme à qui vous avez infusé dès l'enfance ce poison doux — ou doux-amer. Mais l'autre, celui qui a été élevé dans la sobriété ? Celui qui ne souffre pas de névrose n'a peut-être pas besoin non plus d'intoxication pour étourdir cette névrose. Il est certain que l'homme se trouvera alors dans une situation difficile, il devra s'avouer tout son désaide et son infimité dans les rouages du monde, n'étant plus le centre de la création ni l'objet de la tendre sollicitude d'une Providence bienveillante. Il sera dans la même situation que l'enfant qui a quitté la maison paternelle dans laquelle il se sentait bien au chaud et à l'aise. Mais l'infantilisme est destiné à être surmonté, n'est-ce pas ? L'être humain ne peut pas rester éternellement enfant, il faut qu'il finisse par sortir à la rencontre de la « vie hostile ».

Freud, *L'avenir d'une illusion*, « Quadrige », Puf, 1997, p. 50.

4. Levinas

Toute religion est-elle intolérante ?

Est-il sûr que l'intolérance religieuse ne reflète que la barbarie des siècles obscurs ? Le lien entre la foi et le glaive ne définit-il pas la vérité religieuse comme telle ? Distincte des évidences rationnelles, où intolérance et tolérance perdent toute signification, appartient-elle pour autant aux opinions où la tolérance est aisée ? [...] Réflexions de grande portée. Elles dénoncent un vieux préjugé, d'autant plus grave que c'est un préjugé de philosophes. En découvrant la dignité du savoir rationnel, ils reléguèrent parmi les opinions les autres savoirs. Ils méconnurent le privilège de la foi. L'opinion se sait variable et multiple ; elle prévoit déjà le profit qu'elle peut tirer de la confrontation des opinions. La certitude religieuse soustrait la conscience aux variations de l'histoire. Comme la vérité universelle du philosophe, celle du croyant ne tolère aucune limitation. Mais elle ne se retourne pas seulement contre les propos qui la contredisent, mais contre les hommes qui lui tournent le dos. Son ardeur se ranime à la flamme des bûches. La vérité religieuse la plus douce est déjà croisade.

Levinas, *Difficile Liberté*, « Biblio-essais », 1976, p. 242.

5. Kant

Qu'on suppose par exemple un inquisiteur fermement attaché à l'exclusivité de sa foi statutaire jusqu'au martyre au besoin, qui aurait à juger un prétendu hérétique (d'ailleurs bon citoyen) accusé d'incrédulité et alors je pose la question de savoir si, en condamnant ce citoyen à mort, on peut dire qu'il a jugé selon sa conscience (qui est il est vrai dans l'erreur) ou si on peut l'accuser tout bonnement de *manquer plutôt de conscience* soit qu'il se soit trompé soit qu'il ait été consciemment injuste ? Parce qu'on peut lui dire en face que dans un cas pareil, il ne pouvait jamais être tout à fait certain de ne pas agir d'une façon parfaitement injuste. Il est probable, il est vrai, qu'il croit fermement qu'une volonté divine, révélée de façon surnaturelle [...], lui permet, si elle ne lui en impose même le devoir, de détruire la soi-disant incrédulité ainsi que l'incrédule. Mais était-il vraiment à ce point convaincu de la vérité de cette doctrine révélée comme de sa signification, pour oser dans ces conditions faire mourir un homme ?

Kant, *La Religion dans les limites de la simple raison*, Vrin, 1994, p. 201-203.

6. More

Ceux du reste qui n'adhèrent pas à la religion chrétienne n'en détournent personne et ne gênent aucun de ceux qui la professent. Un de nos néophytes fut cependant puni en ma présence. Récemment baptisé, il prêchait le christianisme en public, malgré nos conseils, avec plus de zèle que de prudence. Il s'enflamma non seulement jusqu'à dire que notre religion est supérieure aux autres, mais à les condamner toutes sans distinction, à les traiter de mécréantes et leurs fidèles d'impies et de sacrilèges promis au feu éternel. On le laissa longtemps déclamer sur ce ton, puis on l'arrêta, on l'emmena et on le condamna, non pour avoir outragé la religion, mais pour avoir excité une émeute dans leur peuple. On le punit de l'exil. Car une de leurs lois, et l'une des plus anciennes, interdit de faire tort à personne à cause de sa religion.

More, *Utopie*, GF-Flammarion, 1987, p. 214.

7. Comte

Les religions, un danger pour les sociétés ?

Malgré les récriminations modernes contre l'autorité sacerdotale, une telle autorité est néanmoins strictement indispensable pour utiliser réellement la propriété civilisatrice de la philosophie théologique. Non seulement toute doctrine quelconque exige évidemment des organes spéciaux, qui puissent toujours en diriger et en surveiller l'application sociale. Mais, en outre, les croyances religieuses sont, par leur nature, beaucoup plus complètement assujetties que toutes les autres à cette nécessité commune, à cause du vague indéfini qui les caractérise spontanément, et qui ne peut être suffisamment contenu que par l'exercice permanent d'une très active discipline, convenablement organisée. Sans cette indispensable condition, les idées théologiques peuvent avoir beaucoup d'extension et d'énergie, au point même d'occuper presque exclusivement l'intelligence, et ne comporter néanmoins qu'une très faible consistance politique, en suscitant plutôt des divergences que des convergences : comme nous le confirme éminemment la grande expérience des trois derniers siècles, où, par la désorganisation générale de l'ancienne autorité théologique, les croyances religieuses sont devenues bien plus un puissant principe de discorde qu'un véritable lien social, contrairement à leur destination essentielle, que l'étymologie semble aujourd'hui rappeler avec une sorte d'ironie.

Comte, *Cours de philosophie positive*, 52e leçon, Hermann, 1975, p. 251.

8. Spinoza

La religion est-elle obscurantiste ?

Il est vrai sans doute qu'on doit expliquer l'Écriture par l'Écriture aussi longtemps qu'on peine à découvrir le sens des textes et la pensée des prophètes, mais une fois que nous avons enfin trouvé le vrai sens, il faut user nécessairement de jugement et de la Raison pour donner à cette pensée notre assentiment. Que si la Raison, en dépit de ses réclamations contre l'Écriture, doit cependant lui être entièrement soumise, je le demande, devons-nous faire cette soumission parce que nous avons une raison, ou sans raison et en aveugles ? Si c'est sans Raison, nous agissons comme des insensés et sans jugement ; si c'est avec une raison, c'est donc par le seul commandement de la Raison, que nous adhérons à l'Écriture, et donc si elle contredisait à la Raison nous n'y adhérerions pas. Et, je le demande encore, qui peut adhérer par la pensée à une croyance alors que la Raison réclame ? [...] La Religion et la Foi ne peuvent-elles se maintenir que si les hommes s'appliquent laborieusement à tout ignorer et donnent à la Raison un congé définitif ? En vérité, si telle est leur croyance, c'est donc crainte que l'Écriture leur inspire plutôt que confiance.

Spinoza, *Traité théologico-politique*, chapitre XV, GF-Flammarion, 1965, p. 251.

Sujets approchés

L'homme est-il un animal religieux ?

Une société peut-elle se passer de religion ?

L'esprit religieux n'habite-t-il que les religions ?

La religion conduit-elle l'homme au-delà de lui-même ?

Le sentiment religieux implique-t-il la croyance en un être divin ?

Y aura-t-il toujours des religions ?

→ ***Approche commune*** **: Ces sujets reposent sur la question de savoir si les religions ne reposent que sur une croyance en Dieu devenue inactuelle, ou si elles reposent plutôt sur une distinction du sacré et du profane, de l'ici-bas et de l'au-delà, distinction qui serait consubstantielle à l'homme. La foi est-elle une caractéristique essentielle ou accidentelle de la religion ?**

Une religion sans dogme est-elle possible ?

Faut-il se méfier des religions ?

À quoi imputer le fanatisme ?

Les sciences peuvent-elles servir à lutter contre le fanatisme ?

→ ***Approche commune*** **: Ces sujets mettent en jeu une menace que la religion ferait porter sur la liberté. N'y a-t-il de religion que dogmatique, ou bien au contraire une articulation entre religion et tolérance est-elle pensable ?**

Peut-on ne pas faire son devoir moral au nom de la religion ?

Est-ce la religion qui me dit ce qui est moral ?

Un dogme religieux peut-il tenir lieu de règle de vie ?

→ ***Approche commune*** **: Ces sujets présupposent une concurrence des règles religieuses et des règles morales. Jusqu'à quel point ce rapprochement est-il souhaitable ? Les**

règles religieuses transmettent-elles plutôt à la morale leur caractère sacré ou au contraire leur caractère dogmatique dangereux ?

La croyance religieuse peut-elle s'affranchir de toute logique ?
Pourquoi le progrès scientifique n'a-t-il pas fait disparaître les religions ?
La croyance religieuse implique-t-elle une démission de la raison ?
Entre croire et savoir, faut-il choisir ?
Les religions ne produisent-elles que des illusions consolantes ?
La raison rentre-t-elle nécessairement en conflit avec la croyance religieuse ?

→ ***Approche commune*** **: Ces sujets confrontent la religion à la critique de la rationalité : la religion est-elle rationnelle, rationalisable, irrationnelle ?**

Sujet esquissé : Est-ce faiblesse que de croire ?

Introduction

La philosophie contemporaine a été ouverte par l'ère du soupçon : les analyses de Freud et de Nietzsche ont contribué à marginaliser la croyance, et à marginaliser une foi démasquée et démystifiée. Pourtant, la foi n'est-elle que l'expression de la faiblesse humaine ? Ne peut-elle en un autre sens être l'expression d'une force d'âme et d'un courage capable d'en remontrer à tous les rationalismes ? la foi est-elle faiblesse ou force ?

Lignes directrices

1. L'illusion religieuse cristallise les peurs humaines.

La religion est née de la peur : l'idée est à présent courante, tant les penseurs du soupçon que furent Freud et Nietzsche l'ont popularisée (cf. cours III b). Il y aurait donc une auto-complaisance de l'illusion religieuse, infirmité de la raison. L'illusion se définissant comme cette erreur qui s'accorde à nos désirs et qui résulte d'un investissement psychologique, elle est en un sens plus condamnable que l'erreur. En ce sens, c'est faiblesse que de croire. La religion apporte un « réconfort » à la cruauté de la vie, elle est ce doux poison dans lequel les hommes ont infusé.

2. Le courage du pari

Il faut affirmer au contraire le courage de la foi. S'engager vers la foi serait marque de faiblesse ou d'inconscience si la question du choix entre athéisme et foi était évitable. L'argumentation pascalienne sur le pari postule qu'elle ne l'est pas. Blâmer les chrétiens, c'est dire que « celui qui prend croix et l'autre [...] sont tous deux en faute : le juste est de ne point parier ». Pascal répond à cela par le pari (cf. cours I b 2 et texte n° 1). Si le pari est forcé, le choix n'est plus qu'entre croire ou refuser de croire. La croyance est peut-être fausse, mais il est toujours plus courageux de prendre option que de n'en point prendre. Le saut de la foi est bien en ce sens une marque de force d'âme. C'est en ce sens qu'on peut dire que la foi renforce, comme le proverbe dit que la foi soulève les montagnes. On peut penser ici à la tradition bouddhiste de non-violence, qui ne veut en rien cultiver pour autant une faiblesse, elle qui tire au contraire sa force de la foi.

3. La certitude est plus consolante que la foi.

La faiblesse de la croyance peut à bon droit être dénoncée si la foi est refuge ou consolation. Mais ce que Pascal veut établir, c'est que la vraie foi ne peut pas être une vérité consolante : la consolation est indigne de la croyance et ne saurait être capable d'assurer le salut. Or la vraie foi n'a rien de consolant, elle ne se complaît pas dans la platitude béate du pharisianisme : elle est au contraire tragique. Pascal peut donc dire : « Athéisme marque de force d'esprit, mais jusqu'à un certain degré seulement » (*Pensées*, 225). Le critère est ici celui de la certitude : l'athéisme n'exprime en rien la force s'il est buté d'avance dans une certitude facile. En ce sens, ce n'est pas la foi qui est faible mais la certitude : une foi trop certaine est aussi suspecte qu'un athéisme trop sûr de lui. L'enjeu de la question posée se comprend alors entre deux extrêmes, les deux facilités : le dogmatisme, c'est-à-dire la prétention à détenir une vérité absolue et exclusive ; et le scepticisme, qui professe qu'aucune idée ne vaut.

L'histoire

Définir, Problématiser

L'histoire peut d'abord être envisagée en l'un des deux sens du mot : l'histoire qu'on fait, et non l'histoire qu'on étudie. Autrement dit, il s'agit de la succession des événements historiques plutôt que de l'étude, par les historiens, de cette succession. Mais le mot succession doit ici retenir notre attention : s'agit-il d'une accumulation, d'un amas de faits dépourvu de sens et de direction, comme lorsque l'on dit que l'histoire ne bégaie jamais ? Ou au contraire faut-il comprendre l'histoire comme une succession cyclique, organisée, répétitive ? La question est donc de savoir si l'histoire est dirigée par un principe d'ordre ou si elle est laissée au chaos et à l'incertitude. Dans la première hypothèse, rien ne pourrait être autrement et l'histoire est donc nécessaire ; dans la seconde, tout pourrait toujours être autrement et l'histoire est donc contingente. **L'histoire est-elle contingente ou nécessaire ?**

L'histoire se comprend aussi en un second sens, comme récit de cette suite d'événements : l'histoire est une discipline pratiquée par des historiens. Son objet doit ici attirer notre attention : tous les faits ne sont pas historiques, l'historien dégage donc des événements. Mais en quoi l'événement se distingue-t-il du fait ? Est-ce l'événement qui se signale à nous en tant que tel, ou bien au contraire est-ce l'observation humaine qui le désigne comme tel ? Cette seconde voie semble favorisée par le fait qu'on range dans la préhistoire les faits qui ne bénéficient pas d'un témoignage humain puisqu'antérieurs à la naissance de l'écriture. Mais si l'événement est construit, ne peut-on redouter qu'il ne soit que le fruit de l'exigence théorique qui guide la démarche de l'historien ? Ne peut-on faire dire aux faits ce que l'on veut ? **L'événement historique est-il quelque chose de donné ou de construit ?**

Y a-t-il un sens de l'histoire, l'histoire tend-elle vers une fin et progresse-t-elle ? Vouloir penser un progrès de l'histoire, c'est ménager l'espoir que la temporalité humaine est capable de leçons, et que le mal passé n'a pas été en vain. Faute de cela, il y aurait à désespérer de l'histoire. Mais, à regarder le monde avec lucidité, n'est-ce pas pourtant le constat qui s'impose ? Quel Dieu, quelle Providence ou quel progrès ont pu laisser arriver Auschwitz ? Il faudrait donc au contraire dénoncer l'idéal du grand soir ou du progrès humain comme autant d'utopies dangereuses, et se méfier du totalitarisme intellectuel que dissimule toute histoire universelle. C'est entre ces deux extrêmes qu'il s'agit de tenter de penser le progrès humain dans l'histoire. **Le progrès dans l'histoire est-il une utopie dangereuse ou un espoir raisonnable ?**

Développer

I. Le sens de l'histoire

a. Histoire universelle et téléologie

Si l'histoire a un sens, c'est qu'elle tend vers une certaine fin, que celle-ci soit définie ou indéfinie. Il y a donc une fin de l'histoire, fin à partir de laquelle son développement peut être compris. On appelle téléologique une théorie qui explique un processus par sa fin : il y a donc une certaine solidarité entre l'idée de progrès, et l'idée téléologique d'une histoire universelle, qui rend raison de chaque événement à partir d'un principe, en l'occurrence une fin. Les conceptions chrétiennes de l'histoire ont été de ce point de vue les premières histoires universelles, parce que les premières à considérer que l'histoire, de même que la politique et l'État chez les Grecs, tendait vers un Bien, c'est-à-dire en l'espèce vers la rédemption. Bossuet dit que « l'histoire, c'est le retour des hommes à Dieu ». C'est là une conception déterministe et providentialiste de l'histoire, car la finalité de l'histoire est préalablement inscrite, même si l'acheminement à cette fin est chaotique. C'est aussi le sens de l'analyse d'un philosophe américain contemporain, Francis Fukuyama, dont le propos est un peu aussi d'esquisser une analyse téléologique qui fixe comme « fin » à l'histoire la réalisation d'une démocratie libérale : « ce résumé de l'histoire selon la doctrine chrétienne montre clairement qu'une "fin de l'Histoire" est implicite dans l'idée même de l'écriture de toute histoire universelle. Les événements particuliers de cette histoire ne peuvent être signifiants que dans la perspective d'une finalité plus vaste et plus universelle, dont la réalisation apporte nécessairement avec elle la fin du processus historique. Cette fin de l'homme et de l'humanité est ce qui rend tous les événements particuliers potentiellement intelligibles[1]. »

Pareil acheminement des événements historiques nous confronte au double sens du mot « fin », comme finalité et comme arrêt. Une fois l'histoire revenue à Dieu, n'est-il pas nécessaire qu'elle prenne fin ? Cette fin de l'histoire demeurant impensable, on peut substituer à la pure téléologie l'idée d'un progrès indéfini et asymptotique : le devenir historique est sous-tendu par une certaine valeur à laquelle chaque vie individuelle contribue. Ainsi Condorcet prend-il pour loi générale l'idée d'un « perfectionnement indéfini de notre espèce[2] », de façon à ce que chaque homme se pense non pas comme « une existence passagère et isolée, destinée à s'évanouir après une alternative de bonheur et de malheur pour lui-même[3] », mais comme

1. Fukuyama, *La fin de l'histoire et le dernier homme*, Champs-Flammarion, 1992, p. 28.
2. Condorcet, *Premier Mémoire sur l'Instruction publique*, I 7, Arago, 1847, p. 183.
3. *Ibidem*.

« une partie active du grand tout et le coopérateur d'un ouvrage éternel[1] ». Destinée à garantir l'espoir, l'idée de la loi du progrès ne peut donc l'entretenir qu'à condition d'être indéfinie. Ainsi Condorcet distinguera-t-il dans son *Esquisse*[2] dix paliers successifs par lesquels l'homme s'élève vers le savoir scientifique et la liberté politique.

Distinguer ainsi des époques suppose un travail de reconstitution des signes : il s'agit de repérer dans les faits passés les signes de l'acheminement progressif du devenir humain vers son but. C'est là ce que Kant appelait l'enthousiasme, cette faculté de déceler des signes dans les faits : ainsi l'analyse de Lyotard, à partir d'une fine étude de la philosophie kantienne de l'histoire, conclut-elle que « le progrès d'un être commun vers le mieux ne se juge pas sur des intuitions empiriques, mais sur des signes[3] ». C'est aussi, *a contrario*, ce qui met en lumière la fragilité de cette faculté qui risque sans cesse de s'illusionner, tant il est vrai que souvent notre enthousiasme nous trompe, parce qu'au bout du compte on peut transformer tel fait en signe de ce que l'on voudra. Ainsi Valéry stigmatise-t-il l'enivrement dangereux des théories de l'histoire, arguant de ce que « l'Histoire justifie ce que l'on veut. Elle n'enseigne rigoureusement rien, car elle contient tout et donne des exemples de tout[4]. »

b. Progrès et finalité

Le concept de progrès présuppose un rapport spécifique avec l'idée de finalité : ainsi, toute théorie téléologique de l'histoire ne repose pas nécessairement sur le concept de progrès. Comme les théories finalistes, les théories du progrès reposent sur une unification du devenir historique, en tant que celui-ci tire son sens de la seule idée de progrès. Mais elles impliquent aussi l'idée d'une hiérarchisation des époques les unes par rapport aux autres, chaque époque prenant son sens d'après sa contribution à la marche d'ensemble du tout. C'est ce qui explique que les grands théoriciens du progrès, tels Condorcet, Herder, Comte, soient avant tout de grands taxinomistes, spécifiant et subdivisant, d'époque en époque, quitte à admettre des retours en arrière, les moments du progrès. Il n'y a donc pas de progrès historique sans démarche globalisante et unifiante.

Comment alors ne pas écraser le fait individuel, la spécificité d'une époque ou d'un peuple, dans la globalité du tout dans lequel ils sont censés venir s'inscrire ? C'est l'enjeu de la distinction qu'opère Foucault entre l'histoire globale, unifiante et centralisée, et l'histoire générale, articulation d'histoires générales spécifiques : « une description globale resserre tous les phénomènes autour d'un centre unique — principe, signification, esprit, vision du monde, forme d'ensemble ; une histoire générale déploierait au contraire l'espace d'une dispersion[5] ». Pour qu'il y ait progrès, il faut que les multiples spécificités constituent une unité, ou bien, en langage hégélien,

---

1. *Id.*
2. *Esquisse d'un tableau historique des progrès humains.*
3. Lyotard, *L'enthousiasme*, Galilée, 1986, p. 48.
4. Valéry, *Regards sur le monde actuel*, La Pléiade, tome 2, 1960, p. 935.
5. Foucault, *L'archéologie du savoir*, Gallimard, 1969, p. 19.

que « les individus disparaissent devant la substantialité de l'ensemble[1] » : au fond, il s'agit que chaque peuple ne soit qu'une figure particulière de l'Esprit universel. Ce n'est pas par hasard que Herder critique le progrès justement au nom d'une certaine attention au particulier qui le conduit à relégitimer chaque époque, qui ne se réduit pas à un moyen : « je ne puis me persuader que rien dans tout le royaume de Dieu soit uniquement un moyen — tout est moyen et fin à la fois[2]. »

c. La fin de l'histoire comme idée régulatrice

Idéal indéfini, asymptotique, comme s'il s'agissait de s'en approcher toujours mais sans jamais l'atteindre, le progrès est sans doute une idée régulatrice. Impossible d'espérer sans elle, à condition de la reléguer au rang du simple substrat d'espoir qu'elle doit demeurer : « cette société, où le sage serait satisfait, où les hommes vivraient selon la raison, on n'en peut abandonner l'espérance, puisque l'homme [...] n'a jamais consenti à consacrer l'injustice en la mettant au compte de Dieu ou du cosmos. Mais confondre cette idée de la Raison avec l'action d'un parti, avec un statut de propriété, une technique d'organisation économique, c'est se livrer aux délires du fanatisme[3] ». Le jugement qui s'attache à l'unité des faits historiques et au progrès de l'humanité n'a donc pas vocation à revendiquer un statut de connaissance positive : pour garder son innocuité, il doit être régulateur, être réflexion plutôt que connaissance. Bref, le progrès ne peut être normatif sous peine de devenir dangereux : « la fin de l'histoire n'est pas une valeur d'exemple et de perfectionnement. Elle est un principe d'arbitraire et de terreur[4]. »

Condition de l'espoir, l'idée de progrès n'en endosse-t-elle pas de ce fait un statut religieux ? Cournot a ainsi démasqué l'idée de divin sous l'idée de progrès (voir texte n° 1) pour en dénoncer le présupposé : la fin justifierait les moyens, c'est-à-dire l'excellence du but (le progrès réalisé) justifierait les maux et les souffrances par lesquels il a fallu en passer pour l'atteindre. Ici le progrès n'est rien d'autre qu'une Providence laïcisée, et comme tel, il s'expose aux controverses qui s'y attachent : comment accepter la Providence devant le spectacle du mal ? Un moteur extérieur à l'histoire (sous forme religieuse ou laïque) peut-il la téléguider de telle façon qu'on doive s'en remettre à lui sans avoir en même temps à endosser le mal ?

II. Le mal peut-il être un moment du bien ?

a. Le mal

Comment le progrès saurait-il s'accommoder du mal ? C'est cette idée qui caractérise, entre la querelle des Anciens et des Modernes et la Révolution, le moment de vertige des Lumières. On sait le sort que Voltaire a réservé dans son *Candide* à l'idée

---

1. Hegel, *La Raison dans l'Histoire*, 10/18, 1965, p. 81.
2. Herder, *Une autre philosophie de l'histoire*, Aubier, 1964, p. 225.
3. Aron, *Dimensions de la conscience historique*, Plon, 1964, p. 44-45.
4. Camus, *L'Homme révolté*, Folio, Gallimard, 1969, p. 277.

que tout est pour le mieux dans le meilleur des mondes : incarnée par Pangloss, elle y est ridiculisée par le déferlement des maux initiatiques de Candide. C'est le *Poème sur le Désastre de Lisbonne* qui, en 1756, symbolise le rejet des idéologies qui justifient le mal sur l'autel de la Providence divine. Le mal ne saurait être à si peu de frais justifié dans l'histoire, ni encore moins expulsé de l'histoire. La première voie nous conduit au totalitarisme, et la seconde à l'utopie.

Hegel reconnaît lui-même que « le spectacle de l'histoire risque à la fin de provoquer une affliction morale et une révolte de l'esprit du bien[1] ». Mais Hegel veut en même temps souligner les limites de cette affliction, la raison n'ayant pas vocation à « s'éterniser auprès des blessures[2] ». C'est toute l'ambiguïté des histoires universelles : sous prétexte de ne pas céder à la myopie qui nous fait juger à courte vue, n'y a-t-il pas une cruauté froide qui, à trop vouloir sauver sa rationalité dans le dédain de ce qui est individuel, perdrait son humanité ? « Les milieux moralisants », écrit Hegel, « n'ont aucun droit de poser des exigences à l'encontre des grandes actions historiques et de leurs auteurs, car ceux-ci n'y appartiennent pas[3] ». La pensée fait face ici à la tentation du totalitarisme, qui veut, au nom d'une totalité unitaire et signifiante, faire du mal radical un point de détail. Or une pensée totalitaire du progrès paraît une contradiction dans les termes : quel progrès peut justifier la Shoah ?

Le mal est encombrant : il peut être plus simple de l'expulser de l'histoire que de l'y justifier. C'est la fonction de l'utopie, qui est l'horizon de toute conception progressiste de l'histoire. Même si la Cité idéale que décrit Socrate dans le livre V de la *République* n'a d'existence « que dans nos discours, puisque, aussi bien, je ne sache pas qu'elle existe en aucun endroit de la terre[4] », elle est restée la référence, explicite ou non, des utopies les plus célèbres, comme celle de More ou de Campanella. Or c'est la tâche du progrès que Socrate assigne au législateur idéal, c'est « le plus grand bien, celui que le législateur doit viser en établissant les lois[5] ». La communauté idéale « nous met sur la trace de ce grand bien[6] », par une voie privilégiée : l'unité. À l'abri des dissensions, les hommes « seront délivrés de toutes ces misères et mèneront une vie plus heureuse que la vie bienheureuse des vainqueurs olympiques[7] ». L'eudémonisme, le bonheur définitif de la Cité idéale dit assez que l'utopie est une suppression du temps : mais comment rend-on raison de l'histoire en supprimant le temps ?

b. La crise comme moment

Il serait pourtant hâtif de considérer qu'il y a entre crise et progrès une disjonction exclusive. Penser le progrès dans l'histoire, c'est chercher comment du mal peut sortir un bien, et c'est prêter à la contradiction une certaine fécondité. C'est le rôle

1. Hegel, *op. cit.*, p. 103.
2. *Id.*, p. 68.
3. *Id.*, p. 202.
4. Platon, *La République*, IX, 592a, GF-Flammarion, 1966, p. 356.
5. *Id.*, livre V, 462a, p. 217.
6. *Ibid.*
7. *Id.*, 465c, p. 221.

que joue, dans l'analyse kantienne, la notion d'insociable sociabilité des hommes, « c'est-à-dire leur inclination à rentrer en société, inclination qui est cependant doublée d'une répulsion générale à le faire[1] ». Kant entend en effet repérer dans « le jeu de la liberté du vouloir humain[2] » une régularité qui n'est autre qu'une ruse de la nature. En s'opposant les uns aux autres à la recherche de leurs intérêts privés, les hommes font le jeu du dessein de la nature, qui épanouit leurs forces et leurs talents, parce qu'elle sait mieux qu'eux « ce qui est bon pour leur espèce : la discorde[3] ». Le dessein naturel nous donne donc « un fil conducteur pour nous représenter ce qui ne serait sans cela qu'un agrégat des actions humaines comme formant, du moins en gros, un système[4] ». Encore ne s'agit-il que d'un progrès législatif et politique, qui n'entraîne pas nécessairement un progrès moral (voir texte n° 5). Mais on ne peut espérer rendre raison de l'histoire et l'unifier par l'idée de progrès sans faire de la discorde un aiguillon de la concorde.

À la différence qu'il s'agit de théories de l'histoire qui visent à identifier un moteur inhérent à l'histoire, et dont tout le devenir serait un auto-déploiement (et non un moteur extérieur comme Dieu chez Bossuet ou la nature chez Kant), les analyses de Hegel et surtout de Marx systématiseront cette intuition. Y prévaudra en effet l'idée que le mal et la violence font partie intégrante de l'histoire. Dans l'analyse de Marx, chaque société est grosse d'une société nouvelle, et n'en accouche pas sans douleur. C'est donc la violence qui est la sage-femme de l'histoire, au sens où, comme le commente Arendt, « les forces de développement cachées de la productivité humaine, dans la mesure où elles dépendent de l'action humaine libre et consciente, ne voient le jour que grâce à la violence des guerres et des révolutions[5] ». Il faut donc se représenter, sans pour autant donner crédit à cette idée telle quelle, que crise et progrès ne sont pas inconciliables.

C'est alors l'unification historique qui paraît violenter la mémoire : faut-il réduire et effacer le mal, ne faire aucune différence entre les blessures, sous prétexte qu'elles auraient en quelque mesure contribué à un progrès ? On peut penser ce problème à partir de sa propre histoire, quand il s'agit de tirer quelque chose de ses propres malheurs. C'est à ce travail de la nuance à l'intérieur de la recherche d'intelligibilité que pense Merleau-Ponty à propos de Hegel : tout peut être justifié, « mais justifié tantôt comme acquisition positive, tantôt comme pause, tantôt même comme un reflux qui promet un nouveau flux, bref justifié relativement, à titre de *moment* de l'histoire totale, sous condition que cette histoire se fasse, et donc au sens où l'on dit que nos erreurs mêmes portent pierre et que nos progrès sont nos erreurs comprises, ce qui n'efface pas la différence des croissances et des déclins, des naissances et des morts, des régressions et des progrès[6]... »

---

1. Kant, *Idée d'une histoire universelle au point de vue cosmopolitique*, GF-Flammarion, 1990, p. 74.
2. *Id.*, p. 69.
3. *Id.*, p. 75.
4. *Id.*, p. 86.
5. Arendt, *La Crise de la culture*, « Folio-Essais »,Gallimard, 1972, p. 34.
6. Merleau-Ponty, *La Prose du monde*, « Tel », Gallimard, 1969, p. 119.

c. La question de la théodicée

Classiquement, la question de la compatibilité du mal avec le progrès de l'histoire est celle de la théodicée. Cette question empoisonnait déjà les *Essais de Théodicée* de Leibniz : comment distinguer entre Dieu comme cause physique et cause morale du mal, sans paraître banaliser et esquiver le mal dans le meilleur des mondes possibles ? Comment l'optimisme évite-t-il la résignation béate, et comment éviter « que Dieu devienne blâmable lui-même pour éviter que l'homme ne le soit[1] » ? Il faut arriver à penser que Dieu tolère les maux en vue de plus grands biens, que la suprême raison l'oblige à le tolérer. Un mal pour un bien, comme dit l'expression, ou plutôt un mal ponctuel en vue d'un plus grand bien, comme si c'était finalement notre myopie, notre apitoiement sur nous-mêmes à courte vue, qui étaient en cause.

Une articulation analogue se retrouve dans l'effort qu'accomplit Hegel pour penser la caducité. Hegel entend non pas nous résigner à ce qu'il y ait du malheur dans l'histoire, parce que cela présupposerait que nous en attendons du bonheur, mais penser le caractère passager et éphémère du devenir. Plutôt que d'en souffrir, mieux vaut tenter de la comprendre. Ainsi « devons-nous nous réconcilier avec la caducité[2] ». Le spectacle de la caducité aiguise notre douleur et notre compassion, mais la douleur ne saurait tenir lieu de pensée, puisque même elle nous inclinerait au fatalisme. Il faut donc penser que les pires heures de l'histoire n'en sont que des moments, C'est en ce sens que « l'histoire n'est pas le lieu de la félicité[3] » : nous ne sommes pas placés à l'échelle qui nous permettrait de ne pas souffrir de la caducité. Or ce qui est caduc ne l'est qu'à notre échelle et ne l'est que pour nous.

C'est là réfuter toute incidence possible de l'homme sur l'histoire autre qu'involontaire : dans l'histoire, les hommes croient faire une chose et en font une autre. S'il y a progrès, il ne peut être le résultat de la liberté humaine individuelle, parce que les hommes sont incapables de tirer des fruits du passé : « on recommande aux rois, aux hommes d'État, aux peuples de s'instruire spécialement par l'expérience de l'histoire. Mais l'expérience et l'histoire nous enseignent que peuples et gouvernements n'ont jamais rien appris de l'histoire, qu'ils n'ont jamais agi suivant les maximes qu'on aurait pu en tirer[4] ». Voilà l'homme prestement congédié du progrès de l'histoire, comme Tocqueville en formait le reproche au panthéisme historique de Hegel : « je hais, pour ma part, ces systèmes absolus, qui font dépendre tous les événements de l'histoire de grandes causes premières se liant les unes aux autres par une chaîne fatale, et qui suppriment, pour ainsi dire, les hommes de l'histoire du genre humain[5] ». L'idée de progrès est-elle alors fondamentalement déshumanisante ?

---

1. Leibniz, *Essais de Théodicée*, § 119, GF-Flammarion, 1969, p. 173.
2. Hegel, *op. cit.*, p. 91.
3. *Id.*, p. 116.
4. *Id.*, p. 35.
5. Tocqueville, *Souvenirs*, Gallimard, 1942, p. 72.

III. Se méfier du progrès ?

a. L'histoire régresse

Prenons les choses en sens inverse : que recouvre l'idée d'une régression de l'histoire ? Pour Machiavel, le culte du passé ne repose sur rien qui soit rationnel : « les hommes louent le passé et blâment le présent, et souvent sans raison. Ils sont tellement férus de ce qui a existé autrefois, que non seulement ils vantent les temps qu'ils ne connaissent que par les écrivains du passé, mais que, devenus vieux, on les entend prôner encore ce qu'ils se souviennent d'avoir vu pendant leur jeunesse[1] ». Si le passé est inconnu tout en étant néanmoins pris pour modèle, il n'est qu'une norme abusive qui ne recouvre rien d'autre qu'une incapacité à vivre et à affronter le présent. Ainsi Montaigne : « qui ne vit jamais vieillesse qui ne louât le temps passé et ne blâmât le présent, chargeant le monde et les mœurs des hommes de sa misère et de son chagrin[2] ? ». Au fond, l'idée de régression ne fait que déguiser une névrose d'angoisse. Dès lors, ne peut-on soupçonner cette névrose d'être la symétrique de celle que pourrait constituer l'idée de progrès[3] ?

Que ce qui est préférable se situe en amont, dans le passé, ou dans l'aval du futur, s'agit-il de faire autre chose que de manifester son insatisfaction du présent quel qu'il soit ? Leopardi épingle plaisamment la contradiction inhérente à cette attitude, quand il montre que « les hommes dénigrent toujours le présent pour faire l'éloge du passé. De même, la plupart des voyageurs, durant leurs déplacements, restent amoureux de leur pays natal et le préfèrent avec une sorte de rage à tous ceux où ils se trouvent. Et une fois rentrés chez eux, c'est avec la même passion qu'ils placent au-dessus de leur pays tous les autres lieux qu'ils ont visités[4] ». Ainsi retrouve-t-on la dimension péjorative de l'espoir, dans la critique que fait Cournot de l'idée de progrès, qui n'est rien d'autre qu'une religion de substitution, « principe d'une sorte de foi religieuse pour ceux qui n'en ont plus d'autre[5] ».

Baudelaire va plus loin, pour voir dans l'idée de progrès une élucubration infatuée, « diagnostic d'une décadence déjà trop visible[6] ». Non seulement en effet cette idée n'est fondée sur rien, « fanal obscur [...] breveté sans garantie de la Nature ou de la Divinité », mais par surcroît elle fait disparaître la liberté comme le châtiment, déresponsabilisant ceux qui y ajoutent foi. Ainsi « cette idée grotesque [...] a déchargé chacun de son devoir, délivré toute âme de sa responsabilité[7]. »

b. Progrès continu ou progrès discontinu

L'illusion est peut-être davantage dans la linéarité rationnelle du progrès que dans son existence même. N'est-on pas fondé à reconstruire le passé au nom de la conti-

1. Machiavel, *Discours sur la première décade de Tite-Live*, *Œuvres complètes*, livre II, Gallimard, 1952, p. 509.
2. Montaigne, *Essais*, II, XIII, « Folio »,Gallimard, 1965, p. 352.
3. Sur la fascination de la décadence, on lira avec profit *La Montagne magique* de Thomas Mann.
4. Leopardi, *Pensées*, 30, Allia, 1996, p. 43.
5. Cournot, *Considérations sur la marche des idées et des événements dans les temps modernes*, Vrin, 1973, p. 24
6. Baudelaire, *Exposition universelle de 1855*, « La Pléiade », tome 2, 1976, p. 580.
7. *Ibid.*

nuité rationnelle d'un progrès que l'on voudrait mettre en évidence ? L'histoire des sciences peut nous permettre de porter un regard fécond sur cette question, comme par exemple dans l'analyse que fait Koyré d'une thèse de Crombie. Ce dernier entend expliquer le passage de la science ancienne à la science moderne comme une différence degré (soit de façon continue), alors que Koyré l'entend comme différence de nature (soit de façon discontinue). Crombie invoque les philosophes du XIIIe siècle, qui ont à ses yeux transformé la méthode géométrique des Grecs en méthode expérimentale, la faisant passer ainsi d'une attitude théorique et contemplative à une attitude active. Réfutant cette thèse non sans en reconnaître la séduction, Koyré y démasque la tentation (abusive) d'avoir voulu trouver dans l'histoire des sciences un progrès linéaire, édifiant ainsi, « dans le royaume de l'histoire », « une très belle demeure[1] ».

Ce qu'il s'agit de penser, c'est que le progrès scientifique puisse être discontinu et être progrès tout de même : ainsi la vérité scientifique est-elle une erreur corrigée, et ainsi la science ne progresse-t-elle qu'en faisant constamment retour à ses propres commencements[2]. Arguant ainsi de ce que les développements scientifiques sont davantage étalés dans l'espace qu'échelonnés dans le temps, Lévi-Strauss fait valoir que le progrès « n'est ni nécessaire ni continu ; il procède par sauts, par bonds, ou, comme diraient les biologistes, par mutations[3] ». Ce propos situe la difficulté qu'il y a à le repérer, comme s'il ne pouvait être indiscutablement mis en évidence que par une série régulière et continue, faute de quoi on se prendrait à le contester, même contre l'évidence. L'humanité en progrès, dit Lévi-Strauss, est comme le cavalier des échecs, qui ne progresse jamais dans le même sens.

c. La part du hasard

La liberté est la condition du progrès, mais elle trouve mal sa place dans le déterminisme historique, qui fait de l'histoire le développement d'une cause initiale ou l'acheminement vers une cause finale. La liberté c'est la contingence, là où le déterminisme nous oppose sa nécessité. Ne peut-on alors comprendre la possibilité d'un progrès que là où il y a de la liberté et de la contingence, là où ce progrès n'est pas acquis d'avance par un cadre téléologique ?

La théorie du hasard que propose l'application que fait Cournot des mathématiques à l'histoire, nous conduirait en effet à penser l'histoire en dehors de tout déterminisme. Les séries causales qui déterminent les événements ne se croisent pas nécessairement, et on peut admettre entre elles une certaine indépendance : l'idée de hasard « donne un sens incontestable à ce que l'on a appelé la philosophie de l'histoire, à ce que nous aimerions mieux appeler l'étiologie historique, en entendant par là l'analyse et la discussion des causes ou des enchaînements de causes qui ont concouru à amener les événements dont l'histoire nous offre le tableau ; causes qu'il s'agit surtout d'étudier au point de vue de leur indépendance ou de leur solidarité. »

---

1. Koyré, *Études d'histoire de la pensée scientifique*, « Tel », Gallimard, 1973, p. 86.
2. *L'Origine de la Géométrie* de Husserl fournit de cette thèse une remarquable illustration.
3. Lévi-Strauss, *Race et Histoire*, « Agora », Presses Pocket, 1983, p. 46.

Invoquer le hasard, ce n'est pas renoncer à trouver des causes en histoire, mais c'est respecter l'indépendance des causes entre elles. S'il y a progrès en histoire, il n'y en a donc aucune loi, le progrès dans l'histoire n'est pas l'évolution dans la nature. C'est parce que l'histoire n'est pas la nature que nous y sommes libres.

Textes

1. Cournot

L'idée de progrès est-elle dangereuse ?

Aucune idée, parmi celles qui se réfèrent à l'ordre des faits naturels, ne tient de plus près à la famille des idées religieuses que l'idée de progrès, et n'est plus propre à devenir le principe d'une sorte de foi religieuse pour ceux qui n'en ont plus d'autre. Elle a, comme la foi religieuse, la vertu de relever les âmes et les caractères. L'idée du progrès indéfini, c'est l'idée d'une perfection suprême, d'une loi qui domine toutes les lois particulières, d'un but éminent auquel tous les êtres doivent concourir dans leur existence passagère. C'est donc au fond l'idée de divin : et il ne faut point être surpris si, chaque fois qu'elle est spécieusement évoquée en faveur d'une cause, les esprits les plus élevés, les âmes les plus généreuses, se sentent entraînés de ce côté. Il ne faut pas non plus s'étonner que le fanatisme y trouve un aliment et que la maxime qui tend à corrompre toutes les religions, celle que l'excellence de la fin vienne justifier les moyens, corrompe aussi la religion du progrès.

Cournot, *Considérations sur la marche des idées et des événements dans les temps modernes*, Vrin, 1973, p. 24.

2. Comte

Comment l'histoire peut-elle progresser ?

L'ordre et le progrès, que l'Antiquité regardait comme essentiellement inconciliables, constituent de plus en plus, par la nature de la civilisation moderne, deux conditions également impérieuses, dont l'intime et indissoluble combinaison caractérise désormais et la difficulté fondamentale et la principale ressource de tout véritable système politique. Aucun ordre réel ne peut plus s'établir, ni surtout durer, s'il n'est pleinement compatible avec le progrès ; aucun grand progrès ne saurait effectivement s'accomplir, s'il ne tend finalement à l'évidente consolidation de l'ordre. Tout ce qui indique une préoccupation exclusive de l'un de ces deux besoins fondamentaux, au préjudice de l'autre, finit par inspirer aux sociétés actuelles une répugnance instinctive, comme méconnaissant profondément la vraie nature du problème politique. Aussi la politique positive sera-t-elle surtout caractérisée, dans la pratique, par son aptitude tellement spontanée à remplir cette double indication, que l'ordre et le progrès y paraîtront directement les deux aspects nécessairement inséparables d'un même principe.

Comte, *Cours de Philosophie positive*, 46ᵉ leçon, Hermann, 1975, p. 16.

3. Machiavel

Le déterminisme empêche-t-il la liberté dans l'histoire ?

Pour que notre libre arbitre ne soit aboli, je juge qu'il peut être vrai que la fortune soit arbitre de la moitié de nos actions, mais aussi que l'autre moitié, ou à peu près, elle nous la laisse gouverner à nous. Et je la compare à un de ces fleuves impétueux qui, lorsqu'ils se courroucent, inondent les plaines, renversent les arbres et les édifices, arrachent de la terre ici, la déposent ailleurs ; chacun fuit devant eux, tout le mode cède à la fureur, sans pouvoir nulle part y faire obstacle. Et bien qu'ils soient ainsi faits, il n'en reste pas moins que les hommes, quand les temps sont calmes, y peuvent pourvoir et par digues et par levées, de sorte que, venant ensuite à croître, ou bien ils s'en iraient par un canal, ou leur fureur n'aurait pas si grande licence, ni ne serait si dommageable. Il en est de même de la fortune, qui manifeste sa puissance où il n'y a pas de force organisée pour lui résister, et qui tourne là ses assauts, où elle sait qu'on n'a pas fait de levées et de digues pour la contenir.

Machiavel, *Le Prince*, XXV, GF-Flammarion, 1980, p. 189.

4. Hegel

Quelle différence entre progrès et évolution ?

Si nous comparons les modifications de l'Esprit et de la nature, nous voyons que, dans celle-ci, l'être singulier est soumis au changement tandis que les espèces demeurent immobiles. Ainsi la planète abandonne telle ou telle place, mais sa trajectoire est fixe. Il en est ainsi des espèces animales. Le changement est un mouvement circulaire, une répétition du même [...] Il en est autrement avec les formes spirituelles. Ici, le changement ne s'opère pas à la surface, mais dans le concept. C'est le concept lui-même qui est rectifié. Dans la nature, l'espèce ne fait aucun progrès, mais dans l'Esprit, chaque changement est un progrès [...] Ce qui se manifeste dans le monde de l'Esprit est que chaque forme est la transfiguration de la forme précédente : c'est pourquoi l'apparition des formes spirituelles se fait dans le temps. L'histoire universelle est donc en général l'explication de l'Esprit dans le temps, de même que l'Idée s'explicite dans l'espace comme nature.

Hegel, *La Raison dans l'Histoire*, 10/18, 1965, p. 181-183.

5. Kant

Peut-on espérer le progrès sans verser dans l'utopie ?

Quel bénéfice le progrès vers le mieux apportera-t-il au genre humain ? Non pas un quantum toujours croissant de la moralité dans l'intention, mais une multiplication des produits de sa légalité dans des actions conformes au devoir [...] Peu à peu il y aura moins de violence de la part des puissants, plus de soumission à l'égard des lois. Il se produira dans la société par exemple plus de bienfaisance, moins de contestations dans les procès, plus de sécurité dans le respect de sa parole, etc., en partie par amour de l'honneur, en partie par l'intérêt personnel bien compris, et finalement cela s'étendra aussi aux peuples dans leurs relations extérieures les uns avec les autres, jusqu'à la société cosmopolitique, sans que pour cela le fondement moral dans l'espèce humaine doive le moins du monde être accru, dans la mesure aussi où à cette fin serait requise aussi une sorte de nouvelle création. Car nous ne devons pas non plus trop nous promettre des hommes dans leurs progrès vers le mieux, pour ne pas nous exposer à juste titre aux moqueries du politicien qui tiendrait volontiers cette espérance pour la rêverie d'un cerveau exalté.

Kant, *Le Conflit des Facultés*, II 9, « La Pléiade », tome 3, 1986, p. 902-903.

6. Vico

Quelles preuves avons-nous que l'histoire progresse ?

Devant l'obscurité si déplorable où se trouvent plongées les origines des nations, devant la variété infinie de leurs mœurs et quand il s'agit d'une question comme celle de la Providence divine, on ne peut souhaiter de preuves plus sublimes que celles même qui nous sont données par ce qu'il y a de naturel dans les moyens mis en œuvre par la Providence, par l'ordre qu'elle introduit en toutes choses, par la fin qu'elle se propose et qui est la conservation de l'humanité. Ces preuves apparaîtront claires et distinctes si l'on réfléchit à la facilité avec laquelle les choses naissent et aux circonstances où elles naissent ; très éloignées souvent des desseins des hommes, quelquefois même contraires à ces desseins, elles s'y adaptent pourtant d'elles-mêmes ; voilà les preuves qui se dégagent de la toute-puissance de la Providence.

Vico, *Principes d'une science nouvelle relative à la nature commune des nations*, § 344, Nagel, 1953, p. 64.

7. Kant

Doit-on croire à la décadence ?

Puisque le genre humain est, au point de vue de la culture, qui est sa fin naturelle, en progrès constant, il faut le concevoir également en progrès vers le mieux au point de vue de la fin morale de son être, progrès qui peut bien connaître de temps à autre des *interruptions*, mais jamais une *rupture* définitive [...] Car prétendre que ce qui n'a pas encore réussi jusqu'à présent ne réussira jamais, voilà qui n'autorise même pas à renoncer à un dessein d'ordre pragmatique ou technique (par exemple le voyage aérien en aérostats), encore bien moins à un dessein d'ordre moral, qui devient un devoir dès lors que l'impossibilité de sa réalisation n'est pas démonstrativement établie. Au surplus il ne manque pas de preuves du fait que le genre humain dans son ensemble a, de notre temps par rapport à ce qui précède, effectivement progressé de façon notable au point de vue moral [...] et que le bruit qu'on fait à propos de l'irrésistible abâtardissement croissant de notre temps provient précisément de ce que, monté à un degré plus élevé de moralité, il a devant lui un horizon plus étendu et que son jugement sur ce qu'on est, en comparaison de ce qu'on devrait être [...] ne cessent de devenir plus sévères.

Kant, *Théorie et Pratique*, Vrin, 1977, p. 53-55.

8. Schopenhauer

L'histoire peut-elle être une science ?

Seule l'histoire ne peut vraiment pas prendre rang au milieu des autres sciences, car elle ne peut pas se prévaloir du même avantage que les autres : ce qui lui manque en effet, c'est le caractère fondamental de la science, la subordination des faits connus dont elle ne peut nous offrir que la simple coordination. Il n'y a donc pas de système en histoire, comme dans toute autre science. L'histoire est une connaissance, sans être une science, car nulle part elle ne connaît le particulier par le moyen de l'universel, mais elle doit saisir immédiatement le fait individuel, et, pour ainsi dire, elle est condamnée à ramper sur le terrain de l'expérience. Les sciences réelles au contraire planent plus haut, grâce aux vastes notions qu'elles ont acquises, et qui leur permettent de dominer le particulier, d'apercevoir, du moins dans de certaines limites, la possibilité des choses comprises dans leur domaine, de se rassurer enfin aussi contre les surprises de l'avenir. Les sciences, systèmes de concepts, ne parlent jamais que de genres ; l'histoire ne traite que des individus, elle serait donc une science des individus, ce qui implique contradiction. Il s'ensuit encore que les sciences parlent toutes de ce qui est toujours, tandis que l'histoire rapporte ce qui a été une seule fois et n'existe plus jamais ensuite. De plus, si l'histoire s'occupe exclusivement du particulier, et de l'individuel, qui, de sa nature, est inépuisable, elle ne parviendra qu'à une demi-connaissance toujours imparfaite. Elle doit encore se résigner à ce que chaque jour nouveau, dans sa vulgaire monotonie, lui apprenne ce qu'elle ignorait entièrement.

Schopenhauer, *Le Monde comme Volonté et comme Représentation*, Puf, 1966, p. 1179-1180.

Sujets approchés

L'histoire est-elle un destin ?

L'histoire des hommes résulte-t-elle de la nécessité ?

Dans quelle mesure sommes-nous déterminés par l'histoire de notre société ?

Puis-je invoquer le cours de l'histoire pour justifier de n'avoir pas agi ?

Les hommes font-ils leur propre histoire ?

L'histoire est-elle ce qui arrive à l'homme ou ce qui arrive par l'homme ?

Peut-on modifier le cours de l'histoire ?

Un peuple est-il responsable de son histoire ?

→ ***Approche commune* : Ces sujets reposent sur l'alternative liberté/détermination. L'histoire est-elle déterminée ou libre ? À partir de là, c'est la question de la responsabilité historique qui se pose : l'histoire fait-elle les hommes ou sont-ce au contraire les hommes qui font l'histoire ?**

Faut-il renoncer à l'idée que l'histoire possède un sens ?

Pouvons-nous ne pas croire au progrès ?

L'utopie n'est-elle que l'envers de l'histoire ?

L'histoire peut-elle tenir lieu de religion ?

L'idée de progrès peut-elle servir à interpréter l'histoire ?

→ ***Approche commune*** **: Ces énoncés mettent en lumière l'ambiguïté de la notion de progrès. Relève-t-elle d'une dangereuse utopie ou au contraire d'un espoir raisonnable et nécessaire ?**

En quel sens peut-on dire que l'histoire ne se répète jamais ?
L'histoire est-elle un perpétuel recommencement ?
L'histoire n'est-elle que désordre ?
Peut-on dire qu'il existe une logique de l'histoire ?
L'histoire peut-elle faire l'objet d'un déterminisme ?

→ ***Approche commune*** **: L'histoire est-elle chaotique, désordonnée et imprévisible, ou bien au contraire ordonnée, prévisible et cyclique ? Est-elle contingente ou nécessaire ?**

L'étude de l'histoire nous conduit-elle à désespérer de l'homme ?
Y a-t-il dans l'histoire une part de tragique ?
En quel sens peut-on parler d'une ironie de l'histoire ?
L'histoire peut-elle justifier le mal ?
Faut-il voir dans la compétition le principe du progrès ?
Crise et progrès s'excluent-ils l'un l'autre ?

→ ***Approche commune*** **: Ces sujets présupposent qu'il y a du mal dans l'histoire, et suggèrent la contradiction entre cette présence et l'idée de progrès : le mal dans l'histoire est-il la preuve qu'elle ne progresse pas, ou est-il au contraire un moment nécessaire de ce progrès ?**

Sujet esquissé :
En quel sens y a-t-il une ironie de l'histoire ?

Introduction

L'expression « ironie de l'histoire » renvoie à celle de l'ironie du sort. L'ironie y est prise au sens d'une intention de cruauté qu'on prête au sort, et donc ici au sens d'une brutalité caractérisée de l'histoire à notre endroit. La question du sujet (en quel sens) porte donc non pas sur le sens du mot ironie mais sur celui du mot histoire : en quel sens l'histoire est-elle prise si elle est cruelle ? C'est la question du mal dans l'histoire qui est ainsi posée suggérant une contradiction entre cette présence et l'idée de progrès : le mal dans l'histoire est-il la preuve qu'elle ne progresse pas, ou est-il au contraire un moment nécessaire de ce progrès ?

Lignes directrices

1. L'histoire est ironique au sens où même sa cruauté ne sert à rien : elle est tragique. L'ironie consiste alors à nous laisser chercher un sens de l'histoire là où il n'y en a pas, à déployer le mal en nous laissant spéculer sur le bien qui pourrait en sortir.

Il faut prendre en compte le sens courant de l'expression, l'ironie de l'histoire, comme l'ironie du sort, mettant en jeu des coïncidences remarquables quoique non significatives (cf. cours I a I).

2. L'histoire est ironique au sens où justement elle doit en passer par un mal pour réaliser un bien : le mal dans l'histoire n'est qu'un moment d'autre chose que lui-même. L'ironie est alors

déplacement de sens et épreuve : la raison historique teste les hommes, faisant le tri entre la sensiblerie immédiate et la vue rationnelle de celui qui comprend l'histoire (cf. cours II b).

3. L'histoire ne peut apparaître ironique que si on attend d'elle un sens : l'énoncé présuppose un destin.

Or l'histoire n'est gouvernée que par le hasard : elle n'est donc pas en soi susceptible de porter en elle des orientations autres que celles que nous voulons y voir (cf. cours III c § 3). S'il y a ironie, c'est dans l'esprit du spectateur historique : l'ironie de l'histoire n'est imputable qu'à une disposition du sujet à en attendre un sens, et non à une caractéristique concrète quelconque de l'histoire comme objet.

Champ de problématisation

La raison et le réel

Définir, Problématiser

Le mot raison s'entend en un double sens : d'un côté, la raison s'entend comme faculté subjective au sens d'un certain pouvoir qu'on prête à tous les sujets. Cette raison est une faculté des principes, qu'il s'agisse de principes au sens logique ou au sens moral. C'est à cette faculté que renvoient les adjectifs « rationnel » (au sens de ce qui correspond à un principe logique), et « raisonnable » (au sens de ce qui correspond à un principe moral). L'universalité des principes issus de la raison suppose la présence de la raison en tout homme, et la faculté en tout homme d'écouter sa raison de préférence à des sources rivales de connaissance ou de jugement. Mais ces conditions sont-elles si faciles à remplir ? Existe-t-il réellement quelque chose de tel que l'universalité de la raison ? Qu'il s'agisse de connaissance ou de morale, **sommes-nous guidés par notre raison ou bien par notre sensibilité ? Faudra-t-il, pour explorer scientifiquement le réel, se fier à la raison théorisante ou aux leçons de l'expérience ?**

La raison est, comme faculté des principes, ce qui en nous s'élève à l'universel. C'est dire d'abord que la raison s'exerce bien au-delà de la connaissance, et aussi qu'elle est conduite à chercher dans le réel ce qui lui correspond, des raisons, des causes, des motifs qui soient susceptibles d'ordonner le chaos du divers autour d'une unité qui fasse sens. Le rationalisme intégral peut donc aussi bien être éclairant qu'inquiétant lorsqu'il entend tout réduire à la raison. Porte-t-il en lui la vérité du réel, ou bien constitue-t-il au contraire une illusion dangereuse ? Puisque l'on peut soupçonner la raison de chercher parfois dans le réel plus d'ordre qu'il n'en a, **faut-il penser l'ordre du réel comme quelque chose de donné ou de construit ? La vérité, si la raison y accède, est-elle elle-même donnée ou construite ?**

Que cet ordre et cette vérité soit donnée ou construite, reste à savoir si la réalité peut s'y laisser inscrire. Les neurosciences dans le vivant, le matérialisme réductionniste sont les symptômes de cette volonté de tout déterminer. N'y a-t-il de sens et de rigueur que dans une connaissance qui veut expliquer par démonstration, ou aussi dans celle qui entend comprendre et interpréter ? **Le vivant et la matière sont-ils entièrement déterminables par raisons suffisantes, ou bien reste-t-il (par exemple avec la notion d'esprit) quelque chose d'indéterminable et de libre ?**

Théorie et expérience

Définir, Problématiser

Les deux notions de théorie et d'expérience paraissent complémentaires ou rivales pour un certain nombre d'enjeux. Par exemple, pour ce qui est de la connaissance, théorie et expérience se présentent comme deux moyens, rivaux avant d'être complémentaires, du processus du connaître. Cette rivalité a donné naissance à l'alternative conceptuelle qui est peut-être la plus structurante de l'histoire du savoir : celle de l'empirisme et du rationalisme. L'empirisme, terme qui procède étymologiquement du mot grec qui signifie l'expérience, tient que c'est de cette expérience que nos connaissances dérivent. Le rationalisme au contraire met au premier plan la raison, et tient que c'est cette raison et non l'expérience qui est à l'origine de nos connaissances. Comment départager ou articuler ces deux instances rivales ? **Pour connaître, faut-il se fier à la raison théorisante ou aux leçons de l'expérience ?**

Encore faut-il s'entendre sur ce que signifie la notion d'expérience. Ce qui la caractérise classiquement, c'est la passivité, par opposition avec une faculté active, la raison. Le sens courant du mot expérience semble alimenter cette conception, en lui donnant le sens d'une accumulation chaotique et subie de faits dont nous tirons des leçons. Pourtant, le sens scientifique du mot peut faire remette en cause cette passivité : il n'y a pas en effet d'expérience sans protocole, au pont peut-être qu'en un sens, il n'y a rien de plus théorisé qu'une expérience. **L'expérience est-elle rationnelle, rationalisable, irrationnelle ?**

Par opposition avec cet horizon pratique, la notion de théorie désigne une connaissance spéculative du réel d'ordre abstrait et rationnel. Pour autant, cela ne signifie pas nécessairement que l'expérience ne soit destinée à y tenir aucun rôle. On peut comprendre ce rôle de deux façons : l'expérience peut inspirer la théorie, qui ne vient alors qu'*a posteriori* : la démarche scientifique se caractérise alors par l'induction. Au contraire, la théorie peut précéder l'expérience dont cette dernière se déduit : la théorie est alors *a priori*. **La démarche scientifique est-elle fondamentalement inductive ou déductive ?**

Développer

I. La connaissance commune

En un premier sens, il s'agit de déterminer ce qui nous permet de connaître au sens le plus large du mot : est-ce l'expérience ou bien la raison qui se trouve à la source de nos idées et de nos connaissances ?

a. Le rationalisme

Lorsque l'expérience éveille en nous une certaine idée, doit-on considérer que l'idée est en nous comme résultat de cette expérience ou bien au contraire qu'elle lui était préalable ? Descartes entend établir la seconde hypothèse, c'est-à-dire « qu'il n'y a rien dans nos esprits qui ne soit naturel à l'esprit ou à la faculté qu'il a de penser[1] ». Pour l'établir, il faut rendre raison de l'apparent obstacle de l'expérience. Même si « c'est la seule expérience qui fait que nous jugeons que telles ou telles idées que nous avons maintenant présentes à l'esprit se rapportent à quelques choses qui sont hors de nous[2] », cela ne signifie pas pour autant que l'expérience ait le pouvoir de produire l'idée : le rôle de l'expérience se limite à donner « occasion à notre esprit, par la faculté naturelle qu'il en a, de les former en ce temps-là plutôt qu'en un autre[3] ». Les idées sont donc innées, et le témoignage de nos sens n'agit que comme un éveilleur. De façon analogue, dans l'innéisme de Platon, savoir n'est jamais qu'une occasion de se ressouvenir, et l'art de Socrate n'est autre qu'un art d'accoucheur. Cela signifie qu'une théorie de l'innéisme conçoit les idées non seulement comme naturelles, mais aussi comme universelles. C'est le cas des « notions simples » de Descartes, idées innées qui ne sont ni adventices ni factices, « comme l'idée de Dieu, de l'esprit, du corps, du triangle, et de façon générale, toutes celles qui représentent des essences vraies, immuables et éternelles[4] ».

L'innéisme du rationalisme est solidaire d'une condamnation des sens. Il s'agit de réduire l'expérience au constat perceptif et de révoquer celui-ci en doute. Descartes se lance ainsi dans « la considération des choses les plus communes, et que nous croyons comprendre le plus distinctement, à savoir les corps que nous touchons et que nous voyons[5] ». C'est l'exemple d'un morceau de cire (voir texte n° 2) qui sera l'instrument de comparaison des moyens de connaître. La démonstration se fait par la confrontation de deux étapes, c'est-à-dire des qualités dont les sens nous informent avant le passage au feu (douce, odorante, colorée, dure, froide), et celles, différentes, que les sens nous transmettent après. « Qu'est-ce donc, demande alors Descartes, que l'on connaissait dans ce morceau de cire avec tant de distinction[6] ? » Seule la raison semble capable d'établir que la même cire demeure, c'est-à-dire de garantir

1. Descartes, *Notae in programma*, Garnier, tome 3, 1973, p. 808.
2. *Ibid.*
3. *Ibid.*
4. Descartes, *Lettre à Mersenne du 16 juin 1641*, Garnier, tome 2, 1967, p. 337.
5. Descartes, *Méditations métaphysiques*, II, GF-Flammarion, 1979, p. 89.
6. *Ibid.*

l'identité permanente de la cire par-delà les changements. Descartes dira ainsi de la cire que « tout de même que si je lui avais ôté ses vêtements, je la considère toute nue[1] », métaphore qui distingue les qualités secondes, qui n'appartiennent pas en propre à la cire et qui ne sont qu'en nous, par opposition aux qualités premières, accessibles seulement à la raison, et qui sont l'essence même de la cire, en l'occurrence l'étendue. C'est ce rejet des sens[2] qui fonde la position rationaliste.

Voilà ainsi les sens réputés trompeurs, en tant qu'ils se sont laissés prendre au piège du changement. Pourtant, en toute rigueur, l'information selon laquelle la cire est froide avant qu'on la brûle et cette autre qui nous dit qu'après le passage elle est chaude sont-elles des informations fausses ? En elle-même et à strictement parler, la sensation « n'est ni douteuse, ni fausse, ni par conséquent vraie ; elle est actuelle toujours dès qu'on l'a[3] ». C'est donc le jugement qui accompagne la perception qui peut se voir frappé d'erreur, comme dans le mirage ou le trompe-l'œil. La sensation elle-même ne me trompe pas, toute perception n'est pas par définition hallucinatoire. Pour dire que les sens sont trompeurs (et par voie de conséquence l'expérience, si on l'y réduit), il faut donner à la perception le rôle d'un jugement qui n'est peut-être pas le sien. Kant le fait remarquer dans l'apologie qu'il entreprend de la sensibilité : « les sens ne trompent pas. Cette proposition est le refus du reproche le plus lourd, mais aussi, bien pesé, le plus vide qui soit fait aux sens ; et cela, non point parce qu'ils jugent toujours avec justesse, mais parce qu'ils ne jugent pas du tout ; raison pour laquelle l'erreur est toujours à la charge du seul entendement[4] ».

b. L'empirisme

Locke entend au contraire réfuter l'idée selon laquelle l'esprit humain pourrait receler des principes préalables au contact sensoriel avec le monde. C'est d'abord la fiction de la table rase[5] qui étaye cette thèse : l'esprit y est pensé sur le modèle d'une tablette de cire vierge sur laquelle les sensations gravent ce qui deviendra des idées. Pour Locke, la première source des idées n'est autre que la sensation produite par les choses extérieures. Cette source première n'est pas la seule, la seconde étant constituée par « la perception des opérations de notre âme sur les idées qu'elle a reçue par les sens[6] ». Refusant cette seconde source, et la réflexion dérivée de la sensation, la position sensualiste de Condillac radicalise la thèse empiriste pour réduire absolument la connaissance à la sensation : « toutes nos connaissances et toutes nos facultés viennent des sens, ou, pour parler plus exactement, des sensations[7] ».

Ainsi peut-on opposer à l'analyse cartésienne du morceau de cire l'analyse que fait Hume du morceau de pain (voir texte n° 3). La question est de savoir si le fait

1. *Id.*, p. 93.
2. Voir le chapitre sur la perception, I, c.
3. Alain, *Éléments de philosophie*, I, 8, « Folio-Essais »,Gallimard, 1941, p. 58.
4. Kant, *Anthropologie du point de vue pragmatique*, I, § 11, « La Pléiade », tome 3, 1986, p. 964.
5. Voir texte n° 7.
6. Locke, *Essais philosoqphiques concernant l'entendement humain*, Vrin, II, I, § 4, 1989, p. 61.
7. Condillac, *Traité des sensations*, Puf, 1947, p. 323.

que le pain m'ait auparavant nourri garantit que le prochain morceau me nourrira. Or, la position empiriste suppose que seules les qualités perceptibles soient prises en compte. Ainsi le pouvoir nutritif du pain est-il qualifié de « pouvoir caché », puisque la qualité nutritive ne se perçoit pas : puisqu'elle est imperceptible, elle doit donc se trouver dans le sujet plutôt que dans l'objet. Seule la récurrence de l'expérience que j'ai faite du pain me fait supposer que le prochain pain me nourrira, mais en toute rigueur, cette récurrence n'établit rien. S'il fallait voir dans toute récurrence l'indice d'une causalité, alors je serais conduit à présumer que le vendredi fait pleuvoir s'il a plu les trois derniers vendredis. Donc l'habitude ne suffit pas à justifier la causalité. La prétendue nécessité de la loi de causalité ne recouvre en fait qu'une croyance, l'habitude engendrée dans le sujet par la répétition. L'analyse empiriste de Hume ne peut donc admettre l'existence objective d'une causalité qui reste imperceptible.

C'est ce trait qui fait apparaître une limite structurelle de l'empirisme. En effet, le raisonnement de cause à effet donne à la science son prototype. C'est d'ailleurs en dernière analyse la science qui établit le pouvoir nutritif du pain à partir de sa composition chimique. L'argument que Leibniz opposait à la table rase de Locke tient dans la méconnaissance des mathématiques qu'il impute à ce dernier, et l'argument n'est autre d'ailleurs que celui que Socrate opposait au radicalisme de Calliclès : « en fait, tu ne fais pas attention à la géométrie[1] ». Michel Serres peut donc conclure que « comme on le voit assez bien dans toute discussion entre un empiriste et un rationaliste — Locke et Leibniz par exemple — *l'empirisme aurait toujours raison si les mathématiques n'existaient pas*. L'empirisme est la philosophie *vraie* dès que les mathématiques sont entre parenthèses[2] ».

c. Le criticisme

Comment déroger au rationalisme le plus rigide sans tomber dans cette impasse ? Comment prendre en compte l'apport de l'intuition sensible dans la connaissance sans rendre du même coup les mathématiques impossibles ? Kant pose ainsi le problème : les jugements déterminants peuvent être distingués en deux types, les jugements analytiques et les jugements synthétiques. Les premiers sont ceux pour lesquels l'intuition était déjà incluse dans le concept (du type : l'eau est humide), et ils nous en apprennent par conséquent moins que les jugements synthétiques, qui, eux, ajoutent au concept quelque chose qui vient de l'expérience. Mais dans ces conditions, il semble que ces jugements paraissent condamnés à suivre l'expérience et à lui être postérieurs, c'est-à-dire à être *a posteriori*. Toute la question est alors de savoir : comment « des propositions synthétiques *a priori* sont-elles possibles[3] ? » Cette question est décisive parce que c'est elle qui fonde la possibilité des sciences : une proposition telle que 7 + 5 = 12 est synthétique (le 12 n'étant ni dans le 7 ni dans le 5) et *a priori*, aucune expérience n'en pouvant être faite.

1. Platon, *Gorgias*, 508 a, GF-Flammarion, 1987, p. 272.
2. Serres, *Hermès I – La communication*, « Points-Seuil », 1969, p. 45. Voir aussi le texte n° 5.
3. Kant, *Critique de la raison pure*, « Quadrige », Puf, 1984, p. 75.

La réponse de Kant consistera à dire que « des pensées sans contenu sont vides, des intuitions sans concept, aveugles[1] ». Le divers sensible ne nous étant donné qu'en fonction de notre capacité à le recevoir, il apparaît toujours sous une forme spatialisée et temporalisée. L'espace et le temps sont donc des formes *a priori* de la sensibilité, qui rendent possibles à la fois l'expérience et les objets dont nous faisons l'expérience. C'est ainsi que des jugements synthétiques *a priori* sont possibles, comme c'est le cas pour la géométrie « qui détermine synthétiquement, et cependant *a priori*, les propriétés de l'espace[2] ». La géométrie construit ainsi ses concepts dans l'intuition pure, c'est-à-dire dans l'espace qui se trouve en nous *a priori*. De cette façon, Kant tempère le rationalisme par l'empirisme, en montrant que tout jugement articule nécessairement un concept donné par l'entendement et l'intuition sensible donnée dans l'expérience.

C'est là ce que l'on appelle la philosophie critique de Kant, qui entend critiquer (au sens d'examiner les limites) de l'usage pur de la raison, celle-ci étant poussée à sortir de l'expérience « pour s'élancer, dans un usage pur et à l'aide de simples idées, jusqu'aux extrêmes limites de toute connaissance[3] ». C'est le besoin de la raison, qui vise à achever la série des causes et à toucher du doigt l'absolu. « Platon remarquait fort bien que notre faculté de connaissance éprouve un besoin beaucoup plus élevé que celui d'épeler simplement des phénomènes[4] » Cette prétention de la raison se heurte pourtant, dans le déterminisme, à la régression à l'infini de la série des causes, sur laquelle bute l'antithèse de la troisième antinomie[5].

II. La connaissance scientifique

La notion d'expérience a été réduite jusqu'ici à la passivité supposée de l'intuition sensible. Mais, dans son sens scientifique, la notion voit son sens s'élargir d'une façon qui repose en des termes nouveaux la question des relations entre l'expérience et la raison.

a. Le fait et le droit

Il faut d'abord éclairer ce nouveau sens. En effet, tout fait n'est pas par lui seul un fait d'expérience. Comme pour l'événement en histoire, c'est le regard de l'expérimentateur qui fait d'un donné sensible un fait d'expérience. En ce sens, la notion d'expérience involontaire est presque contradictoire en physique[6] : il ne peut s'agir que de faits qui sont après coup catalogués comme expérimentaux. Aucun chercheur ne procède à l'aveuglette et l'expérience scientifique repose sur l'idée d'un protocole qui suppose un objet et une méthode de recherche. Au fond, cette dimension de la

1. *Id.*, p. 77.
2. *Id.*, p. 57.
3. *Id.*, p. 539.
4. *Id.*, p. 263.
5. Voir le chapitre sur la liberté, II, b.
6. Voir le chapitre sur la démonstration, II, b, § 2.

notion ne contredit pas le sens courant de l'expérience : si je peux dire après une rupture sentimentale que j'ai vécu une expérience utile, ce n'est pas pour autant que je m'étais engagé dans la relation en question dans la volonté de faire un essai ou une expérience.

Cette conception de l'expérience induit clairement un primat de la théorie, et de la méthode déductive sur la méthode inductive. C'est ce primat[1] que Kant défend en invoquant Galilée et Torricelli, dont les expériences ont ceci de commun qu'elles visaient à voir confirmer des résultats connus d'avance. Ainsi, la raison « doit prendre les devants avec les principes qui déterminent ses jugements[2] », faute de quoi elle remettrait ses observations au hasard. Obligeant la nature à répondre à ses questions, « la raison se présente à la nature tenant, d'une main, ses principes qui seuls peuvent donner aux phénomènes concordant entre eux l'autorité de lois, et de l'autre l'expérimentation qu'elle a imaginée d'après ces principes[3]. »

Ne peut-on objecter pourtant qu'il a bien fallu que le savant tire son hypothèse théorique de l'observation ? Kant reconnaît certes que la raison est instruite par l'expérience, mais comme un juge plutôt que comme un écolier. L'expérience n'est alors première que chronologiquement, la théorie restant logiquement première : même si elle n'est pas venue en premier, elle est ce par quoi il aurait fallu commencer. C'est ce que l'appel au domaine moral nous permet de mieux comprendre, en transposant les notions de raison et d'expérience comme droit et comme fait. Le domaine moral peut même ici fonctionner comme modèle d'intelligibilité du domaine scientifique, la même raison y est engagée avec les mêmes exigences. Or, en matière de morale, le fait ne fait pas droit, et l'expérience n'y est même plus, comme elle peut l'être en physique, la source (au sens chronologique) du principe : « à l'égard de la nature, c'est l'expérience qui nous fournit la règle et qui est la source de la vérité ; mais à l'égard des lois morales, c'est l'expérience (hélas) qui est la mère de l'apparence, et c'est une tentative au plus haut point condamnable que de vouloir tirer de *ce qui se* fait les lois de ce que *je dois faire* ou de vouloir les y réduire[4] ».

b. L'empirisme scientifique

Quel est alors le rôle dévolu à l'expérience scientifique ? Il est entendu que les sciences expérimentales confirment les théories, mais est-ce à dire que l'expérience est cruciale au point d'être capable, si elle est contraire à la théorie, de la réfuter ? Telle est la position de l'empirisme épistémologique, qui accorde à l'expérience un tel rôle décisif : c'est la thèse de l'expérience cruciale défendue par Bacon[5]. Sans incarner véritablement une position scientifique empiriste, Pascal s'en est fait un brillant défenseur au moment d'opposer les leçons de l'expérience aux dogmes scolastiques en vigueur en son temps. Son propos consiste à ménager la chèvre et le

1. Voir aussi le texte n° 8.
2. *Id.*, p. 17.
3. *Ibid.*
4. *Id.*, p. 265.
5. Voir le chapitre sur la démonstration, IIc § 3.

chou, en soutenant que si les expériences contemporaines avaient été soumises aux anciens, eux aussi auraient pu admettre qu'elles réfutaient leurs opinions : « de même quand les anciens ont assuré que la nature ne souffrait point de vide, ils ont entendu qu'elle n'en souffrait point dans toutes les expériences qu'ils avaient vues, et ils n'auraient pu sans témérité y comprendre celles qui n'étaient pas en leur connaissance. Que si elles y eussent été, sans doute ils auraient tiré les mêmes conséquences que nous[1] ».

La prudence équilibriste avec laquelle Pascal conclut que « sans les contredire, nous pouvons assurer le contraire de ce qu'ils disaient et, quelque force enfin qu'ait cette antiquité, la vérité doit toujours avoir l'avantage[2] », révèle au fond non seulement la nouveauté de l'expérience, mais aussi le poids de l'autorité. Voici l'Église, et avec elle, tout le glacis d'un savoir physique qui a peu évolué depuis Aristote, menacée par des discours physiques dont la nouveauté est loin d'être aussi gênante que la souveraineté : « à côté de la vérité de la révélation, voici qu'entre maintenant en scène une vérité propre et originaire, une vérité physique indépendante[3] ». Les nouvelles expériences de physique du tournant galiléen, dans le sillage desquelles il faut mentionner celles auxquelles Pascal s'est livré en ce qui concerne la pression atmosphérique au sommet du Puy-de-Dôme, n'ont pas peu contribué à cet état de choses. La tradition empiriste naît ainsi de ces leçons nouvelles de l'expérience.

Pour autant, il ne s'agit pas de limiter le courant empiriste à ce seul élan originel : l'épistémologie contemporaine a vu en Popper un fervent défenseur de cet empirisme auquel on peut donner le nom de faillibilisme. Il faut entendre par là la faculté pour une expérience de réfuter une théorie. Tant que l'expérience confirme les conséquences d'une théorie, celle-ci reste valide, mais si elle les infirme, elle se trouve invalidée. L'expérience retrouve donc ici, comme dans sa dimension cruciale chez Bacon, un rôle de test discriminant : « si les conclusions singulières se révèlent acceptables, ou *vérifiées*, la théorie a provisoirement réussi son test : nous n'avons pas trouvé de raisons de l'écarter. Mais si la décision est négative, ou, en d'autres termes, si les conclusions ont été *falsifiées*, cette falsification falsifie également la théorie dont elle était logiquement déduite[4] ».

c. Le rationalisme scientifique

Le second rôle possible de l'expérience scientifique consiste au contraire à nous engager à refaire l'expérience jusqu'à ce que son résultat corresponde à la théorie : l'expérience redevient alors la servante de la raison. C'est par exemple la position de Duhem, qui considère que l'expérience ne nous dit jamais où est l'erreur, alors qu'une théorie physique est un ensemble d'hypothèses. Ainsi, « le physicien ne peut jamais soumettre au contrôle de l'expérience une hypothèse isolée, mais seulement tout un ensemble d'hypothèses ; lorsque l'expérience est en désaccord avec ses pré-

1. Pascal, *Traité du Vide, Œuvres complètes*, Seuil, 1963, p. 22.
2. *Ibidem*.
3. Cassirer, *La Philosophie des Lumières*, « Agora », Presses Pocket, 1966, p. 87.
4. Popper, *La Logique de la découverte scientifique*, Payot, 1973, p. 30.

visions, elle lui apprend que l'une au moins des hypothèses qui constituent cet ensemble est inacceptable et doit être modifiée ; mais elle ne lui désigne pas celle qui doit être changée[1] ». L'expérimentateur de physique reconnaît implicitement l'exactitude d'un ensemble théorique. L'expérience d'application se contente de tirer parti de la théorie ; l'expérience d'épreuve conteste une loi, et en fait sortir la prévision d'un fait d'expérience. Si le phénomène prévu ne se produit pas, ce n'est pas la proposition litigieuse, mais tout l'échafaudage théorique qui est pris en défaut. Lorsque l'expérience est en désaccord avec ses prévisions, l'une au moins des hypothèses de l'ensemble est inacceptable, mais l'expérience ne désigne pas laquelle : l'expérience confirme la théorie mais ne la réfute pas.

C'est même au contraire la raison qui corrige l'expérience : cela tient, pour Duhem, à la spécificité de l'expérience de physique, qui est interprétation en plus d'être observation. Plus que « la constatation d'un groupe de faits concrets, c'est l'énoncé d'un jugement reliant entre elles certaines notions abstraites[2] ». Toute science peut être amenée à créer, à construire l'objet, le « fait théorique », le phénomène qui lui permettra de satisfaire à cette exigence, objet qu'on peut comprendre comme unique et isolé ou au contraire comme sérié et donc comme une véritable classe d'objets, soit un champ : celui-ci n'est autre que l'espace théorique nécessaire à l'exercice des relations entre les objets qui s'y trouvent, comme par exemple, l'appareil de Faraday, l'espace einsteinien mais aussi l'inconscient freudien : toute science se constitue autour d'un certain champ théorique et construit ses objets. Kant distinguait la connaissance mathématique comme connaissance par construction de concepts et la physique comme connaissance par concepts, ce qui laisse supposer que les sciences non mathématiques ont affaire au donné. En réalité, une analyse attentive de l'expérience de physique montre que tel n'est pas le cas : Duhem l'illustre par la « disparité entre le fait pratique, réellement constaté, et le fait théorique, c'est-à-dire la formule symbolique et abstraite énoncée par le physicien[3] » : entre les deux « s'intercale une élaboration intellectuelle très complexe[4] », qui montre que l'interprétation théorique des phénomènes rend seule possible l'usage des instruments de mesure.

L'expérience de physique n'est donc pas seulement observation, elle est aussi interprétation. Cette thèse est une thèse rationaliste, qui considère que l'expérience n'est pas réfutante mais seulement vérificatrice : il faut l'interpréter pour pouvoir détermine. Le physicien se livre donc à une transposition, du fait pratique au fait théorique, entre lesquels l'interprétation s'intercale. Ainsi, l'expérimentation scientifique « transcende l'immédiat, elle reconstruit le réel après avoir reconstruit ses schémas[5] ». Le phénomène est donc porteur d'une forte part théorique, au pont qu'en outrant le rationalisme pour lui donner le visage provocateur sous lequel Feyerabend le prend, on peut aller jusqu'à imaginer une science sans expérience : une

---

1. Duhem, *La Théorie Physique*, Vrin, 1989, p. 284.
2. *Id.*, p. 222.
3. *Id.*, p. 229.
4. *Id.*, p. 230.
5. Bachelard, *Le nouvel esprit scientifique*, Puf, 1966, p. 12.

théorie absurde peut donc renverser une théorie plausible quand bien même cette dernière serait confirmée par l'expérience. C'est de cette façon que Niels Bohr, le découvreur de l'atome, avait écarté une supposition d'un de ses étudiants, qu'il avait jugée intéressante mais pas assez invraisemblable.

III. À quoi reconnaît-on une science ?

a. Les critères de scientificité

Lorsqu'il s'agit de juger de la scientificité ou non d'un savoir constitué, à quels critères faut-il faire appel ? Naturellement cette question des critères doit être examinée ici dans le sens de ce qui peut mettre en relation sciences humaines et sciences naturelles, en particulier dans le sens d'une importation par les premières des critères des secondes.

On peut identifier en premier lieu l'universalité, critère qui renvoie à la définition classique de la science comme passage du singulier à l'universel : les énoncés de la science physique ont par exemple une valeur de généralité. C'est ainsi que Freud, qui veut faire valoir que son hypothèse de l'inconscient vaut « aussi bien chez l'homme sain que chez le malade », et qu'elle est corroborée par « notre expérience la plus quotidienne[1] », revendique la scientificité, que Schopenhauer de son côté refuse à l'histoire, car « nulle part elle ne connaît le particulier par le moyen de l'universel, mais elle doit saisir immédiatement le fait individuel[2] ». L'universel fonctionne donc bien ici comme critère de scientificité issu des sciences naturelles : c'est ce qui explique que l'esprit scientifique se définisse par une rupture vis-à-vis des autres savoirs.

En second lieu, la démarche des sciences de la nature se caractérise par un système hypothético-déductif, un enchaînement d'inférences : un raisonnement scientifique insère son objet dans une série de causes et d'effets. Ce critère est lui-même le résultat de la mathématisation des sciences de la nature : ainsi un statisticien comme Cournot utilisera-t-il l'outil mathématique pour donner à l'histoire de l'intelligibilité par l'idée de hasard, « qui est la clef de la statistique et donne un sens incontestable à ce que l'on a appelé la philosophie de l'histoire, à ce que nous aimerions mieux appeler l'étiologie historique, en entendant par là l'analyse et la discussion des causes ou des enchaînements de causes qui ont concouru à amener les événements dont l'histoire nous offre le tableau ; causes qu'il s'agit surtout d'étudier au point de vue de leur indépendance ou de leur solidarité[3] ». Sans pouvoir faire l'objet d'un déterminisme, le phénomène historique n'est pas sans cause : l'étiologie historique pourra donc être une science.

En troisième lieu, les sciences naturelles ont recours à un protocole expérimental qui valide ou réfute une théorie. Popper, comme on l'a vu, considère ainsi qu'un système scientifique se définit par le fait que « sa forme logique soit telle qu'il puisse être

---

1. Freud, *Métapsychologie*, Gallimard, 1968, p. 66.
2. Schopenhauer, *Le Monde comme Volonté et comme Représentation*, Puf, 1966, p. 1179.
3. Cournot, *Considérations sur la marche des idées et des événements dans les temps modernes*, Vrin, 1973, p. 10

distingué, au moyen de tests empiriques, dans une acception négative : *un système faisant partie de la science empirique doit pouvoir être réfuté par l'expérience*[1] ». Or cette épreuve de l'expérience pose problème pour les sciences humaines. Lorsque son objet n'est pas une réalité matérielle, comme c'est le cas pour l'inconscient freudien, l'hypothèse offre certes un « gain de sens et de cohérence » qui donne « une raison, pleinement justifiée, d'aller au-delà de l'expérience immédiate[2] », mais elle n'est pas expérimentable. Qu'est l'expérience pour l'historien ? La recherche des faits, outre qu'elle n'offre pas d'analogie claire avec un protocole expérimental, fait l'objet de controverses incessantes.

b. La nature du progrès scientifique

Ce que l'on appelle du nom de révolution galiléo-cartésienne consiste en un renversement du rapport des mathématiques à la physique. Elle fait disparaître la conception aristotélicienne d'un monde clos pour nous ouvrir à l'espace homogène et quantifiable d'un univers infini. À propos du moment galiléen s'opposent la thèse de la discontinuité, qui voit une différence de nature entre Galilée et la science antique et scolastique, et la thèse de la continuité, qui n'y voit qu'une différence de degré, et qui réfuterait donc l'expression de révolution. Koyré serait sans doute à ranger du côté des partisans de la discontinuité. Il réfute par exemple la thèse de Crombie[3], selon laquelle les philosophes occidentaux du XIIIe siècle ont été les précurseurs de la méthode expérimentale moderne. Plus généralement, il s'oppose de façon répétitive à l'interprétation selon laquelle le passage d'une science à l'autre serait un passage de la théorie à la pratique. Mais même ces thèses recèlent quelque chose de vrai : ce n'est qu'après coup qu'une révolution nous apparaît dans sa brutalité ponctuelle : « les révolutions, elles aussi, ont besoin de temps pour s'accomplir ; les révolutions, elles aussi, ont une histoire[4] ».

La thèse de la continuité caractérise au contraire la position de Duhem. Ce dernier entend manifester, de Platon à Galilée, une identité d'enjeu, puisqu'il ne s'agit jamais, à chaque fois, que de sauver les phénomènes : par-delà les ruptures, les coupures épistémologiques, la conception de ce qu'est une théorie physique et de ses enjeux n'aurait jamais cessé d'être la même. Pour pouvoir le dire même de Copernic, Duhem s'appuie sur la préface qu'Oslander, l'éditeur de Copernic, ajouta au *Des Révolutions des orbes célestes*, et où il déclare, que même si Copernic se laisse parfois aller à présenter l'héliocentrisme comme une vérité cosmologique[5], il ne s'agissait jamais que d'une hypothèse dont la fonction est de sauver les phénomènes. Mieux encore : si cette hypothèse s'impose finalement, et si même on doit avoir recours à

---

1. Popper, *La Logique de la Découverte scientiifique*, Payot, 1978, p. 37-38.
2. Freud, *id.*
3. Voir l'article intitulé « Les Origines de la Science moderne », in *Études d'Histoire de la pensée scientifique*, *op. cit.*, p. 61 *sq.*
4. Koyré, *id.*, p. 13.
5. Ce que le cardinal Bellarmin disait de Galilée.

elle en considérant qu'elle a atteint la réalité de ce qui est, ce n'est que parce que la meilleure façon de sauver les phénomènes est de s'attacher à l'ordre réel des choses.

Derrière ce que le moment galiléo-cartésien a de révolutionnaire, demeure donc encore l'impératif grec : sauver les phénomènes. Le progrès d'une science, à la lumière de notre dernière analyse, ne peut donc être tenu pour linéaire et cumulatif. Au contraire de cette augmentation de volume par juxtaposition, nous aurions plutôt affaire à une révision perpétuelle des contenus. Autant dire qu'une science ne cesse de faire retour vers ses propres commencements. Comment un commencement antérieur pourrait-il être impliqué dans une révolution ? À cet égard, en regardant en arrière, nous voilà « dans une sorte de cercle », comme l'expliquait Husserl : « la compréhension des commencements ne peut être obtenue pleinement qu'à partir de la science donnée dans la forme qu'elle a aujourd'hui, et par un regard en arrière sur son développement. Mais sans une compréhension des commencements, ce développement est, en tant que développement du sens, muet. Il ne nous reste plus qu'une solution, c'est d'aller et venir en « zig-zag » [...], de faire constamment des sauts historiques[1] ». Il faudra alors distinguer deux sortes de commencements : les commencements de fait (ici Ptolémée), et les commencements de droit (Galilée). Le champ de signification des premiers continue de se manifester dans les seconds : la révolution galiléenne contient encore quelque chose de ce qu'elle a réfuté.

c. L'unité du savoir, une obsession vaine ?

La mise sur le même plan des sciences humaines, des sciences de la nature et des sciences formelles repose elle aussi sur le présupposé galiléen : unifier mathématiquement le monde. C'est l'unification des champs de données, la mise en cohérence de phénomènes apparemment disparates et hétérogènes. Ainsi, à mesure que l'unité du savoir progresse, le monde devient plus continu et cohérent. Cette ambition, dont la contagion apparaît chez un Hume ou un Montesquieu (unifier d'autres champs, devenir le Newton des phénomènes humains) culmine avec le scientisme, qui entend mathématiser et quantifier les phénomènes culturels.

Il y a certes des régions du savoir qui communiquent entre elles : les déplacements et échanges de concepts ou de champs théoriques l'illustrent assez. Mais il s'agit là d'une unité sans point fixe, sans norme organisatrice. Le savoir n'est pas continental, mais au plus régional : s'il y a unité, c'est une unité de réseau et non plus une unité linéaire. Le savoir contemporain n'est plus continental ni même régional, mais il est en archipel. Heidegger impute cette évolution à la primauté de la méthode dans la science moderne, laquelle méthode ne peut que délimiter des domaines d'objets : « la théorie du réel est nécessairement une science compartimentée[2] ». Il s'agit donc d'une conséquence nécessaire qu'il n'est nul besoin de déplorer comme un mal : « la spécialisation n'est nullement le symptôme d'une dégénérescence due à quelque aveuglement, encore moins un signe de décadence marquant la science moderne[3] ».

1. Husserl, *op. cit.*, p. 67-68.
2. Heidegger, « Science et Méditation » in *Essais et Conférences*, « Tel », Gallimard, 1958, p. 65.
3. *Ibid.*

Cet éclatement centrifuge se retrouve même dans les théorisations savantes de l'unité. Ainsi peut-on distinguer trois sens de cette unité de la science : « l'unité de la science au sens le plus faible est atteinte à partir du moment où l'on réduit tous les termes de la science aux termes d'une discipline[1] ». Deuxièmement, elle peut consister « dans l'unité des lois[2] » (quand les lois des sciences sont réduites à celles d'une discipline). Enfin, au sens supérieur, il s'agira d'unifier et de relier ces lois les unes aux autres. C'est bien la caractéristique du positivisme que d'induire ainsi de la généralité de la physique à l'unité de la science. La physique en effet « élabore la taxinomie de son domaine la mieux adaptée à ses buts : formuler des lois de base [...] dépourvues d'exceptions[3] ». Mais « ce n'est pas la seule taxinomie possible permettant d'atteindre les buts de la science en général[4] ». Chaque science spécialise sa taxinomie selon son objet.

Textes

1. Kant

Est-ce par la raison ou par l'expérience que l'on connaît ?

De quelque manière et par quelque moyen qu'une connaissance puisse se rapporter à des objets, le mode par lequel elle se rapporte immédiatement aux objets et auquel tend toute pensée comme au but en vue duquel elle est le moyen est l'intuition. Mais cette intuition n'a lieu qu'autant que l'objet nous est donné ; ce qui n'est possible à son tour [du moins pour nous autres hommes] qu'à la condition que l'objet affecte d'une certaine manière notre esprit. La capacité de recevoir (réceptivité) des représentations grâce à la manière dont nous sommes affectés par les objets se nomme SENSIBILITÉ. Ainsi, c'est au moyen de la sensibilité que des objets nous sont *donnés*, elle seule nous fournit des *intuitions* ; mais c'est l'entendement qui *pense* ces objets et c'est de lui que naissent les *concepts*. Et il faut que toute pensée, soit en ligne droite, soit par détours, se *rapporte finalement* à des intuitions, par conséquent, chez nous, à la sensibilité, parce que nul objet ne peut nous être donné d'une autre façon.

Kant, *Critique de la Raison pure*, Puf, 1984, p. 53.

2. Descartes

Prenons pour exemple ce morceau de cire qui vient d'être tiré de la ruche : il n'a pas encore perdu la douceur du miel qu'il contenait, et il retient encore quelque chose de l'odeur des fleurs dont il a été recueilli ; sa couleur, sa figure, sa grandeur, sont apparentes ; il est dur, il est froid, on le touche, et si vous le frappez il rendra quelque son. Enfin, toutes les choses qui peuvent distinctement faire connaître un

1. Oppenheim et Putnam, « L'unité de la science : une hypothèse de travail », in *De Vienne à Cambrige*, *op. cit.*, « Tel », Gallimard, 1980, p. 371-372.
2. *Id.*, p. 372.
3. Fodor, « Les sciences particulières », in *De Vienne à Cambrige*, *op. cit.*, « Tel », Gallimard, 1980, p. 440.
4. *Ibid.*

corps, se rencontrent en celui-ci. Mais voici que, cependant que je parle, on l'approche du feu : ce qui y restait de saveur s'exhale, l'odeur s'évanouit, sa couleur se change, sa figure se perd, sa grandeur augmente, il devient liquide, il s'échauffe, à peine le peut-on toucher, et quoiqu'on le frappe, il ne rendra plus aucun son. La même cire demeure-t-elle après ce changement ? Il faut avouer qu'elle demeure : et personne ne le peut nier. Qu'est-ce donc que l'on connaissait en ce morceau de cire avec tant de distinction ? Certes ce ne peut être rien de tout ce que j'y ai remarqué par l'entremise des sens, puisque toutes les choses qui tombaient sous le goût, ou l'odorat, ou la vue, ou l'attouchement ou l'ouïe, se trouvent changées, et cependant la même cire demeure.

Descartes, *Méditations métaphysiques*, II, GF-Flammarion, 1979, p. 89.

3. Hume

Le pain, que j'ai mangé précédemment, m'a nourri ; c'est-à-dire un corps, doué de telles qualités sensibles, était, à cette époque, doué de tels pouvoirs cachés ; mais en suit-il qu'il faille que l'autre pain me nourrisse en une autre époque et que des qualités sensibles semblables s'accompagnent toujours de semblables pouvoirs cachés ? La conséquence ne semble en rien nécessaire. Du moins faut-il reconnaître qu'ici l'esprit tire une conséquence ; qu'il fait un certain pas ; qu'il y a un progrès de pensée et une inférence qui réclament une explication. Les deux propositions que voici sont loin d'être les mêmes : « J'ai trouvé qu'un tel objet a toujours été accompagné d'un tel effet et je prévois que d'autres objets qui sont semblables s'accompagneront d'effets semblables ». J'accorderai, s'il vous plaît, que l'une des propositions peut justement se conclure de l'autre : en fait, je le sais, elle s'en conclut toujours. Mais si vous insistez sur ce que la conclusion se tire par une chaîne de raisonnements, je désire que vous produisiez ce raisonnement. La connexion entre ces deux propositions n'est pas intuitive.

Hume, *Enquête sur l'entendement humain*, IV, GF-Flammarion, 1983, p. 93-94.

4. Montaigne

Nous saisissons la pomme quasi par tous nos sens ; nous y trouvons de la rougeur, de la polissure, de l'odeur et de la douceur ; outre cela, elle peut avoir d'autres vertus, comme d'assécher ou restreindre, auxquelles nous n'avons point de sens qui se puisse rapporter. Les propriétés que nous appelons occultes en plusieurs choses, comme a l'aimant d'attirer le fer, n'est-il pas vraisemblable qu'il y a des facultés sensitives en nature, propres à les juger et à les apercevoir, et que le défaut de telles facultés nous apporte l'ignorance de la vraie essence de telles choses ? C'est à l'aventure quelque sens particulier qui découvre aux coqs l'heure du matin et de minuit, et les émeut à chanter.

Montaigne, *Essais* II, XII, « Folio », Gallimard, 1965, p. 333-334.

5. Alquié

L'empirisme peut-il tenir lieu de connaissance ?

La sensation pure recule sans cesse devant notre quête, et demeure insaisissable. Pour l'atteindre, ne faudrait-il pas redevenir enfant, retrouver l'immédiat sans concept, sans mémoire ? Mais que deviendrait alors notre connaissance ? Toute prévision, toute attente, toute assurance y disparaîtraient. Je ne saurais plus ce qui sera dans un instant, car ce qui sera dans un instant ne m'est pas donné, n'est pas pour moi objet d'expérience. Saurais-je ce qui fut ? Non, le passé n'est pas donné : pour le retrouver, la mémoire suppose, infère, juge, reconstruit : elle dépasse encore l'expérience. Ainsi, le retour aux seules données sensibles, bornées, comme le remarque Hegel, à un « maintenant » et à un « ici », m'abandonnerait en un monde où l'être se réduirait au seul objet de la perception immédiate, où la vérité ne se distinguerait plus de ce que m'offrirait l'instant.

Alquié, *L'Expérience*, Puf, 1970, p. 14.

6. Aristote

Aurions-nous des idées sans sensations ?

Il est évident que si l'un quelconque des sens a disparu, il est nécessaire qu'un certain type de science ait disparu avec lui, science dès lors impossible à acquérir. Nous apprenons, en effet, soit par induction, soit par démonstration, la démonstration procédant des universels et l'induction des cas particuliers ; mais il est impossible d'en venir à considérer les universels sans passer par l'induction, puisque même ce que l'on appelle notions « abstraites » ne seront rendues accessibles que par induction, dans la mesure où à chaque genre pris dans sa nature déterminée appartiennent quelques-unes de ces notions, mais où elles n'existent pas à l'état séparé ; or l'induction est impossible à qui ne possède pas la sensation. C'est en effet aux cas particuliers que s'applique la sensation, et de ceux-ci l'on ne peut avoir de science : impossible, en effet, de la tirer des universels sans induction préalable, comme de les atteindre par induction sans la sensation.

Aristote, *Seconds analytiques*, I, 18, 81a-b, Vrin, 1947, p. 81.

7. Locke

Comment l'homme vient à avoir toutes ces idées ? Je sais que c'est un sentiment généralement établi, que tous les hommes oints des idées innées, certains caractères originaux qui ont été gravés dans leur âme, dès le premier moment de leur existence. Supposons donc qu'au commencement l'âme est ce qu'on appelle une *table rase*, vide de tous caractères, sans aucune idée, quelle qu'elle soit. Comment vient-elle à recevoir des idées ? [...] D'où puise-t-elle tous ces matériaux qui sont comme le fond de tous ses raisonnements et de toutes ses connaissances ? À cela je réponds en un mot, de l'expérience : c'est là le fondement de toutes nos connaissances, et c'est de là qu'elles tirent leur première origine. Les observations que nous faisons sur les objets extérieurs et sensibles, ou sur les opérations intérieures de notre âme, que nous apercevons et sur lesquelles nous réfléchissons nous-mêmes, fournissent à notre esprit les matériaux de toutes ses pensées. Ce sont là les deux sources d'où découlent toutes les idées que nous avons, ou que nous pouvons avoir naturellement.

Locke, *Essai philosophique concernant l'entendement humain*, II, 1-2, Vrin, 1989, p. 61-62.

8. Einstein

La démarche scientifique est-elle déductive ou inductive ?

L'idée la plus simple que l'on puisse se faire de la démarche d'une science expérimentale est celle qui repose sur la méthode inductive. Des faits isolés sont choisis et regroupés de manière à faire clairement ressortir les régularités qui les relient. En regroupant ensuite ces régularités, on en fait apparaître de nouvelles, plus générales, jusqu'à obtenir un système plus ou moins unitaire capable de rendre compte de l'ensemble des faits donnés [...] Un regard même rapide sur ce qui s'est effectivement produit nous enseigne que les grands progrès de la connaissance scientifique n'ont été que pour une faible part réalisés de cette manière. Si le chercheur, en effet, abordait les choses sans la moindre idée préconçue, comment pourrait-il dans l'incroyable complexité de tout ce qui fournit l'expérience isoler des faits bruts assez simples pour qu'apparaisse la loi à laquelle ils obéissent ?

Einstein, *Induction et déduction en physique*, *Œuvres choisies*, 5, Seuil, CNRS, 1991, p. 94-95.

9. Koyré

Quand son adversaire aristotélicien, imbu d'esprit empiriste, lui pose la question : « Avez-vous fait une expérience ? » Galilée déclare avec fierté : « Non, et je n'ai pas besoin de la faire, et je peux affirmer qu'il en est ainsi, car il ne peut en être autrement ». Ainsi *necesse* détermine l'*esse*. La bonne physique est faite *a priori*. La théorie précède le fait. L'expérience est inutile parce qu'avant toute expérience nous connaissons déjà ce que nous cherchons. Les lois fondamentales du mouvement (et du repos), lois qui déterminent le comportement spatio-temporel des corps matériels, sont des lois de nature mathématique. De la même nature que celles qui gouvernent les relations et les lois des figures et des nombres. Nous les trouvons et les découvrons non pas dans la nature, mais en nous-mêmes, dans notre esprit, dans notre mémoire, comme Platon nous l'a enseigné autrefois.

Koyré, *Études d'histoire de la pensée scientifique*, « Tel », Gallimard, 1973, p. 210-211.

Sujets approchés

Y a-t-il de bons préjugés ?
Y a-t-il des expériences sans théorie ?
Peut-on penser sans préjuger ?
La découverte de la vérité peut-elle être le fait du hasard ?

→ ***Approche commune* : Doit-on fonder la recherche de la vérité sur les leçons de l'expérience, ou bien la notion même d'expérience ne repose-t-elle que sur un protocole théorique préalable ?**

Peut-on dire que la connaissance scientifique consiste à substituer à la sensibilité de l'homme celle d'un instrument de mesure ?
Les théories les plus scientifiques sont-elles celles qui font l'usage le plus considérable des mathématiques ?
Pourquoi la raison recourt-elle à l'hypothèse ?
La science consiste-t-elle à expliquer du visible compliqué par de l'invisible simple ?
Peut-on soumettre la réalité humaine au calcul ?

→ ***Approche commune* : N'y a t-il de science qu'inspirée du modèle mathématique ? Les sciences obéissent-elles toutes au modèle hypothético-déductif hérité de la révolution galiléenne ? Y a-t-il une unité du savoir ou bien les savoirs restent-ils irréductiblement multiples ?**

Une théorie sans expérience nous apprend-elle quelque chose ?
Quel rôle joue l'hypothèse dans la recherche de la vérité ?
Comment les mathématiques, constituées indépendamment de l'expérience, peuvent-elles rendre compte de la réalité ?
Pourquoi dit-on des faits scientifiques qu'ils sont l'objet d'une construction ?
La science découvre-t-elle ou construit-elle son objet ?
Pourquoi parle-t-on de moins en moins de savants et de plus en plus de chercheurs ?

→ ***Approche commune* : Les faits scientifiques sont-ils donnés ou construits ?**

Sujet esquissé : Y a-t-il des expériences sans théorie ?

Introduction

L'énoncé paraît d'abord paradoxal tant la solidarité du couple théorie-expérience semble faire partie intégrante de nos habitudes de pensée. Il faut surtout se demander ce que signifie le « sans » : s'agit-il de penser la possibilité d'une expérience qui précède la théorie, ou même d'une expérience qui se passerait complètement de toute théorie ? La question serait alors de savoir ce qui permet d'appeler une expérience par ce nom, sinon justement le cadre théorique, qui fait de toute expérience involontaire ou inopinée une contradiction dans les termes ou une illusion rétrospective. Ainsi, loin de nous inviter à un recensement de cas, le sujet nous invite à réfléchir sur la part théorique que la notion d'expérience semble toujours porter en elle comme par définition. Naturellement, s'il en était ainsi, la prétention de l'expérience à nous apprendre la vérité et à être autre chose qu'un auxiliaire de la théorie se trouverait mise en cause : l'expérience peut-elle être absolue ou est-elle condamnée à n'être que relative ?

Lignes directrices

1. le primat de l'expérience de l'empirisme absolu établit la pureté de l'expérience sans théorie. L'expérience précéderait ainsi la théorie en droit comme en fait : le modèle de cette conception réside dans l'imagerie de l'expérience inopinée, pur commencement du savoir, comme la pomme de Newton ou la baignoire d'Archimède.

2. Le rationalisme scientifique pose le primat de la théorie sur l'expérience, établissant ainsi qu'il n'y a pas d'expérience sans théorie, ce qu'on peut par exemple établir à partir des analyses de Duhem ou de Bachelard. Ainsi comprise, l'expérience fait partie intégrante du processus théorique et n'aurait pas de sens en dehors de ce processus : l'expérience est en effet sous-tendue par un protocole, le chercheur ne cherche pas ce qu'il cherche à l'aveuglette.

3. Tout en ne pouvant être logiquement première, l'expérience peut l'être chronologiquement : ainsi ne peut-il y avoir d'expériences sans théorie, puisque c'est la présence, même postérieure, de la théorie qui permet après coup d'appeler expérience le processus initial. Kant le montre ainsi à partir de son analyse de la révolution galiléenne : ce n'est pas parce que la théorie est première sur le plan logique que l'expérience ne peut pas l'être sur le plan chronologique.

La démonstration

Définir, Problématiser

La notion de démonstration peut d'abord être comprise à partir de sa mise en relation avec la notion d'interprétation : dans cette relation, elle apparaît comme instrument des sciences dites « dures », c'est-à-dire les sciences naturelles et hypothético-déductives, alors que l'interprétation serait celui des sciences humaines. Par sa rigueur infaillible, la démonstration promeut alors ces sciences au rang de modèle du savoir. Une gradation est même possible à l'intérieur des sciences, au sens où la démonstration trouve sa pureté formelle dans les inférences mathématiques, lesquelles relégueraient la démonstration expérimentale au rang de démonstration déjà impure. Il nous faut ici prendre garde au caractère formel de l'inférence mathématique : la validité formelle d'une proposition n'a pas de lien nécessaire avec la vérité de son contenu. C'est tout le problème des mathématiques comme modèle du raisonnement qui est ainsi posé : en établissant la validité de ce qui est déduit à partir d'hypothèses, les mathématiques disent-ils quelque chose du réel ? **À partir de son modèle mathématique, la démonstration peut-elle établir la vérité de ce qui est donné ou seulement des constructions formelles de l'esprit ?**

La démonstration est l'opération par laquelle une proposition est établie à partir d'une autre. La tradition logique donne à celle-là le nom de conclusion, et à celle-ci le nom de prémisse. La démonstration repose donc sur l'inférence, qui renvoie à ce qu'un raisonnement a de valide dans le passage d'une idée à une autre : par la déduction, qui consiste à tirer un effet d'une cause, ou l'induction, qui consiste à tirer une cause d'un effet. L'obstacle qui guette nécessairement la démonstration n'est donc autre que la régression à l'infini : jusqu'où faut-il remonter pour trouver une prémisse qui ne soit pas elle-même le résultat d'une inférence ? Cette difficulté oblige à poser, en amont de toute démonstration, de l'indémontrable. Il s'agira donc d'établir par quel autre moyen (convention, évidence) de telles vérités premières indémontrables sont connues. En tout état de cause, une dualité fondamentale apparaît donc au cœur même de la notion de démonstration : **est-ce du mouvement déductif qu'une démonstration tire sa valeur, ou d'un au-delà de la déduction ?**

La démonstration se comprend à partir de son socle : la logique qui théorise les opérations de l'esprit, et qui élabore et contrôle la cohérence des énoncés. Cette cohérence n'est autre que la non-contradiction : la logique est donc la science de la validité des inférences, c'est-à-dire des inductions et déductions entre les idées. C'est donc apparemment d'une discipline orientée exclusivement vers la forme des raisonnements qu'il s'agit. Mais ce serait oublier que l'appellation « la » logique recouvre en fait une multiplicité de logiques. Même si elles ont toutes pour point commun de s'attacher à la non-contradiction, elles ne sont pas toutes purement formelles. En d'autres termes, la logique vise non seulement la structure de la pensée, mais, par-delà, celle du réel lui-même. Ainsi s'agit-il d'essayer de comprendre si la logique ne donne à la connaissance que sa forme, ou aussi son objet : **la logique s'entend-elle de l'être ou du connaître ?**

Développer

I. Le socle de la démonstration : la logique

a. Le modèle syllogistique de la démonstration

C'est l'idée de nécessité qui a conduit Aristote à l'organisation logique de la connaissance : puisqu'il n'est de connaissance que du nécessaire, la logique a pour raison d'être la nécessité dans les procédés de la pensée : cette nécessité doit s'entendre en un double sens, comme rigueur de la transmission et comme nécessité intrinsèque du premier maillon de la chaîne logique : « à la nécessité du lien entre les prémisses et la conclusion qui caractérise le syllogisme formel, s'ajoute ici la nécessité des principes qui se transmet, en vertu de la nécessité syllogistique, à la conclusion[1] ». C'est la raison pour laquelle cette nécessité s'incarne d'abord dans le principe de contradiction, principe fondateur de l'édifice logique : « il est impossible que le même attribut appartienne et n'appartienne pas en même temps, au même sujet et sous le même rapport[2] » (voir aussi texte n° 1). Ce premier principe anhypothétique inaugure la logique classique comme une logique du tiers exclu (pas d'intermédiaire entre ce qui est vrai et ce qui est faux), et comme une logique de non-contradiction. Ainsi la logique est-elle « la science des règles de l'entendement en général[3] », mais au prix d'un apparent divorce avec la matière, et donc d'une formalisation, qui va atteindre d'emblée la démonstration. En effet, il serait « contradictoire en soi[4] » qu'il y ait un critère universel de la matière de la connaissance : par conséquent, ce que la logique validera ne sera pas nécessairement vrai : « une connaissance peut fort bien être complètement conforme à la forme logique, c'est-à-dire ne pas se contredire elle-même, et cependant être en contradiction avec l'objet[5] ».

1. Blanché, *La logique et son Histoire*, U, Colin, 1970, p. 81.
2. Aristote, *Métaphysique*, Γ 3, 1005a20, Vrin, 1981, p. 195.
3. Kant, *Critique de la Raison pure*, « Quadrige », Puf, 1984, p. 77.
4. *Id.*, p. 81.
5. *Ibid.*

La non-contradiction est la propriété fondamentale du système déductif logique, en ce qu'elle donne le critère du mode d'enchaînement des propositions, et donc des démonstrations : c'est ce qu'Aristote a développé dans son *Organon*, par la célèbre théorie du syllogisme (voir texte n° 2). Le prototype traditionnel en est le suivant : tout homme est mortel (majeure), Socrate est homme (mineure), donc Socrate est mortel (conclusion). C'est la rigueur de l'inférence qui assure la vérité de la conclusion, si bien que la matière peut en être remplacée par des variables conceptuelles : Tout x est y, or z est x, donc z est y. Pour autant, cette logique n'est pas formelle au point d'être, en tout cas dans l'esprit d'Aristote, décrochée du réel : ainsi la loi de non-contradiction « ne flotte pas au-dessus des choses. La loi de non-contradiction est pour lui une nécessité, non de la pensée, mais des essences même, un principe qui est à l'œuvre dans les choses[1] ».

Le modèle syllogistique de la démonstration n'est pas au-dessus de tout reproche. C'est en particulier de son caractère formel que naissent les premières difficultés : comment distingue-t-on vrais et faux syllogismes ? Le risque de confusion est souligné par Ockham. Il suffirait de s'en tenir au seul syllogisme, sans le contrôler par des règles logiques externes, pour tomber dans le panneau : « ceux qui ignorent cette science prennent de nombreuses démonstrations pour des sophismes, et inversement, accueillent à titre de démonstrations bien des sophismes, faute de savoir distinguer entre le syllogisme sophistique et le démonstratif[2] ». Ces périls conduiront Leibniz à renoncer au modèle syllogistique pour la démonstration, au nom des risques de confusion que ce modèle porte en lui (voir texte n° 7).

b. La démonstration et l'indémontrable

À partir de quel type de propositions peut-on déduire de façon valide une conséquence ? Aucun syllogisme, aussi valide soit-il, ne peut éviter de buter sur cette question. Aristote le fait valoir à ceux qui voudraient que le principe de non-contradiction leur fût démontré : « c'est de l'ignorance, en effet, que de ne pas distinguer ce qui a besoin de démonstration et ce qui n'en a pas besoin. Or il est absolument impossible de tout démontrer : on irait à l'infini, de telle sorte que, même ainsi, il n'y aurait pas de démonstration. Et s'il y a des vérités dont il ne faut pas chercher de démonstration, qu'on nous dise pour quel principe il le faut moins que pour celui-là[3] ? » La démonstration en appelle donc nécessairement à un au-delà d'elle-même, c'est-à-dire à de l'indémontrable.

Quel sens donner à cet indémontrable ? Il s'agit des propositions premières que l'on finit par rencontrer en remontant la chaîne des déductions. Le statut de ces propositions premières fait difficulté : c'est ce qui se joue dans la différence entre un axiome et un postulat. Les axiomes sont censés être des propositions évidentes par elles-mêmes, et ils n'ont donc aucun caractère incertain : ils sont anhypothétiques.

---

1. Hamelin, *Le Système d'Aristote*, Vrin, 1985, p. 92-93.
2. Ockham, *Proême du commentaire sur les livres de l'art logique*, BN du Québec, 1978, p. 55.
3. Aristote, *Métaphysique*, Γ 4, 1006 a 5-7, tome 1, Vrin, 1981, p. 197-198.

Les postulats sont de nature différente : il s'agit de propositions indémontrables[1] mais qu'on suppose tirées de l'expérience et qu'on demande au lecteur d'admettre en tant qu'elles sont indispensables à la démonstration à venir. L'idée platonicienne du Bien donne une autre figure de cet indémontrable : c'est l'anhypothétique, l'inconditionné dont les conditions sont déduites : il faut ainsi considérer les hypothèses « non comme des principes mais réellement comme des hypothèses, à savoir comme des bases pour prendre son élan de façon à parvenir jusqu'au non hypothétique, au principe du tout[2] ».

L'existence d'un indémontrable met en péril la pureté formelle de la logique. Le logicisme est la tendance à réduire tout objet à des structures logiques, comme par exemple pour les mathématiques. La volonté leibnizienne de ramener les postulats géométriques à des axiomes logiques a pourtant été battue en brèche par l'irruption de la géométrie non-euclidienne, qui a ajouté ses propres postulats, différents de ceux de la géométrie euclidienne. Même en arithmétique, il semble difficile de réduire les mathématiques à un corps de propositions logiques : les tentatives pour établir la non-contradiction des différentes axiomatiques se sont soldées par autant d'échecs. Cet échec est celui du formalisme : fondée sur sa seule solidité formelle, même et surtout en mathématiques, la démonstration ne se suffit pas à elle-même.

c. Le nécessaire recours à l'intuition

La position logiciste, qui entend réduire les mathématiques à la logique, ne tient qu'à condition de pouvoir dresser des axiomatiques rigoureuses, qui reposent sur des évidences plutôt que sur des hypothèses. Or la vérité mathématique est une vérité d'ensemble, qui a le caractère global « d'une vaste implication, où la conjonction de tous les principes constitue l'antécédent, et celle de tous les théorèmes le conséquent[3] ». Si l'on considère ainsi les principes comme un ensemble, la différence entre axiome et postulat se réduit, et les principes mathématiques eux-mêmes deviennent hypothétiques. Ce que cette axiomatisation entend répudier, c'est justement bel et bien l'élément qui lui résiste : l'intuition concrète. En quoi garde-t-elle pourtant dans la démonstration mathématique une place irréductible ?

Le sens commun le sait bien : la géométrie est l'art de raisonner juste sur des figures fausses. La pureté des mathématiques tient bien en effet à première vue à ce qu'elles ne dépendent de rien d'empirique : « les vérités nécessaires, telles qu'on les trouve dans les mathématiques pures et particulièrement dans l'arithmétique et la géométrie, doivent avoir des principes dont la preuve ne dépende point des exemples, ni par conséquence du témoignage des sens[4] », explique par exemple Leibniz. Mais il s'empresse d'ajouter : « quoique sans les sens on ne se serait jamais avisé d'y penser ». Voilà mise en lumière l'ambiguïté de la figure, sans laquelle on ne peut comprendre, mais qui théoriquement ne prend pas part à la démonstration, un

1. Autant dire des définitions déguisées, comme le disait Poincaré.
2. Platon, *La République*, VI, 511b, « Folio-Essais », Gallimard, 1993, p. 354.
3. Blanché, *L'Axiomatique*, Puf, 1967, p. 6.
4. Leibniz, *Nouveaux Essais sur l'entendement humain*, préface, GF-Flammarion, 1990, p. 38.

peu comme un maître des échecs peut jouer une partie aveugle, mais non sans avoir dû apprendre avec des pièces.

Aussi fausse qu'elle puisse être, la figure paraît donc nécessaire : les mathématiciens « se servent en outre des formes visibles, et [...] c'est sur elles qu'ils font leurs calculs, en pensant non pas à elles, mais aux choses auxquelles elles ressemblent : ils mènent leur raisonnement à propos du carré lui-même ou de la diagonale elle-même, et non à propos de celle qu'ils dessinent[1] », explique ainsi Socrate à Glaucon. Mais une présentation empirique, inutile en droit, est nécessaire en fait, comme le même Socrate l'illustre en faisant dessiner un triangle à l'esclave du *Ménon*. Ainsi, même si l'efficacité des formes mathématiques vient de ce qu'on les a vidées de tout contenu intuitif, il n'est pas niable « que ces formes avaient à l'origine un contenu intuitif bien déterminé[2] ». Ce rôle de l'intuition demeure pour le mathématicien, image mentale incommunicable, donnée dans l'intuition pure de l'espace (voir texte n° 4).

II. Les méthodes de démonstration

a. Intuition ou forme ?

Cette question posée aux mathématiques peut dès lors être étendue à la démonstration en général : quel rôle l'intuition y joue-t-elle ? Les règles que Descartes assigne à la démonstration reposent sur le modèle déductif de l'analyse, du simple au composé, du général au particulier, de la cause à l'effet. Ainsi est-il possible de construire « de longues chaînes de raisons, toutes simples et faciles » (voir texte n° 5), pour appliquer cette façon des géomètres à toutes les autres sciences. Mais la déduction n'est pas seule dans la méthode cartésienne de la démonstration : les premières propositions, ou notions simples, dont tout le reste est déduit, relèvent de l'intuition, ce « concept que l'intelligence pure et attentive forme avec tant de facilité et de distinction qu'il ne reste absolument aucun doute sur ce que nous comprenons[3] » : cette présence de l'évidence redonne une place à l'intuition dans la démonstration (voir texte n° 3). C'est autour de cette place de l'intuition dans la démonstration que se joue le débat de l'intuitionnisme et du formalisme.

En effet, Leibniz oppose son formalisme à l'intuitionnisme de Descartes : en réalité la divergence tient aussi à ce que chacun des deux philosophes tire des mathématiques. Descartes en retient avant tout l'intuition de l'évidence : les mathématiques sont dénuées d'incertitude. La certitude a l'intuition pour base et la déduction n'est que la continuité de l'intuition. Leibniz au contraire retient la construction des algorithmes, la loi et la succession des lois. L'intuitionnisme cartésien confine la logique à un rôle de continuité de l'évidence, alors que le formalisme leibnizien la met au premier rang d'un édifice axiomatique. Ces deux méthodes sont des méthodes analytiques rivales.

---

1. Platon, *idem*, 510d, p. 353-354.
2. Bourbaki, *L'Architecture des Mathématiques*, Cahiers du Sud, 1948, p. 47.
3. Descartes, *Règles pour la direction de l'esprit*, III, Vrin, 1970, p. 14.

Or une autre méthode est possible, c'est la synthèse, qui recompose au lieu de décomposer, qui induit au lieu de déduire, qui part des parties vers le tout au lieu de décomposer le tout en parties. Chez les logiciens, la synthèse se présente davantage comme méthode d'exposition que comme méthode de recherche : ainsi Arnauld et Nicole écrivent-ils qu'« il y a deux sortes de méthodes : l'une pour découvrir la vérité, qu'on appelle *analyse* [...] et l'autre pour la faire entendre aux autres quand on l'a trouvée, qu'on appelle *synthèse*, ou *méthode de composition*, et qu'on peut appeler aussi *méthode de doctrine*[1] ». Or la synthèse ne se réduit pas nécessairement à cette fonction d'exposition : en donnant à l'expérience son autonomie, la révolution galiléenne a introduit l'idée que l'induction scientifique et une méthode par synthèse pouvaient tenir un rôle dans la recherche de la vérité.

b. Déduire ou induire ? Preuve et expérience

La démonstration établit la vérité d'une proposition à partir de prémisses, et plus largement de preuves. C'est que la preuve ne s'entend pas seulement au sens logique de l'inférence : elle s'entend aussi comme confrontation au réel, c'est-à-dire comme constat. Certes le constat ne saurait servir à quoi que ce soit en sciences formelles : un X, un 3 ou un triangle ne sont pas des objets perceptibles. En revanche, les sciences expérimentales font appel, à titre de méthode, à la caution du réel : à ce titre, elles introduisent l'élément du constat dans la méthode scientifique. Pour autant, le constat n'y fait pas nécessairement figure de critère de vérité, et toute expérience n'est pas cruciale : la logique garde une main sur l'expérience, parce que toute expérience paraît devoir comporter quelque part de théorie, comme si la notion même de démonstration expérimentale abusait déjà du sens de la notion de démonstration.

La représentation courante de l'expérience scientifique comme expérience involontaire paraît pourtant prendre le contre-pied de cette conception. La légende veut par exemple que Newton ait découvert la gravitation universelle en étant réveillé d'une sieste par la chute d'une pomme sur sa tête[2], ou encore qu'Archimède ait découvert la poussée qui porte son nom dans une baignoire. De façon moins mythologique, Canguilhem note que c'est par inadvertance que Pasteur injecte à des poules des cultures de choléra vieillie, ce qui le mènera à la découverte du vaccin contre la rage : voilà « un fait qu'il faut bien dire expérimental sans préméditation d'expérience[3] ». Ce modèle de l'expérience involontaire recouvre en réalité une méthode inductive : d'un constat de l'effet, on tirerait l'idée de la cause : d'une récurrence de faits, on induirait une généralité. Il faut penser ici aux domaines des sciences expérimentales qui n'étaient pas expérimentables techniquement (l'existence de Pluton a d'abord été induite avant que Le Verrier, muni d'une lunette astronomique suffisante, ne la constate) ou moralement (Thomas Harvey a induit la circulation du sang parce qu'il ne pouvait ouvrir de corps). Et comment ferait Freud pour constater l'existence

1. Arnauld et Nicole, *La Logique ou l'Art de penser*, Champs-Flammarion, 1970, p. 368.
2. Les lecteurs de Gottlib reconnaissent là son thème de prédilection.
3. Canguilhem, *La Connaissance de la Vie*, Vrin, 1989, p. 31.

de l'inconscient, qui n'est ni un organe ni une réalité matérielle, sinon par induction ? et ainsi dira-t-il qu'« il se produit fréquemment des actes psychiques qui, pour être expliqués, présupposent d'autres actes qui, eux, ne bénéficient pas du témoignage de la conscience[1]. »

Pourtant cette méthode inductive bute sur la notion de recherche. Comment le chercheur pourrait-il chercher sans savoir ce qu'il recherche ? Ainsi Einstein fait-il valoir qu'à l'encontre de l'idée simple qu'incarne la méthode déductive, le chercheur ne pourrait, sans idée préconçue, « isoler des faits bruts assez simples pour qu'apparaisse la loi à laquelle ils obéissent[2] ». C'est que la notion même d'expérience suppose un protocole de validation à partir d'une hypothèse, au point que l'expérience de laboratoire apparaît comme une conséquence déduite : la méthode hypothético-déductive s'applique donc ainsi aux sciences de la nature. Ainsi, Bachelard part de l'exemple de la discontinuité de l'électricité pour montrer que cette hypothèse ne fut vérifiée que par une expérimentation de Faraday en 1833, et que cette expérience mettait en jeu un appareillage produisant effectivement des électrolyses, mais d'une manière telle que jamais la nature n'en donne à voir tels quels. Donc, ce n'est pas le donné phénoménal qui confirme la théorie, mais bien plutôt un phénomène que l'on construit : il s'agit non point de recueillir fidèlement les phénomènes tels qu'ils apparaissent mais de constituer techniquement des phénomènes qui sont la réalisation d'objets non point donnés mais construits. C'est là en effet le sens qu'on peut donner aux analyses de laboratoire, dans lesquels on n'expérimente que sous des conditions contrôlables de pression, de température, d'hygrométrie, etc., conjonction de conditions qui ne se présentent jamais dans la nature à l'état pur. L'existence même des laboratoires est bien la preuve de ce qu'avance Bachelard : les phénomènes dans lesquels la science recherche confirmation de la vérité de ses hypothèses sont construits par elle à cette fin.

c. Le cas du *modus tollens*

C'est un certain syllogisme qui porte en lui la difficulté logique inhérente à tout débat sur la démonstration expérimentale[3] : celui qui porte le nom de *modus tollens.* La majeure dispose que si X, alors Y. La mineure ajoute : or non-Y. Que devra-t-on conclure ? la tradition scolastique disposait que le résultat ne pouvait être que : non-X. Si X signifie la vérité de la théorie et Y le résultat prévisible d'une expérience, on peut résumer cette difficulté en un exemple. Imaginons-nous en travaux pratiques de chimie : le cours qui a précédé rend prévisible l'obtention par expérience d'un précipité bleu. Or, l'expérience ne nous livre pas le précipité attendu. Que penser ? Que le cours qui précède était faux ? Ou que nous avons mal conduit l'expérience et devons la refaire jusqu'à ce que le résultat nous satisfasse ? La première proposition est empiriste, et la seconde est rationaliste.

1. Freud, *Métapsychologie*, Gallimard, 1968, p. 66.
2. Einstein, *Œuvres choisies*, vol. 5, Seuil, CNRS, p. 94.
3. Voir aussi le chapitre sur la démonstration, II.

Le rationalisme réfute ainsi la possibilité d'expériences cruciales, refusant ainsi à l'expérience la capacité de réfuter une théorie. C'est par exemple la position d'un Duhem, qui considère que l'expérience ne nous dit jamais où est l'erreur, alors qu'une théorie physique est un ensemble d'hypothèses. Ainsi, « le physicien ne peut jamais soumettre au contrôle de l'expérience une hypothèse isolée, mais seulement tout un ensemble d'hypothèses ; lorsque l'expérience est en désaccord avec ses prévisions, elle lui apprend que l'une au moins des hypothèses qui constituent cet ensemble est inacceptable et doit être modifiée ; mais elle ne lui désigne pas celle qui doit être changée[1] ». Ce qui justifie la méthode déductive et qui condamne la méthode inductive, c'est la nature même de l'expérience de physique, qui substitue au fait réel observé un fait théorique : le fait expérimental n'est pas seulement constaté, il est aussi interprété, idéalisé. L'expérience a donc le pouvoir de confirmer une théorie, mais pas celui de la réfuter.

L'empirisme épistémologique accorde au contraire à l'expérience un rôle décisif : c'est la théorie de l'expérience cruciale défendue en tout premier lieu par Bacon, selon un raisonnement qui a la même structure que ce qu'on appelle raisonnement par l'absurde en mathématiques. L'expérience y est chargée de faire pencher la balance « lorsque, dans l'étude d'une nature, l'entendement est placé dans un état d'équilibre[2] », de façon à ce que « les hommes s'habituent peu à peu à juger la nature par les instances de la croix et les expériences lumineuses, et non point par des raisons probables[3] ». Ainsi l'expérience se voit-elle conférer le pouvoir, non plus de vérifier, mais, à l'inverse, de réfuter une théorie. C'est ce qu'exprime aussi Popper, qui affirme la possibilité d'expériences cruciales réfutantes. Ainsi fait-il même de la « falsifiabilité » le critère même de l'énoncé scientifique : « c'est la falsifiabilité et non la vérifiabilité d'un système, qu'il faut prendre comme critère de démarcation[4] ».

III. Les mathématiques, modèle démonstratif du savoir ?

a. Outil de connaissance ou structure de l'être ?

Ce que Bachelard appelait le rationalisme de la physique est une illustration de l'application, dans le champ des sciences de la nature, de la méthode hypothético-déductive : la démonstration y reste toujours logique, l'expérimentation n'en étant que l'instrument. L'intuition est première, et de la série d'axiomes qu'elle fournit, on « tire ensuite les conséquences par une démarche purement logico-déductive et de façon aussi complète que possible[5] ». Est-ce à dire que les mathématiques fonctionnent comme modèle des autres sciences, et la démonstration mathématique comme modèle de toute démonstration ? Encore faut-il savoir si la notion de modèle doit se prendre ici au sens du modèle d'intelligibilité, ou bien au sens du modèle normatif.

1. Duhem, *La Théorie Physique*, Vrin, 1989, p. 284.
2. Bacon, *Novum Organum*, II 36, Puf, 1986, p. 255.
3. *Id.*, p. 267.
4. Popper, *La Logique de la découverte scientfique*, Payot, 1978, p. 38.
5. Einstein, *op. cit.*, p. 95.

Dans le premier sens, les mathématiques ne sont qu'un outil éclairant qui doit être confiné à un rôle second, en raison même de son utilité, qui ne saurait manquer de lui inspirer de l'impérialisme. On ne sera pas surpris de trouver un tel raisonnement sous la plume du théoricien de l'expérience cruciale : « il nous a paru convenable, vu la grande influence des mathématiques, soit dans les matières de physique et de métaphysique, soit dans celles de mécanique et de magie, de les désigner comme un appendice de toutes et comme leur troupe auxiliaire[1] ». En un second sens, l'outil mathématique fournit la norme de toute science : à la fascination de Socrate pour les Pythagoriciens (« que nul n'entre ici s'il n'est géomètre »), pour leurs analogies et subdivisions, répond comme en écho la confiance vouée par Descartes en l'ordre exemplaire des mathématiques. Ainsi les chaînes de raison des géomètres lui donnent-elles l'idée que « toutes les choses, qui peuvent tomber sous la connaissance des hommes, s'entre-suivent en même façon[2] ». Voilà les mathématiques érigées en idéal du savoir : « la méthode qui enseigne à suivre le vrai ordre [...] contient tout ce qui donne de la certitude aux règles d'arithmétique[3] ».

Dès lors, d'outil du savoir, les mathématiques ne peuvent-elles se muer en structure même du réel ? C'est toute l'ambiguïté de la position galiléenne : si le livre de la nature est écrit en caractères géométriques, faut-il considérer les mathématiques comme un outil d'accès au monde, ou comme la texture de toute réalité ? La révolution galiléenne a précisément consisté en ce que le point de vue adopté sur les phénomènes naturels n'est plus celui d'une construction, mais d'une reconstruction géométrique : le langage mathématique n'est plus extérieur au monde, il en est devenu la structure. Cette mathématisation du réel aboutit à la subordination aux mathématiques de toutes les autres sciences, comme d'autant de parties de ce que Descartes appelle la Mathématique universelle.

b. Les incertitudes mathématiques

Qu'adviendrait-il alors si ce modèle démonstratif se révélait plus incertain qu'il n'avait d'abord paru ? Les axiomes sur lesquels se fonde l'évidence d'un système hypothético-déductif sont-ils vrais séparément et distinctement, ou bien font-ils système au point de dépendre à leur tour des déductions qui ont été tirées d'eux ? Si axiomes et déductions deviennent interdépendants par effet de système, alors plus rien (d'autre que des nuances syntaxiques) ne sépare axiome et postulat, et toute axiomatique devient tautologique et tourne à vide. C'est tout le sens du travail de Wittgenstein, qui a montré que les vérités mathématiques et logiques ne sont jamais que des tautologies, ouvrant la voie au positivisme logique, qui reconnaît que ces propositions ne nous apprennent rien sur le monde.

Pire encore : si le seul critère de vérité réside dans la non-contradiction interne du système, alors la valeur des démonstrations qui en sont issues se trouverait grandement fragilisée par l'impossibilité de démontrer l'absence de contradiction. Or on

1. Bacon, *De Dignitate et augmentis*, III, 6, p. 103.
2. Descartes, *Discours de la Méthode*, GF-Flammarion, 1966, p. 47.
3. *Id.*, p. 49.

sait que Gödel a montré la limite structurelle de la déduction[1] : son théorème d'incomplétude démontre qu'il n'est pas possible d'établir que les axiomes de l'arithmétique n'entraînent pas de contradiction. Cela ne signifie pas pour autant qu'une contradiction fondamentale menace la théorie des ensembles : mais cela signifie que l'absence de contradiction n'est qu'une constatation peut-être provisoire.

Cette incertitude ne peut manquer de trouver son écho du côté des sciences de la nature, mathématisées par la révolution galiléenne. En effet, certains phénomènes sont indéterminables. Heisenberg l'a illustré dans ses relations d'incertitude, en montrant qu'à l'échelle microscopique, on ne peut déterminer à la fois la position et la vitesse d'une particule, la certitude sur la première créant autant d'incertitude chez la seconde. Cela ouvre la voie à l'idée selon laquelle l'observateur influe sur ce qu'il observe, parce « qu'à l'intérieur d'un système de lois qui sont basées sur certaines idées fondamentales, seules certaines manières bien définies de poser les questions ont un sens[2] ».

c. Toute démonstration n'est-elle que raisonneuse ?

Ainsi, puisque des lois différentes, du moment qu'elles sont non contradictoires, peuvent être appliquées à un même fait physique, le caractère formel d'une logique de non-contradiction, et son décalage avec le réel, ne peuvent que réapparaître. Hegel a bien montré la fécondité de la contradiction, rejetant la non-contradiction du côté de la logique d'entendement, qui n'est que raisonneuse. Ainsi la vérité reconnue d'un théorème géométrique est une « circonstance surajoutée », qui « ne concerne pas son contenu, elle concerne seulement sa relation au sujet connaissant[3] ». Le caractère démonstratif ne concerne ainsi que la forme de ce savoir et non sa matière : « dans la connaissance mathématique la réflexion est une opération extérieure à la chose ; de ce fait, il résulte que la vraie chose est altérée[4] ». En rester à une logique de la non-contradiction et du tiers exclu, c'est se condamner à l'arbitraire des commencements et à l'équivocité formelle des résultats.

Textes

1. Aristote

Sur quoi repose la non-contradiction ?

> Nous en avons dit assez pour établir que la plus ferme de toutes les croyances, c'est que les propositions opposées ne sont pas vraies en même temps, et aussi pour montrer les conséquences et les raisons de l'opinion contraire. Mais, puisqu'il est impossible que les contradictoires soient vraies, en même temps, du même

1. Voir notamment Dieudonné, *Pour l'honneur de l'esprit humain*, Hachette, 1987, p. 242-245.
2. Heisenberg, *Philosophic Problems of Nuclear Science*, cité par Arendt, *La Crise de la Culture*, Gallimard, « Folio-Essais », 1972, p. 67.
3. Hegel, *Phénoménologie de l'Esprit*, préface, Aubier, 1941, p. 36.
4. *Id.*, p. 37.

sujet, il est évident qu'il n'est pas possible non plus que les contraires coexistent dans le même sujet. En effet, des deux contraires l'un est privation non moins que contraire, à savoir privation de l'essence ; or la privation est une négation de quelque chose dans un genre déterminé. Si donc il est impossible que l'affirmation et la négation soient vraies en même temps, il est impossible aussi que les contraires coexistent dans un sujet, à moins qu'ils ne soient affirmés, l'un et l'autre, d'une certaine manière, ou encore que l'un ne soit affirmé d'une certaine manière, et l'autre, absolument.

Aristote, *Métaphysique*, Γ 6, 1011 b13-23, Vrin, 1981, p. 234.

2. Aristote

Qu'est-ce que la démonstration ?

Ce que nous appelons ici savoir c'est connaître par le moyen de la démonstration. Par démonstration j'entends syllogisme scientifique, et j'appelle scientifique un syllogisme dont la possession même constitue pour nous la science — Si donc la connaissance scientifique consiste bien en ce que nous avons posé, il est nécessaire aussi que la science démonstrative parte de prémisses qui soient vraies, premières, immédiates, plus connues que la conclusion, antérieures à elles, et dont elles sont les causes. C'est à ces conditions, en effet, que les principes de ce qui est démontré seront ainsi appropriés à la conclusion [...] Les prémisses doivent être vraies, car on ne peut pas connaître ce qui n'est pas, comme la commensurabilité de la diagonale. Elles doivent être premières et indémontrables, puisque la science des choses qui sont démontrables, s'il ne s'agit pas d'une science accidentelle, n'est pas autre chose que d'en posséder la démonstration.

Aristote, *Organon*, IV, Vrin, 1979, p. 8-9.

3. Descartes

Le formalisme logique exclut-il toute intuition ?

Voici le recensement de tous les actes de notre entendement qui nous permettent de parvenir à la connaissance des choses, sans aucune crainte de nous tromper. Il n'y en a que deux à admettre, savoir l'intuition et la déduction. Par *intuition*, j'entends, non la confiance flottante que donnent les sens ou le jugement trompeur d'une imagination aux constructions mauvaises, mais le concept que l'intelligence pure et attentive forme avec tant de facilité et de distinction qu'il ne reste absolument aucun doute sur ce que nous comprenons [...] Ici donc nous distinguons l'intuition intellectuelle de la déduction certaine par le fait que, dans celle-ci, on conçoit une sorte de mouvement ou de succession, tandis que dans celle-là il n'en est pas de même [...] Les propositions qui sont la conséquence immédiate des premiers principes se connaissent d'un point de vue différent, tantôt par intuition, tantôt par déduction.

Descartes, *Règles pour la direction de l'esprit*, III, Vrin, 1970, p. 13-17.

4. Kant

Pourquoi une démonstration est-elle par excellence mathématique ?

Seule une preuve apodictique, en tant qu'elle est intuitive, peut s'appeler démonstration. L'expérience nous apprend bien ce qui est, mais non que ce qui est ne puisse pas être autrement. Aussi les arguments empiriques ne peuvent-ils fournir aucune preuve apodictique. Mais la certitude intuitive, c'est-à-dire l'évidence, ne peut jamais résulter de concepts *a priori* (dans la connaissance discursive), quelque apodictiquement certain que puisse être, d'ailleurs, le jugement. Il n'y a donc que la mathématique qui contienne des démonstrations, parce qu'elle ne dérive pas sa connaissance de concepts, mais de la construction de concepts, c'est-à-dire de l'intuition qui peut être donnée *a priori* comme correspondante aux concepts.

Kant, *Critique de la Raison pure*, « Quadrige », Puf, 1984, p. 505.

5. Descartes

Jusqu'où va la démonstration ?

Ces longues chaînes de raisons, toutes simples et faciles, dont les géomètres ont coutume de se servir, pour parvenir à leurs plus difficiles démonstrations, m'avaient donné l'occasion de m'imaginer que toutes choses, qui peuvent tomber sous la connaissance des hommes, s'entre-suivent en même façon et que, pourvu seulement qu'on s'abstienne d'en recevoir aucune pour vraie qui ne le soit, et qu'on garde toujours l'ordre qu'il faut pour les déduire les unes des autres, il n'y en peut avoir de si éloignées auxquelles enfin on ne parvienne, ni de si cachées qu'on ne découvre. Et je ne fus pas beaucoup en peine de chercher par lesquelles il était besoin de commencer : car je savais déjà que c'était par les plus simples et les plus aisées à connaître ; et considérant qu'entre tous ceux qui ont ci-devant recherché la vérité dans les sciences, il n'y a eu que les seuls mathématiciens qui ont pu trouver quelques démonstrations, c'est-à-dire quelques raisons certaines et évidentes, je ne doutais point que ce ne fût par les mêmes qu'ils ont examinées.

Descartes, *Discours de la Méthode*, GF-Flammarion, 1966, p. 47-48.

6. Dieudonné

Logique, méthode, raisonnement : quelle articulation ?

Aucun document provenant d'une civilisation antique, antérieur aux fragments des auteurs grecs des VIIe et VIe siècle avant notre ère, ne nous permet de déceler ailleurs que dans ces fragments des exemples de ce que nous appelons des *déductions logiques* ; cela signifie des suites d'*inférences* — plus tard codifiées en syllogismes — qui contraignent un interlocuteur à acquiescer à une assertion Q dès qu'il a acquiescé à une autre assertion P. On sait que, dès le Ve siècle, les penseurs grecs étaient passés maîtres dans l'agencement des discours en une suite de déductions logiques, comme en témoignent les fragments des œuvres des sophistes, ainsi que les dialogues de Platon. Ils avaient découvert que ces raisonnements pouvaient prendre pour objet n'importe quelle activité humaine et, en particulier, les recettes d'arithmétique et de géométrie, dont la plupart provenaient sans doute des civilisations égyptienne et babylonienne. Ce seront les *démonstrations* reliant entre eux les théorèmes.

Dieudonné, *Pour l'honneur de l'esprit humain*, Hachette, 1987, p. 46.

7. Leibniz

Le syllogisme est-il le modèle de la démonstration ?

Inférer est tirer une proposition comme véritable d'une autre déjà avancée pour véritable, en supposant une certaine connexion d'idées moyennes ; par exemple, de ce que les hommes seront punis en l'autre monde on inférera qu'ils se peuvent déterminer ici eux-mêmes. En voici la liaison : Les hommes seront punis et Dieu est celui qui punit ; donc la punition est juste ; donc le puni est coupable ; donc il aurait pu faire autrement ; donc il [y] a liberté en lui ; donc enfin il a la puissance de se déterminer. La liaison se voit mieux ici que s'il y avait cinq ou six syllogismes embrouillés, où les idées seraient transposées, répétées et enchâssées dans les formes artificielles. Il s'agit de savoir quelle connexion a une idée moyenne avec les extrêmes dans le syllogisme : mais c'est ce que nul syllogisme ne peut montrer. C'est l'esprit qui peut apercevoir ces idées placées ainsi par une espèce de juxtaposition, et cela par sa propre vue.

Leibniz, *Nouveaux Essais sur l'entendement humain*, IV, 17, GF-Flammarion, 1990, p. 377.

8. Rougier

Comment la démonstration échappe-t-elle au cercle vicieux ?

Les premières démonstrations [d'Euclide] sont presque toutes des pseudo-démonstrations qui masquent l'appel à des postulats implicites dissimulés dans des recours à l'intuition. C'est ainsi que Bertrand Russell, ayant analysé les vingt-six premières démonstrations des *Éléments*, y révèle presque autant de cercles vicieux. Ceux-ci commencent dès la première proposition à démontrer : « sur une base donnée, construire un triangle équilatéral ». Pour résoudre ce problème, qui est un théorème d'existence adjoint à la définition nominale du triangle équilatéral, Euclide, de chacune des extrémités de la base, décrit un cercle ayant pour rayon la longueur même de cette base. Il suit alors, à l'inspection de la figure, que les deux cercles intersectent. Comme, en vertu du premier postulat des *Éléments*, deux points déterminent une droite, on peut joindre l'un des points d'interscetion aux extrémités de la droite donnée, de façon à obtenir un triangle qui satisfasse aux conditions du problème. Le vice de cette démonstration consiste en ce qu'il n'est nullement nécessaire que les deux cercles intersectent.

Rougier, *Traité de la connaissance*, Gauthiers-Villars, 1955, p. 87.

Sujets approchés

A-t-on le droit de se contredire ?

La contradiction n'est-elle que dans les idées, ou peut-elle également se trouver dans les choses ?

La logique a-t-elle d'autres fins que la preuve ?

Ne peut-on rien tirer de fécond de la contradiction ?

Une pensée cohérente est-elle nécessairement vraie ?

Y a-t-il un bon usage de la contradiction ?

→ ***Approche commune* : La logique ne régit-elle que le connaître ou s'entend-elle aussi de l'être ?**

Les mathématiques ne sont-elles qu'un instrument des autres sciences ?

Les vérités mathématiques constituent-elles le modèle de toute vérité ?

Peut-on tout définir et démontrer ?

Les théories les plus scientifiques sont-elles celles qui font l'usage le plus considérable des mathématiques ?

L'application des mathématiques à tous les domaines de la réalité est-elle légitime ?

Les nombres gouvernent-ils le monde ?

Y a-t-il une méthode scientifique ?

L'objet mathématique est-il le modèle de tout objet de connaissance ?

Les mathématiques sont-elles une science comme les autres ?

→ ***Approche commune* : Ces sujets mettent en cause l'exportation de la méthode mathématique, et l'ambition sous-jacente de l'unification du savoir. Ces dernières ne sont-elles qu'un outil extérieur, ou la structure intrinsèque de tout savoir ?**

La raison est-elle seulement affaire de logique ?

Les règles de la logique limitent-elles la liberté de l'esprit ?

Les mathématiques ne sont-elles qu'un langage ?

Calculer, est-ce penser ?

Sur quoi se fonde le prestige des mathématiques ?

De quoi parlent les mathématiques ?

Faut-il soumettre les mathématiques à l'analyse logique ?

La logique nous apprend-elle quelque chose ?

Peut-on considérer la mathématique comme un jeu ?

La mathématique est-elle réductible à la logique ?

→ ***Approche commune* : Les mathématiques ne sont-elles qu'un jeu logique formel vide de matière et de sens, ou bien entretiennent-elles un rapport matériel avec le réel ?**

Sujet esquissé :
Une pensée cohérente est-elle une pensée vraie ?

Introduction

Le sujet pose la possibilité d'une équivalence et nous invite à l'examiner quitte à devoir la contester. L'équivalence est ici entre cohérence et vérité. La cohérence signifie ici la cohérence logique, qui s'entend comme non-contradiction. Suffit-il qu'une pensée soit formellement cohérente et logique pour qu'elle accède de plein droit à la vérité ? C'est le modèle formel de la vérité qui se joue ici, comme modèle mathématique : ce modèle formel sous-entend en effet l'incohérence du monde sensible, incohérence qui le disqualifie de la sphère du savoir. Mais tout ce qui peut être démontré s'en trouve-t-il nécessairement vrai pour autant ? Un critère formel de la connaissance peut-il lui suffire, ou ne peut-elle se passer d'un critère matériel si elle prétend pouvoir être vraie ?

Lignes directrices

1. Une pensée ne peut être vraie si elle n'est pas cohérente : le critère de la vraisemblance peut être ici mobilisé, la vraisemblance s'entendant, dans l'un de ses deux sens, comme plausibilité logique. En mathématiques, l'énoncé de cette thèse peut être radicalisé : en l'absence de tout critère matériel possible, ne sont effectivement vraies que les pensées cohérentes. Les mathématiques fournissent-elles pour autant le modèle de toute connaissance ?
2. Toute pensée cohérente n'est pas nécessairement vraie pour autant, à moins d'en rester strictement dans les frontières du monde de la logique. On peut en effet recenser quantité d'énoncés parfaitement cohérents logiquement, au sens où ils n'entraînent aucune contradiction, sans qu'ils soient vraies au sens matériel du terme. Vrai signifie donc aussi réel : le critère formel ne suffit pas à la vérité, qui requiert également un critère matériel. Kant peut être mobilisé pour donner corps à cette thèse.
3. L'insuffisance du critère formel de la vérité, et des mathématiques comme modèle de la connaissance, nous montre que tout n'est pas mathématisable et que l'idéal de l'unité du savoir ne peut se réaliser sous la férule des mathématiques si le savoir doit se soucier de vérité. C'est que la vérité n'est pas seulement adéquation et exactitude, mais aussi justesse.

L'interprétation

Définir, Problématiser

La notion d'interprétation peut être comprise à partir de sa mise en relation avec la notion de démonstration : dans cette relation, elle apparaît comme instrument des sciences humaines, alors que la démonstration serait celui des sciences dites « dures », c'est-à-dire les sciences naturelles et hypothético-déductives. Nous n'entrons donc dans l'interprétation qu'une fois franchie la ligne de partage entre ce qui est rigoureusement déterminable et ce qui ne l'est pas. Pareille distinction rejette d'avance l'interprétation du côté du tâtonnement subjectif, et semble devoir la priver de toute prétention à l'objectivité et à la vérité. Mais les choses sont-elles si simples ? **La présence de l'interprétation en sciences humaines est-elle le signe du manque d'objectivité de celles-ci ou au contraire l'indice de ce que l'objectivité dont se prévalent les sciences de la nature n'est pas le seul mode possible d'objectivité ?**

L'interprétation peut se définir comme une activité par laquelle nous donnons une signification à des phénomènes. Le verbe « donner » doit retenir ici notre attention : s'agit-il de découvrir du sens, de retrouver un sens donné, auquel cas l'interprétation déchiffre un sens codé, met au jour du latent, ou bien s'agit-il au contraire d'inventer ce sens en le construisant, d'en donner par nous-mêmes à ce qui par soi seul n'en a pas ? Le sens auquel l'interprétation a affaire est-il un sens donné ou bien un sens construit ? **Faut-il comprendre l'interprétation comme recollection de sens ou au contraire comme un acte signifiant par lui-même ?**

Dans chaque cas, de redoutables obstacles semblent joncher le chemin de l'interprétation. En effet, la question se pose de ce qui pourra être le terme de la recherche interprétative : quand a-t-on fini d'interpréter ? S'il faut, pour interpréter, déceler des signes dans ce qu'on interprète, ces signes eux-mêmes ne peuvent-ils être constitués d'autres signes, ce qui condamnerait l'interprétation à la régression à l'infini ? Pour conjurer ce risque, il faudrait qu'une norme, un terme ultime du processus puissent être déterminés : mais ne seront-ils pas subjectifs et relatifs, ce qui condamnerait alors l'interprétation à la pétition de principe, puisque l'interprétant, l'herméneute, retrouve alors dans l'objet interprété le sens qu'il y avait supposé ? Entre ces deux impasses, il s'agit donc de **savoir si l'interprétation est une tâche qui peut trouver**

sa finitude et son terme, ou si toute interprétation est par avance ouverte et infinie.

Développer

I. Faire parler les signes

a. Le modèle de l'exégèse

Les premières interprétations relèvent de la tradition religieuse : en s'exerçant sur les textes sacrés, elles ont donné à toute interprétation le modèle plus ou moins avoué de l'exégèse. L'interprétation se présente d'emblée comme ce qui va du littéral au caché, de l'apparent à ce qui est recelé. Pourquoi y a-t-il du caché ? On peut se référer par exemple à ce que saint Augustin, dans *De la Doctrine chrétienne*, appelle les « obscurités », c'est-à-dire des différences contextuelles (de coutume, de langage, berf : d'époque). Mais le sens à découvrir est aussi dans les « mystères », qui nous renvoient, eux, à la volonté de Dieu qui reste inaccessible au profane. Ainsi l'exégèse se présente-t-elle marquée par l'autorité d'une doctrine (voir texte n° 7) qui sépare ceux qui savent des non-initiés : Ricœur note ainsi que « ce qui limite cette définition de l'herméneutique par l'exégèse, c'est d'abord sa référence à une autorité, qu'elle soit monarchique, collégiale ou ecclésiale[1] ».

Ainsi l'interprétation déchiffre-t-elle une énigme sacrée. Dans la tradition juive, la mystique kabbalistique scrute les signes graphiques à la recherche de trésors cachés, et le Midrash est cette recherche qui parcourt la Torah en tous sens. Mais précisément, l'interprétation religieuse peut perdre le caractère sacré de son objet à trop bien le comprendre : en ce sens, « ce qu'il nous faut, c'est une interprétation qui respecte l'énigme originelle des symboles, qui se laisse enseigner par eux[2] ». Au contraire, les herméneutes du soupçon que sont Marx, Nietzsche et Freud interprètent en désacralisant, parfois férocement : interpréter, c'est aussi démasquer, démystifier, réduire des illusions, substituer des symboles aux idoles : « nous sommes aujourd'hui ces hommes qui n'ont pas fini de faire mourir les idoles et qui commencent à peine d'entendre les symboles[3] ».

L'interprétation mystique est porteuse d'un modèle que même l'interprétation désacralisante retrouve au moins en un point : il doit y avoir un sens, il y a un message à comprendre. C'est ce que Wittgenstein commentant Freud explique pour le rêve, qui nous appelle à l'interpréter : « il est caractéristique des rêves que souvent le rêveur a l'impression qu'ils demandent à être interprétés [...] Les vrais rêves semblent avoir en eux quelque chose de troublant et d'un intérêt spécial — de sorte que nous voulons en avoir l'interprétation (on les a souvent regardés comme des messages)[4] ». Qu'il y ait un message à décoder, un sens caché à montrer, c'est bien là

1. Ricœur, *De l'Interprétation*, « Points », Seuil, 1965, p. 34.
2. Ricoeur, *Philosophie de la Volonté*, tome 3, Montaigne, 1960, p. 325.
3. Ricœur, *De l'Interprétation*, *op. cit.*, p. 37.
4. Wittgenstein, *Leçons et Conversations*, « Folio-Essais », Gallimard, 1992, p. 94.

pour Foucault le déplorable héritage des exégèses sur l'interprétation en général : « le commentaire repose sur ce postulat que la parole est acte de "traduction", qu'elle a le privilège dangereux des images de montrer en cachant, et qu'elle peut être indéfiniment substituée à elle-même dans la série ouverte des reprises discursives[1] ».

b. L'ambiguïté du signe

Interpréter, c'est avoir affaire à des signes, soit que ce qui est à interpréter se présente d'avance sous cette forme, soit que l'herméneute repère des signes dans une série de phénomènes. L'être même du signe, qui est un être de renvoi à autre chose qu'à lui-même, est son équivocité : avant d'être figé en symbole, qui renvoie de façon stable et conventionnelle à son référent, le signe est ambigu. En médecine, c'est le symptôme, signe-effet qui cache sa cause autant qu'il la révèle. Le signe fonctionne comme un voile, qui montre et cache : Pascal disait de la figure qu'elle est absence et présence, plaisir et déplaisir. Cette équivocité peut être thématisée par une distinction qui, sans l'épuiser, permet d'en poser les termes : c'est la distinction du littéral et du caché, qui nous dit qu'il faut éviter de tout prendre au pied de la lettre ou de finasser à l'excès : il faudrait donc tout lire au moins en un double sens, et rester exposé à l'équivocité du signe.

Cette équivocité ne peut manquer de déboucher sur une pluralité des interprétations : elle met donc en échec l'ambition de l'herméneute, quand celui-ci veut rendre raison de l'ensemble d'une série de phénomènes par une même interprétation. C'est le diagnostic que porte Wittgenstein sur l'explication freudienne du rêve[2] : « Il voulait trouver une explication unitaire qui montrerait ce que c'est que rêver. Il voulait trouver *l'essence* du rêve. Et il aurait écarté toute idée qui aurait tendu à suggérer qu'il pouvait avoir raison partiellement, sans savoir raison absolument[3] ». Pourtant cette ambition serait abusive : « il semble qu'on soit en pleine confusion quand on dit que *tous* les rêves sont la satisfaction d'un désir[4] ». Il faut donc maintenir, aussi insatisfaisante qu'elle puisse être, la pluralité des interprétations possibles. C'est ce que constate Aron, à partir de l'idée que « selon le but qu'il poursuit, l'historien établit entre les éléments des liens différents, il emploie d'autres concepts : or ce but, c'est lui-même qui se l'assigne ». Aron en déduit alors que « la pluralité des interprétations est évidente, dès que l'on envisage le travail de l'historien[5] ».

Pour que la pluralité des interprétations puisse être combattue, il faudrait qu'une norme unique et univoque, une vérité objective, en fonde l'unité et permette de disqualifier les interprétations fausses. Or ce référent est peut-être non seulement caché, mais aussi et surtout inexistant : rien ne dit, même si les signes qui émanent du monde abondent, qu'il y ait nécessairement en dehors d'eux un signifié auquel ils ren-

1. Foucault, *Naissance de la Clinique*, Puf, 1963, p. 141.
2. Voir aussi le texte n° 6
3. Wittgenstein, *idem*, p. 98-99.
4. *Idem*, p. 97.
5. Aron, *Introduction à la Philosophie de l'histoire,* « Nrf », Gallimard, 1986, p. 111.

verraient, même en le cryptant. Au lieu de donner au réel son univocité, l'interprétation semble au contraire la perdre : « le monde, pour nous, est redevenu infini, en ce sens que nous ne pouvons pas lui refuser la possibilité de *prêter à une infinité d'interprétations*[1] ». Sur cette lancée, Wittgenstein, en récusant la distinction entre signe et signification, ruine par là même tout espoir de départager les interprétations par le signifié : « On voudrait, en d'autres termes, nous dire simplement ceci : "Chaque signe peut être interprété, mais la signification, elle, ne saurait l'être. C'est le terme final". Or vous concevez, je pense, la signification comme un processus qui accompagne l'expression, et que l'on peut transcrire aussi par une équivalence, par un autre signe. J'aimerais alors que vous puissiez me dire par quelle marque distinctive il nous sera possible de distinguer un *signe* d'une *signification*[2]. » S'il en est ainsi, le langage ne renvoie plus à rien d'autre qu'à lui-même, et le monde que l'interprétation voulait atteindre se dissout dans les signes : voilà l'interprétation contrainte de créer du sens au lieu de le déchiffrer.

c. Interpréter à tort et à travers ?

Si elle devait être effectivement privée de référent réel extérieur à elle, l'interprétation se trouverait fragilisée par un risque ultime : non plus celui qui consiste à se tromper d'interprétation, mais celui qui consiste à ce que l'interprétation elle-même soit une faute : il est si facile de chercher midi à quatorze heures ! Ainsi l'interprétation connaît-elle ici ses limites, qui sont en même temps ses abus. Umberto Eco fait le point sur des excès de cette nature, et constate, que même en admettant sous réserves, comme lui, l'existence d'un sens littéral pour un texte (« je persiste à penser que, à l'intérieur des limites d'une certaine langue, il existe un sens littéral des items lexicaux »), le risque d'erreur ne s'en voit pas diminué, comme s'il était de toute façon inhérent à la tentation d'interpréter sans limites, tant les cas abondent où « l'excès d'interprétation produit un gaspillage d'énergies herméneutiques que le texte ne conforte pas[3] ».

C'est qu'il est aisé de transformer un fait en signe, comme dans le vieil adage politique qui dit qu'on peut faire dire à un chiffre ce que l'on veut. Ainsi, Collingwood disait-il dans ses théories de l'histoire qu'un fait peut prendre à peu près tous les sens possibles. C'est la raison pour laquelle Habermas, dans sa prise en compte de l'apport de l'herméneutique moderne, déplore le manque trop fréquent d'une certaine dimension critique, c'est-à-dire en somme de modestie et de retenue pour l'esprit. C'est qu'il n'y a pas de compréhension sans modèle rationnel ou présentés comme tels, ce qui ne présente pas à soi seul des garanties suffisantes de fécondité : « un tel appel implicite (ce qui est normal) à des modèles de rationalité présumés universels, même s'il est relativement incontournable pour des interprètes passionnés et

1. Nietzsche, *Le Gai Savoir*, § 374, « Folio-Essais », Gallimard, 1950, p. 344.
2. Wittgenstein, *Le Cahier Bleu*, « Tel », Gallimard, 1965, p. 94.
3. Eco, *Les Limites de l'Interprétation*, « Biblio-Essais », 1992, p. 14.

dévoués, corps et âme, à la compréhension, ne constitue pas, pour autant, une preuve du caractère raisonnable des modèles présupposés[1] ».

II. L'interprétation et les sciences humaines

Ainsi posée avec ses espoirs et ses limites, l'interprétation doit être à présent interrogée dans le rôle — central — qui lui est ordinairement dévolu en sciences humaines.

a. Interpréter, comprendre, expliquer

La notion d'interprétation se trouve mise en jeu dans les tentatives pour affirmer l'indépendance et la légitimité des sciences humaines. La tentative qui est celle de Dilthey en vue de la constitution d'une critique de la raison historique doit en passer au préalable par une mise en évidence de la validité des sciences humaines, qui s'appellent chez lui des « sciences de l'esprit ». Ces dernières doivent se constituer non pas sur le modèle causaliste des sciences de la nature, mais sur un modèle qui leur soit propre : là où les sciences de la nature expliquent les événements en les subsumant sous des lois, les sciences de l'esprit relèvent au contraire de la compréhension, elles comprennent au lieu d'expliquer (voir texte n° 8). C'est pour se garder de toute tentation d'importer le modèle des sciences de la nature que les sciences de l'esprit doivent s'attacher à promouvoir et à légitimer la compréhension, l'explication interprétative.

Pareille distinction s'appuie d'abord sur la prise en compte de la nature différente des phénomènes visés dans un cas ou dans l'autre. Les sciences de la nature ont affaires à des phénomènes extérieurs alors que les sciences de l'esprit ont affaire à des phénomènes intérieurs : « les sciences morales se distinguent tout d'abord des sciences de la nature en ce que celles-ci ont pour objet des faits qui se présentent à la conscience comme des phénomènes donnés isolément et de l'extérieur, tandis qu'ils se présentent à celles-là de l'intérieur, comme une réalité et un ensemble vivant *originaliter*[2] ». Affirmer que la vie psychique, par exemple, est un phénomène interne, ce n'est pas pour autant renvoyer à la subjectivité relative. Ce sont au contraire les faits naturels qui se présentent comme « isolés » les uns des autres, alors que les faits psychiques sont en lien immédiat avec la structure d'ensemble de la vie psychique, la solidarité des esprits renvoyant ainsi à l'humanité globale.

Dilthey ne manque pas d'insister sur le manque de résultats des hypothèses formées par les sciences de la nature pour rendre raison de la vie psychique, et note que de toute façon de telles hypothèses resteraient condamnées à manquer toujours de vérification : « dans le domaine de la vie mentale, il est impossible de préciser les faits avec toute l'exactitude que requiert la vérification d'une théorie par la confrontation

---

1. Habermas, *Morale et Communication*, Champs-Flammarion, 1986, p. 52.
2. Dilthey, *Le Monde de l'Esprit*, I, Aubier-Montaigne, 1947, p. 148.

de ses conséquences avec eux-mêmes[1] ». Une telle résistance des sciences de l'esprit a pour effet, non seulement de nuancer la toute-puissance des méthodes des sciences de la nature, telle que le scientisme voulait par exemple la promouvoir, mais encore de miner le prestige de ce type de sciences, dorénavant accuser de vouloir réduire à elles des réalités (spirituelles) qui lui restent irréductibles. Ainsi la dimension réductrice et totalitaire des sciences de la nature apparaît-elle par contrecoup de la résistance des sciences de l'esprit, ces dernières commençant à revêtir « les traits d'une volonté "neutre" de décrire et non de réduire[2] ».

b. L'interprétation et les sciences

C'est dans le même esprit que Foucault commente la distinction devenue traditionnelle en termes de sciences mathématisables et de sciences humaines : il s'agit de faire échapper la positivité des sciences humaines à l'orbite des mathématiques. Or la force d'attraction de ces dernières reste forte, « soit qu'on cherche à l'en approcher au plus près, en faisant l'inventaire de tout ce qui dans les sciences de l'homme est mathématisable, et en supposant que tout ce qui n'est pas susceptible d'une pareille formalisation n'a pas encore reçu sa positivité scientifique ; soit qu'on essaie au contraire de distinguer avec soin le domaine du mathématisable, et cet autre qui lui serait irréductible, parce qu'il serait le lieu de l'interprétation, parce qu'on y appliquerait surtout les méthodes de la compréhension[3] ». Et Foucault de souligner le manque de pertinence de ces analyses, non en tant qu'elles mettent l'interprétation au centre des sciences humaines, mais en tant qu'elles cherchent à subordonner complaisamment les sciences humaines aux sciences de la nature.

Cette influence est en effet sensible dans le mouvement originel de la sociologie, Durkheim s'empressant de mathématiser les phénomènes sociologiques par voie de statistique en déclarant d'entrée que « les faits sociaux doivent être traités comme des choses[4] ». Or l'interprétation revendique sa rigueur possible, la gradation traditionnelle entre sciences naturelles et sciences humaines pouvant alors s'inverser en faveur de ces dernières : c'est ce que fait valoir Lévi-Strauss dans son hommage à Boas, le père américain de l'anthropologie. En effet, ce dernier a le premier défini « la nature inconsciente des phénomènes culturels[5] », caractéristique qui les prémunit des interprétations parasites, de sorte que « le passage du conscient à l'inconscient s'accompagne d'un progrès du spécial vers le général[6] ». Ainsi, formule décisive des sciences humaines, c'est la généralisation qui fonde la comparaison, au sens où « il suffit d'atteindre la structure inconsciente, sous-jacente à chaque institution et à chaque coutume, pour obtenir un principe d'interprétation valide pour d'autres institutions et d'autres coutumes[7] ».

---

1. *Idem*, p. 151.
2. Ricœur, *idem*, p. 39.
3. Foucault, *Les Mots et les Choses*, « Tel », Gallimard, 1966, p. 360.
4. Durkheim, *Les règles de la méthode sociologique*, préface, « Quadrige », Puf, 1999, p. XII.
5. Lévi-Strauss, *Anthropologie Structurale*, tome 1, « Agora », Presses Pocket, 1974, p. 31.
6. *Id.*, p. 33.
7. *Id.*

La présence de l'interprétation elle-même dans le champ des pratiques et des concepts des sciences de la nature lève tout équivoque à ce sujet : en invoquant la nécessité de l'interprétation pour relever le résultat d'une expérience de physique (voir texte n° 5), Duhem est fort loin de se livrer pour autant à une compromission avec un romantisme relativiste. L'interprétation y est au contraire synonyme de compétence et d'exercice : puisque seul un physicien sait lire un instrument de physique parce que lui seul peut interpréter le résultat lisible de l'appareil, en transposant cette mesure de l'appareil réel à un appareil idéal, l'interprétation fait figure de moment central du protocole expérimental, et d'outil du rationalisme en physique : seule une interprétation nous fait passer du fait pratique (le relevé de l'instrument de mesure) au fait théorique, symbolique et abstrait qui pourra être mathématisé. L'interprétation n'est autre que le nom du passage de l'un à l'autre : « à son point de départ comme à son point d'arrivée, le développement mathématique d'une théorie physique ne peut se souder aux faits observables que par une traduction[1] ».

c. L'objectivité de l'interprétation

L'interprétation n'en demeure pas moins hantée par quelques restes de complexes de légitimité, comme si elle ne pouvait exister qu'en fonction d'une norme positivement accessible. C'est l'épreuve à laquelle la notion de texte (voir texte n° 2) confronte et appelle la critique littéraire, contrainte de rechercher du sens sans oublier qu'il n'y a peut-être, selon le mot de Valéry, pas de vrai sens d'un texte, ni non plus nécessairement d'intention de sens dans un texte. Aussi demeure-t-il tentant de se rapprocher de l'autorité que nous donne apparemment l'artiste, dont les déclarations par ailleurs peuvent permettre d'appréhender l'intention : l'auteur au fond serait le premier (et le mieux placé) de ses interprètes. Ainsi peut-on postuler que « le matériau dont disposent l'interprétation et le jugement est, pour l'essentiel, fourni par les artistes. Ce sont leurs maquettes et leurs esquisses, ce sont, de manière nécessairement limitée, leurs lettres et leurs journaux intimes (Delacroix, Paul Klee) qui nous rendent accessibles les commencements des formes qu'ils se proposent de créer[2]. »

Chercher à faire autoriser ainsi l'interprétation par l'intention de l'auteur, c'est d'abord dire que le meilleur écrit sur l'art ne vaut pas une lettre de Cézanne. Mais le langage de la peinture a-t-il ainsi caché son secret dans les paroles des peintres[3] ? Rien n'est moins sûr si l'œuvre échappe à son auteur, et si, de la sorte, l'intention de l'auteur apparaît comme irrecouvrable et perdue d'avance. Platon le remarque à propos des œuvres artistiques, qui restent impénétrables : « les êtres qu'engendre la peinture se tiennent debout comme s'ils étaient vivants ; mais qu'on les interroge, ils restent figés dans une pose solennelle et gardent le silence ». Pire : sa circulation accroît un besoin de sens que l'appel — illusoire et inutile — à l'auteur ne saurait combler : « quand, une fois pour toutes, il a été écrit, chaque discours va rouler de

---

1. Duhem, *La Théorie physique*, Vrin, 1989, p. 199.
2. Steiner, *Réelles Présences*, Gallimard, 1989, p. 36.
3. Voir F. Cavallier, *Premières Leçons sur l'Œil et l'Esprit de Merleau-Ponty*, Puf, 1998, p. 97.

droite et de gauche et passe indifféremment auprès de ceux qui s'y connaissent, comme auprès de ceux dont ce n'est point l'affaire [...] Que par ailleurs s'élèvent à son sujet des voix discordantes et qu'il soit injustement injurié, il a toujours besoin du secours de son père[1] ». Cela signifie que le sens n'est pas ce dont il faudrait prémunir le discours qui roule, mais qu'au contraire le sens du discours n'est rien d'autre que le résultat de sa circulation. C'est le destinataire de l'œuvre qui détermine donc sa réception (voir texte n° 4), la concrétisation du sens s'obtenant par recoupement et recroisement des réceptions.

III. L'herméneutique comme rapport au monde

Loin de son horizon originel (l'exégèse religieuse) et au-delà du cadre des seules sciences humaines, l'herméneutique, l'art d'interpréter, fait figure d'attitude quotidienne : nous vivons en herméneutes.

a. Une tâche interminable

Privée de référent stable, l'interprétation se présente comme une tâche inextinguible, puisque l'existence du message qui l'arrêterait en la satisfaisant reste improbable. Ainsi l'interprétation se trouve-t-elle confrontée à ce que Foucault appelle une « double pléthore », celle du signifié et celle du signifiant. Si le sens ultime est inaccessible, l'interprétation ne connaîtra jamais de terme, chaque signe en appelant d'autres. Eco lie cette infinité de l'interprétation avec ce risque de régression à l'infini : « l'interprétation est infinie. Cette volonté de rechercher un sens ultime et inaccessible implique que l'on accepte un glissement irrépressible du sens. [Telle] partie du corps a un sens parce qu'elle renvoie à une étoile, laquelle a un sens parce qu'elle renvoie à une gamme musicale, laquelle a un sens parce qu'elle renvoie à une hiérarchie angélique, et ainsi de suite à l'infini[2] ». Un tel risque est en fait contenu dans la nature même de l'interprétation : si elle doit aboutir à quelque chose (le sens, son terme ultime), et qu'en même temps tout se présente à elle comme signe interprétable, alors même son résultat peut se présenter à son tour comme un signe demandant à être interprété.

Seul un fait premier pourrait interrompre la chaîne d'interprétations et conjurer le risque de régression à l'infini : mais ce fait premier demeure introuvable, comme le montre la recherche freudienne sur l'hystérie. Cherchant à remonter vers un fait pathogène réel premier, Freud bute en chemin sur des constructions imaginaires du patient, c'est-à-dire des fantasmes : le fait premier recherché est donc déjà lui-même de l'ordre de l'interprétation. L'interprétation n'aurait-elle finalement jamais affaire qu'à elle-même ? Foucault le pensait, qui disait que l'interprétation est interminable du fait même qu'il n'y a rien à interpréter, puisque tout est déjà interprétation : le signe n'est pas seulement ce qui demande interprétation, et il n'est donc jamais le point de

1. Platon, *Phèdre*, 275 d-e, GF-Flammarion, 1989, p. 180.
2. Eco, *op. cit.*, p. 55-56.

départ ou l'amont de l'interprétation : il est déjà par lui-même un aval, une interprétation qui ne dit pas son nom (voir texte n° 1).

b. Le cercle herméneutique

Il existe entre le point de départ et le point d'arrivée de l'interprétation un parcours qui n'est pas tant linéaire que circulaire. C'est que « quiconque veut comprendre un texte a toujours un projet. Dès qu'il se dessine un premier sens dans le texte, l'interprète anticipe un sens pour le tout. À son tour, ce premier sens ne se dessine que parce qu'on lit déjà le texte guidé par l'attente d'un sens déterminé[1]. » Ainsi l'interprétation procède-t-elle selon un cheminement en cercle : il faut avoir déjà un peu compris pour regarder ce qu'on interprète d'une façon qui permette de le comprendre. Une expression consacrée, celle de « cercle herméneutique », désigne cet état de choses : la signification est connue, d'une façon ou d'une autre, avant d'être élucidée. De même que la foi, où il faut croire un peu pour croire beaucoup, l'interprétation se suppose toujours elle-même : « toute explicitation qui doit procurer l'entente doit avoir déjà entendu ce qui est à expliciter[2] ».

L'interprétation n'est donc rien d'autre que la constante révision d'une première esquisse, le mouvement d'aller et retour entre les premiers concepts et les concepts établis. Elle aboutit ainsi à ce que Ricœur appelle une foi post-critique, « une foi raisonnable puisqu'elle interprète, mais c'est une foi parce qu'elle cherche, par l'interprétation, une seconde naïveté [...] Croire pour comprendre, comprendre pour croire, telle est sa maxime ; et sa maxime, c'est le "cercle herméneutique" lui-même du croire et du comprendre[3] ». Interprétant la science comme travail de retour vers ses propres commencements, Husserl décrivait la science tout entière comme herméneutique, accompagnant ainsi un mouvement par lequel l'herméneutique tend à revendiquer un statut universel, au-delà de l'exégèse ou des sciences de l'homme.

c. Une expérience générale du monde

Que l'interprétation chemine en cercle, il ne doit rien y avoir là qui la discrédite ou la relègue au second rang. Considérer que l'objectivité de l'herméneutique est insuffisante n'est en effet encore rien d'autre qu'en manière d'ériger en norme celles des sciences de la nature, et laisser ces dernières en détenir l'exclusivité. Ainsi le cercle herméneutique doit-il être assumé et revendiqué plutôt qu'étouffé, comme le fait Heidegger renvoyant les sciences de la nature au rang d'herméneutique fourvoyée : « voir dans ce cercle un cercle vicieux et se mettre à l'affût des moyens de l'éviter, voire ne le "ressentir" que comme une imperfection inévitable, c'est mésentendre de fond en comble ce qu'est l'entendre. Il ne s'agit pas d'assimiler l'entendre

---

1. Gadamer, *Vérité et Méthode*, Seuil, 1976, p. 56
2. Heidegger, *Être et Temps*, § 32, « Nrf », Gallimard, 1986, p. 198.
3. Ricœur, *idem*, p. 38.

et l'explicitation à un idéal déterminé de connaissance, surtout s'il n'est lui-même qu'une forme bâtarde de l'entendre[1] ».

Finalement, sciences de l'homme comme sciences de la nature ne procèdent jamais que de cette même attitude ; qui les englobe parce qu'elle est notre façon d'être au monde : nous sommes herméneutes, l'être humain existe d'une manière herméneutique. La vie elle-même n'est autre chose qu'un processus qui cherche à comprendre le monde tout en se comprenant. C'est ce que Heidegger appelle la méditation, comme attitude qui n'est plus ni scientifique ni même culturelle au sens constitué du terme. « Entrer dans le sens, tel est l'être de la méditation[2] ». Il y a de l'inaccessible aux sciences, ce problème du sens qui se pose non pas spécialement au scientifique ou à l'historien, mais à tout homme en tant que tel.

Textes

1. Foucault

L'interprétation, en amont ou en aval du signe ?

L'idée que l'interprétation précède le signe implique que le signe ne soit pas un être simple et bienveillant, comme c'était le cas encore au XVIe siècle, où la pléthore des signes, le fait que les choses se ressemblaient, prouvaient simplement la bienveillance de Dieu, et n'écartaient que par un voile transparent le signe du signifié. Au contraire, à partir du XIXe siècle, à partir de Freud, Marx et Nietzsche, il me semble que le signe va devenir malveillant ; je veux dire qu'il y a dans le signe une façon ambiguë et un peu louche de mal vouloir, et de « malveiller ». Et cela, dans la mesure où le signe est déjà une interprétation qui ne se donne pas pour telle. Les signes sont déjà des interprétations qui essayent de se justifier, et non pas l'inverse [...] Le signe en acquérant cette fonction nouvelle de recouvrement de l'interprétation perd son être simple de signifiant qu'il possédait encore à l'époque de la Renaissance, son épaisseur propre vient comme à s'ouvrir, et peuvent alors se précipiter dans l'ouverture tous les concepts négatifs qui étaient jusqu'alors demeurés étrangers à la théorie du signe.

Foucault, « Nietzsche, Freud, Marx », in *Nietzsche*, Minuit, 1967, p. 190-191.

2. Ricœur

Comment un texte devient-il un texte ?

Grâce à l'écriture, le discours acquiert une triple autonomie sémantique : par rapport à l'intention du locuteur, à la réception par l'auditoire primitif, aux circonstances économiques, sociales, culturelles, de sa production. C'est en ce sens que l'écrit s'arrache aux limites du dialogue face à face et devient la condition du devenir-texte du discours. Il revient à l'herméneutique d'explorer les implications de ce devenir-texte pour le travail de l'interprétation [...] Le détour par les signes et

1. Heidegger, *ibid*.
2. Heidegger, « Science et Méditation », in *Essais et Conférences*, « Tel », Gallimard, 1958, p. 76.

par les symboles est à la fois amplifié et altéré par cette médiation par des textes qui s'arrachent à la condition intersubjective du dialogue. L'intention de l'auteur n'est plus immédiatement donnée comme veut l'être celle du locuteur dans une parole sincère et directe. Elle doit être reconstruite en même temps que la signification du texte lui-même, comme le nom propre donné au style singulier de l'œuvre. Il n'est donc plus question de définir l'herméneutique par la coïncidence entre le génie du lecteur et le génie de l'auteur. L'intention de l'auteur, absent de son texte, est elle-même devenue une question herméneutique.

Ricœur, *Du Texte à l'Action*, Seuil, 1986, p. 31.

3. Spinoza

Dans l'interprétation, la raison peut-elle faire obstacle ?

Il faut même avant tout prendre garde, quand nous cherchons le sens de l'Écriture, à ne pas avoir l'esprit préoccupé de raisonnements fondés sur les principes de la connaissance naturelle (pour ne rien dire des préjugés) ; afin de ne pas confondre le sens d'un discours avec la vérité des choses, il faudra s'attacher à trouver le sens en s'appuyant uniquement sur l'usage de la langue ou sur des raisonnements ayant leur seul fondement dans l'Écriture [...] Ces paroles de Moïse comme *Dieu est un feu*, ou *Dieu est jaloux*, sont les plus claires du monde aussi longtemps qu'on a égard à la seule signification des mots ; je les range donc parmi les énonciations claires, bien qu'à l'égard de la Raison et de la Vérité, elles soient très obscures. Quand bien même le sens littéral est en contradiction avec la Lumière naturelle, s'il ne s'oppose pas nettement aux principes et aux données fondamentales tirés de l'Histoire critique de l'Écriture, il faut le maintenir ; au contraire, si ces paroles se trouvaient par leur interprétation littérale contredire aux principes tirés de l'Écriture, encore bien qu'elles s'accordassent le mieux du monde avec la Raison, il faudrait admettre une autre interprétation (je veux dire une interprétation métaphorique).

Spinoza, *Traité théologico-politique*, VII, GF-Flammarion, 1965, p. 140-141.

4. Jauss

Quel est le vrai sens d'un texte ?

Le texte poétique n'est pas un catéchisme qui nous poserait des questions dont la réponse est donnée d'avance. À la différence du texte religieux canonique, qui fait autorité et dont le sens préétabli doit être perçu par « quiconque a des oreilles pour entendre », le texte poétique est conçu comme une structure ouverte où doit se développer, dans le champ libre d'une compréhension dialoguée, un sens qui n'est pas dès l'abord « révélé » mais se « concrétise » au fil des réceptions successives dont l'enchaînement répond à celui des questions et des réponses [...] tel est le sens de notre démarche herméneutique, partie de la question que nous pose aujourd'hui la réponse de l'interprétation traditionnelle pour remonter à la question initiale telle qu'on peut la reconstituer hypothétiquement, et aboutir, à travers les changements d'horizon correspondant aux « concrétisations » successives, jusqu'à la question ainsi renouvelée que le texte « implique pour nous », qu'il nous faut poser aujourd'hui et à laquelle le texte répondra implicitement — ou ne répondra pas.

Jauss, *Pour une Esthétique de la Réception*, « Tel », Gallimard, 1978, p. 248.

5. Duhem

Peut-on observer sans interpréter ?

L'expérience que vous avez vu faire, comme toute expérience de Physique, comporte deux parties. Elle consiste, en premier lieu, dans l'observation de certains faits ; pour faire cette observation, il suffit d'être attentif et d'avoir les sens suffisamment déliés ; il n'est pas nécessaire de savoir la Physique ; le directeur du laboratoire y peut être moins habile que le garçon. Elle consiste, en second lieu, dans l'interprétation des faits observés ; pour pouvoir faire cette interprétation, il ne suffit pas d'avoir l'attention en éveil et l'œil exercé ; il faut connaître les théories admises, il faut savoir les appliquer, il faut être physicien. Tout homme peut, s'il voit clair, suivre les mouvements d'une tache lumineuse sur une règle transparente, voir si elle marche à droite ou à gauche, si elle s'arrête en tel ou tel point ; il n'a pas besoin pour cela d'être grand clerc ; mais s'il ignore l'Électrodynamique, il ne pourra achever l'expérience, il ne pourra mesurer la résistance de la bobine.

Duhem, *La Théorie physique*, Vrin, 1989, p. 219.

6. Merleau-Ponty

Toute interprétation est-elle arbitraire ?

Ce qu'il peut y avoir d'arbitraire dans les *explications* de Freud ne saurait discréditer l'*intuition psychanalytique*. Plus d'une fois, le lecteur est arrêté par l'insuffisance des preuves. Pourquoi ceci et non pas autre chose ? La question semble s'imposer d'autant plus que Freud donne souvent plusieurs interprétations, chaque symptôme, selon lui, étant « surdéterminé ». Enfin il est bien clair qu'une doctrine qui fait intervenir la sexualité partout ne saurait, selon les règles de la logique inductive, en établir l'efficace nulle part, puisqu'elle se prive de toute contre-épreuve en excluant d'avance tout cas différentiel. C'est ainsi qu'on triomphe de la psychanalyse, mais sur le papier seulement. Car les suggestions du psychanalyste, si elles ne peuvent jamais être prouvées, ne peuvent davantage être éliminées : comment imputer au hasard les convenances complexes que le psychanalyste découvre entre l'enfant et l'adulte ?

Merleau-Ponty, *Sens et Non-Sens*, « Nrf », Gallimard, 1996, p. 31.

7. Bayle

N'y a-t-il de foi que sous l'autorité d'une exégèse ?

Il est certain que lorsqu'une troupe de gens s'engagent pour eux et pour leur postérité, à être d'une certaine religion, ce n'est qu'en supposant un peu trop légèrement, qu'eux et leur postérité auront toujours la conscience telle qu'ils se la sentent alors ; car s'ils faisaient réflexion aux changements qui arrivent dans le monde, et aux différentes idées qui se succèdent dans notre esprit, jamais ils ne feraient leur engagement que pour la conscience en général ; c'est-à-dire, qu'ils diraient, nous promettons pour nous et notre postérité de ne nous départir jamais de la religion que nous croirons la meilleure ; mais ils ne feraient pas tomber leur pacte sur tel ou tel article de foi. Savent-ils si ce qui leur paraît vrai aujourd'hui le leur paraîtra d'ici à trente ans, ou le paraîtra aux hommes d'un autre siècle ? [...] Puis donc que les rois n'ont ni de Dieu, ni des hommes, le pouvoir de commander à leurs sujets qu'ils agissent contre leur conscience, il est manifeste que tous les édits qu'ils publient sur cela sont nuls de droit, et une pure usurpation ; et ainsi les peines qu'ils y opposent pour les contrevenants sont injustes.

Bayle, *De la Tolérance,* « Agora », Presses Pocket, 1992, p. 147-148.

8. Dilthey

Quelle différence entre comprendre et expliquer ?

Nous appelons compréhension le processus par lequel nous connaissons un « intérieur » à l'aide de signes perçus de l'extérieur par nos sens. C'est l'usage de la langue, et la terminologie psychologique fixe dont nous avons tant besoin ne peut être mise sur pied que si tous les auteurs conservent régulièrement toutes les expressions déjà solidement établies, bien délimitées et propres à rendre des services. La compréhension de la nature — *interpretatio naturæ* — est une expression figurée. Mais nous appelons aussi, assez improprement, compréhension l'appréhension de nos états particuliers. Je dis par exemple : « Je ne comprends pas comment j'ai pu agir de la sorte » et même : « Je ne me comprends plus ». J'entends par là qu'une manifestation de moi-même qui s'est intégrée dans le monde sensible me semble venir d'un étranger et que je ne suis pas capable de l'interpréter en tant que telle, ou, dans le second cas, que je suis entré dans un état que je regarde comme étranger. Ainsi donc, nous appelons compréhension le processus par lequel nous connaissons quelque chose de psychique à l'aide de signes sensibles qui en sont la manifestation.

Dilthey, *Le Monde de l'Esprit*, I, Aubier-Montaigne, 1947, p. 320-322.

Sujets approchés

Est-il sensé de chercher un sens à tout ?

Que veut-on dire lorsqu'on affirme que quelque chose a du sens ?

Y a-t-il de l'incompréhensible ?

→ ***Approche commune* : Ces sujets remettent en cause l'opportunité même de toute interprétation, qui suppose par exemple l'existence d'un référent univoque : l'interprétation découvre-t-elle ou invente-t-elle le sens ?**

Les mythes ont-ils quelque chose à nous apprendre ?

Y a-t-il encore des mythes ?

Un mythe n'a-t-il de valeur que comme idée passée ?

→ ***Approche commune* : Le mythe n'est-il que le témoignage d'un savoir pré-scientifique ou joue-t-il par essence un rôle structurant pour la pensée ?**

Qu'est-ce qui rend l'objectivité difficile dans les sciences humaines ?

L'objectivité est-elle le privilège des sciences de la nature ?

→ ***Approche commune*** **: La subjectivité humaine interdit-elle la rigueur de savoirs systématiques sur l'homme ? Ou au contraire l'incertitude n'y est-elle pas plus grande que pour les sciences formelles et naturelles ? N'y a-t-il d'objectivité que de ce qui est naturel, ou bien est-elle également pensable de qui est culturel ?**

Faut-il distinguer une interprétation d'une explication ?

La compréhension n'est-elle qu'un mode de l'explication ?

→ ***Approche commune*** **: faut-il comprendre l'interprétation sur le modèle de l'explication ? Le sens est-il accessible au concept ou lui demeure-t-il irréductible ?**

Le vivant

Définir, Problématiser

Le vivant, ce participe présent substantivé, renvoie-t-il à un objet réel ? Le vivant existe-t-il ? Ce qui existe, ce sont les vivants, dans leur diversité irréductible : aucun individu vivant, de l'animal au végétal, n'est la copie conforme d'un autre. Devant la diversité (et même l'extraordinaire profusion) des vivants, quel sens peut avoir le substantif « le vivant » ? Quelle spécificité commune, quel dénominateur commun, se trouve ainsi visé(e) ? Qu'y a-t-il de commun à la plante, à l'homme et à l'amibe, et qui nous permet de caractériser la matière vivante de celle qui ne l'est pas ? Le fait que le vivant vive se présente comme un fait irréductible, antérieur et résistant à toute théorie sur le vivant. **Là où le fait, pour le vivant, de vivre n'est qu'un fait, où est la norme qui permettrait de le penser et d'en rendre raison ?**

Une réponse possible à cette question consisterait à définir la matière vivante par son organisation : le vivant, c'est de la matière organisée de façon telle qu'elle vit. Il s'agirait alors, pour comprendre le vivant, de comprendre l'organisation de la matière qui fait qu'elle vit, ce qui revient à réduire le vivant à ses conditions physico-chimiques. Pareille optique, qui a pu prendre diverses figures mécanistes, peut être appelée du nom de matérialisme ou de réductionnisme, puisqu'elle réduit le vivant à ses conditions matérielles. On ne peut échapper au réductionnisme qu'en postulant une force vitale spécifique, et irréductible au physico-chimique : cette seconde optique idéaliste est le vitalisme, qui s'exprime par exemple sous la forme du finalisme. **Entre le positivisme du réductionnisme, et la naïveté potentielle du vitalisme, où penser le vivant ?**

Les modèles pour approcher et comprendre le vivant sont divers, et proviennent de tous les horizons du savoir. Quelle que soit leur légitimité respective (puisque la question se pose de savoir quel est sur le vivant le discours autorisé), que peuvent ces modèles devant le vivant ? S'agit-il de prétendre, de l'extérieur, pouvoir déterminer de part en part l'intériorité du vivant ? Si tel était le cas, ce savoir ne peut-il donner lieu à une technique qui ferait du modèle un modèle applicable et donc normatif ? Ou s'agit-il simplement d'éclairer le vivant par des modèles qui lui restent extérieurs, des modèles heuristiques faits pour découvrir et pour comprendre plutôt que pour déterminer ? **Faut-il comprendre les modèles du vivant comme des modèles déterminants ou seulement comme des modèles d'intelligibilité ?**

Développer

I. Qui est compétent pour parler du vivant ?

a. Le vivant à l'intersection des savoirs

Comment passe-t-on de la profusion des vivants à l'idée de vie, et à la recherche d'une détermination une du vivant ? Tout l'effort de l'histoire des sciences de la vie a consisté à subsumer les vivants sous l'idée de vie. Des siècles d'exploration et d'inventaire des vivants ont précédé les premiers discours unitaires sur le vivant. C'est ce que note Foucault reconstituant la naissance de la biologie : « l'histoire naturelle, à l'époque classique ne peut pas se constituer comme biologie. Jusqu'à la fin du XVIIIe siècle, en effet, la vie n'existe pas. Mais seulement des êtres vivants. Ceux-ci forment une, ou plutôt plusieurs classes dans la série de toutes les choses du monde : et si on peut parler de la vie, c'est seulement comme d'un caractère — au sens taxinomique du mot — dans l'universelle distribution des êtres[1] ». L'ampleur de la taxinomie, de ce répertoire ordonné du vivant, qui est naturellement toujours en cours, donne une idée de l'ampleur de cette difficulté : le nombre des formes de vie découvertes à ce jour est estimé entre 1,5 et 1,8 million d'espèces, dont 360 000 plantes et 990 000 invertébrés.

Cette biodiversité ne se présente pas comme un objet exclusivement biologique, ni comme l'objet d'une discipline scientifique en propre : « elle est à un carrefour entre les disciplines — sciences biologiques, sciences physico-chimiques, sciences humaines et sociales[2] ». À vrai dire, ce n'est pa seulement sous son aspect divers que le vivant est à l'intersection des savoirs. Il n'y a pas du vivant qu'une approche taxinomique, mais aussi des approches évolutionniste, cybernétique, génétique, biochimique, etc.. Ce dernier terme, dans sa mixité, est révélateur : la biologie ne détermine le vivant qu'en s'efforçant de devenir chimie, que ce soit dans la chimie déguisée en biologie de l'alchimiste Paracelse, ou dans la chimie revendiquée par les analyses de Jacob. Ce dernier montre comment la détermination des enzymes[3] entraîne la biologie à se soumettre la chimie organique puis une chimie physique pour rendre compte des phénomènes thermodynamiques.

Il semble donc qu'il faille renoncer à reconnaître sur le vivant l'autorité incontestable d'une discipline qui ferait autorité. Serait-ce seulement souhaitable, ou bien y aurait-il là un appauvrissement pour le vivant et un risque pour nos pratiques (voir III a) ? Dagognet prend en tout cas ce dernier parti : « ne réservons pas la biologie, la

1. Foucault, *Les Mots et les Choses*, « Tel », Gallimard, 1966, p. 173.
2. Monolou, « Préserver et amplifier la biodiversité », art. du *Monde*, 11/01/2000.
3. On explorera avec profit *La logique du Vivant*, « Tel », Gallimard, 1970, notamment ici le livre 5 du ch. IV (p. 246 *sq.*).

science du vivant, aux biologistes. Surtout pas[1] ! » D'ailleurs cette appropriation serait difficile, tant même les concepts de la biologie ne conservent des concepts spécifiques qu'au prix d'un dialogue avec d'autres disciplines, et Mayr a fort à faire pour défendre les lambeaux de l'indépendance de la biologie : « l'affirmation selon laquelle la science des êtres vivants est une discipline autonome [...] n'a pas été admise par de nombreux physiciens et philosophes des sciences physiques. Ils ont réagi en soutenant que l'apparente autonomie du monde vivant n'existe pas en réalité, et que toutes les théories de la biologie peuvent être, en principe, réduites à des théories physiques[2] ». La question se pose bien sûr à propos de l'ADN, pour lequel la contribution de la chimie à la connaissance du vivant a été décisive, mais « aussi gratifiant qu'il soit de pouvoir ajouter une analyse chimique à la théorie génétique classique, cela ne signifie en rien que la génétique ait été limitée à la chimie[3] ». Aucun savoir ne peut s'approprier le vivant.

b. L'organisation d'une matière

Ce sont les progrès dans la connaissance de l'organisation du vivant qui ont permis peu à peu l'unification du discours sur le vivant, le passage en tout cas de la taxinomie débordante à une détermination unitaire. La question de principe était la question de savoir si les molécules d'organismes différents sont elles-mêmes différentes entre elles. Si c'était le cas, comme on l'a longtemps pensé, alors la seule ambition d'un discours sur le vivant ne pouvait être que taxinomique. Mais « à mesure que s'amélioraient les moyens d'analyse des protéines et des gènes, à mesure qu'on étudiait des organismes plus nombreux, on s'est aperçu que certaines molécules, comme l'hémoglobine, par exemple, ou les hormones, étaient les mêmes ou presque chez des organismes très différents [...] Ce qui distingue un papillon d'un lion ou d'une mouche, c'est moins une différence dans les constituants chimiques que dans l'organisation et la distribution de ces constituants[4] ». C'est donc de la génétique qu'est venue l'unification du discours sur le vivant.

Les progrès récents et foudroyants de la biologie moléculaire ont identifié les composants élémentaires du vivant : des macromolécules de deux sortes, les acides nucléiques et les protéines. Les acides nucléiques assurent l'ingénierie du vivant en transmettant les informations aux protéines. Ainsi le code génétique est-il transmis à ces dernières, perpétuant une espèce invariante. L'ensemble des gènes portés par une macromolécule d'ADN contient le code général de l'espèce ainsi que les déterminations propres à chaque vivant. Les lois de la génétique permettent non seulement de comprendre les mécanismes de la transmission héréditaire et de la reproduction, mais aussi de les déterminer de part en part : ainsi peut-on dire que la biologie moléculaire remet sur le devant de la scène, en le réactualisant, le projet cartésien d'un modèle mécanique du vivant. La génétique n'est rien d'autre que le visage

1. Dagognet, *Le Vivant*, Bordas, 1988, p. 3.
2. Mayr, *Histoire de la Biologie*, Fayard, 1989, p. 69.
3. *Idem*, p. 71.
4. F. Jacob, « Les suprises du bricolage moléculaire », art. du *Monde*, 4/1/2000.

contemporain du mécanisme (voir texte n° 2). Ainsi la génétique ne saurait-elle former le tout du discours sur le vivant, tant des problèmes demeurent qui lui résistent : celui de l'unité de la cellule par exemple, ou encore et surtout la création d'espèces nouvelles : tout en sachant nous dire comment, la génétique ne sait pas nous dire pourquoi.

c. Les déterminations du vivant achoppent sur la vie

Ainsi le vivant n'est pas la vie : même dans la gloire triomphale de son inflation contemporaine, le réductionnisme génétique nous fait connaître des modes opératoires du vivant, mais non la vie elle-même. La biologie croyait pourtant démystifier les approches non déterministes du vivant, pour les rejeter du côté de vaines spéculations métaphysiques : « ce qu'a démontré la biologie, c'est qu'il n'existe pas d'entité métaphysique pour se cacher derrière le mot de vie[1] ». Encore faudrait-il pour cela que ce soit bien de la vie, non du vivant, que la biologie soit si sûre, et que ce soit la vie, non le vivant, qui soit interrogé dans les laboratoires. Autant écarter d'avance la question de la vie, si on entend par là pour le vivant, le fait d'être en vie, d'une façon qui reste irréductible aux déterminations de la biologie (voir texte n° 3).

C'est l'attitude de Claude Bernard, qui écarte la question de la vie comme référent ultime des phénomènes vivants pour se concentrer exclusivement sur ces derniers. Mais il faut pour cela protester, selon un démenti en forme d'aveu, de la clarté de la notion de vie, censée ne pas faire problème : « lorsqu'on parle de la vie, on se comprend à ce sujet sans difficulté, et c'est assez pour justifier l'emploi du terme d'une manière exempte d'équivoque [Il est] contraire à l'esprit même de la science d'en chercher une définition absolue. Nous devons nous préoccuper seulement d'en fixer les caractères en les rangeant dans leur ordre naturel de subordination[2] ». Canguilhem et Dagognet constatent de façon plus claire encore que l'objet d'une enquête sur la vie se dérobe, alors que les vivants ne s'y refusent pas : « les vivants sont là, alors que la vie n'est pas là. De plus, étudier les vivants, c'est aussi l'occasion, peut-être d'aborder, par un certain côté, la psychologie du comportement des vivants. Tandis que la vie n'offre rien de tel. Les vivants vivent, il faut voir comment ils vivent et ce "comment", c'est un comportement qui intéresse aussi bien le psychologue que le biologiste, le zoologiste, et, aussi, le philosophe. À parler de vivant plutôt que de vie, tout le monde trouve son compte[3] »

Les sauts de l'évolution, les « comment » auxquels on répond sans répondre aux « pourquoi », tels sont entre autres les énigmes qui font que la vie ne se livre pas tout entière dans le vivant. Une nouvelle discipline, aux frontières de la génétique, de l'emryologie et de la théorie de l'évolution (on l'appelle du nom d'« evodevo ») tente justement de s'appuyer sur le séquençage des génômes pour réduire cet irréductible, pour penser des formes universelles gouvernant le vivant. Le défi consiste à répondre aux questions jusque-là sans réponse sans avoir pour autant à invoquer un quel-

---

1. Jacob, *op. cit.*, p. 327.
2. Bernard, *Leçons sur les phénomènes de la vie*, Vrin, 1966, p. 24-25.
3. Canguilhem et Dagognet, *Le Vivant, entretien télévisé*, 1967-1968, Imprimerie nationale, p. 36.

conque créationnisme, pourtant de mise jusqu'ici (voir texte n° 1) cette part de la notion de vie qui continue à se dérober aux savoirs théoriques.

II. Les modèles du vivant

Si la vie résiste encore et toujours aux enquêtes sur le vivant, elle ne peut être approchée que par des modèles d'intelligibilité.

a. Le modèle mécaniste

Le modèle le plus caractéristique de cet effort et de cette impuissance est le modèle mécanique du vivant. Il est caractéristique d'une tendance à vouloir réduire le vivant à ses conditions matérielles de possibilité. Le vivant peut en un premier sens être pensé comme un mécanisme, à partir du modèle de la machine (voir le texte n° 5). Ainsi Descartes peut-il expliquer la différence entre ce qui est vivant et ce qui est mort par l'analogie de l'horloge : il n'y a pas plus de différence entre un corps vivant et un corps mort qu'entre « une montre, ou autre automate [...] lorsqu'elle est montée et qu'elle a en soi le principe corporel des mouvements pour lesquels elle est instituée » et « la même montre ou autre machine, lorsqu'elle est rompue et que le principe de son mouvement cesse d'agir[1] ». Il y a là davantage qu'une analogie : la machine se présente comme un véritable modèle d'intelligibilité. C'est la célèbre théorie cartésienne de l'animal-machine : la seule différence « entre les machines que font les artisans et les divers corps que la nature seule compose[2] » ne réside que dans la différence d'échelle entre les tuyaux et ressorts des uns et des autres, moins faciles à percevoir dans le corps vivant.

L'histoire même de l'anatomie est imprégnée de cette vue, puisque l'on sait que ce sont les automates de Vaucanson qui ont permis d'améliorer la connaissance des articulations humaines, en application du même modèle d'intelligibilité. L'adoption d'un modèle d'intelligibilité mécaniste pour le vivant est donc féconde, mais un tel modèle est réversible : Leibniz écrit ainsi que la machine est moins purement mécanique que le corps : « chaque corps organique d'un vivant est une espèce de machine divine, ou d'un automate naturel, qui surpasse infiniment tous les automates artificiels. Parce qu'une machine faite par l'art de l'homme, n'est pas machine dans chacune de ses parties [...] Mais les machines de la nature, c'est-à-dire les corps vivants sont encore machines dans leurs moindres parties, jusqu'à l'infini[3] »

Pour être éclairante, pareille analogie ne saurait déterminer le vivant, puisqu'elle ne manque pas d'achopper sur le fonds de son objet, le mystère de la vie. Même le modèle de l'horloge, familier à Descartes, contemporain de l'invention par Huygens de l'invention de l'horloge à ressort, peut être pris à son propre piège : toute horloge suppose pour fonctionner un horloger extérieur. « Un rouage n'est pas la cause effi-

1. Descartes, *Les passions de l'âme*, Article 6, « Tel », Gallimard, 1988, p. 157-158.
2. Descartes, *Principes de la philosophie*, IV 203, Garnier, tome 3, 1973, p. 520.
3. Leibniz, *La Monadologie*, § 64, Delagrave, 1983, p. 178-179.

ciente de la production d'un autre rouage [...] la cause productrice de ces parties et de leur forme n'est pas contenue dans la nature, mais en dehors d'elle, dans un être qui d'après des idées peut réaliser un tout possible par sa causalité[1] ». Ainsi l'analogue de la vie ne fait que s'approcher de la vie sans savoir en rendre compte. En effet le vivant est un être certes organisé, mais qui a le pouvoir de s'organiser lui-même. Ce qu'on appelle la vicariance des fonctions, c'est-à-dire le fait que certains organes puissent en suppléer d'autres défaillants ou disparus, suppose une exigence, celle du maintien de l'organisme comme système, autrement dit l'idée d'une finalité interne : de façon générale, comme le montre aussi l'exemple de la reproduction, l'existence de processus manifestement finalisés au sein même du mécanisme réduit la pertinence de ce modèle.

b. Le modèle finaliste et le vitalisme

Un second modèle d'intelligibilité se substitue au mécanisme, c'est le modèle finaliste. La vie s'entend alors comme ce qui s'explique par une direction de la vie. Ainsi la physique aristotélicienne établissait-elle que les êtres vivants obéissent à des fins. Aristote commence son *Traité des Animaux* par l'idée que les œuvres de la nature sont placées sous le règne de la finalité. La nature obéit ainsi à un but fixé d'avance qui la hiérarchiserait et la structurerait. À l'échelle de l'organe, le finalisme signifie que c'est un projet ou un ensemble de projets qui en rend raison. Il importe de souligner que le finalisme pour le vivant n'est pas cantonné au rang d'idée du passé, puisqu'au contraire Jacob explique que chacun s'accorde à reconnaître une certaine direction dans l'évolution, et que le finalisme tempère le réductionnisme mécaniste pour équilibrer notre compréhension du vivant : « reconnaître la finalité des systèmes vivants, c'est dire qu'on ne peut plus faire de biologie sans se référer constamment au "projet" des organismes, au « sens » que donne leur existence même à leurs structures et à leurs fonctions [...] Décrire un système vivant, c'est se référer aussi bien à la logique de son organisation qu'à celle de son évolution[2]. »

Ainsi peut-on définir le vivant par ce que Monod appelle sa télénomie, c'est-à-dire sa propriété d'être doué d'un projet immanent à sa structure. Mais les difficultés inhérentes au finalisme, comme à l'appel de tout principe vital, apparaissent avec cette notion de projet : n'est-elle pas marquée par un certain anthropomorphisme ? Comment éviter de ne repérer un projet dans l'évolution que sur le modèle du projet et de l'intentionnalité humains ? Reprenant à son compte le modèle cartésiano-kantien de l'horloger, Jacob pointe ce risque : « il a sans cesse fallu lutter, dans les sciences de la nature, pour se débarrasser de l'anthropomorphisme, pour éviter d'attribuer des qualités humaines à des entités variées. En particulier, la finalité qui caractérise beaucoup d'activités humaines a longtemps servi de modèle universel pour expliquer tout ce qui, dans la nature, paraît orienté vers un but. C'est le cas notamment des êtres vivants dont toutes les structures, les propriétés, le comportement

1. Kant, *Critique de la faculté de juger*, § 65, Vrin, 1984, p. 193.
2. Jacob, *op. cit.*, p. 321.

semblent à l'évidence répondre à un dessein[1] ». Autant le vitalisme qui donne au finalisme sa forme la plus naïve en expliquant la vie par un élan créateur de vie, n'est qu'une pétition de principe, autant la question de la direction de l'évolution, à condition de ne pas céder à son propos à l'anthropomorphisme, reste plus que jamais ouverte.

c. L'auto-évolution du vivant

La stérilité des modèles du vivant vient aussi de ce que le vivant doit se déterminer de l'intérieur plutôt que de l'extérieur : un vivant n'est pas fait de structures juxtaposées de l'extérieur. L'organisme est une totalité, non une simple somme d'éléments, mais une totalité au sens où chaque partie entretient des rapports avec toutes les autres. Chaque vivant est un système qui se caractérise d'abord par la synergie de ses éléments. On ne soigne donc pas un organe ou une fonction sans faire attention à la synergie des parties : les greffes se heurtent à de possibles phénomènes de rejet. L'intériorité du vivant est difficile à pénétrer, et sa synergie est difficile à expliquer. Pour expliquer le vivant, il faut ainsi rentrer dans son monde : « le biologiste en revanche se rend compte que cet être vivant est un *sujet* qui vit dans son monde propre dont il forme le centre [...] On ne peut donc pas le comparer à une machine mais au mécanicien qui dirige la machine[2] ». Ainsi ni le seul mécanisme ni le seul finalisme ne peuvent, en raison de leur extériorité, accéder à ce dedans (voir le texte n° 7).

C'est que le vivant se caractérise par son auto-organisation : un être vivant est un « être organisé et s'organisant lui-même[3] », selon la célèbre formule de Kant (voir aussi le texte n° 6). Ainsi la construction de l'organisme, les phénomènes de métabolisme, l'autorégulation interne (l'homéothermie par exemple), ou l'autoréparation (il y a une vicariance des fonctions, dont certaines sont prises en charge par d'autres), sont les phénomènes dont toute investigation du vivant doit rendre compte. Cette intériorité, cette synergie, orientent vers l'idée d'une intériorité, mais ils sont pourtant connus. Il n'y a pas ou plus de mystère du vivant, mais une extrême complexité due au nombre extrême des éléments composants que sont les cellules.

Le meilleur exemple de cette synergie est constitué par l'idée de milieu naturel (voir texte n° 8) : le milieu, c'est justement ce dans quoi tous les éléments ont un rapport actif les uns avec les autres : tout vivant est en dialogue avec son milieu. Ce dialogue est une dialectique, le milieu étant, selon la formule de Uexküll, un modifiant modifié. Hegel notait que « le vivant est ainsi le processus de son enchaînement avec lui-même[4] ». De ce processus qu'est le vivant, la contradiction et la mort ne sont pas absentes, la vie affirmant sa volonté de puissance, en termes nietzschéens, en rusant

1. Jacob, *Le Jeu des possibles*, « Biblio-Essais », 1981, p. 30.
2. Uexküll, *Mondes animaux et monde humain*, Denoël-Gonthier, p. 17.
3. Kant, *ibid.*
4. Hegel, *Science de la Logique*, § 217, Vrin, 1986, p. 451.

avec l'inorganique et en révélant dans la génération « une force plastique inconsciente[1] ».

III. Manipuler le vivant ?

Jusqu'où peut aller la biologie contemporaine ? La question cette fois-ci n'est plus théorique mais pratique.

a. Biologie et éthique

Les progrès dans la connaissance du vivant ne sont pas tous contemplatifs ou désintéressés : le séquençage du génome humain, achevé fin juin 2000, l'a par exemple été grâce aux investissements de société qui prétendent à présent breveter le vivant. Mais les techniques portant sur le vivant, déjà immémoriales (la greffe, le bouturage, les croisements...) créent davantage d'émotions depuis que les progrès dans une détermination unitaire du vivant ont mis techniquement sur le même plan les OGM, Dolly la brebis, et l'homme. Ainsi, « le travail sur l'ADN recombinant fait donc renaître de vieux cauchemars. Il a un parfum de savoir défendu[2] ». Les interrogations nées de la possibilité de manipuler le vivant sont-elles hypocrites ? Faut-il les imputer à une technophobie rétrograde ou sont-elles au contraire le signe d'une prise de conscience tardive mais salvatrice ?

La thèse fondamentale est que le vivant ne peut être un moyen technique, mais doit rester une fin en soi. Encore faut-il déterminer où commence ce seuil moral, ou plutôt à quels vivants il s'adresse. C'est manifestement de l'instrumentalisation du seul corps humain qu'il est question dans la bioéthique : les problèmes éthiques ne surgiraient donc que dans la mesure où l'homme serait impliqué. La question des limites de la technique, par exemple médicale, n'en demeure pas moins une question de seuils, qui font l'objet de controverses juriprudentielles contemporaines. Faut-il voir dans les manipulations génétiques une déviation de l'essence même de l'humain ou bien au contraire une amélioration de notre sort qui n'a pas à être réservée aux seuls végétaux ou animaux ? Le seuil en question dans ce débat est évidemment le seuil de l'humain.

b. La limite de l'homme

Qu'est-ce que l'homme s'il devient capable de se produire lui-même ? Faut-il alors sanctuariser le corps, le rendre indisponible ? Mais alors ce seront les dons de sang, de sperme ou d'organe qui poseront problème. La question du seuil apparaît aporétique, du fait d'une contradiction interne qui apparaît dès que le problème bioéthique est posé en termes de droit : la recherche sur l'embryon, par exemple, porterait atteinte au droit de fœtus, mais son interdiction porterait à son tour atteinte à d'autres droits, au moins aussi humains, comme le note Luc Ferry sur la question de

---

1. Nietzsche, *La Volonté de Puissance*, tome 1, § 96, « Tel », Gallimard, 1995, p. 251.
2. Jacob, *op. cit.*, p. 85.

l'avortement : « à partir de quelle limite doit-on considérer que l'embryon, cette "personne humaine potentielle", devient une personne humaine tout court, par suite un sujet juridiquement reconnu et en tant que tel, soustrait d'un même mouvement au droit de la mère à avorter comme au droit du chercheur à pratiquer ses expérimentations[1] ? »

Le problème bioéthique peut se comprendre comme une branche du problème technique : il s'agirait alors de mettre le monde en garde contre la fureur interventionniste de la biologie, qui aurait poussé jusqu'au bout le passage d'une médecine hippocratique qui soigne sans guérir à une médecine moderne qui intervient. Il ne s'agit pas pour autant en l'espèce de prêter aux scientifiques des tentations eugénistes ou des intentions diaboliques, puisque le résultat des meilleures (et des plus admises) de leurs intentions posent à leur tour le même problème : « le mal [...] peut aussi être une conséquence lointaine et imprévisible d'actions mises en œuvre pour le bien de l'humanité. Qui aurait pu prévoir la surpopulation comme suite aux développements de la médecine ? Ou la dissémination de germes résistant aux antibiotiques comme suite à l'usage même de ces médicaments[2] ? »

c. Une tâche ouverte

Tout est à faire, aussi bien juridiquement, politiquement, que philosophiquement, pour baliser de tels enjeux. C'est d'autant plus vrai que l'intimité du vivant nous est en ce moment déployée presque en direct, et avec elle, son cortège de techniques possibles. Les points de difficulté sont nombreux : il faut lutter contre l'érosion du vivant, et considérer la biodiversité comme un patrimoine sans la sanctuariser ; il faut interdire tout dévoiement de la vie humaine et toute manipulation de l'homme sur l'homme, sans enlever à certains humains ou à certains aspects de la vie humaine les droits qu'on aura garantis à d'autres par ces interdictions. Mais ces principes généraux répondant à un cadre théorique qui ne cesse d'évoluer, de se diversifier et de s'approfondir, reposant à chacune de ses étapes des problèmes nouveaux, à l'échelle des prodiges théoriques et des dangers pratiques potentiels qui, à chaque étape, l'accompagneront.

---

1. Ferry, « Tradition ou argumentation », in *Pouvoirs*, n° 56, Puf, 1991, p. 7.
2. Jacob, *id.*, p. 83-84.

Textes

1. Bernard

Le vivant, réductible à ses conditions physico-chimiques ?

S'il fallait définir la vie d'un seul mot, qui, en exprimant bien ma pensée, mît en relief le seul caractère qui, suivant moi, distingue nettement la science biologique, je dirais : *la vie, c'est la création.* En effet, l'organisme *créé* est une *machine* qui fonctionne nécessairement en vertu des propriétés physico-chimiques de ses éléments constituants. Nous distinguons aujourd'hui trois ordres de propriétés manifestées dans les phénomènes des êtres vivants : propriétés physiques, propriétés chimiques et propriétés vitales. Cette dernière dénomination de propriété vitale n'est, elle-même, que provisoire ; car nous appelons vitales les propriétés organiques que nous n'avons encore pu réduire à des considérations physico-chimiques ; mais il n'est pas douteux qu'on y arrivera un jour. De sorte que ce qui caractérise la machine vivante, ce n'est pas la nature de ses propriétés physico-chimiques, si complexes qu'elles soient, mais bien la *création* d'une machine qui se développe sous nos yeux dans les conditions qui lui sont propres et d'après une idée définie qui exprime la nature de l'être vivant et l'essence même de la vie.

Bernard, *Introduction à l'étude de la Médecine expérimentale*, II, Hachette, 1943, p. 39.

2. Jacob

La génétique, nouveau mécanisme ?

La biologie moderne a l'ambition d'interpréter les propriétés de l'organisme par la structure des molécules qui le constituent. En ce sens, elle correspond à un nouvel âge du mécanisme. Le programme représente un modèle emprunté aux calculatrices électroniques. Il assimile le matériel génétique d'un œuf à la bande magnétique d'un ordinateur. Il évoque une série d'opérations à effectuer, la rigidité de leur succession dans le temps, le dessein qui les sous-tend. En fait, les deux sortes de programmes diffèrent à bien des égards [...] Même si l'on construisait une machine capable de se reproduire, elle ne formerait que des copies de ce qu'elle est elle-même au moment de les produire. Toute machine s'use à la longue. Peu à peu les filles deviendraient nécessairement un peu moins parfaites que les mères. En quelques générations, le système dériverait chaque fois un peu plus vers le désordre statistique. La lignée serait vouée à la mort. Reproduire un être vivant, au contraire, ce n'est pas recopier le parent tel qu'il est au moment de la procréation. C'est créer un nouvel être.

Jacob, *La Logique du Vivant*, « Tel », Gallimard, 1970, p. 17.

3. Bergson

Sur quoi la biologie bute-t-elle ?

Le corps vivant a été isolé et clos par la nature elle-même. Il se compose de parties hétérogènes qui se complètent les unes les autres. Il accomplit des fonctions diverses qui s'impliquent les unes les autres. C'est un *individu*, et d'aucun autre objet, pas même du cristal, on ne peut en dire autant, puisqu'un cristal n'a ni hétérogénéité des parties ni diversité de fonctions. Sans doute il est malaisé de déterminer, même dans le monde organisé, ce qui est individu et ce qui ne l'est pas. La difficulté est déjà grande dans le règne animal ; elle devient presque insurmontable quand il s'agit des végétaux [...] Le biologiste qui procède en géomètre triomphe trop facilement ici de notre impuissance à donner de l'individualité une définition précise et générale. Une définition parfaite ne s'applique qu'à une réalité faite : or, les propriétés vitales ne sont jamais entièrement réalisées, mais toujours en voie de réalisation ; ce sont moins des *états* que des *tendances*.

Bergson, *L'Évolution créatrice*, « Quadrige », Puf, 1941, p. 12-13.

4. Canguilhem

Existe-t-il une sélection naturelle ?

Les expressions de sélection naturelle ou d'activité médiatrice naturelle ont l'inconvénient de paraître inscrire les techniques vitales dans le cadre des techniques humaines, alors que c'est l'inverse qui paraît le vrai. Toute technique humaine, y compris celle de la vie, est inscrite dans la vie, c'est-à-dire dans une activité d'information et d'assimilation de la matière. Ce n'est pas parce que la technique humaine est normative que la technique vitale est jugée telle par compassion. C'est parce que la vie est activité d'information et d'assimilation qu'elle est la racine de toute activité technique. Bref, c'est bien rétroactivement, et en un sens à tort, qu'on parle d'une médecine naturelle, mais supposé qu'on n'ait pas le droit d'en parler, cela n'enlève pas le droit de penser qu'aucun vivant n'eût jamais développé une technique médicale si la vie était en lui, comme en tout autre vivant, indifférente aux conditions qu'elle rencontre, si elle n'était pas réactivité polarisée aux variations du milieu dans lequel elle se déploie.

Canguilhem, *Le Normal et le pathologique*, « Quadrige », Puf, 1966, p. 80.

5. Descartes

Le corps n'est-il qu'une machine ?

Je suppose que le corps n'est autre chose qu'une statue ou machine de terre, que Dieu forme tout exprès, pour la rendre la plus semblable à nous qu'il est possible : en sorte que, non seulement il lui donne au dehors la couleur et la figure de tous nos membres, mais aussi qu'il met au dedans toutes les pièces qui sont requises pour faire qu'elle marche, qu'elle mange, qu'elle respire, et enfin qu'elle imite toutes celles de nos fonctions qui peuvent être imaginées procéder de la matière, et ne dépendre que de la disposition des organes. Nous voyons des horloges, des fontaines artificielles, des moulins, et autres semblables machines, qui n'étant faites que par des hommes, ne laissent pas d'avoir la force de se mouvoir d'elles-mêmes en plusieurs diverses façons ; et il me semble que je ne saurais imaginer tant de sortes de mouvements en celle-ci, que je suppose être faite des mains de Dieu, ni lui attribuer tant d'artifice, que vous n'ayez sujet de penser, qu'il y en peut avoir encore davantage.

Descartes, *Traité de l'Homme*, Garnier, tome 3, 1988, p. 379-380.

6. Kant

Comprendre le vivant, par le mécanisme ou le finalisme ?

Il est [...] raisonnable, méritoire même, de suivre le mécanisme de la nature en vue d'une explication des produits de la nature, aussi loin qu'on le peut avec vraisemblance, et même de ne pas abandonner cette tentative, sous prétexte qu'il serait *en soi* impossible de rencontrer sur son chemin la finalité de la nature, mais seulement parce que *pour nous* en tant qu'hommes cela est impossible ; en effet, il faudrait pour cela une autre intuition que l'intuition sensible [...] Afin par conséquent que le savant ne travaille pas en pure perte, il doit dans le jugement des choses, dont le concept comme fins naturelles est indubitablement fondé (les êtres organisés), mettre toujours au principe une intuition originaire, qui utilise ce mécanisme même pour produire d'autres formes organisées ou pour développer la sienne propre en de nouvelles formes (qui résultent cependant toujours de cette fin et conformément à elle).

Kant, *Critique de la Faculté de juger*, § 80, Vrin, 1984, p. 230-231.

7. Canguilhem

On peut donc dire qu'en substituant le mécanisme à l'organisme, Descartes fait disparaître la téléologie de la vie ; mais il ne la fait disparaître qu'apparemment, parce qu'il la rassemble tout entière au point de départ. Il y a substitution d'une forme anatomique à une formation dynamique, mais comme cette forme est un produit technique, toute la téléologie possible est entraînée dans la technique de production. À la vérité, on ne peut pas, semble-t-il, opposer mécanisme et finalité, on ne peut pas opposer mécanisme et anthropomorphisme, car si le fonctionnement d'une machine s'explique par des relations de pure causalité, la construction d'une machine ne se comprend ni sans la finalité, ni sans l'homme.

Canguilhem, *La Connaissance de la Vie*, Vrin, 1989, p. 113-114.

8. Comte

Comment penser le vivant dans son milieu ?

L'idée de vie suppose constamment la corrélation nécessaire de deux éléments indispensables, un organisme approprié et un milieu convenable. C'est de l'action réciproque de ces deux éléments que résultent inévitablement tous les divers phénomènes vitaux, non seulement animaux, comme on le pense d'ordinaire, mais aussi organiques. Il s'ensuit aussitôt que le grand problème de la biologie positive doit consister à établir, pour tous les cas, d'après le moindre nombre possible de lois invariables, une exacte harmonie scientifique entre ces deux inséparables puissances du conflit vital et l'acte même qui le constitue, préalablement analysé ; en un mot, à lier constamment, d'une manière non seulement générale, mais aussi spéciale, la double idée d'*organe* et de *milieu* avec l'idée de *fonction.*

Comte, *Cours de Philosophie positive*, 40, Schleicher, 1907, p. 158.

Sujets approchés

La notion de vie a-t-elle un statut scientifique ?
La vie est-elle un objet scientifique ?
Le vivant est-il entièrement connaissable ?
Existe-t-il des limites à la connaissance scientifique d'un être vivant ?
Quel sens de la vie l'étude du vivant peut-elle exprimer ?
Connaît-on la vie ou connaît-on le vivant ?

→ ***Approche commune*** **: Ces sujets mettent en cause l'accès à la vie des sciences de la vie : en en approfondissant la connaissance, les sciences de la vie arrivent-elles à déterminer le vivant ou bien butent-elles sur l'irréductibilité de la vie ?**

Faut-il, pour le connaître, faire du vivant un objet ?
Quelle différence entre machine et organisme ?
La maladie d'un être vivant est-elle comparable à la panne d'une machine ?
Un être vivant peut-il être assimilé à une machine ?
Peut-on donner un modèle mécanique du vivant ?

→ ***Approche commune*** **: Le modèle mécanique du vivant, l'approche de l'organisme par la machine, est-il un modèle d'intelligibilité ou un modèle normatif ?**

Doit-on le respect au vivant ?
Doit-on concevoir des limites à l'expérimentation sur le vivant ?
Doit-on limiter le pouvoir de l'homme sur la vie ?

→ ***Approche commune*** **: la connaissance du vivant donne lieu en progressant à une technique possible du vivant. Mais l'objet de cette technique est-il moralement neutre ? Le vivant n'est-il qu'un moyen ou faut-il le tenir pour une fin en soi ?**

Sujet esquissé : En quoi la machine offre-t-elle un modèle pour penser le vivant ?

Introduction

Ce sujet propose aux sciences de la nature un modèle mécanique, et fait reposer tout son enjeu sur l'ambiguïté de cette notion de modèle. Le modèle peut en effet se comprendre en un premier sens comme modèle d'intelligibilité, c'est-à-dire comme modèle pour comprendre, au sens d'une analogie. Mais l'analogie peut se muer en une comparaison, qui confronte un comparant à un comparé. Le comparant n'est pas seulement un modèle pour comprendre, mais il pose aussi un devoir-être, un modèle normatif. Le « en quoi » pose précisément cette question des limites et des fondements de la relation de modèle : le modèle doit-il être modèle d'intelligibilité ou modèle normatif ?

Lignes directrices

1. La machine offre un modèle d'intelligibilité éclairant pour déplier ce dedans qu'est le vivant. On peut ici penser aux automates de Vaucanson, qui ont fait progresser l'anatomie. Faute de pouvoir commodément ouvrir un corps, il est plus facile d'ouvrir l'automate (cf. cours II a) qui

devient alors modèle d'intelligibilité du vivant : le coude de l'automate permet de comprendre le coude humain. Cette thèse est solidaire d'un modèle mécaniste du vivant.

2. Les limites de l'analogie : le modèle d'intelligibilité ne doit pas se muer en modèle normatif sous peine d'être réducteur. En effet, la relation de cause à effet ne suffit pas à rendre raison du vivant, la notion de finalité venant ici poser une limite à ce modèle déterministe (cf. cours II b). Le modèle kantien de la montre et ses limites en témoignent ; le vivant est un être organisé, mais aussi un être s'organisant lui-même.

3. La machine comme devoir-être : l'usage d'une telle analogie recouvre une volonté de réduire le vivant en vue d'une certaine fin concernant l'homme : c'est en effet sur l'homme et sa définition (voir cours III b) que ce modèle et son application ont les conséquences les plus spectaculaires. Quand l'homme devient un comparé, un *manipulandum* (Merleau-Ponty), l'idéal de l'intelligence artificielle s'impose à plein, qui vide les sciences humaines de leur objet.

La matière et l'esprit

Définir, Problématiser

La notion de matière semble d'abord poser un problème de compétence : quel savoir faut-il solliciter pour obtenir de la matière une définition qui ait un sens et qui renvoie à la réalité ? Si la question se pose, c'est évidemment parce que l'expérience la plus quotidienne, celle de la solidité et de la matérialité des objets qui nous entourent, nous confronte déjà à cette notion, mais qu'elle est aussi présente dans la conceptualisation philosophique et les théories physiques. Entre ces théories savantes et nos représentations, quoi de commun ? Faut-il se contenter de l'expérience quotidienne, et confondre les notions de matière et de réalité, ou au contraire écouter le discours scientifique qui nous dit qu'il y a de la matière là où nous ne percevons rien ? **La matière est-elle quelque chose de concret ou d'abstrait ?**

La matière peut se comprendre comme élément ultime de la réalité : tout serait matière, chaque objet réel n'étant qu'une certaine disposition de cette matière dont tout serait composé. Mais notre curiosité n'est alors qu'éludée : si la matière est ce qui compose tout, et que nous cherchons ainsi à connaître la composition de toutes choses, alors la matière elle-même doit être composée par quelque chose d'autre qu'elle même. Si nous nous demandons de quoi se compose la matière, si elle n'est plus un composant universel mais à son tour un composé, c'est l'être même de la notion de matière qui semble menacé : après avoir été partout, la matière ne serait plus nulle part. **La matière est-elle quelque chose d'absolu ou de relatif ?**

La notion d'esprit se comprend d'abord dans sa relation avec la notion de matière. L'opposition est rituelle : le matérialisme et le spiritualisme se rejettent l'un l'autre, le premier expliquant les phénomènes par des rapports matériels de cause à effet, le second invoquant au contraire une force spirituelle irréductible à ces relations. Cette opposition thématique ne nous aide guère au moment de définir l'esprit, parce que l'esprit se définit d'abord négativement, c'est-à-dire davantage par ce qu'on refuse en invoquant cette notion que par ce à quoi on renvoie en l'affirmant. N'y a-t-il pour autant de l'esprit qu'une détermination négative, ou bien s'agit-il là de quelque chose dont il est possible d'avérer et de délimiter l'existence ? L'esprit existe-t-il au même titre qu'une chose ou un objet ? **S'agit-il d'une réalité ou bien seulement d'une idée ?**

Développer

I. La matière et ses images

a. La matière comme substrat

Ce que Bachelard appellera le « parti pris philosophique » consiste à rechercher ce qu'il en est de la matière en général. Il s'agit donc d'unifier la notion de matière, pour battre en brèche l'épuisante diversité des matières : ce n'est qu'au prix d'une négation de cette diversité qu'une idée unitaire de la matière peut être obtenue. La tradition atomiste, sur laquelle nous reviendrons par ailleurs, incarne cet effort : Lucrèce critique ainsi tous ceux qui ont admis une pluralité d'éléments comme matière des choses, notamment Xénophane avec son dualisme de la terre et de l'eau, et Empédocle coupable d'avoir voulu définir la matière à partir de quatre éléments (voir texte n° 1). L'idée de matière se constitue alors comme un fonds commun qui unifie le divers matériel.

C'est justement cette théorie des quatre éléments (eau, terre, feu et air) qui est en cause dans le *Timée* de Platon, parce qu'elle fait obstacle à une détermination unitaire d'un matériau de la création : « pour y arriver, il faut, au préalable, affronter des difficultés relatives au feu et aux trois autres éléments. En effet, dire de chacun de ces éléments, quelle propriété il doit présenter pour qu'on déclare que c'est réellement de l'eau plutôt que du feu, quelle qualité il doit présenter pour qu'on le désigne comme n'importe lequel d'entre eux plutôt que les autres pris ensemble et un à un, et cela en tenant un discours qui soit accessible et stable, voilà qui n'est pas facile[1] ». Pour échapper aux quatre éléments et unifier la matière, le dialogue en fait donc un support indéterminé de formes, qui ne présente aucune qualité propre puisqu'elle n'est plus qu'un réceptacle universel qui se diversifie en la multiplicité des corps tout en lui demeurant extérieure : « si l'empreinte doit être diverse et présenter à l'œil cette diversité sous tous ses aspects, l'entité en quoi vient se déposer cette empreinte ne saurait être convenablement disposée que si elle est absolument dépourvue des formes de toutes les espèces de choses qu'elle est susceptible de recevoir par ailleurs[2] ».

Aristote enfin tente lui aussi de penser la matière de façon unitaire, c'est-à-dire par-delà la diversité de ces fameux quatre éléments, tirant de l'idée qu'ils peuvent s'engendrer mutuellement (comme en quelque sorte l'eau devient air) l'idée d'une unité sous-jacente de la matière. Il y a donc bien une substance commune, qui seule d'ailleurs permet de penser le mouvement et le changement en les référant à une chose qui, elle, ne change pas. Aristote critique ainsi ceux qui « adoptent sans examen, comme principe des êtres, n'importe quel corps simple, à l'exception de la

1. Platon, *Timée*, 49b, GF-Flammarion, 1992, p. 147.
2. *Id.*, 50 d-e, p. 150.

Terre, sans réfléchir sur le mode de production mutuelle des éléments, je veux dire le Feu, l'Eau, la Terre et l'Air. Or ces éléments naissent les uns des autres[1] ». Cette volonté d'unifier la notion aboutira à une conception de la matière comme substrat délimité dans chaque corps par une forme : « Substance se dit des corps simples, tels que le Terre, le Feu, l'Eau et toutes choses analogues ; en général, des corps et de leurs composés, tant les animaux que les êtres divins ; et enfin, des parties de ces corps. Toutes ces choses sont appelées substances parce qu'elles ne sont pas prédicats d'un sujet, mais que, au contraire, les autres choses sont prédicats d'elles[2] ». Voilà la matière, une fois informée par une forme, devenue composant universel, sujet ultime.

b. N'y a-t-il de vision philosophique de la matière qu'alchimique ?

Aux yeux de Bachelard, c'est un tel parti pris de définir la matière en général qui prive structurellement la philosophie de toute compréhension possible de la notion de matière. Au moment de comprendre ce qu'il en est de la matière, la philosophie ne peut que faire écran. C'est d'abord vrai pour Bachelard au sens où la philosophie n'est jamais que pourvoyeuse d'images, la réalité de la matière lui échappant tout à fait. Les images philosophiques constituent ainsi pour Bachelard le premier obstacle épistémologique à lever au moment de tenter d'appréhender la matière. Ainsi la philosophie de la matière se comprend-elle d'abord sur le modèle de l'alchimiste, qui ne peut que rêver de puissance mais qui « ne pouvait transmettre *objectivement* ses songes[3] ». À l'attirail magique des métaphores philosophiques (« on peut bien dire que le matérialisme philosophique traditionnel est un *matérialisme sans matière*, un matérialisme tout métaphorique[4] »), Bachelard entend opposer la réalité scientifique, puisqu'« il faut savoir ce que l'on cherche et bien distinguer les rêveries de la matérialité et les expériences positives opérant sur le monde des matières tangibles[5] ».

C'est d'abord par ignorance et par simplisme que la philosophie de la matière pêche : c'est en dehors de la philosophie qu'il faut élaborer ce matérialisme instruit pour lequel Bachelard prêche. C'est ensuite par sa suffisance que la philosophie se signale : « toute attitude philosophique a la curieuse aptitude à s'instituer comme première[6] ». Dans sa certitude de soi, l'attitude philosophique telle que Bachelard la dénonce porte à l'absolu son ambition, qui consiste à « fonder une fois pour toutes[7] », et s'arc-boute sur une définition générale de la matière : « Ils [les philosophes] bloquent le matérialisme sur un primitif concept général de la matière, sur un concept sans élaboration expérimentale[8] », s'installant ainsi dans une citadelle inexpugnable d'où les assauts de l'actualité scientifique ne les atteignent pas.

1. Aristote, *Métaphysique*, Δ, 8, 988 a29, Vrin, 1981, p. 69-70.
2. *Id.*, Δ 8, 1017 b10, p. 273.
3. Bachelard, *Le Matérialisme rationnel*, « Quadrige », Puf, 1990, p. 21.
4. *Id.*, p. 3.
5. *Id.*, p. 21.
6. *Id.*, p. 10.
7. *Id.*, p. 8.
8. *Id.*

Aussi peu nuancée, et donc aussi suspecte, que soit cette prise de position, elle n'est pas sans mettre en avant un problème sérieux : la réalité de la matière est difficile à distinguer de son image, et les théories philosophiques sont largement porteuses de telles images. Bachelard insiste sur le fait que les analyses philosophiques supposent la visibilité de la matière et la souveraineté du sujet qui les contemple. Ce qui est en cause au fond, c'est que les discours non qualifiés, c'est-à-dire non savants, sur la matière gardent en vue un objet qui est leur horizon et leur archétype : l'objet matériel lui-même. Bachelard parlait du « choquisme » philosophique pour désigner cette tendance à ne pouvoir se représenter la matière que par des corps, distincts de l'espace qu'ils peuplent, et qui s'entrechoquent. Or c'est cet objet matériel, archétype de tout discours sur la matière, qui est mis en cause dans son existence même par la physique quantique.

c. La matière n'existe pas

Sans aller aussi loin que Bachelard (qu'on peut d'ailleurs après coup, avec son matérialisme rationnel, adjoindre au catalogue des pourvoyeurs de représentations erronées), Koyré a à son tour mis en cause la responsabilité de certaines traditions philosophiques dans la circulation de représentations de la matière qui en compliquent la compréhension. Ainsi, à l'intuition newtonienne de forces transmatérielles (les champs de forces) résiste l'héritage de l'atomisme grec et du cartésianisme, qui veulent tout expliquer par la matière substantielle et le mouvement. Or « une bonne philosophie naturelle, empirique et expérimentale, n'exclut pas de la structure du monde et du décor du ciel les forces immatérielles ou transmatérielles[1] » : mieux vaut renoncer à spéculer sur ce que ce sont ces forces, et se contenter de les idenntifier mécaniquement comme effets d'une cause.

La physique quantique a donné à ce statut de la matière un éclairage particulièrement aigu, en renonçant justement à un tel héritage, c'est-à-dire aux outils théoriques de la physique qui les précédait, soit les idées de permanence et de causalité. Son point de vue étant microscopique, la physique quantique a défini la matière relativement aux conditions même de sa manifestation, conditions qui sont spatiales et temporelles. La matière ne se définit alors plus comme fait permanent, mais comme événement (voir le texte n° 8) qui se manifeste : « la matière n'existe plus en tant que telle, mais dans le contexte de ses propriétés[2] ». Poincaré avait donné à cette thèse en 1909 une formulation particulièrement radicale et restée célèbre : la matière n'existe pas. Cela signifie au moins en tout cas que la théorie de la relativité a porté le coup de grâce à la notion de substance. Elle n'aura fait, avec Einstein, que systématiser ce que la découverte par Faraday des champs électromagnétiques entraînait déjà : un changement complet du cadre conceptuel à l'intérieur duquel le mot matière peut prendre sens. Les deux concepts clés sont ceux de champ et d'énergie (voir le texte n° 6) : la matière est un réservoir d'énergie (et Bachelard en

1. Koyré, « Dieu et le monde », in *Du monde clos à l'univers infini*, « Tel », Gallimard, 1973, p. 256.
2. Monnoyeur, *Qu'est-ce que la matière ?*, o.c., « Biblio-Essais », 2000, p. 20.

appelle à un « existentialisme de l'énergie » pour penser la matière) qui se manifeste dans un espace qui est lui-même un champ d'énergie : la matière n'est pas une chose, mais elle est le résultat d'un processus d'échanges d'énergie.

Il faut entendre la formule de Poincaré comme le « Dieu est mort » de Nietzsche : comme le passage, pour un certain référent théorique, du plausible à l'inutile. La matière n'existe plus s'il faut entendre par là le référent ultime de l'analyse physique, le « ce en quoi » chaque chose est faite, puisque cet antique substrat se décompose à son tour en atomes, en électrons et en protons. Ainsi la matière ne se définirait plus que par un seuil : celui d'une certaine intensité d'énergie, ou par une cartographie mouvante : celle des éléments de Mendéléïeff, la science découvrant des isotopes et créant des éléments au-delà du 92e (l'uranium, le dernier produit par la nature). La matière comme nom commun cède alors le pas à une chimie des noms propres. La science contemporaine de la matière se dématérialise : l'analyse chimique transforme la matière en information. La matière en ce sens n'est plus rien d'autre qu'un outil théorique suranné, une substance déchue.

II. L'esprit comme irréductibilité

L'esprit se présente d'abord comme la métaphore d'une immatérialité de la vie psychique, présentée comme irréductible au corps, à la matière, à la nature. Mais ceci ne suffit pas à distinguer clairement l'esprit de ses apparents synonymes : l'esprit n'est-il qu'une métaphore de ce à quoi renvoient d'autres métaphores à première vue équivalentes (comme l'âme ou la pensée), ou possède-t-il une différence spécifique ?

a. L'esprit comme écart

C'est dans un premier temps dans la variété des emplois du mot « esprit », présent dans une très grande variété de savoirs, de discours et de champs lexicaux, que notre réflexion doit identifier ce qu'il en est de l'esprit. Un premier survol des divers emplois du mot impose une première piste : l'esprit signifie l'irréductibilité à tout ce qui se présente comme déterminable de façon codifiée. Il en est par exemple ainsi en ce qui concerne ce qu'on appelle l'esprit d'une loi, par opposition à sa lettre : la légalité nous fournit la codification technique qu'impose la lettre de la loi. L'esprit des lois renvoie à ce qui dans la finalité des lois dépasse potentiellement leur lettre. La règle de l'avantage, au rugby comme au football, renvoie ainsi davantage à l'esprit de la loi qu'à sa lettre (même si cette dernière inclut cette notion), qui conduit l'arbitre à ne pas sanctionner une faute tant qu'il n'est pas avéré que la suite du jeu ne bénéficie pas à ceux qui en ont été victimes.

C'est par l'appel à cette notion que Montesquieu échappe au positivisme juridique auquel le conduirait le seul catalogue des droits positifs : il s'agit pour lui de déchiffrer la signification philosophique des lois prises comme un tout. C'est la notion d'esprit qui incarne cet objet : « je ne traite point des lois, mais de l'esprit des lois ; et [comme] cet esprit consiste dans les divers rapports que les lois peuvent avoir avec diverses choses ; j'ai dû moins suivre l'ordre naturel des lois, que celui de ces rapports et de ces choses[1] ». L'esprit permet de comprendre philosophiquement ce que la lettre ne fait que codifier juridiquement.

Le terme est rapidement devenu un synonyme de faculté mentale ou de raison : néanmoins raison et esprit ne renvoient pas à la même chose. On a sa raison mais on a de l'esprit, comme si la raison était une faculté propre à chacun alors que l'esprit serait un mode de participation à autre chose. L'esprit échappe à la logique comme finesse, vivacité piquante, décalage humoristique. Nietzsche faisait de l'esprit grec le prototype de l'intelligence rationnelle et des Français les champions de l'esprit et donc de la bonne société : « d'où la petite dose de déraison qu'accuse toujours l'esprit français. La sociabilité était considérablement moins développée chez les Grecs qu'elle ne le fut et ne l'est encore chez les Français : c'est ce qui fait qu'il y a si peu d'esprit chez leurs hommes les plus spirituels[2] ». Cette nuance, qui sépare les deux termes anglais *mind* (le pouvoir intellectuel) et *wit* (l'esprit au sens du trait d'esprit), range l'esprit du côté de l'intellect sans l'y réduire pour autant.

b. L'esprit comme réflexivité

Remarquant la très forte polysémie du mot « esprit », Ricœur lui assigne comme première signification ce pouvoir intellectuel : « c'est d'abord l'esprit, au sens général de mental, avec les traits dont j'ai parlé — intentionnalité, signification, communicabilité et entente mutuelle[3] ». C'est le pouvoir intellectuel qui se décline en esprit de géométrie et en esprit de finesse chez Pascal : mais cet esprit comme ensemble des facultés intellectuelles renvoie aussi à ce que la pensée humaine a de plus réflexif, tourné vers soi : au premier sens l'esprit était intelligence, au second sens il est conscience. Dans son mouvement vers soi, la réflexion appréhende en effet le moi comme quelque chose de très différent à appréhender du monde extérieur.

L'expérience intérieure du sujet, chez Maine de Biran, lui donne ainsi accès à ce fait primitif qu'est l'effort moteur volontaire : c'est par une force spirituelle que se manifeste ainsi l'activité du moi. L'esprit est le nom de ce qui dans le moi n'est pas substance, tant je n'existe pas à la façon des objets étendus, ni même non plus sur le mode d'une substance : « lorsque je dis moi et que je me rends témoignage de ma propre existence, je suis pour moi-même non point une chose ou un objet, dont j'affirme l'existence en lui donnant la pensée pour attribut, mais un sujet qui se reconnaît et s'affirme à lui-même son existence[4] ». Pareille reconnaissance, pareille affirmation supposent dans le spiritualisme de Maine de Biran un effort, effort de l'esprit pour se libérer de l'obstacle du corps qui fait écran à cette intuition interne : seul un effort voulu qui affronte une résistance organique nous livre l'intuition du moi.

1. Montesquieu, *De l'Esprit des Lois*, tome 1, I, 3, GF-Flammarion, 1979, p. 129.
2. Nietzsche, *Le Gai Savoir*, § 82, « Folio-Essais »,Gallimard, 1950, p. 116.
3. Changeux et Ricœur, *La Nature et la Règle*, Odile Jacob, 1998, p. 193.
4. Maine de Biran, *Essai sur les fondements de la psychologie*, tome 7, Puf, 1932, p. 127.

c. L'esprit et les sciences humaines

L'esprit ne s'oppose plus alors à la matière et au corps, mais plutôt à la nature : cette distinction thématique de la nature et de l'esprit a joué un rôle de ligne de partage entre les savoirs, lorsqu'un certain nombre de disciplines ont cherché à se constituer en sciences d'une façon qui reste irréductible aux méthodes des sciences de la nature. Ce que l'on appelle aujourd'hui du nom de « sciences humaines » se constitue alors sous le nom de « sciences de l'esprit ». Le mot « esprit » y est plus que jamais dépositaire d'une connotation d'irréductibilité et de refus : il est le terme qui indique justement l'irréductibilité des savoirs qui se rangent sous ce vocable aux sciences de la nature. Ainsi Dilthey a-t-il opposé le monde de l'esprit, monde de sens à comprendre et à interpréter, au monde de la nature, sphère des relations causales à expliquer. Le phénomène intérieur des sciences de l'esprit est irréductible aux phénomènes extérieurs des sciences de la nature.

Le contexte de cette analyse est évidemment l'impérialisme des sciences issu de la révolution galiléo-cartésienne, qui tend à mathématiser la nature et à naturaliser tout ce qu'il y a à savoir (voir texte n° 2). Husserl entend défendre l'esprit contre la prétention des sciences de la nature à tout s'approprier : il en appelle donc à une attitude comparable au rejet platonicien de l'attitude matérialiste des atomistes : « dans l'attitude qui est celle du monde-ambiant, l'attitude constamment objectiviste, tout ce qui est de l'esprit semblait être comme superposé à la corporéité physique. C'est pourquoi l'extrapolation du mode de pensée des sciences de la nature n'était déjà pas loin. De là vient que nous trouvons déjà, dans les commencements, le matérialisme et le déterminisme démocritéen[1] ». Un nouveau sursaut philosophique est donc nécessaire tant « partout à notre époque se fait sentir le besoin brûlant d'une compréhension de l'esprit, et l'obscurité, tant dans la méthode que dans la chose même, de la relation entre les sciences de la nature et les sciences de l'esprit est devenue presque insupportable[2] ».

III. Le matérialisme en terrain conquis ?

L'idée selon laquelle la matière est un composant universel suppose à son tour que tout soit matériel (voir le texte n° 4). On donne le nom de matérialisme aux déclinaisons possibles d'une telle idée, qui nie l'existence d'êtres immatériels ou qui les réduit à ce qui est matériel. C'est sur la notion de pensée que l'opposition entre matérialisme et spiritualisme reste vive : Nous aimons à penser que la matière ne pense pas, et que c'est l'esprit qui pense. Mais les progrès des neurosciences mettent à mal un tel postulat : le refus du matérialisme n'est-il plus qu'une illusion consolante ?

---

1. Husserl, *La Crise des sciences européennes et la phénoménologie transcendantale*, annexes, « Tel », Gallimard, 1976, p. 375.
2. *Idem*, p. 379.

a. Matérialisme et spiritualisme

Déniaiser les prétentions du spiritualisme, qu'il s'agisse du vivant ou de la pensée : tel est le mot d'ordre de ce qu'on peut appeler le réductionnisme scientifique contemporain. Il existe d'ailleurs aussi bien un réductionnisme idéaliste qu'un réductionnisme matérialiste : l'approche d'une pathologie psychiatrique par la psychanalyse freudienne illustre le réductionnisme idéaliste, et son approche par voie psychiatrique et médicamenteuse relève du réductionnisme matérialiste. Dans sa version matérialiste, le réductionnisme érige le physico-chimique au rang de niveau fondamental d'explication du réel.

Tel qu'il est le plus couramment compris, le matérialisme s'oppose au spiritualisme : il consiste donc autant à nier l'existence de ce qui est spirituel qu'à affirmer la seule existence de ce qui est matériel. Cette dimension négative est éclairante pour le matérialisme, qui entend, chez Lucrèce comme chez Épicure, s'ériger en raison ultime et consolante d'un refus de la crainte de la mort et de l'au-delà, bref comme antidote aux croyances. Prolongeant ce matérialisme, Spinoza raisonne de la même façon au sujet du libre arbitre, illusion qu'il s'agit de dissiper. Ainsi, le matérialisme mécaniste des atomistes affirme, dans sa tonalité la plus scientifique, chez Démocrite, que tout est réductible aux atomes, petites particules indivisibles, et aux mouvements de ces atomes. Dans son ambition la plus forte, le matérialisme ne se contente pas d'oblitérer la distinction entre le matériel et le spirituel, mais il peut au contraire affirmer cette distinction pour réduire alors ce qui est spirituel à ce qui est matériel. Le matérialisme explique alors le haut (ce qui est spirituel, supérieur et complexe) par le bas (le matériel, inférieur et simple) et prend la forme d'un réductionnisme, tel que celui que la neurobiologie contemporaine exerce sur la notion de pensée.

L'étymologie du mot a durablement marqué la notion d'esprit. Le latin spiritus renvoie en effet au souffle et au vent. Ce mot (comme le mot grec *pneuma*) a rapidement renvoyé à un souffle mystique et vivifiant, qui a longtemps confiné l'esprit et la spiritualité dans un cadre originel religieux. Ainsi la notion d'esprit semble conserver une certaine nostalgie du divin, et ce d'autant plus qu'elle a été assimilée, dans le cadre cartésien abordé ci-dessous, à l'âme, notion encore plus nettement connotée dans un tel registre. L'image du Saint Esprit illustre cette association, qui fait de l'esprit un pouvoir de sanctification et de rédemption. L'ombre d'un souffle transcendant continue de se projeter sur le mot « esprit », comme l'image de l'inspiration nous le montre : souffle venu d'en haut, l'inspiration illustre l'immatérialité et la transcendance de l'esprit.

Alain définit l'esprit par cette transcendance illimitée : « quelles que soient les limites, l'esprit nous attend au-delà, comme en deçà. Dire que l'esprit ne peut tenir dans un corps, puisqu'il connaît d'autres corps, ce n'est pas dire assez. L'esprit n'est ni dedans ni dehors : il est le tout de tout [...] Si loin qu'on étende l'être, l'esprit est plus grand[1] ». L'esprit est donc destiné par ce type de théorie à constituer une réalité substantielle indépendante, tout en restant encore, dans la philosophie scholastique,

1. Alain, *Les Dieux*, Gallimard, 1952, p. 200.

prisonnier du finalisme aristotélicien : si la matière ne pense pas (et si donc c'est l'esprit qui pense), ce n'est pas du fait de la souveraineté de l'esprit, mais du fait d'un vitalisme qui soumet l'âme à un souffle divin qui l'inspire.

b. L'homme neuronal

L'ambition du matérialisme des neurosciences est de réintégrer l'esprit dans la nature : on peut donner le nom de fonctionnalisme à une telle attitude, qui explique la pensée comme une fonction d'un organe (le cerveau). Replacer l'esprit dans la matière, c'est d'abord lutter pour légitimer le matérialisme, peu en faveur dans la tradition métaphysique occidentale. C'est l'essentiel de l'effort du matérialisme de La Mettrie, qui veut montrer que « les métaphysiciens qui ont insinué que la matière pouvait bien avoir la faculté de penser, n'ont pas déshonoré leur raison[1] ». Il ne faut pas voir peur du matérialisme, qui n'est pas dégradant pour l'esprit humain (voir aussi le texte n° 3) : La Mettrie veut oser dire cette vérité contre les préjugés. Changeux, qui entend lui aussi lutter contre les préjugés militants du dualisme, retrouve de nos jours les accents de cette solidarité des matérialistes réprouvés pour avoir eu raison de manière isolée et trop tôt : « même si le matérialisme est aussi ancien que la philosophie, son histoire est celle d'une philosophie refoulée, longtemps clandestine et persécutée. Sans doute sa force subversive effraie-t-elle, parce qu'elle est celle des esprits libérés, au rire démystificateur[2]. »

Cette position suppose donc d'arracher aux philosophes (en tout cas aux non matérialistes) et aux théologiens l'objet spirituel qu'ils s'étaient appropriés, et de faire sortir le mot « esprit » de leurs approximations littéraires pour le soumettre à ce que Freud appellerait une saine dictature de la raison scientifique. Le propos des neurosciences est clair : l'activité mentale est uniquement le résultat de la circulation des influx nerveux, bref d'un processus matériel : « l'esprit est un processus d'un type particulier qui dépend de certaines formes particulières d'organisation de la pensée[3] ». Du neuronal au psychique, une causalité sans mystères (sinon celui de sa découverte) s'exerce linéairement. Finalement, le mot « esprit » lui-même ne paraît plus ici être autre chose qu'une métaphore, ou une concession à une habitude de langage. En tout cas, dans une telle analyse, il doit être désamorcé de toute virtualité spiritualiste, et Changeux préconise donc plutôt d'y renoncer : « la mise à contribution d'un quelconque Esprit avec ou sans E majuscule ne paraît pas une hypothèse nécessaire[4] ». Voilà l'esprit qui disparaît (voir texte n° 5), tel Dieu avec Nietzsche[5]...

1. La Mettrie, *L'Homme-Machine*, « Folio-Essais »,Gallimard, 1981, p. 143.
2. Changeux et Ricœur, *op. cit.*, p. 191.
3. Edelman, *Biologie de la Conscience*, « Points », Odile Jacob, 1992, p. 15.
4. Changeux et Ricœur, *op. cit.*, *id.*
5. Voir le chapitre sur la religion, III, a

c. Le fantôme dans la machine ?

Si la pensée n'est qu'une machinerie résultant de processus biochimiques dont le siège est organique (le cerveau), alors l'esprit devient effectivement une notion inutile : il n'est plus, selon la célèbre expression de Ryle, qu'un « fantôme dans la machine », expression qui prend en compte les dérives animistes et spiritistes qui ont toujours guetté la notion d'esprit. Le fantôme serait ce guide intérieur invisible qui piloterait nos comportements, alors que ces derniers, dans l'optique behaviouriste qui est celle de Ryle, sont les seuls faits à prendre en compte, et qui n'ont pas besoin du dualisme cartésien pour être et pour être compris. Ce partage hypothétique de l'homme entre l'intériorité et l'extériorité ne renvoie qu'à un vide : l'habitant intérieur n'est rien d'autre qu'un fantôme.

C'est à force d'avoir voulu penser l'esprit sur le mode de la chose (voir texte n° 7) que la tradition issue de Descartes a vidé cette notion de son sens et de sa cohérence. Une telle disjonction entre la matière et l'esprit repose sur l'idée que ces deux notions reposent sur un même niveau ontologique : chercher à résoudre cette disjonction en absorbant la matière dans l'esprit (comme dans le spiritualisme) ou l'esprit dans la matière (comme le fait le matérialisme) ne fait qu'entretenir la disjonction. La notion d'esprit n'est donc rien d'autre qu'une habitude de langage, qui ne renvoie dans la réalité qu'à des comportements sans instance mystique qui les commande. Un usage plus critique de nos habitudes de langage, tel que le préconise la philosophie analytique contemporaine, serait alors seul de nature à démêler l'esprit des croyances sédimentées que le langage courant porte avec lui.

Textes

1. Lucrèce

Quel est l'ultime fonds commun de toutes choses ?

Bien plus, ils remontent jusqu'au ciel et à ses feux, et imaginent que d'abord le feu se transforme en souffles de l'air, que de l'air naissent les eaux, que les eaux forment la terre, et que dans l'ordre inverse tout se reforme de la terre : l'eau d'abord, puis l'air, ensuite la chaleur, et que ces éléments ne cessent de se transformer entre eux, d'aller du ciel à la terre, et de la terre aux astres du ciel. Or de tels échanges ne sauraient convenir aux principes des corps ; il faut en effet qu'il subsiste quelque chose d'immuable, pour que tout ne soit pas totalement anéanti [...] Pourquoi ne pas supposer plutôt certains éléments de telle nature que, si par exemple ils ont créé le feu, ils puissent aussi par un léger accroissement ou une légère diminution de leur nombre, par un changement dans leur ordre et leur mouvement, créer par exemple les souffles de l'air ; et qu'ainsi toute chose peut se transformer en une autre ?

Lucrèce, *De la Nature*, I, 782-802, Les Belles Lettres, 1984, p. 29-30.

2. Husserl

La science veut-elle tout *naturaliser* ?

Quant à ce qui regarde le « psychique » — ce reste que laisse apparaître la mise-de-côté du monde animal, et d'abord humain, à l'intérieur de la nature régionalement close — le rôle de modèle qui est celui de la conception physicienne de la nature et de la méthode des sciences de la nature fait voir en lui aussi ses effets, et ce d'une façon parfaitement saisissable, déjà du temps de Hobbes. On le remarque à ceci que l'âme se voit attribuer un mode d'être semblable dans son principe à celui qui est attribué à la nature, et que la psychologie se voit prescrire, en tant que théorie, un dépassement de la description en vue d'une « explication » théorétique ultime, comme la biologie [...] Cette *naturalisation de ce qui relève de l'âme* se répand, en passant par John Locke, sur l'ensemble des temps modernes, jusqu'à aujourd'hui.

Husserl, *La Crise des sciences européennes et la phénoménologie transcendantale*, § 11, « Tel », Gallimard, 1976, p. 73-74.

3. La Mettrie

Matérialiser l'esprit, est-ce le dégrader ?

L'excellence de la raison ne dépend pas d'un grand mot vide de sens (*l'immatérialité*), mais de sa force, de son étendue, ou de sa clairvoyance. Ainsi une âme de boue, qui découvrirait, comme d'un coup d'œil, les rapports et les suites d'une infinité d'idées, difficiles à saisir, serait évidemment préférable à une âme sotte et stupide, qui serait faite des éléments les plus précieux. Ce n'est pas être philosophe que de rougir avec Pline de la misère de notre origine. Ce qui paraît vil, est ici la chose la plus précieuse, et pour laquelle la Nature semble avoir mis le plus d'art et le plus d'appareil. Mais comme l'homme, quand même il viendrait d'une source encore plus vile en apparence, n'en serait pas moins le plus parfait de tous les êtres, quelle que soit l'origine de son âme, si elle est pure, noble, sublime, c'est une belle âme, qui rend respectable quiconque en est doué.

La Mettrie, *L'Homme-Machine*, « Folio-Essais », Gallimard, 1981, p. 145-146.

4. Diderot

Où est l'unité de la matière ?

Il n'y a qu'une manière possible d'être homogène. Il y a une infinité de manières différentes possibles d'être hétérogène. Il me paraît aussi impossible que tous les êtres de la nature aient été produits avec une matière parfaitement homogène, qu'il le serait de les représenter avec une seule et même couleur. Je crois même entrevoir que la diversité des phénomènes ne peut être le résultat d'une hétérogénéité quelconque. J'appellerai donc *éléments* les différentes matières hétérogènes nécessaires pour la production générale des phénomènes de la nature ; et j'appellerai la nature, le résultat général actuel, ou les résultats généraux successifs de la combinaison des éléments. Les éléments doivent avoir des différences essentielles ; sans quoi tout aurait pu naître de l'homogénéité, puisque tout pourrait y retourner. Il est, il a été, ou il sera une combinaison naturelle, ou une combinaison naturelle, ou une combinaison artificielle, dans laquelle un élément est, a été, ou sera porté à sa plus grande division possible.

Diderot, *De l'interprétation de la nature*, § 58, Garnier, 1990, p. 239.

5. Changeux

L'esprit, obstacle épistémologique pour la neurobiologie ?

Une approche naturaliste [...] ne peut inclure la référence à de quelconques forces occultes ou à quelque mystère des origines. Comme l'enseignaient déjà Spinoza puis Auguste Comte, le scientifique doit se dégager de tout recours à la métaphysique comme de tout anthropocentrisme, et adopter le mode de pensée qui est celui des sciences expérimentales. Cela ne coûte pas cher lorsqu'on travaille sur le rayonnement laser ou la chimie des silicones. Il n'en est pas de même pour le neurobiologiste. Le mythe, traditionnel dans la culture occidentale, de l'existence d'un Esprit immatériel et immortel, qui présiderait au destin de notre vie, est encore bien ancré dans nos mentalités [...] Depuis la mort du vitalisme et avec les avancées de la biologie moléculaire, le cerveau reste le lieu privilégié des conflits, souvent occultes, entre Science et Foi.

Changeux et Ricœur, *La Nature et la Règle*, Odile Jacob, 1998, p. 190

6. Einstein et Infeld

La matière a-t-elle une réalité absolue ?

La théorie de la relativité nous a appris que la matière représente d'immenses réservoirs d'énergie et que l'énergie représente de la matière. Nous ne pouvons pas ainsi distinguer qualitativement entre la matière et le champ, puisque la distinction entre la masse et l'énergie n'est pas d'ordre qualitatif. La plus grande partie de l'énergie est concentrée en matière, mais le champ qui entoure la particule représente également de l'énergie, bien qu'en quantité incomparablement plus petite. Nous pourrions par conséquent dire : la matière se trouve là où la concentration de l'énergie est petite. Mais s'il en est ainsi, la différence entre la matière et le champ est plutôt d'ordre quantitatif que d'ordre qualitatif. Il n'y a pas de sens à regarder la matière et le champ comme deux qualités totalement différentes l'une de l'autre. Nous ne pouvons imaginer une surface définie, qui sépare nettement le champ et la matière.

Einstein et Infeld, *L'Évolution des Idées en Physique*, Champs-Flammarion, 1983, p. 228-229.

7. Ryle

À quoi renvoie le mot esprit ?

Descartes et ses successeurs ont adopté une échappatoire. Puisqu'il fallait se garder d'interpréter les termes de la conduite mentale comme désignant le déroulement de processus mécaniques, il fallait les interpréter comme rapportant des processus non mécaniques. Puisque les lois de la mécanique expliquaient les mouvements dans l'espace, il fallait d'autres lois pour expliquer certains fonctionnements non spatiaux de l'esprit comme des effets d'autres fonctionnements non spatiaux de l'esprit [...] L'esprit était considéré comme une « chose » différente du corps ; les processus mentaux étaient des causes et des effets bien que d'un genre différent des mouvements corporels et ainsi de suite. De même que l'étranger s'attendait à ce que l'université soit un bâtiment supplémentaire, à la fois semblable aux collèges et différent d'eux, de même les détracteurs du mécanisme représentaient l'esprit comme un centre supplémentaire du processus de causalité, assez semblable aux machines tout en étant considérablement différent d'elles. Cette hypothèse était donc une hypothèse paramécanique.

Ryle, *La Notion d'Esprit,* Payot, 1978, p. 18-19.

8. Russell

La matière, une chose ou un événement ?

On admet (ce qui n'est que partiellement vrai à présent) que les propriétés de l'eau peuvent se déduire de celles de l'oxygène et de l'hydrogène réunis conformément à la combinaison moléculaire de l'eau. Ainsi grâce à l'analyse, on en arrive à des lois causales qui sont à la fois plus vraies et plus efficaces que celles du sens commun, lequel suppose, lui, que toutes les parties de l'eau dont de l'eau. Nous pouvons dire que le mérite caractéristique de l'analyse que pratique le savant, c'est de nous permettre d'arriver à une structure telle que les propriétés du complexe peuvent se déduire de celles des parties. Elle nous permet d'arriver à des lois permanentes et non simplement momentanées et approchées. Ce n'est qu'un idéal partiellement vérifié jusqu'ici, mais le degré de vérification est abondamment suffisant pour justifier la science lorsqu'elle construit le monde avec des éléments infimes. De ce qui a été dit au sujet de la substance, je conclus que la science s'occupe de groupes d'« événements » plutôt que de changements d'« états » des « choses ».

Russell, *L'Analyse de la Matière*, Payot, 1965, p. 223.

Sujets approchés

La matière est-elle informe ?

Pouvons-nous penser la matière ?

La matière est-elle perceptible ?

→ ***Approche commune* : La matière se rencontre-t-elle par l'expérience quotidienne de la solidité des corps, ou n'est-ce là qu'une image de la matière, qui réclame à être pensée abstraitement ? La matière est-elle quelque chose d'abstrait ou de concret ?**

Le matérialisme est-il un désenchantement ?

Y a-t-il de l'immatériel ?

Faut-il se résigner au matérialisme ?

→ ***Approche commune* : L'explication matérialiste, qui suppose que tout est matériel, est-elle réductrice dans tous les sens du terme ? Son éventuelle vérité serait-elle dégradante pour nous, ou bien au contraire s'agit-il là de son visage lucide et démystifiant ?**

Qu'appelle-t-on les sciences de l'esprit ?

Y a-t-il des aventures de l'esprit ?

Le nombre n'est-il qu'un produit de l'esprit ?

→ ***Approche commune* : ces sujets mettent en cause le statut de l'esprit, en posant implicitement la question de sa réalité ou de son idéalité. De là, c'est la légitimité du discours sur l'esprit qui peut être remise en cause : les discours sur l'esprit renvoient-ils à quelque chose ou sont-ils vides de tout sens ?**

Sujet esquissé : Tout est-il matériel ?

Introduction

Comment trouver la matière si elle est présente partout ? La question n'est paradoxale qu'en apparence : si tout est matériel, la définition même de la matière est compromise s'il n'y a plus rien qui échappe à la matière pour la définir de l'extérieur. Telle est l'aporie qui menace le matérialisme : s'il est vrai, et si tout est matière, ce sera au prix d'une définition claire de la matière. Mais avant que ce ricochet logique doive être envisagé, c'est d'abord bien sûr le dialogue du matérialisme et du spiritualisme que ce sujet met en jeu : toute réalité est-elle réductible à une matière, ou bien des phénomènes relèvent-ils du seul ordre spirituel ?

Lignes directrices

1. Tout est matériel : la thèse du matérialisme.

Le matérialisme postule que rien n'est immatériel, ou que tout ce qui est immatériel se ramène en dernière analyse à ce qui est matériel (cf. cours III, a). C'est là affirmer que tout est matière, et que l'existence même d'un être immatériel est illusoire et mythique.

2. Il y a un ordre spirituel de réalité, irréductible à la seule matière. Dès Aristote, un principe finaliste du vivant vient conjurer les perspectives nées de l'atomisme mécaniste, comme pour sauver le monde du déterminisme mécaniste des matérialistes. Le spiritualisme affirme ainsi, sous diverses formes, l'irréductibilité de l'être à ses seules lois matérielles.

3. Tout est matériel, mais la notion de matière en devient introuvable : le matérialisme de la physique contemporaine repose en effet sur l'élimination de représentations parasitaires de la matière, comme celles de la forme substantielle ou de l'objet matériel. C'est au moment où elle trouve dans l'expérimentation la preuve que tout est matériel que cette physique perd de vue la notion de matière, devenue évanescente et inexistante, dispersée en événements de l'énergie (voir cours Ic). Dans le matérialisme le plus rigoureux, la matière n'existe pas.

La vérité

Définir, Problématiser

La notion de vérité semble être d'emblée marquée par une tension entre son unicité et la diversité de ses visages. C'est qu'il existe manifestement, non seulement diverses sortes d'accès à la vérité (la raison, les sens, l'intuition...), mais aussi diverses sortes d'énoncés vrais. Une vérité de fait (« il pleut ») diffère d'une vérité conventionnelle, telle que peut l'être une vérité mathématique comme « 7 + 5 = 12 ». Dans chaque cas, la vérité peut être comprise comme conformité, conformité d'un énoncé à un réel donné dans le premier cas, conformité d'un énoncé à ses propres lois formelles et construites dans le second. La même alternative se retrouve lorsqu'on creuse la première hypothèse : même la perception, qui constate la vérité comme réalité, n'est peut-être pas que donnée, mais aussi pour partie construite. **La vérité est-elle quelque chose de donné ou quelque chose de construit ?**

La notion de vérité est également marquée par son unicité. Autant l'expression « les croyances » ne choquerait personne, chacun admettant aisément la pluralité et la diversité des croyances, autant en revanche la notion de vérité s'accommode mal du pluriel et du relativisme : si, comme dans la pièce de Pirandello, chacun a sa vérité, il n'y a plus de vérité du tout. La notion de vérité ne paraît en effet avoir de sens que dans la mesure où elle est unique et universelle. Or ce sens se heurte à une double menace, à deux périls : celui des changements du réel et celui de l'arbitraire des conventions formelles. Si je dis « il pleut », ce ne sera pas toujours vrai, et si je dis : « 7 + 5 = 12 », le résultat peut être différent en cas de changement de base arithmétique. Comment concilier l'idéal d'unicité stable de la vérité avec les changements de ce qui se donne pour vrai ? **N'y a-t-il de vrai que ce qui est stable et fixe, ou bien y a-t-il aussi une vérité du mouvant et du changeant ?**

La vérité admet aussi un enjeu qui n'est plus théorique, mais pratique. Que faire de la vérité : la dire, la cacher ? Le sens commun tient que la vérité est une valeur, ce qui signifie qu'elle doit pour nous constituer une fin et non un moyen. Pourtant, il y a bien des manières, même en disant la vérité, de traiter la vérité comme un moyen : pour obtenir quelque chose (la confiance de l'autre, une remise de peine, une prime, etc.). Lorsque la vérité est utilisée comme un moyen elle apparaît sur le même plan que le mensonge, comme instrument simplement rival. Il ne suffit donc pas de dire la vérité pour être moral, et pour conserver à la vérité sa valeur. Mais c'est alors cette dernière qui paraît bien compromise : **utilisons-nous toujours la vérité comme un moyen, ou arrivons-nous parfois à la traiter véritablement comme une fin ?**

Développer

I. Comment distinguer le vrai du faux ?

Comment distinguer le vrai du faux ? Pour garantir cette distinction, nous avons besoin d'un critère. Quels sont les critères de vérité possibles ?

a. L'insuffisance du constat

En son sens le plus courant, la vérité s'offre à nous comme réalité. Le critère le plus simple qui s'offre à la recherche de cette vérité est d'ordre empirique : c'est le constat. La présence de ce terme dans le vocabulaire des assureurs ou des huissiers nous indique qu'il s'agit, dans le constat, d'établir des faits. Constater, c'est établir un fait par le témoignage de nos sens. Pour vérifier qu'il fait beau, je n'ai qu'à tendre la tête par la fenêtre et regarder le ciel. Mais même si en apparence le constat établit un fait, il n'est pas si facile de s'entendre sur un constat, comme le montre justement fort bien le problème du constat d'assurance. La bonne foi du témoin, ou la fiabilité des sens constituent ici des écueils immédiats. L'opinion reprend volontiers à son compte la maxime de saint Thomas, qui voulait voir pour croire. Mais on n'en a jamais fini de vérifier les données des sens (saint Thomas le premier a non seulement voulu voir pour croire, mais ensuite toucher pour croire ce qu'il voyait) : les sens doivent se garantir les uns les autres.

Mais il y a plus : beaucoup de vérités qui nous intéressent ne sont pas susceptibles d'être vérifiées empiriquement. Où en serait l'astronomie si on n'y connaissait que ce qui est directement perceptible ? Et la psychologie ? Il est donc manifeste qu'en réduisant la gamme des vérités possibles à la gamme de ce qui peut être perçu, on limite d'avance la connaissance à ce qui nous entoure immédiatement, et que cette réduction est drastique. « Ainsi, le retour aux seules données sensibles, bornées, comme le remarque Hegel, à un "maintenant" et à un "ici", m'abandonnerait en un monde où l'être se réduirait au seul objet de la perception immédiate, où la vérité ne se distinguerait plus de ce que m'offrirait l'instant[1] ». Le sensible ne se suffit pourtant pas à lui-même, et Hegel montre justement que ce qui est ici et maintenant ne trouve sa vérité que dans l'universel, par un effort d'abstraction et de négation de l'immédiat. Ainsi, si j'écris maintenant, parce que c'est vrai en ce moment : « le maintenant est la nuit », je me heurte ensuite à un paradoxe : « revoyons maintenant à midi cette

1. Alquié, *L'Expérience*, « Sup », Puf, 1970, p. 14.

vérité écrite, nous devrons dire alors qu'elle s'est éventée[1] ». Même le singulier et l'immédiat ne peuvent donc trouver leur vérité que dans l'universel.

Lorsqu'Aristote se demandait si l'on pouvait dire d'un homme qu'il est heureux, ou s'il ne fallait pas attendre qu'il soit mort pour pouvoir dire qu'il a été heureux, il exprimait cette idée très grecque selon laquelle la vision qui dit l'essentiel de la chose est une vision rétrospective. Tant que l'homme dont nous parlons reste en vie, il reste soumis aux aléas de la vie, à la contingence de l'existence, et la vérité du moment n'est pas celle du lendemain. Pour trouver sa vérité essentielle, il faut aller au-delà, et attendre que sa mort transforme sa vie en vérité arrêtée, transforme sa contingence en nécessité rétrospective.

b. De la preuve à l'évidence

Un autre critère s'impose donc pour remédier à cela. Faute d'avoir été témoins du fait, on peut l'inférer, c'est-à-dire établir qu'il est l'effet nécessaire d'une cause (c'est la déduction), ou bien la cause nécessaire d'un effet (c'est l'induction). La croyance entretient avec ce critère de vérité un rapport plus distant, comme si nous avions parfois du mal à croire ce que l'on nous prouve. Le facteur qui explique cet écart semble résider dans la notion de valeur. La valeur de la vérité semble bien souvent inversement proportionnelle au nombre de preuves dont on dispose pour l'établir. Il va par exemple de soi qu'un mari rentrant tard et produisant à sa femme une noria de justificatifs sur ses activités du jour provoquera davantage de suspicion que d'adhésion, et qu'inversement les faits que de nombreuses preuves établissent nous intéressent d'autant moins, l'opinion les cataloguant alors comme des évidences, au sens commun du terme, c'est-à-dire au sens de ce qui va de soi et ne présente donc pas d'intérêt. Dans les deux cas, la preuve semble fonctionner à l'envers non seulement parce qu'elle ne donne pas envie de croire à ce qu'elle établit mais surtout parce qu'elle donne envie de croire au contraire de ce qu'elle dit. Georges Braque disait ainsi que « les preuves fatiguent la vérité ».

Si tout ce qui a besoin d'être prouvé ne vaut pas grand-chose comme le pensait Nietzsche, c'est au contraire dans l'évidence que l'esprit retrouve ce qui aiguise sa curiosité, c'est-à-dire dans l'absence de preuves. Comment décrire cette tension sans filet vers le vrai, qui ne peut compter sur la garantie ni des sens ni des preuves ? Doit-on dire qu'au-delà de ces seuils la raison démissionne pour passer le relais à un rapport mystique avec le vrai ? Cette position identifierait l'évidence et la croyance, pour dire qu'en nous ce n'est qu'à la croyance que l'évidence s'adresse. Mais ce serait là méconnaître la difficulté de la notion d'évidence, dont paradoxalement les rationalistes s'accommodent très bien. Le recours que fait Descartes à cette notion ne laisse pas l'esprit de côté puisque l'évidence n'est au contraire accessible qu'à l'*inspectio mentis*, une enquête de la raison seule. Étymologiquement, l'évidence est vision, mais c'est une vision qui se fait par l'esprit : je vois l'évidence par les yeux de mon âme. En même temps qu'elle est indéniable, l'évidence est improbable, au sens propre du

1. Hegel, *Phénoménologie de l'Esprit*, tome 1, Aubier, 1941, p. 83.

terme : elle n'aurait plus son caractère d'évidence si elle admettait les preuves. En ce sens, toute évidence est une énigme, comme seule présence du sens, qui ne s'appuie que sur elle-même (voir texte n° 6). L'énigme est que l'évidence ne laisse pas de prise à l'examen rationnel, comme dans la foi religieuse ou dans l'amour : les choses sont comme elles sont parce que « c'est comme ça », comme dit le langage courant. Mais pour en faire la beauté et la valeur, ce trait prête aussi au doute ou au sarcasme de celui qui y reste extérieur et qui ne baigne pas dans sa lumière. Ainsi peut-on entreprendre de s'attaquer à la légitimité de l'évidence en imputant le degré d'attachement de la croyance, non plus au mérite de son objet, (qui nous apparaît et qui nous dit qu'il est vrai), mais à une disposition du sujet, dont la volonté de croire jusqu'au bout et au-delà de toute raison produirait artificiellement ce paroxysme solitaire.

Si l'évidence ne résultait que de l'entêtement à croire, elle serait marque de légèreté d'esprit. Montaigne le dit, qui préfère manifestement la diversité des jugements à l'autorité des principes : « il n'y a que les fols certains et résolus[1] ». La certitude n'est plus le triomphe de la croyance mais au contraire son pire visage, celui d'une ennemie de la diversité et de la tolérance qui se présente alors comme un obstacle (et peut-être comme le pire obstacle) dans la recherche de la vérité. Nietzsche considère ainsi que « les convictions sont des ennemis de la vérité, plus dangereux que les mensonges[2] ». Ainsi, la certitude n'exprime pas nécessairement la force de la croyance, puisqu'elle peut aussi en exprimer la lâcheté.

c. La vraisemblance

Le jugement quotidien se fonde sur un critère médian : la vraisemblance. Mais la vraisemblance peut-elle réellement prétendre au rang de critère de vérité ? Leibniz semble le penser, qui considère que « l'opinion, fondée dans le vraisemblable, mérite peut-être aussi le nom de connaissance[3] ». Faute de pouvoir décider autrement de la question, la vraisemblance permet de « juger raisonnablement quel parti est le plus apparent[4] ». De même qu'en mathématiques la notion d'ordre de grandeur peut être d'un précieux secours au raisonnement, de même, Leibniz laisse entendre que le souci de vraisemblance manque aux sciences formelles : « je ne sais si l'établissement de l'art d'estimer les vérisimilitudes ne serait plus utile qu'une bonne partie de nos sciences démonstratives[5] ». L'affaire se corse lorsque Leibniz en appelle à l'autorité d'un homme comme garantie de vraisemblance, faisant valoir que la position d'un Copernic est toujours plus vraisemblable, même s'il est le seul de son avis, que celle de tout autre.

La solitude de Copernic vient en effet de ce que précisément ses contemporains n'ont pas trouvé, en un autre sens du mot, sa position vraisemblable. C'est donc que cette notion s'entend en deux sens : est vraisemblable ce qui n'est pas

1. Montaigne, *Essais*, I, 26, p. 224.
2. Nietzsche, *Humain, trop humain*, I, 9, § 483, « Folio »,Gallimard, 1988, p. 292.
3. Leibniz, *Nouveaux Essais sur l'entendement humain*, IV, 2, GF-Flammarion, 1990, p. 293.
4. *Ibid.*
5. *Id.*, p. 294

invraisemblable, c'est-à-dire pas impossible, pas logiquement contradictoire. Mais en un second sens, ce qui est vraisemblable est ce qui s'accorde à l'habitude et aux expériences les plus communes. Il en résulte une ambiguïté dont profitent les marchands de sagesse et les parleurs habiles, qui savent rendre vraisemblable, en l'un ou l'autre sens, leurs propos. C'est cette habileté, et la confusion qu'elle induit, que Montaigne dénonce : « cette aisance que les bons esprits ont de rendre ce qu'ils veulent vraisemblable, et qu'il n'est rien si étrange à quoi ils n'entreprennent de donner assez de couleur, pour tromper une simplicité pareille à la mienne, cela montre évidemment la faiblesse de leur preuve[1] ».

La vraisemblance est donc suspecte de par la confusion qu'elle est capable d'induire, si bien qu'il s'agirait presque, si l'on range la vraisemblance du côté de l'habitude commune, de la considérer comme un contre-critère. C'est de cette façon que Niels Bohr, le découvreur de l'atome, avait écarté une supposition d'un de ses étudiants, qu'il avait jugée intéressante mais pas assez invraisemblable. Or c'est justement parce que la position de Copernic n'était pas vraisemblable que la vraisemblance n'est pas le signe du vrai, comme le dit Leopardi : « dans les choses profondes, c'est toujours le petit nombre qui est le plus perspicace ; la majorité, elle, ne s'entend qu'aux évidences[2] ». S'il en est ainsi, c'est ce qui paraît le moins probable au plus grand nombre qui a le plus de chances d'être vrai ; un peu de modestie doit alors nous faire penser que nous ne serons pas toujours au rang des plus lucides, si bien que tout semble conduire à faire douter de soi : « je fus amené à penser systématiquement contre moi-même, au point de mesurer l'évidence d'une idée au déplaisir qu'elle me causait[3] ». Même si, comme le dit Kant (voir texte n° 4), il n'est pas superflu que d'autres partagent nos idées, la vraisemblance ne peut fonctionner valablement ni comme critère ni comme contre-critère de vérité.

II. Vérité et mouvement

Les changements de l'objet et ceux du sujet semblent ruiner d'avance tout espoir de déterminer un critère imparable de vérité. La vérité est-elle incompatible avec le mouvement ?

a. L'invention de la logique

C'est l'idée de nécessité qui a conduit Aristote à l'organisation logique de la connaissance : puisqu'il n'est de connaissance que du nécessaire, la logique a pour raison d'être la nécessité dans les procédés de la pensée. Cette nécessité s'incarne dans le principe de contradiction, principe fondateur de l'édifice logique : « il est impossible que le même attribut appartienne et n'appartienne pas en même temps, au même sujet et sous le même rapport[4] » (voir le texte n° 1). Ce premier principe anhypo-

1. Montaigne, *Essais*, II, 12, « Folio »,Gallimard, 1965, p. 308.
2. Leopardi, *Pensées*, V, Allia, 1996, p. 19.
3. Sartre, *Les mots*, « Folio »,Gallimard, 1964, p. 210.
4. Aristote, *Métaphysique*, Γ 3, 1005a20, Vrin, 1981, p. 195.

thétique inaugure la logique classique comme une logique du tiers exclu, au sens où il n'y a pas d'intermédiaire entre ce qui est vrai et ce qui est faux, et comme une logique de non-contradiction. Ainsi la logique est-elle « la science des règles de l'entendement en général[1] », mais au prix d'un apparent divorce avec la matière, et donc d'une formalisation de la vérité. Ainsi le modèle d'une pensée vraie serait-il une pensée cohérente. La cohérence repose sur la non-contradiction. Il n'est pas contradictoire (même si c'est faux) que Napoléon soit mort à Austerlitz ; en revanche, stérilité et hérédité se contredisent, ce qui interdit qu'on puisse dire que la stérilité est une maladie héréditaire.

La non-contradiction ne détermine que la possibilité logique de la proposition que l'on examine. Par conséquent, ce que la logique validera ne sera pas nécessairement vrai : « une connaissance peut fort bien être complètement conforme à la forme logique, c'est-à-dire ne pas se contredire elle-même, et cependant être en contradiction avec l'objet[2] ». Ce critère est donc « la condition *sine qua non* et, par suite, la condition négative de toute vérité ; mais la logique ne peut aller plus loin ». Ce qui borne ici la logique, c'est l'impossibilité dans laquelle elle se trouve de prévenir les erreurs de contenu, la matière de la proposition, faute de quoi elle perdrait son universalité : « on ne peut désirer aucun critère universel de la vérité de la connaissance quant à sa matière, parce que c'est contradictoire en soi[3] ».

b. La mise en mouvement du vrai

Hegel s'est attaqué à la rigidité de la logique aristotélicienne du tiers exclu pour défendre une pensée de la médiation : les choses deviennent ce qu'elles sont, et il n'y a pas d'identité qui n'accueille la contradiction. Ainsi la disjonction entre le vrai et le faux n'est plus pensée par Hegel comme une disjonction exclusive, mais inclusive. Il n'existe rien de tel qu'une vérité fixe, distincte et séparée. Certes, il y a les vérités factuelles de l'après-coup, comme les vérités historiques : « en ce qui concerne les vérités historiques, pour en faire mention en tant seulement qu'on considère leur pur être historique, on accordera facilement qu'elles concernent l'être-là singulier, un contenu sous l'aspect de sa contingence et de son caractère arbitraire[4] ». Encore ces vérités ne sont-elles pas figées, une vérité historique a aussi un avenir, elle ne disparaît pas du devenir. Hegel ajoute à l'exemple des vérités historiques les vérités mathématiques, qui elles aussi paraissent univoques : à des questions comme « quand César est-il né ? Combien de pieds a un stade ? etc., on doit donner une réponse nette ». Mais ce ne sont pas là des vérités philosophiques, ou en tout cas pas des points de vue philosophiques sur la vérité.

La thèse de Hegel est que le vrai et le faux ne peuvent pas être maintenus dans leur séparation immuable, et qu'il faut au contraire les penser dans leur passage l'un par l'autre : le vrai est ce qui devient vrai. Cela ne veut pas dire que la confusion et

1. Kant, *Critique de la Raison pure*, « Quadrige », Puf, 1984, p. 77.
2. *Ibidem*.
3. *Idem*, p. 81.
4. Hegel, *Phénoménologie de l'Esprit*, tome 1, préface, Aubier, 1941, p. 35.

l'indistinction succèdent à l'opposition, comme l'établit l'éclairante analogie de l'eau et de l'huile (voir texte n° 2) : le vrai est au faux ce que l'eau et à l'huile, c'est-à-dire un corps qui ne peut être mélangé avec l'autre, un corps distinct sans être séparé. En dehors des considérations historiques ou mathématiques (qui ne croient détenir des vérités figées que parce qu'elles restent extérieures à leur objet), la connaissance vraie suit le mouvement de son objet. Donc la fausseté peut bien déjà être un moment du savoir.

c. La vérité comme erreur corrigée

Pareille thèse ouvre des perspectives nouvelles. Même s'il est traditionnel d'exclure l'opinion du processus du savoir, au motif que l'opinion se trompe souvent, faut-il écarter la possibilité que même l'opinion fausse puisse participer en quelque manière au processus cognitif ? Nos erreurs sont nombreuses, et la ligne de partage entre vérité et fausseté ne passe peut-être pas entre les uns et les autres (entre ceux qui ont toujours raison et ceux qui se trompent toujours), mais en chacun de nous : l'erreur est humaine et tout le monde peut se tromper. « Quiconque pense commence toujours par se tromper. L'esprit juste se trompe d'abord tout autant qu'un autre ; son travail propre est de revenir, de ne point s'obstiner, de corriger selon l'objet la première esquisse[1] ». L'opinion fausse peut donc jouer le rôle d'étape dans le processus d'accès au vrai, comme l'erreur : C'est le sens de l'analyse que fait Alain de la notion de précipitation comme source d'erreur : « Descartes disait bien que c'est notre amour de la vérité qui nous trompe principalement, par cette précipitation, par cet élan, par ce mépris des détails, qui est la grandeur même. Cette vue elle-même est généreuse ; elle va pardonner à l'erreur ; et il est vrai qu'à considérer les choses humainement, toute erreur est belle[2]. »

La thèse selon laquelle toute vérité est une erreur corrigée trouve dans l'épistémologie des illustrations nombreuses. Mais plus largement, elle est l'indice de ce que le savoir est parfois issu de points de départ faux, et de ce qu'en un sens, il a progressé dans la mesure même de l'effort accompli pour établir des idées fausses. Ainsi, la lunette astronomique et le binoculaire n'ont pas été inventés ou utilisés d'abord en vue de la découverte de l'héliocentrisme et de la cellule, mais au contraire en vue d'établir le géocentrisme et d'observer les fibres. Husserl thématise ce mouvement dans sa distinction des commencements de fait et des commencements de droit. Aucun savoir ne commence par ce par quoi il aurait dû commencer, son commencement chronologique est distinct de son origine logique. Ainsi une opinion reçue, même fausse, peut-elle nous en apprendre sur le cap à tenir : toute science semble se développer en faisant retour vers ses propres commencements.

Cette thèse de Husserl dans *L'origine de la géométrie* établit que le savoir n'atteint pas l'objectivité par son immobile adéquation à du fixe, mais au contraire par le mouvement perpétuel : c'est ainsi que la géométrie « ne cesse d'avoir cours et en même

1. Alain, *Libres propos*, « La Pléiade », tome 2, 1970, p. 411.
2. *Ibid.*

temps de s'édifier[1] ». Le sens total de la géométrie n'est pas donné d'avance, tout au plus est-il un projet de remplissement auquel par exemple la géométrie non euclidienne vient contribuer sans être plus vraie ni fausse que la géométrie euclidienne. Le savoir en mouvement réconcilie donc la vérité avec la pluralité. Le savoir n'a donc rien à perdre à accepter que la vérité elle-même se comprenne comme un mouvement, un auto-mouvement chez Hegel, qui rend ce savoir mobile capable d'atteindre avec son objet la véritable identification qu'est l'esprit absolu. Mais il faut pour cela réviser la traditionnelle opposition d'entendement entre le vrai et le faux : ce dernier est pour le savoir le moment du négatif, aussi douloureux qu'indispensable.

III. Le vrai vaut-il mieux que le faux ?

a. L'illusion, ou la préférence du faux

L'habitude est par exemple de nature à nous faire prendre nos croyances pour autant de vérités. Leibniz remarque en ce sens qu'il arrive souvent que les hommes finissent par croire ce qu'ils voudraient être la vérité, ayant accoutumé leur esprit à considérer avec le plus d'attention les choses qu'ils aiment. Dans un tel propos, l'habitude recouvre en réalité le désir. Le rôle moteur du désir dans la croyance affleure ici au désavantage de celle-ci : si en effet le désir détermine la croyance, alors le risque existe d'une réduction de la croyance au désir, et donc à l'illusion.

L'illusion se démarque nettement de l'erreur : entre deux énoncés faux tels que : 4 + 4 = 9, et « je suis immortel », c'est le second qui relève caractéristiquement de l'illusion, parce que le faux ne peut être imputable à l'illusion qu'à partir du moment où il est gratifiant. C'est ainsi que Spinoza mettait en cause le caractère illusoire de l'idée de libre arbitre, dans la mesure où elle nous permet de nous considérer comme auteur de nos actes et donc de nous attribuer à nous-mêmes le mérite de nos actions et de revendiquer pour nous nos résultats. S'il est plus difficile de se défaire d'une illusion que de corriger son erreur, c'est que le contenu de l'illusion n'est jamais neutre pour nous. Nous tenons à nos illusions et en avons besoin : c'est ici qu'on peut trouver l'origine de l'idée selon laquelle toute vérité consolante doit se démontrer deux fois.

C'est aussi à partir de cela qu'on peut comprendre que l'illusion soit notre propre production. Le langage courant n'en dit pas moins puisque nous disons de quelqu'un qu'il se fait des illusions, comme si la production d'une illusion était une affaire qui se jouait essentiellement entre moi et moi. Freud[2] définit donc l'illusion comme produit du désir : « nous appelons donc une croyance illusion lorsque, dans sa motivation, l'accomplissement du souhait vient au premier plan, et nous faisons là abstraction de son rapport à la réalité effective, tout comme l'illusion elle-même renonce à être accréditée[3] ». Toute croyance n'est pas illusion, mais aucune croyance n'est exempte de ce risque, puisque toutes reposent sur l'intensité d'une adhésion.

1. Husserl, *L'origine de la géométrie*, « Épiméthée », Puf, 1974, p. 173.
2. Voir aussi le texte n° 8.
3. Freud, *L'avenir d'une illusion*, « Quadrige », Puf, 1997, p. 32.

C'est au-delà d'un certain degré que cette intensité produit l'illusion. Mais cela démontre qu'à la vérité qui dérange, nous pouvons préférer l'illusion qui réconforte.

b. Dire la vérité, devoir ou ruse ?

Même quand l'illusion est préférable, la vérité demeure un devoir : il faut dire la vérité. Telle est par exemple, par opposition avec la thèse de Constant, selon laquelle on ne doit la vérité qu'à ceux qui la méritent, la thèse de Kant. Selon lui, le devoir de véracité est absolu et inconditionnel (voir texte n° 3). Tout mensonge (comme le secret d'État, contracté au nom de la pérennité de l'État réputée menacée par la révélation de telle vérité) repose en effet sur un calcul : on ment lorsqu'on en attend à court ou long terme un bénéfice supérieur à celui de la véracité. Or ce calcul est toujours aléatoire : quand le mensonge est utile, il ne l'est que d'une façon qui est donc plus accidentelle que systématique, et qui reste imprévisible. Même utile, le mensonge est toujours injuste parce que toujours manipulateur : en faisant de l'autre un moyen, je romps l'universalité du contrat commun qui nous lie[1]. Donc, aucune bonne intention ne saurait justifier le mensonge, et le devoir de vérité s'impose.

Encore y a-t-il moyen de dire la vérité autrement que pour remplir son devoir : il peut aussi s'agir de l'instrumentaliser, de s'en servir d'un alibi (comme le fait le caractériel agressif), ou bien de la dire comme on ment, ou plutôt pour mentir, c'est-à-dire en la faisant passer pour incroyable (voir texte n° 7). Freud raconte à cet égard l'histoire du voyageur qui, rencontrant dans un train un ami qui lui dit aller à Cracovie, lui répond : « vois quel menteur tu fais ! Tu dis que tu vas à Cracovie pour que je croie que tu vas à Lemberg. Mais je sais bien que tu vas vraiment à Cracovie. Alors pourquoi mentir[2] ? » Il s'agit là, quand une telle intention existe effectivement dans l'esprit de celui qui parle, de la forme la plus fine du mensonge, qui fait apparaître la vérité elle-même comme fausse parce qu'impossible à croire. C'est ce que Koyré appelle « la vieille technique machiavélique du mensonge au deuxième degré », qui a ceci de spécialement pervers pour la victime que « la vérité elle-même devient un pur et simple instrument de déception[3] ». Bien entendu, cette technique doit son efficacité au fait que l'on est conduit à confondre mensonge au premier degré et mensonge au second degré[4].

c. L'humanité du mensonge

Le mensonge n'est pas toujours aussi cynique[5]. Pourquoi peut-on dire que toute vérité n'est pas bonne à dire ? C'est d'abord parce que nous serions bien capables de la croire. Ainsi, s'agirait-il de profiter que nous ayons assez d'autorité pour être crus pour mentir quand il est plus juste et plus humain de mentir. Le mensonge ainsi

---

1. Weil répondra à Kant que « je ne suis plus tenu au devoir de vérité si l'autre a déjà rompu le contrat », par exemple par la violence.
2. Freud, *Le mot d'esprit et ses rapports avec l'inconscient*, « Idées », Gallimard, 1981, p. 189.
3. Koyré, *Réflexions sur le mensonge*, Allia, 1996, p. 37.
4. On reverra avec plaisir le duel d'esprit de *Princess Bride* de Rob Reiner.
5. Voir le texte n° 5.

conçu perd de sa charge d'immoralité, au point qu'on juge en général beaucoup moins sévèrement le mensonge des parents qui parlent à leurs enfants du Père Noël que la cruauté du polisson raisonneur qui révèle un jour à leurs enfants le pot aux roses. Si dire la vérité est être moral, alors ce mensonge-là n'en est plus un : « mentir aux policiers allemands qui nous demandent si nous cachons un patriote, ce n'est pas mentir, *c'est dire la vérité*[1] ».

Encore faut-il pour cela que les policiers allemands nous croient, qu'ils ne devinent pas que notre non dissimule un oui, encore faut-il avoir, comme nous le disions ci-dessus, autorité sur celui à qui l'on ment. C'est ce dont doute Kant, dont on s'est beaucoup moqué d'avoir tenu que le mensonge est inacceptable, même dans le cas extrême où un agresseur vient nous demander, pour les tuer, si les nôtres sont dans la maison. En fait, la réponse de l'opinion commune, qui justifierait dans ce cas le mensonge pour le bien des nôtres, repose sur la crédulité à vrai dire douteuse de l'assassin, qui ne s'est sans doute pas donné tout ce mal pour repartir sagement si nous lui assurons qu'il n'a personne à tuer. Rousseau n'en était pas dupe, lorsqu'il dénonce, à la racine même de cette première inégalité qu'est la propriété, un mensonge qui a trouvé preneur : « le premier qui, ayant enclos un terrain, s'avisa de dire : *Ceci est à moi*, et trouva des gens assez simples pour le croire, fut le vrai fondateur de la société civile[2] ». Ce n'est pas finalement sans raison que le sens commun veut nous garder de croire tout ce qu'on nous raconte.

Textes

1. Aristote

N'y a-t-il de vrai que ce qui est stable et fixe ?

> Il est impossible que le même attribut appartienne et n'appartienne pas en même temps, au même sujet et sous le même rapport, sans préjudice de toutes les autres déterminations qui peuvent être ajoutées, pour parer aux difficultés logiques. Voilà donc le plus ferme de tous les principes [...] Il n'est pas possible en effet, de concevoir jamais que la même chose est et n'est pas, comme certains croient qu'Héraclite le dit : car tout ce qu'on dit, on n'est pas obligé de le penser. Et s'il n'est pas possible qu'en même temps des contraires appartiennent au même sujet [...], et si une opinion, qui est la contradiction d'une autre opinion, est son contraire, il est évidemment impossible, pour le même esprit, de concevoir, en même temps, que la même chose est et n'est pas, car on aurait des opinions contraires simultanées, si on se trompait sur ce point. C'est la raison pour laquelle toute démonstration se ramène à ce principe comme à une ultime vérité, car il est, par nature, un point de départ, même pour tous les autres axiomes.

Aristote, *Métaphysique*, Γ 3, 1005b20-34, tome 1, Vrin, 1981, p.195-196.

---

1. Jankélévitch, Les *vertus et l'amour I*, Champs-Flammarion 1986, p. 283.
2. Rousseau, *Discours sur l'Origine et les Fondements de l'Inégalité parmi les hommes*, II, GF-Flammarion, 1971, p. 205.

2. Hegel

Le vrai et le faux font partie de ces notions déterminées qu'en l'absence de mouvement, on prend pour des essences propres, chacun étant toujours de l'autre côté par rapport à l'autre, sans aucune communauté avec lui, isolé et campant sur sa position. Il faut, à l'encontre de cela, affirmer que la vérité n'est pas une monnaie frappée qui peut être fournie toute faite et qu'on peut empocher comme ça. Il n'y a pas plus de faux qu'il y a un mal (...) On peut bien savoir faussement : quand on dit qu'on sait quelque chose faussement, cela signifie que le savoir est en inégalité avec sa substance. Mais précisément cette inégalité est l'acte de différenciation en général, qui est un moment essentiel. Certes, de cette différenciation advient leur égalité et cette égalité devenue est la vérité. Mais elle n'est pas la vérité au sens où l'on se serait débarrassé de l'inégalité, comme on jette les scories séparées du métal pur ni non plus comme on retire l'outil du récipient terminé : l'inégalité au contraire est elle-même au titre du négatif, du Soi-même, encore présente dans le vrai. Cela n'autorise cependant pas à dire que le faux constitue un moment, voire une composante du vrai. Dans l'expression qui dit qu'en toute chose fausse il y a quelque chose de vrai, l'un et l'autre ont chacun leur valeur propre, comme l'huile et l'eau qui ne sont qu'extérieurement associées, sans pouvoir se mêler.

Hegel, *Phénoménologie de l'Esprit*, tome I, préface, Aubier, 1941, p. 34.

3. Kant

Pourquoi devons-nous la vérité ?

La véracité dans les déclarations qu'on ne peut éluder est le devoir formel de l'homme envers chacun, si grave soit le préjudice qui puisse en résulter pour lui ; et encore que je ne commette aucune injustice envers celui qui, de façon injuste, me force à faire des déclarations, en les falsifiant, je n'en commets pas moins une injustice certaine à l'endroit de la partie la plus essentielle du devoir en général par une telle falsification qui, de ce fait, peut également être appelée mensonge, (bien que ce ne soit pas au sens que les juristes donnent à ce terme) : c'est-à-dire que je fais, autant qu'il dépend de moi, que des déclarations de façon générale ne trouvent aucune créance et que par suite aussi tous les droits qui sont fondés sur des contrats deviennent caducs et perdent vigueur : ce qui est une injustice commise à l'égard de l'humanité en général.

Kant, *Sur un prétendu droit de mentir par humanité*, Vrin, 1984, p. 68.

4. Kant

Les autres ont-ils toujours tort ?

C'est bien un critère subjectivement nécessaire de la justesse de nos jugements en général et donc de la santé de notre entendement que nous confrontions aussi ce dernier à l'entendement des autres, au lieu de nous isoler avec le nôtre, et qu'avec nos représentations particulières nous n'en formulions pas moins, en quelque sorte, des jugements publics. [...] Sinon, une sollicitation purement subjective (habitude ou inclination par exemple) serait facilement tenue pour objective :

c'est la nature même de l'apparence que l'on dit trompeuse, ou plutôt par laquelle on est entraîné à se tromper soi-même dans l'application d'une règle. Celui qui, négligeant ce critère, se met en tête de consacrer tout bonnement la valeur de son sens particulier sans l'accord ou même à l'encontre du sens commun, est livré à un jeu de pensées qui l'amène à se voir, à agir et à juger en un monde qui, loin d'être partagé avec les autres, ne serait (comme dans le rêve) que le sien.

Kant, *Anthropologie du point de vue pragmatique*, § 53, « La Pléiade », tome 3, 1987, p. 1036-1037.

5. Jankélévitch

Y a-t-il des mensonges convenus d'avance ?

Au lieu que l'ironie porte en soi son propre chiffre (avec ou sans « point d'ironie », le ton de voix serait déjà suffisamment révélateur), les chiffres du mensonge resteront toujours extérieurs au propos mensonger ; on les conclut par raisonnement, ou de certains indices recueillis dans l'expérience [...] Le cas typique entre tous est celui des mensonges traditionnels du marchandage, où chacun pour son propre compte et en son for intérieur soumet le partenaire à une régulation compensatrice ; la loi dialectique de l'offre et de la demande veut que le vendeur surestime sa marchandise, au lieu que l'acheteur la déprécie, celui-là feignant de ne pas tenir à s'en séparer, et celui-ci de n'en avoir pas particulièrement envie, l'un alléguant des propositions imaginaires qu'il aurait reçues, l'autre de soi-disant occasions qu'il aurait trouvées ; le bon commerçant demande trop pour avoir assez, tandis que le bon client offre le moins possible. Tel est le jeu, la double comédie que se jouent producteur et consommateur.

Jankélévitch, *Philosophie morale*, « Mille et une pages », Flammarion, 1998, p. 233.

6. Spinoza

La norme du vrai est-elle intrinsèque ou extrinsèque ?

Si l'idée vraie se distinguait de l'idée fausse en tant seulement qu'elle s'accorde avec ce dont elle est l'idée, l'idée vraie n'aurait pas plus de réalité ou de perfection que l'idée fausse (puisqu'elles ne se distingueraient que par la seule dénomination extrinsèque), et de même, par conséquent, l'homme qui aurait des idées vraies n'aurait pas davantage de réalité ou de perfection que l'homme qui aurait des idées fausses [...] Tout cela met aussi en évidence la différence entre l'homme ayant des idées vraies et celui qui n'a que des idées fausses. Pour la dernière question, comment peut-on savoir qu'une idée s'accorde avec son objet, j'ai suffisamment montré d'où vient cette certitude ; elle provient du seul fait qu'on a une idée vraie qui s'accorde avec son objet, c'est-à-dire du fait que la vérité est sa propre norme.

Spinoza, *Éthique*, II 43 Scolie, Puf, 1990, p. 141.

7. Weil

Suffit-il de dire la vérité pour être moral ?

Pour le menteur, le trompé est un objet manié, non son égal. Il est à peine nécessaire d'ajouter que le mensonge n'est pas limité au discours : non seulement l'expression, le geste, le silence peuvent mentir, des actes qui directement n'expriment aucune opinion peuvent y servir ; il n'y a rien d'humain qui ne puisse tromper l'homme, tout peut être mis au service de la ruse, à tel point que la vérité même non seulement peut tromper, mais peut remplir, selon l'intention de celui qui ainsi « dit la vérité », les fonctions du mensonge ; dans des milieux civilisés, c'est la forme parfaite de la tromperie, et l'histoire est remplie de vérités dites dans des conditions et avec des formules telles que, paraissant incroyables et interprétées comme vantardise ou contre-vérité, elles ont rendu à leurs auteurs plus de services que n'aurait fait le déguisement le plus habile d'une pensée et d'intentions que, par un habile calcul, on a exprimées avec une franchise brutale — assez brutale pour être considérée comme mensonge.

Eric Weil, *Philosophie morale*, Vrin, 1998, p. 112-113.

8. Freud

Que recouvre l'illusion ?

Une illusion n'est pas la même chose qu'une erreur, elle n'est pas non plus nécessairement une erreur. L'opinion d'Aristote selon laquelle la vermine se développerait à partir des déchets — opinion à laquelle le peuple dans son ignorance reste aujourd'hui encore attaché —, était une erreur, tout comme celle d'une génération antérieure de médecins qui voulait que le *tabes dorsalis* soit la conséquence d'une débauche sexuelle. Il serait abusif d'appeler ces erreurs illusions. En revanche, ce fut une illusion de Christophe Colomb d'avoir cru découvrir une nouvelle voie maritime vers les Indes. La part que prend son souhait à cette erreur est très nette. On peut qualifier d'illusion l'affirmation de certains nationalistes selon laquelle les Indo-Germains seraient la seule race humaine capable de culture, ou bien la croyance selon laquelle l'enfant serait un être sans sexualité, croyance qui n'a finalement été détruite que par la psychanalyse. Il reste caractéristique de l'illusion qu'elle dérive de souhaits humains.

Freud, *L'avenir d'une illusion*, « Quadrige », Puf, 1995, p. 31.

Sujets approchés

Le vrai a-t-il une histoire ?

Constater que la vérité change avec le temps doit-il incliner au scepticisme ?

Peut-on dire que le vrai est ce qui réussit ?

Le développement des sciences conduit-il à penser qu'il n'existe aucune vérité définitivement établie ?

→ ***Approche commune*** **: N'y a-t-il de vrai que ce qui est stable et fixe, ou bien y a-t-il une vérité du mouvement et du changement ?**

L'opinion a-t-elle toujours tort ?

Que peut signifier la sagesse dans la recherche de la vérité ?

L'unanimité est-elle un critère de vérité ?

Le vrai est-il toujours vraisemblable ?

→ ***Approche commune* : Ces énoncés tendent à un examen, et peut-être à une réhabilitation, du sens commun comme source de vérité. L'opinion est-elle, sur la route de la vérité, un obstacle ou une ressource ?**

La certitude d'avoir raison est-elle un indice suffisant de vérité ?
Ce qui « crève les yeux » est-il toujours vrai ?
Suffit-il d'être certain pour être dans le vrai ?
Ce qui est vrai est-il flagrant ?
Peut-on nier l'évidence ?

→ ***Approche commune* : Ces sujets ont ceci de commun qu'ils interrogent un certain mode d'être de la vérité : l'évidence. Peut-on se fier à l'évidence ou faut-il au contraire s'en méfier ? L'évidence relève-t-elle d'une caractéristique de l'objet connu ou d'une disposition du sujet connaissant ?**

La révélation de la vérité est-elle un devoir ?
À la vérité qui dérange faut-il préférer l'illusion qui réconforte ?
La passion de la vérité peut-elle être source d'erreur ?
Faut-il aimer la vérité plus que tout ?
Diviniser la vérité, n'est-ce pas pécher contre l'esprit ?
Peut-on ne pas vouloir le vrai ?

→ ***Approche commune* : La notion de vérité est-elle dépositaire d'une valeur ou bien n'est-elle qu'un simple fait ? La vérité est-elle un moyen ou une fin en soi ?**

Puis-je être sûr de ne pas me tromper ?
Faut-il ne tenir pour vrai que ce qui peut être prouvé ?
N'y a-t-il de vrai que le vérifiable ?
Un fait est-il par nature discutable ?

→ ***Approche commune* : ces questions posent le problème pratique de l'accès à la vérité et de la garantie de véracité que la connaissance recherche. Faudra-t-il trouver ce critère dans le donné sensible ou bien dans l'induction ? Le vrai est-il quelque chose de donné ou quelque chose de construit ?**

Sujet esquissé : Ne doit-on tenir pour vrai que ce qui peut être prouvé ?

Introduction

L'énoncé repose sur une relation implicite de condition, portée par la locution « ne que ». Il s'agit donc de savoir si la preuve est un critère nécessaire ou même suffisant de vérité. Implicitement, la recherche d'autres critères et la comparaison avec la preuve sont donc appelées par cet énoncé. Quel autre critère possible de vérité peut-il être invoqué ? Si on considère la preuve comme une construction ou une reconstruction de la vérité, ne peut-on penser au contraire à une vérité qui se donnerait pour telle ? La vérité est-elle quelque chose de donné ou quelque chose de construit ?

Lignes directrices

1. Il n'y a de vrai que ce qui peut être prouvé. Au sens le plus simple, on peut faire appel ici au constat dans lequel la vérité se donne à nous comme telle. Mais cette thèse peut être critiquée, notamment à partir d'une analyse du constat et de sa construction dans l'expérience scientifique qu'il est pourtant censé valider : voir le phénomène construit de Bachelard ou le fait théorique de Duhem (voir aussi le cours I a § 2).

2. La preuve est une reconstruction nécessaire de la vérité, que ce soit en entendant la preuve comme constat ou comme inférence. Mais si la preuve est reconstruction, ne peut-elle être suspecte de pouvoir être fabriquée et donc fausse ? La preuve peut alors fonctionner comme contre-critère, dans la direction de l'analyse de Nietzsche par exemple (voir cours I b § 2).

3. La preuve n'est pas plus une condition suffisante de vérité qu'elle n'en est seulement une condition nécessaire. Dans l'évidence (voir cours Ic), la vérité se passe de preuves, ce qui est même une condition de sa valeur : Pascal dit par exemple des chrétiens que c'est parce qu'ils manquent de preuves qu'ils ne manquent pas de sens.

Champ de problématisation

La politique

Définir, Problématiser

Un certain mépris semble de rigueur pour la chose publique. Même s'il est aisément identifiable de notre temps, ce phénomène n'a rien d'exclusivement contemporain : Pascal décrivait déjà la politique comme « hôpital de fous ». Cette accusation commune, qui dit que la politique est une zone de non droit, trouve une réciproque : le politique de son côté peut en effet déniaiser le point de vue éthique, l'accuser d'être dans les nuées, finalement le taxer d'irresponsabilité. C'est l'ambiguïté profonde de l'activité politique qui se retrouve ainsi mise en cause : comment comprendre cette activité ? S'agit-il de la définition commune d'une fin vers laquelle il faudrait tendre, ou bien cet idéal est-il impossible et la finalité de l'activité politique se trouve-t-elle par là réduite à la simple autoconservation du corps social ? L'ambiguïté de la politique est donc l'ambiguïté de son principe : faut-il comprendre la politique à partir de ses principes ou à partir de ses fins ? **La vertu du politique est-elle la moralité ou l'efficacité ?** De cette question peut se déduire l'ambition de l'État : le rôle de l'État est-il d'acheminer la société vers des valeurs, ou bien simplement d'en pérenniser l'existence ? Peut-il réaliser la justice, ou doit-il se contenter d'infléchir les effets tout-puissants du marché et des échanges ?

L'exigence d'efficacité donne naissance à la raison d'État : il existerait un droit propre à l'État, abstrait et séparé de celui qui s'adresse au commun. Ces pratiques paraissent néanmoins rentrer en contradiction avec la garantie du droit en laquelle l'activité politique est également censée consister. Comment alors concilier la garantie des droits avec une capacité, aussi nécessaire puisse-t-elle être, de privilège et d'exception ? Y a-t-il deux poids et deux mesures, ce qui ne peut manquer de favoriser l'impression que la politique est nécessairement lieu de l'injustice ? N'est-on pas au contraire en droit d'attendre de l'homme politique une dimension exemplaire, qui le place non plus au-dessus du droit mais au contraire dans une position de devoir supérieure ? **Le politique est-il au-dessus du droit, ou bien n'y a-t-il au contraire de politique que dans et par le droit ?**

La société

Définir, Problématiser

À partir de quoi comprendre la société ? Doit-on la comprendre comme un analogue, ou même un prolongement de la meute animale ? Cet appel au registre de la nature rendrait compte de la société par une disposition naturelle de l'homme à s'associer. Transposé en politique, ce principe devient celui de la sociabilité naturelle de l'homme. Mais on peut opposer à cette vision la prise en compte des contradictions, des tensions et des spasmes qui agitent toute société, ce qui revient alors au contraire à expliquer la société par la prééminence des besoins, de l'intérêt ou de la force, bref d'un facteur qui rendrait nécessaire le dépassement d'une disposition naturelle qui, par elle seule, ne pousserait pas les hommes à s'associer. À partir duquel de ces deux points de départ faut-il penser la société ? L'homme est-il ou non naturellement sociable ? **La société est-elle quelque chose de naturel ou bien n'est-elle qu'une convention ?**

Interroger la société, ce n'est pas seulement examiner, pour pouvoir identifier un élément commun, les diverses sortes de sociétés (société civile, société anonyme, société secrète, honorable société.) mais interroger l'homme dans ce qu'il a de social : toute société manifeste-t-elle un lien entre les hommes ? C'est la nature de ce lien qui fait ici le problème : l'homme est-il liant, ce qui suppose la présence en tous les hommes d'un dénominateur commun qui les rapproche, et que l'homme n'est pas seulement dans la société du fait des besoins et de l'intérêt ? Ainsi, la fracture sociale dont il fut question dans la vie politique française ne renvoyait pas seulement à une distension du groupe, mais aussi à la diminution du sentiment d'appartenance commune chez les membres de cette communauté. Or la société n'est pas seulement un ensemble d'individus, mais elle se comprend aussi par les relations entre ces individus. **La société n'est-elle qu'une juxtaposition d'individus ou une communauté de citoyens ?**

Développer

I. La question de la sociabilité

La question de la sociabilité nous renvoie de prime abord à l'examen d'un postulat anthropologique dont cette question dépend : l'homme est-il ou non naturellement sociable ?

a. La sociabilité naturelle

La conception antique de l'activité politique repose sur l'idée de la communauté possible d'une fin. Cette capacité repose à son tour sur le postulat anthropologique de la sociabilité naturelle. La sociabilité naturelle n'y fait d'ailleurs pas l'objet d'une affirmation explicite ou d'un débat, faisant figure de présupposé incontestable, à valeur axiomatique. C'est dans sa conséquence immédiate que cette thèse est explicitée : ainsi Aristote définit-il l'homme comme animal politique (voir texte n° 2), son acheminement vers la société n'étant rien d'autre que l'aboutissement d'une prédisposition naturelle. Nous sommes faits pour vivre en société, comme le dit encore Montaigne relisant Aristote : « il n'est rien à quoi il semble que nature nous ait plus acheminé qu'à la société[1] ».

L'analyse platonicienne repose sur un postulat analogue, quoiqu'on puisse y percevoir, sous l'effet de la confrontation avec les sophistes, une volonté de protéger et de renforcer ce postulat de la sociabilité. En effet, dans la *République*, l'existence de la famille à titre d'individualité et de la propriété individuelle est perçue comme un obstacle à l'unité de l'État par la multiplicité qu'elle y entretient : « connaissons-nous un plus grand mal, pour une cité, que ce qui la scinde, et en fait plusieurs au lieu d'une seule ? Ou de plus grand bien que ce qui la lie ensemble et la rend une[2] ? ». La solution est donc la mise en place d'un communisme des biens, abolissant la famille privée pour lui substituer une grande famille publique : l'État. Il ne s'agit pas pour autant de confondre ce communisme avec celui du XXe siècle : il n'est jamais question de socialisation des biens de production, seuls les produits étant mis en commun. C'est donc l'autonomie de la famille, plus encore que celle de l'économie, qui est visée : ainsi la femme doit-elle contribuer au bien de l'État plutôt qu'à celui de la famille, l'État sélectionnant alors les reproducteurs de chaque sexe et arrachant les enfants à leurs parents.

La subordination de la conception de la société et du politique à une analyse anthropologique préalable n'est pas un trait distinctif de l'analyse antique, mais un trait commun entre analyse antique et analyse moderne. Ainsi Machiavel répète-t-il à plusieurs reprises dans le *Discours sur la première décade de Tite-Live* qu'il serait vain d'espérer comprendre quoi que ce soit à la politique, si l'on ne réfléchit pas préalablement à la marche des affaires humaines. Or cette prise en compte débouche, chez Machiavel, à la formulation d'un postulat radicalement opposé au postulat antique : les

1. Montaigne, *Essais* I, 28, « Folio »,Gallimard, 1965, p. 264.
2. Platon, *République*, V, 462 b, « Folio »,Gallimard, 1993, p. 272.

hommes sont naturellement méchants (voir aussi le texte n° 3) et ne peuvent être conduits à faire le bien que sous l'aiguillon de la nécessité. C'est par exemple cette méchanceté qui justifie pour le prince la nécessité de la ruse : « et si les hommes étaient tous bons, ce précepte ne serait pas bon ; mais comme ils sont méchants et ne te l'observeraient pas à toi, toi non plus tu n'as pas à l'observer avec eux[1] ».

b. La sociabilité conventionnelle

À partir d'un présupposé de ce type, la société ne va donc plus de soi et la tâche du législateur n'est rien moins que de la constituer. Il s'agit donc de constituer la société à partir de la claire conscience que l'état naturel de l'homme n'est pas l'état social, que la sociabilité, comme le dit Rousseau, n'est pas dans la nature. La construction de la fiction méthodologique d'un état de nature est l'instrument de cette réflexion, qui vise à essayer de comprendre ce qu'est l'homme quand on le pense en dehors[2] d'une société pour mieux penser la société. Or force est de constater que les analyses d'un état de nature chez Hobbes et Locke, par exemple, ne concordent pas. Chez Hobbes, l'égalité des aptitudes entraîne l'égalité des hommes dans l'espoir d'atteindre leurs fins, donc la crainte de la dépossession, donc la guerre : « la cause de la crainte mutuelle dépend en partie de l'égalité naturelle de tous les hommes, en partie de la réciproque volonté qu'ils ont de nuire[3] ». En revanche, chez Locke, cette égalité en dignité fait la paix et l'égalité des chances, grâce à la loi de la raison : « la raison, qui est cette loi, enseigne à tous les hommes, s'ils veulent bien la consulter, qu'étant tous égaux et indépendants, nul ne doit nuire à un autre[4] ».

Non seulement la nature ne prédispose pas nécessairement les hommes à la vie en société, mais par surcroît elle n'est pas elle-même univoque, et peut au contraire être comprise de plusieurs façons. Le point commun de ce divers pose en tout cas l'impossibilité d'une société spontanée. Ainsi la notion de contrat s'impose-t-elle, comme échange mutuel et écrit de droits et de prérogatives. Par ce contrat, dans l'analyse de Hobbes, les hommes échangent avec l'État ainsi créé leur liberté contre leur sécurité. Il s'agit là encore d'un trait commun à toutes les analyses contractualistes, quelles que soient leurs divergences par ailleurs. Le contrat intervient là où il apporte des aménagements à une situation devenue sans lui intenable : « je suppose les hommes parvenus à ce point où les obstacles qui nuisent à leur conservation dans l'état de nature, l'emportent par leur résistance sur les forces que chaque individu peut employer pour se maintenir dans cet état[5] ».

Ne peut-on alors déboucher sur l'idée selon laquelle la nature, ne faisant rien en vain, entend provoquer, en rendant insupportables les inconvénients qu'il y a à se contenter de l'état de nature, la socialisation des hommes, qui deviendraient ainsi sociables à force d'être insociables ? C'est la thèse kantienne dans l'*Idée d'une histoire*

1. Machiavel, *Le Prince*, XVIII, GF-Flammarion, 1980, p. 160.
2. Et non « avant » la société : la notion d'état de nature n'a rien d'une reconstitution historique.
3. Hobbes, *Le Citoyen*, I, 3, GF-Flammarion, 1982, p. 94.
4. Locke, *Traité du gouvernement civil*, II, § 6, GF-Flammarion, 1992, p. 145.
5. Rousseau, *Du Contrat social*, I, 6, GF-Flammarion, 2001, p. 55.

universelle : la discorde naturelle ne serait autre qu'une ruse de la nature (voir le texte n° 1), comme moment de l'acheminement vers la paix civile. « L'homme veut la concorde, mais la nature sait mieux que lui ce qui est bon pour son espèce : elle veut la discorde[1] ». C'est que la nature agit selon un certain but : « la nature même, dans le jeu de la liberté humaine, n'agit pas sans plan ni dessein final[2] ». Le moyen de cette fin est l'antagonisme qui mène à la concorde : ainsi l'insociabilité humaine recèle-t-elle la promesse de sa résolution, au sens de l'« insociable sociabilité » kantienne.

c. Société et famille

La question du lien entre société et famille donne à cette question de la sociabilité humaine un éclairage privilégié : la thèse de la sociabilité naturelle de l'homme se fonderait alors sur une assimilation entre famille et société, ou du moins sur une analogie entre ces deux termes : avec la famille, cette thèse disposerait d'un modèle naturel du lien social. C'est le propos sous-jacent de Platon, lorsque dans le *Criton* les Lois donnent instruction à Socrate de ne pas s'évader : « s'il en va bien ainsi, t'imagines-tu qu'il y ait entre toi et nous égalité de droits, t'imagines-tu que ce que nous pouvons entreprendre de te faire, tu puisses, toi, en toute justice entreprendre de nous le faire en retour ? Quoi, tu serais égal en droit à ton père et à ton maître, si par hasard tu en avais un, et cela te permettrait de lui faire subir en retour ce qu'il t'aurait fait subir[3] ? » : la patrie mérite au contraire plus de vénération et de soumission qu'un père, poursuit l'analyse. La métaphore de la « mère patrie » nous confirme dans cette voie : on peut penser la société sur le modèle de la famille.

Faut-il alors concevoir la famille comme première société, et du coup comme modèle normatif de toutes les autres ? C'est tout le travail d'Aristote, qui cherche les limites de l'analogie entre famille et Cité. La genèse de la société va, de proche en proche, de l'individu à la famille, de la famille au village, du village à la cité. Où poser des seuils dans ces continuités progressives ? Aux métonymies successives qui paraissent tracer une ligne continue de la famille à l'État, s'oppose en effet l'évidence de spécificités techniques pour ce qui est de gérer chaque entité : « quant à ceux qui pensent qu'être homme politique, roi, chef de famille, maître d'esclave c'est la même chose, ils n'ont pas raison[4] » conclut donc Aristote. Même si la gestion « en bon père de famille » est encore le modèle de la gestion d'une société (ou même d'un État), l'analogie tourne court, parce qu'en chemin se perd la nature : « un bon roi est le père de ses sujets. Belle métaphore aussi ; mais cela n'est pas. Le roi devrait gouverner en père ; mais il n'est pas père. Le lien de nature manque[5] ».

Ce changement de dimension, qu'Aristote impute au passage décisif du don à l'échange (voir le texte n° 5), qui nous fait passer de la sphère de ce qui est domes-

---

1. Kant, *Idée d'une histoire universelle*, IV, GF-Flammarion, 1990, p. 75.
2. *Id.*, IX, p. 86.
3. Platon, *Criton*, 50e, GF-Flammarion, 1997, p. 221.
4. Aristote, *Les Politiques*, I, 1, 1252 a, GF-Flammarion, 1990, p. 85.
5. Alain, *Propos sur les pouvoirs*, « Folio-Essais », Gallimard, 1956, p. 23.

tique à l'économique, trace d'avance une ligne de partage nouvelle : celle de ce qui est privé et de ce qui est public, et qui rend la société irréductible au seul modèle familial.

II. La société entre le public et le privé

Nous avons fait jusqu'ici comme si le lien politique entre les hommes qu'évoque Aristote (avec l'idée de l'homme comme animal politique) était équivalent au lien social. Pourtant, le social s'affirme de nos jours en dehors du politique, comme dans les associations. Comment alors penser le social entre le privé et le public ?

a. Cité grecque et État moderne

Comment transposer la vertu civique des cités antiques à la liberté individuelle et individualiste de l'ère moderne ? Pour déceler pareille continuité, il faudrait considérer la société moderne comme continuation de la cité grecque, alors que c'est l'État-nation moderne qui perpétue la tradition de la cité grecque : le phénomène social est un phénomène relativement nouveau, émergent à l'ère moderne. Le glissement qui a autorisé cette fausse conception de la continuité trouve sa racine dans la tradition qui a compris (ou voulu comprendre) l'expression aristotélicienne d'un animal politique au sens d'un animal social : or la société ne s'assimile pas à une réalité politique, ni donc non plus à la sphère de ce qui est public. Hannah Arendt a entrepris ce tri entre ce qui est social, public et privé, remontant à l'interprétation originelle de la formule d'Aristote : « si l'on a mal compris le politique, si on l'a assimilé au social dès que les termes grecs ont été traduits en latin, dès qu'on les a adaptés à la pensée romano-chrétienne, la confusion n'a fait qu'augmenter dans l'usage moderne et dans la conception moderne de la société[1] ».

À quoi imputer ce glissement ? D'abord à une méconnaissance de ce que les Grecs ont en vue lorsqu'il s'agit pour eux d'activité politique : celle-ci réalise l'excellence de l'homme, l'ensemble de ce qui, dans la vie de chacun, ne prend aucune part à la délibération collective ne revêtant pas le moindre intérêt. « Aux yeux des citoyens, la cité-État primitive garantissait tous les idéaux qui font que la vie vaut la peine d'être vécue [...] À aucun moment l'État ne fut plus complètement identifié à l'ensemble des valeurs humaines. Aristote appelle l'homme « un être politique », et il le distingue des animaux par la faculté qu'il a de vivre dans un État. En réalité il assimile l'*humanitas*, « le fait d'être homme », à la vie au sein d'un État[2] ». Ainsi la vie publique donne-t-elle à l'homme son humanité, au contraire de la vie privée qui ne signifie encore rien : « le trait distinctif du domaine familial était que les humains y vivaient ensemble à cause des nécessités et des besoins qui les y poussaient [...] Le domaine de la polis, au contraire, était celui de la liberté[3] ».

1. Arendt, *Condition de l'homme moderne*, « Agora », Presses Pocket, 1983, p. 65.
2. Jaeger, *Paideia*, « Tel », Gallimard, 1964, p. 148.
3. Arendt, *op. cit.*, p. 67-68.

Ainsi ne fait-il pas confondre deux phénomènes qui sont distincts : la séparation grecque du privé et du public, et l'émergence du social, qu'on ne peut assimiler à cette séparation qu'au prix d'une illusion rétrospective. « La distinction entre la vie privée et la vie publique correspond aux domaines familal et politique, entités distinctes, séparées au moins depuis l'avènement de la Cité antique ; mais l'apparition du domaine social qui n'est, à proprement parler, ni privé ni public, est un phénomène relativement nouveau[1] ». La société se dessine alors comme communauté non politique, par différenciation progressive d'un contexte grec qui tendait à assimiler communauté sociale et communauté politique.

b. Le système des besoins comme modèle de la société

Le mouvement de privatisation de l'individu est ce qui explique que la notion de société ait pu progressivement prendre ses distances avec l'État et la conception publique de la communauté : ce mouvement constitue le passage, pour la société, d'un modèle originel public à l'attraction d'un modèle privé. Ce détachement se concrétise définitivement lorsque Hegel emploie l'expression de société civile (voir le texte n° 8), qui renvoie à une communauté non politique. Hegel définit cette société civile, ou société non politique et non réductible à l'État, comme système des besoins : comme telle, elle ne saurait au mieux, par exemple dans l'organisation de l'économie et des échanges, que satisfaire les besoins naturels des hommes, sans pour autant arriver à réaliser leur essence. L'État reste porteur d'une idée morale, et la société civile ne se suffit pas à elle-même.

Mais on peut concevoir la société civile de façon moins prosaïque, et voir au contraire en elle une expression toujours plus concrète, vivante et diverse (voir les textes n° 6 et 7) de la communauté, par opposition à l'État, que sa recherche de l'intérêt général emmène toujours plus loin dans l'abstraction et le poids administratif. Les forces de la société civile, qu'il s'agisse de syndicats, d'associations, d'organisations non gouvernementales, ne sont pas davantage réductibles au privé qu'au public. Certes, le corporatisme (la défense d'intérêts particuliers) et la frustration politique (lorsque des forces incapables de gagner des élections cherchent d'autres terrains d'expression) ne leur sont pas toujours étrangers. Reste que dans sa diversité vivante, la société ne relève effectivement ni du privé, ni du public : la communauté se présente comme une réalité distincte de l'État.

c. La société civile

L'idéal platonicien du communisme des femmes et des enfants tendait à rendre indiscernables le public et le privé, l'État et la société civile. L'institution familiale y apparaissait comme l'introduction d'une diversité dans l'unité, dans la « belle totalité éthique » de la Cité telle que l'appelle Hegel. Dans la Cité, et pour l'État, le singulier est-il un obstacle à l'universel ? En tout état de cause, « la personne concrète qui est

1. *Id.*, p. 66.

à soi-même une fin particulière comme ensemble de besoins[1] » est le premier principe de la société civile que définit Hegel. Encore particulière du fait qu'elle est civile, la société civile tend aussi à l'universel en tant que société : aussi peut-elle être comprise comme une médiation entre la famille et l'État, le public et le privé. Le système des besoins comprend donc la virtualité de l'universel, sans l'être encore par lui-même.

Il n'y a donc pas de contradiction essentielle entre l'existence d'une société civile, sphère du privé, et l'État, sphère de ce qui est public. Si au contraire l'État souhaitait gommer tout principe de différenciation en son sein, alors il devrait tendre à réduire la société civile pour l'intégrer complètement en son sein. La société civile est alors perçue, de par sa simple existence, comme un danger pour l'unité, comme un risque de scission. C'est la devise de l'État totalitaire, qui veut que tout soit d'État, et dont le communisme platonicien est peut-être le premier exemple systématique. Mais l'institution de cette unité forcée oublie que s'il existait une véritable unité, nul n'aurait besoin d'État.

III. La violence : négation ou moteur de la société ?

Les spasmes qui traversent la vie des collectivités sont-ils des signes de leur déclin et de leur échec, ou au contraire le moyen normal de leur évolution ?

a. Violence et société sont antinomiques

Il semble que l'idée selon laquelle toute société exclut la violence relève du lieu commun. Il ne s'agit pas pour autant ici d'une exigence de sécurité, telle que la plupart des États l'ont inscrite dans leurs constitutions, mais de disposition bienveillante des uns à l'égard des autres comme manifestation du lien social. À ce titre, la violence sous une quelconque de ses formes (la violence physique, verbale, l'incivisme) se présente d'emblée comme un symptôme de perte de vitesse d'une société. Il ne s'agit pas pour autant de condamner d'avance toute violence, tant sans doute tel ou tel cas de réaction violente peut se comprendre et même s'excuser (on parle bien de légitime défense). Mais les idéologies de la non-violence reposent sur l'idée que la non-violence est la seule garantie de justice. La provocation socratique du *Gorgias*, selon laquelle « s'il était nécessaire soit de commettre l'injustice soit de la subir, je choisirais de la subir plutôt que de la commettre[2] », repose sur l'idée que rien ne justifie en définitive qu'on commette un acte violent, et que même la réciprocité de la loi du talion ne vaut pas : la marge qui sépare la justification de la violence (aussi nécessaire que cette dernière puisse être) et l'affirmation selon laquelle elle est juste est trop mince.

Le contexte du *Gorgias* est éclairant, en ce que Calliclès y personnifie le culte de la force, la violence du discours, et l'impossibilité du dialogue. L'autre de la violence,

1. Hegel, *Principes de la philosophie du droit*, § 182, « Tel », Gallimard, 1940, p. 217.
2. Platon, *Gorgias*, 469c, GF-Flammarion, 1987, p. 174.

c'est le dialogue et la communication plutôt que la paix : il y a en effet de fausses paix, tant la paix peut n'être qu'une trêve de la violence. Ainsi, un mot comme « civilité » est bien porteur de cette valeur, en signifiant la modération respectueuse et la politesse tout en dérivant de « civil » : violence et société sont antinomiques, parce que la société ne consiste pas seulement en un agrégat d'égoïsmes prêts à en découdre, mais en une communauté de citoyens respectueux les uns des autres.

b. La violence, consubstantielle à la société

Une certaine forme de holisme, qui tend à privilégier le tout de la société sur ses parties que sont les individus, nous donnerait une première piste pour une autre conception du rôle de la violence. En sacralisant la société, et en illimitant la dette de l'individu à son égard, ce dernier est représenté non comme quantité négligeable, mais comme élément potentiellement sacrifiable au profit du tout et en son nom. Ce sont de tels accents, même s'ils restent fort éloignés de toute apologie de la violence, que l'on trouve chez Comte, qui s'appuie sur la notion de société pour nier toute forme de droit individuel : « nous naissons chargés d'obligations de toute espèce, envers nos prédecesseurs, nos successeurs, et nos contemporains. Elles ne font ensuite que se développer ou s'accumuler avant que nous puissions rendre aucun service. Sur quel fondement humain pourrait donc s'asseoir l'idée de *droit*, qui supposerait raisonnablement une efficacité préalable[1] ? » L'individu doit tout à la société : lui n'a que des devoirs, et elle n'a que des droits.

D'une deuxième façon, c'est l'analyse de Kant sur ce qu'il appelle l'insociable sociabilité qui peut nous faire penser un rôle positif de la violence dans la société. Tout se passe en effet comme si la sociabilité pouvait être le résultat d'un processus dans lequel la confrontation brutale a sa part. Dans l'insociable sociabilité, c'est en quelque sorte pour finir par s'entendre que les hommes ne sont pas sociables : le moment du conflit est une ruse de la nature (voir le texte n° 1) en vue de sa fin, la sociabilité. Ainsi la sociabilité ne doit-elle pas être pensée comme paix permanente : le conflit, sans devenir un mode de notre sociabilité, peut en être un moment. Cela peut permettre aussi, dans l'analyse de phénomènes de société (manifestations, émeutes) de dépasser l'immédiateté du sensationnalisme, friand de visions d'apocalypse et de cauchemars, pour prendre en compte ce que la violence (sans être jamais excusable pour autant) exprime et transforme.

c. La vertu guerrière

Nietzsche définit la société sur le prolongement de la vie : la lutte pour la vie, et donc l'exploitation, y sont à ses yeux inévitables : « de nos jours on s'exalte partout, fût-ce en invoquant la science, sur l'état futur de la société où l'"exploitation n'existera plus" : de tels mots sonnent à mes oreilles comme si on promettait d'inventer une forme de vie qui s'abstiendrait volontairement de toute fonction organique[2] ».

---

1. Comte, *Catéchisme positiviste*, X, GF-Flammarion, 1966, p. 238.
2. Nietzsche, *Par-delà bien et mal*, § 259, « Folio-Essais », Gallimard, 1971, p. 182.

Aussi la guerre est-elle le remède des peuples dont la force vitale s'épuise, et l'expression de vertu guerrière prend alors des allures de pléonasme : Il n'y aurait rien de plus redoutable, explique alors Nietzsche sur la lancée d'une telle analyse, que de prétendre nier les passions, les excès, ce qui ne manquerait pas d'enchaîner dangereusement l'homme « dans un carcan de société et de paix[1] ». Ainsi n'est-ce rien d'autre « qu'un songe creux de belles âmes utopiques que d'attendre beaucoup de l'humanité dès lors qu'elle aura désappris à faire la guerre (voire même de mettre tout son espoir en ce moment-là)[2] ».

Une conception aseptisée de la société relève d'un malentendu sur l'homme. Défendre une telle idée ne revient pas pour autant glorifier la guerre et la violence en tant que telle, mais à vouloir reconnaître dans la force l'origine du droit, que ce dernier ne fait que transformer et transposer sans l'oblitérer. Si la frontière entre la violence et la force est marquée par le droit, et que le droit lui-même résulte de la force, est-il si inexplicable que la violence soit un mode d'expression social ? Le problème de la violence d'État permettra de reposer la question.

Textes

1. Kant

Les hommes sont-ils sociables ?

Le moyen dont la nature se sert pour mener à bien le développement de toutes ses dispositions est leur antagonisme au sein de la Société, pour autant que celui-ci est cependant en fin de compte la cause d'une ordonnance régulière de cette Société. J'entends ici par antagonisme l'insociable sociabilité des hommes, c'est-à-dire leur inclination à entrer en société, inclination qui est cependant doublée d'une répulsion générale à le faire, menaçant constamment de désagréger cette société. L'homme a un penchant à s'associer, car dans un tel état, il se sent plus qu'homme par le développement de ses dispositions naturelles. Mais il manifeste aussi une grande propension à se détacher (s'isoler), car il trouve en même temps en lui le caractère d'insociabilité qui le pousse à tout vouloir diriger dans son sens ; et, de ce fait, il s'attend à rencontrer des résistances de tous côtés, de même qu'il se sait par lui-même enclin à résister aux autres. C'est cette résistance qui éveille toutes les forces de l'homme, le porte à surmonter son inclination à la paresse, et, sous l'impulsion de l'ambition, de l'instinct de domination ou de cupidité, à se frayer une place parmi ses compagnons qu'il supporte de mauvais gré, mais dont il ne peut se passer.

Kant, *Idée d'une histoire universelle*, IV, GF-Flammarion, 1990, p. 74.

1. Nietzsche, *Généalogie de la Morale*, II, § 16, « Idées », Gallimard, 1964, p. 119.
2. Nietzsche, *Humain, trop humain*, I, § 477, « Folio-Essais », Gallimard, 1988, p. 287.

2. Aristote

Toute cité est un fait de nature, s'il est vrai que les premières communautés le sont elles-mêmes. Car la cité est la fin de celles-ci, et la nature d'une chose est sa fin, puisque ce qu'est chaque chose une fois qu'elle a atteint son complet développement, nous disons que c'est là la nature de la chose, aussi bien pour un homme, un cheval ou une famille. En outre, la cause finale, la fin d'une chose, est son bien le meilleur, et la pleine suffisance est à la fois une fin et un bien par excellence. [...] La nature, en effet, selon nous, ne fait rien en vain ; et l'homme, seul de tous les animaux, possède la parole. Or, tandis que la voix ne sert qu'à indiquer la joie et la peine, et appartient pour ce motif aux autres animaux également (car leur nature va jusqu'à éprouver les sensations de plaisir et de douleur, et à se les signifier les uns aux autres), le discours sert à exprimer l'utile et le nuisible, et, par suite aussi, le juste et l'injuste : car c'est le caractère propre de l'homme par rapport aux autres animaux d'être le seul à avoir le sentiment du bien et du mal, du juste et de l'injuste, et des autres notions morales, et c'est la communauté de ces sentiments qui engendre famille et cité.

Aristote, *La politique*, I, 2, Vrin, 1982, p. 27-29.

3. Hobbes

La plupart de ceux qui ont écrit touchant les républiques, supposent ou demandent, comme une chose qui ne doit pas leur être refusée, que l'homme est un animal politique, ζῶον πολιτικόν, selon le langage des Grecs, né avec une certaine disposition naturelle à la société. Sur ce fondement-là ils bâtissent la doctrine civile ; de sorte que pour la conservation de la paix, et pour la conduite de tout le genre humain, il ne faut rien sinon que les hommes s'accordent et conviennent de l'observation de certains pactes et conditions, auxquelles ils donnent alors le titre de lois. Cet axiome, quoique reçu si communément, ne laisse pas d'être faux, et l'erreur vient d'une trop légère contemplation de la nature humaine. Car si l'on considère de plus près les causes pour lesquelles les hommes s'assemblent, et se plaisent à une mutuelle société, il apparaîtra bientôt que cela n'arrive que par accident, et non pas par une disposition nécessaire de la nature.

Hobbes, *Le Citoyen*, I I 2, GF-Flammarion, 1982, p. 90.

4. Platon

La société est-elle essentiellement due à l'échange ?

– Mais voyons : dans la cité elle-même, comment se feront-ils profiter les uns les autres de ce que chacun produit ? c'était bien pour cela que nous avions fondé une cité, en créant leur association.

– Il est bien évident, dit-il, que c'est en vendant et en achetant.

– Alors il nous naîtra de cela une agora et une monnaie reconnue, comme symbole de l'échange.

– Oui, exactement.

– Alors le cultivateur, ou encore l'un des artisans, qui a apporté sur la place publique une partie de ce qu'il produit, s'il n'y vient pas au même moment que ceux qui ont besoin d'échanger contre ce qu'il fournit, restera-t-il assis sur l'agora, laissant en sommeil son activité d'homme au service du public ?

– Nullement, dit-il : il y a des hommes qui, voyant cela, se fixent à eux-mêmes cette charge ; dans les cités correctement administrées ce sont en général les hommes aux corps les plus faibles, impropres à toute autre fonction. Car il faut qu'ils restent sur place, autour de l'agora, pour d'une part échanger contre de l'argent avec ceux qui ont besoin de vendre, d'autre part faire l'échange inverse, à nouveau contre de l'argent, avec tous ceux qui ont besoin d'acheter.

Platon, *La République*, Livre II, « Folio-Essais », Gallimard, 1993, p. 118-119.

5. Aristote

L'Économique et la Politique diffèrent non seulement dans la mesure où diffèrent elles-mêmes une société domestique et une cité (car ce sont là les objets respectifs de ces disciplines), mais encore en ce que la Politique est l'art du gouvernement de plusieurs et l'Économique celui de l'administration d'un seul. [...] Il est du ressort de la Politique de présider aussi bien à la constitution d'une cité qu'à son bon fonctionnement une fois qu'elle existe. Il en résulte de toute évidence que l'Économique doit aussi avoir pour objet à la fois la fondation d'une famille et la façon d'en assurer le fonctionnement. Une cité est une certaine quantité de maisons, de terres et de biens, suffisants pour assurer une vie heureuse. C'est là une chose manifeste, car, dès qu'on n'est plus capable d'atteindre cette fin, la communauté elle aussi se dissout. En outre, c'est en vue de ce genre de vie que les hommes s'associent : or, ce en vue de quoi chaque chose existe et a été produite est en fait l'essence même de cette chose. Il est par suite évident que l'Économique est par son origine antérieure à la Politique : son œuvre est, en effet, elle-même antérieure, puisqu'une famille est une partie d'une cité.

Aristote, *Les Économiques,* I, 1, Vrin, 1989, p. 17-18.

6. Rousseau

La sociabilité trouve-t-elle un fondement dans la nature ?

On voit du moins, au peu de soin qu'a pris la nature de rapprocher les hommes par des besoins mutuels, et de leur faciliter l'usage de la parole, combien elle a peu mis du sien dans tout ce qu'ils ont fait, pour en établir les liens. En effet, il est impossible d'imaginer pourquoi, dans cet état primitif, un homme aurait plutôt besoin d'un autre homme qu'un loup ou un singe de son semblable, ni, ce besoin supposé, quel motif pourrait engager l'autre à y pourvoir, ni même, en ce dernier cas, comment ils pourraient convenir entre eux des conditions. Je sais qu'on nous répète sans cesse que rien n'eût été si misérable que l'homme dans cet état ; et s'il est vrai, comme je crois l'avoir prouvé, qu'il n'eût pu qu'après bien des siècles avoir le désir et l'occasion d'en sortir, ce serait un procès à faire à la nature, et non à celui qu'elle aurait ainsi constitué.

Rousseau, *Discours sur l'Origine et les Fondements de l'Inégalité parmi les hommes,* GF-Flammarion, 1971, p. 193-194.

7. Arendt

Contre quoi Rousseau proteste-t-il ?

La réaction de révolte contre la société au cours de laquelle Rousseau et les romantiques découvrirent l'intimité était dirigée avant tout contre le nivellement social, ce que nous appellerions aujourd'hui le conformisme inhérent à toute société. Il importe de noter que cette révolte se produisit avant que le principe d'égalité, que depuis Tocqueville nous jugeons responsable du conformisme, ait eu le temps de s'imposer dans la vie sociale et dans le domaine politique. À cet égard, il importe peu qu'une nation soit faite d'égaux ou de non-égaux, car la société exige toujours que ses membres agissent comme s'ils appartenaient à une seule énorme famille où tous auraient les mêmes opinions et les mêmes intérêts [...] La coïncidence frappante entre l'avènement de la société et le déclin de la famille indique clairement qu'en fait la cellule familiale s'est résorbée dans des groupements sociaux correspondants.

Arendt, *Condition de l'Homme moderne,* « Agora », Presses Pocket, 1983, p. 78.

8. Hegel

Qu'est-ce que la société civile ?

La personne concrète qui est à soi-même une fin particulière comme ensemble de besoins et comme mélange de nécessité naturelle et de volonté arbitraire est le premier principe de la société civile. Mais la personne particulière est par essence en relation avec la particularité analogue d'autrui, de sorte que chacune s'affirme et se satisfait par le moyen de l'autre et en même temps est obligée de passer par la forme de l'universalité, qui est l'autre principe. Dans sa réalisation déterminée ainsi par l'universalité, le but égoïste fonde un système de dépendance réciproque qui fait que la subsistance, le bien-être et l'existence juridique de l'individu sont mêlés à la subsistance, au bien-être et à l'existence de tous, qu'ils se fondent sur eux et ne sont réels et assurés que dans cette liaison.

Hegel, *Principes de la Philosophie du Droit,* § 183-184, « Tel », Gallimard, 1940, p. 217-218.

Sujets approchés

La société ne repose-t-elle que sur l'intérêt ?

Une communauté politique n'est-elle qu'une communauté d'intérêts ?

L'homme est-il un citoyen ?

Peut-on être homme sans être citoyen ?

Une société juste est-elle une société sans conflit ?

La cité se compose-t-elle d'individus ?

→ ***Approche commune* : L'homme est-il naturellement sociable, ou la société n'est-elle qu'une convention ?**

Sujet esquissé : La société ne repose-t-elle que sur l'intérêt ?

Introduction

La question posée prend en compte l'évolution moderne de la notion de société. Tenant pour acquis que la sociabilité naturelle de l'homme fait problème, le libellé repose sur le présupposé selon lequel l'intérêt, faut d'être le seul fondement de la société, est nécessairement l'un de ses fondements. A quelles autres sources rivales ou même complémentaires peut-il laisser place ? Y a-t-il en l'homme une disposition spontanée à se lier, qui le réalise comme homme, et la cohabitation de cette disposition avec l'intérêt ne rend-elle pas alors fatale la subordination d'une de ces deux sources à l'autre ? L'homme est-il naturellement sociable, ou bien la société n'est-elle qu'une convention ? La société est-elle fin ou moyen ?

Lignes directrices

1. la société n'est fondée que sur l'intérêt : telle serait par exemple la thèse de ceux qui ont rejeté l'idée d'une sociabilité naturelle, et du contractualisme en général (voir cours Ib). Ceci donne à la société civile, comme « système des besoins » une place prééminente qui explique la soumission de plus en plus prononcée de l'État à la sphère du privé : l'État est alors moins chargé d'établir le bien que de garantir et de laisser prospérer les intérêts privés. On peut alors imputer au fonctionnement des échanges une large part d'explication dans la constitution de la société (voir textes 4 et 5).

2. La société est fondée non seulement sur l'intérêt, mais aussi sur une disposition humaine à entrer et à vivre en société, disposition à laquelle on peut donner le nom de sociabilité naturelle (voir cours Ia), par exemple à partir de l'idée grecque selon laquelle l'homme n'atteint à sa propre excellence que dans les affaires publiques (voir cours II a). Mais alors la question se pose de savoir si ces deux fondements de la société ne sont pas incompatibles : la prise en compte de l'intérêt ne ruine-t-elle pas d'avance la sociabilité qu'elle transformerait alors en un déguisement hypocrite ?

3. Seul un glissement, dans notre compréhension de l'antiquité, du politique au social, rend apparemment incompatibles l'intérêt et la sociabilité comme fondements de la société (voir cours II a). Comme le disait Malebranche, deux formes de société sont possibles, qui ne sont pas incompatibles entre elles : la société d'intérêt et la société spirituelle.

La justice et le droit

Définir, Problématiser

Savoir ce que c'est qu'être juste, c'est définir un critère de justice : serait alors juste ce qui se conforme à ce critère. Nous en employons sans cesse d'implicites, puisque nous ne cessons de qualifier tel ou tel acte de juste ou d'injuste. Il s'agit ici de les expliciter, ou de les retrouver dans ceux que d'autres voies, comme l'étymologie ou l'image, nous suggèrent. Le mot « justice » est construit à partir du latin *jus*, qui signifie le droit. Cette première piste suggère que le respect du droit permet de définir et de garantir la justice. Mais le mot « droit » est équivoque, puisque le droit s'entend comme droit positif aussi bien que comme droit naturel : quand bien même il ne s'agirait que du droit positif, celui-ci est multiple et changeant (« Il n'est chose en quoi le monde soit si divers qu'en coutumes et en lois », disait Montaigne[1]). Comment le droit peut-il être source de justice s'il y en a de multiples ? **La justice suppose-t-elle l'unité des règles de droit, ou peut-elle s'accommoder de leur multiplicité ?**

Seconde piste : la représentation courante de la justice comme balance, qui associe la notion de justice à celle d'égalité. Être juste, c'est donc en un sens appliquer l'égalité. Mais cette définition pose rapidement problème, au sens où certains cas de pure égalité (comme si l'État levait l'impôt en en divisant le montant total par le nombre de contribuables) peuvent paraître inéquitables. Il faut donc parfois corriger l'égalité pour la rendre équitable : c'est cette dernière notion d'équité (comme correction de l'égalité) qu'il faudra questionner et définir, pour **savoir si la justice réside plutôt dans l'égalité ou dans l'équité.**

Être juste est difficile, ce dont témoigne assez l'incertitude des deux premiers critères pressentis (la légalité et l'égalité). Cette difficulté apparaît davantage encore dans l'acte de justice, dans le jugement : l'adaptation de la règle au cas n'a jamais rien d'automatique, chaque jugement est un réglage fin. Il semble donc que la difficulté toujours renouvelée qu'il y a à être juste vienne de ce qu'aucune norme ne résout la question pour de bon, tant la justice paraît toujours à faire et à refaire (elle appartient, disait Alain, à « l'ordre des choses qu'il faut faire justement parce qu'elles ne

1. Montaigne, *Essais*, II, 12, « Folio », Gallimard, 1965, p. 321..

sont point[1] »). **La justice peut-elle être un ordre donné ou au contraire est-elle toujours à construire ?**

Développer

I. Le droit et le fait

La recherche de ce qui est juste et de ce qui devrait être est inséparable d'une réflexion sur les faits : en effet, la recherche de ce qui devrait être suppose qu'on ne se contente pas de ce qui est : le droit devra-t-il entériner les faits ou leur résister ?

a. Une norme universelle ?

Aux faits on peut opposer l'universalité d'une norme : les droits de l'homme en fournissent une, qui d'emblée, dans ce qu'elle a d'universel, se heurte à une diversité d'autres normes. C'est que chaque nation a son propre système de droit, si bien qu'il faut s'en tenir à l'idée plus générique qu'un droit des peuples, ou bien ne voir dans les droits de l'homme qu'une idée, qu'un idéal asymptotique. Le risque que présente en la matière un idéal trop abstrait est le risque de décrochage avec les faits, d'un décalage avec le réel qui condamnerait toute idée de justice comme étant peu en rapport avec les nécessités immédiates. Comme Rousseau le rappelle dès les premières lignes de son *Contrat social* : « l'homme est né libre, mais partout il est dans les fers[2] ». Que peuvent les droits de l'homme contre le droit positif de chaque nation ? Il faudrait le cosmopolitisme réalisé, ou une instance internationale[3] pour transcender le règne des normes plurielles.

L'idée d'un droit des gens, solidaire de l'idée d'un droit cosmopolite et d'une citoyenneté internationale, porte en elle cet idéal d'une possibilité de régler les conflits en les laissant trancher par un pouvoir législatif suprême, commun et unique. Au lieu de cela, « la manière dont les États font valoir leur droit ne peut être que la guerre[4] » alors même que jamais l'issue d'une guerre ne décide de ce qui est juste : le fait ne fait pas droit. Pareille fédération n'est pas « un mode de représentation fantaisiste et extravagant du droit[5] », mais l'outil nécessaire pour réduire la politique au droit, en la vidant ainsi de sa part d'ombre : les conflits entre particuliers (entre hommes ou entre États) qui semblent lui être consubstantiels.

Sans préjuger de la question de savoir si le remède ne serait pas pire que le mal, il faut caractériser le mal. Comment veut-on que le droit soit juste s'il y en a plusieurs, et qui se concurrencent ? Pascal dénonce cela avec verdeur : « trois degrés d'élévation du pôle renversent toute la jurisprudence ; un méridien décide de la vérité ; en peu d'années de possession, les lois fondamentales changent ; le droit a ses époques,

1. Alain, *Propos*, II, « La Pléiade », p. 280.
2. Rousseau, *Du Contrat social*, I, 1, GF-Flammarion, 2001, p. 46.
3. La Cour européenne des Droits de l'Homme en donne un exemple.
4. Kant, *Vers la paix perpétuelle*, GF-Flammarion, 1991, p. 91.
5. *Id.*, p. 96-97.

l'entrée de Saturne au Lion nous marque l'origine d'un tel crime. Plaisante justice qu'une rivière borne ! Vérité au-deçà des Pyrénées, erreur au-delà[1] ». On ne peut donc fonder sur le droit positif aucun espoir de justice : « rien ne sera jamais juste à cette balance[2] ».

Le premier obstacle qui guette donc toute tentative d'orienter les faits par des règles de droit tient à ce que cette tentative se fait en ordre dispersé, et débouche sur le relativisme en guise de justice. On n'a pas su faire, pour parler encore en termes pascaliens, que le juste puisse être fort (voir le texte n° 5).

b. Le droit comme transposition d'une situation originelle

L'autre voie possible consiste à rechercher la norme du juste non plus dans une idée à accomplir, mais dans la réalité telle qu'elle se présente. Si les choses sont comme elles le sont, ce sera là le signe que c'est ainsi qu'elles sont justes. C'est le principe de la queue, de la file d'attente : le premier arrivé est le premier servi, parce que de fait il était là auparavant. Dans ce cas le fait fait droit : dans le cas au contraire où on réserve, dans un aéroport, des files d'attentes réservées aux handicapés ou aux passagers de première classe, le fait sera tempéré de droits issus du besoin ou du mérite. La première hypothèse nous renvoie au contractualisme, courant de pensée qui met l'idée de courant à la source des relations entre l'État et la société. Dans le contrat s'échangent les droits et devoirs qui aménagent la situation donnée, sans la faire changer de nature.

Le droit compris comme contrat n'a pas, au contraire de la norme idéale qui est l'esprit des droits de l'homme, pour ambition de faire tendre la réalité vers une valeur. Tout au plus s'agit-il de stabiliser et de pérenniser les relations de fait. Si celles-ci se caractérisent par la force, elles peuvent être aménagées de façon à pérenniser la situation du plus faible (qui veut pouvoir bénéficier d'un minimum de sécurité) comme celle du plus fort (qui se doute qu'un jour quelqu'un sera plus fort que lui). Rousseau caractérise ainsi ce passage : « le plus fort n'est jamais assez fort pour rester le maître s'il ne transforme sa force en droit et l'obéissance en devoir[3] ». Le droit n'est qu'une transformation de la force (voir le texte n° 3), c'est-à-dire un changement de forme de la même matière. Qu'espérer alors en matière de justice ? Rousseau ironise à cet égard à partir de la notion de droit du plus fort : « Obéissez aux puissances. Si cela veut dire, cédez à la force, le précepte est bon mais superflu : je réponds qu'il ne sera jamais violé. Toute puissance vient de Dieu, je l'avoue ; mais toute maladie en vient aussi. Est-ce à dire qu'il soit défendu d'appeler le médecin[4] ? »

L'analogie est explicite : de même que le médecin vient tempérer les effets de la maladie, le droit ne peut que constater et adoucir. L'attitude de justice doit-elle renoncer à tout espoir de réformer le réel, doit-elle se contenter d'entériner les faits, en en arrondissant les contours ? Ce serait confondre justice et nécessité : « il est

1. Pascal, *Pensées*, 294, GF-Flammarion, 1976, p. 135.
2. *Id.*, p. 136.
3. Rousseau, *op. cit.*, I, 3, p. 49.
4. *Ibid.*

juste que ce qui est juste soit suivi, il est nécessaire que ce qui est le plus fort soit suivi[1] ». Le nécessaire a-t-il fatalement raison de l'idéal de justice, faut-il toujours se résigner à ce que les choses soient comme elles sont ? Si l'on en est ainsi réduit à perpétuer les inégalités en se contentant de les aménager, c'est par impuissance à pouvoir faire le contraire (changer le réel en fonction d'une juste fin). Ainsi, « ne pouvant faire que ce qui est juste soit fort, on a fait que ce qui est fort fût juste[2]. »

c. Faut-il obéir aux lois ?

Les remarques qui précèdent introduisent un soupçon sur la valeur du droit : est-il autre chose qu'une convention arbitraire ? Ce soupçon repose sur la distinction entre la légalité et la légitimité. La légalité se comprend comme conformité à un code écrit : à tout moment, selon la position de ma voiture sur la route, que j'y téléphone ou non, je suis (ou non) dans la légalité. La légitimité se comprend, elle, comme accord avec une conception morale de ce qui est juste. Dénoncer une loi injuste, c'est donc toujours critiquer la légalité au nom de la légitimité : ainsi Napoléon III, violant la Constitution qu'il devait protéger par un putsch destiné à rétablir l'Empire, s'est-il justifié par cette formule : « je ne suis sorti de la légalité que pour rentrer dans le droit ». Le droit en question n'est autre qu'une certaine idée du droit naturel, perçu comme éternellement juste là où les divers droits positifs (sources de légalité) sont multiples et changeants.

C'est sur une distinction de cette nature que s'appuie l'argumentation d'Antigone, qui défie son oncle Créon, chef de la Cité, pour pouvoir, selon la tradition ancestrale, enterrer son frère Polynice qui a fui au combat : « Je ne croyais pas, certes, que tes édits eussent tant de pouvoir qu'ils permissent à un mortel de violer les lois divines : lois non écrites, celles-là, mais intangibles[3] ». De même que ceux qu'on appelle les Justes ont résisté à l'Allemagne nazie, de même il faudrait toujours dénoncer la loi quand elle est injuste, et préférer la légitimité à la légalité. À quoi désobéir alors ? Les débats contemporains sur la désobéissance civile sont partagés : désobéir à toutes les lois ou ne sélectionner que celles qu'on réfute ?

La distinction est moins nette qu'il y paraît, comme l'établit la prosopopée des Lois, qui intervient, dans le *Criton* de Platon, au moment où les amis de Socrate viennent tenter de le délivrer la veille de son injuste exécution. Cette allégorie (voir texte n° 9) déniaise la désobéissance : si en effet nous n'obéissons qu'aux lois qui nous bénéficient (dans le texte, les lois sur le mariage et l'éducation), tout en refusant les lois qui nous contraignent, ce sera alors le signe que la loi n'est pour nous qu'un moyen et non une fin. Or la loi n'a de valeur sacrée qu'en tant que fin. En second lieu, les lois forment système et sont donc indissociables les unes des autres : une loi doit donc être obéie en tant que loi, abstraction faite de son contenu. Descartes le souligne en parlant de Lycurgue : « si Sparte a été autrefois très florissante, ce n'est pas à cause de la bonté de chacune de ses lois en particulier, vu que plusieurs étaient fort

1. Pascal, *Pensées*, 298, *op. cit.*, p. 137.
2. *Ibid.*
3. Sophocle, *Antigone*, GF-Flammarion, 1964, p. 79.

étranges, et même contraires aux bonnes mœurs, mais à cause que, n'ayant été inventées que par un seul, elles tendaient toutes à même fin[1] ». Il apparaît donc que la moralité ou l'agrément intrinsèques à une loi ne fondent pas à eux seuls le jugement que l'on peut porter sur elle.

II. La justice comme égalité

Compte tenu de telles limites, que peut-on attendre de la loi comme instrument de justice ?

a. Le donné est-il injuste ?

Une conception exigeante de la justice dirait que le donné ne doit pas être entériné mais changé s'il est injuste : « la justice non plus n'est pas là pour confirmer le donné physique ni pour ratifier la force, mais au contraire pour compenser celle-ci et démentir celui-là[2] ». Si le donné ne doit pas être confirmé ni ratifié, c'est qu'il n'est pas nécessairement juste (voir le texte n° 4). Une façon d'approfondir la question précédente est donc de savoir jusqu'à quel point le donné est nécessairement injuste. Or la nature n'a rien de naturellement juste.

En un sens, le donné se caractérise par la contingence : je me trouve plongé dans l'existence sur le mode de la loterie génétique et sociale. Ainsi, du point de vue naturel comme du point de vue culturel, ma situation donnée se présente avant tout comme un fait. Il faut donc éviter de juger ce fait d'avance, et donc « rejeter l'affirmation selon laquelle l'organisation des institutions est toujours imparfaite parce que la répartition des talents naturels et les contingences sociales sont toujours injustes[3] ». La répartition naturelle en particulier n'est donc, explique Rawls, « ni juste ni injuste[4] », mais ne peut le devenir qu'en fonction de la façon dont les institutions traitent ces faits. Il n'y a rien là qui empêche qu'on puisse vouloir le corriger s'il le faut : « aucune nécessité ne contraint les hommes à se résigner à ces contingences[5] ».

L'idée que la justice sociale consiste à corriger culturellement les inégalités naturelles fait figure de lieu commun. Dans l'argumentation libérale qui est la sienne (voir aussi le texte n° 2), Hayek y voit la tentation dangereuse de substituer à l'ordre du marché un ordre construit qui ne peut que relever de l'utopie dangereuse. Il faut donc se garder de faire intervenir des considérations de justice sur les faits, qui forment un ordre spontané : « la justice n'est aucunement impliquée dans les conséquences inintentionnelles d'un ordre spontané, conséquences qui n'ont été délibérément provoquées par personne[6] ». Juger les faits revient en effet à les prendre pour des conduites, et à imputer les inégalités à l'intention de quelqu'un. Le mirage de la

1. Descartes, *Discours de la Méthode*, II, GF-Flammarion, 1966, p. 42.
2. Jankélévitch, *Traité des Vertus*, I, Champs-Flammarion, 1983, p. 7.
3. Rawls, *Théorie de la Justice*, § 17, « Points », Seuil, 1997, p. 132.
4. *Id.*, p. 133.
5. *Ibid.*
6. Hayek, *Droit, Législation et Liberté*, II, « Quadrige », Puf, 1995, p. 45.

justice sociale relève donc de la recherche d'imputabilité pour les inégalités économiques, là où il faudrait les considérer sur un modèle météorologique : comme des faits qui ne sont pas toujours satisfaisants, mais qui sont nécessaires. Hayek note ainsi que « nous ne sommes certes pas dans l'erreur en constatant que les effets sur les divers individus et groupes du processus économique d'une société libre ne se répartissent pas selon quelque principe reconnaissable de justice. Où nous nous trompons, c'est en concluant que ces effets divers sont injustes et que la responsabilité et le blâme doivent en retomber sur quelqu'un[1]. »

b. Égalité et mathématiques : l'égalité arithmétique

La représentation de la justice doit beaucoup à la métaphore dont elle est étymologiquement issue : le mot grec *dikè* qui signifie la justice a pour premier sens la balance. La justice est donc originellement une métaphore de la balance, métaphore qui a fait chorus puisqu'elle en est devenue le symbole. Ce que nous indique l'image de la balance, c'est la recherche d'une égalité exacte entre deux quantités. Il sera donc tentant de comprendre en un premier sens l'égalité que recherche la justice à partir de son modèle mathématique. Bergson fait valoir ainsi la variété des registres mathématiques que les théories de la justice ont mobilisées : « la justice a toujours évoqué des idées d'égalité, de proportion, de compensation [...] Ces références a l'arithmétique et à la géométrie sont caractéristiques de la justice à travers le cours de son histoire[2]. »

Une première façon d'appliquer à la justice un idéal quantitatif nous est donnée par l'exemple de l'utilitarisme. L'utilitarisme ne définit pas le juste, qu'il ne comprend que comme maximisation progressive des biens. C'est dans la mesure même où l'utilitarisme ne définit pas d'abord le juste et où il en fait donc un résultat à venir qu'il peut être qualifié de théorie téléologique : l'utilitarisme fait du juste une fin plutôt qu'un principe. Une approché déontologique de la justice, elle, voudra définir le juste de façon originelle et principielle, et utilisera le critère mathématique en vue d'une idéale distribution inégale, comme dans l'exemple du gâteau : « en supposant que c'est le partage égal qui est équitable, quelle procédure, s'il y en a une, donnera ce résultat ? En laissant de côté l'aspect technique, la solution évidente consiste à faire partager le gâteau par celui qui se sert en dernier, les autres étant autorisés à se servir avant lui. Il coupera le gâteau en parts égales, car ainsi il s'assure pour lui-même la plus grosse part possible. Cet exemple illustre les deux traits caractéristiques de la justice procédurale parfaite[3] ».

L'inconvénient de l'appel à cet outil mathématique pour la justice réside dans la réduction de la justice au quantitatif et dans l'exclusion corollaire de la dimension qualitative : « l'égalitarisme compensateur, régulateur et modérateur, nivelant tout ce qui dépasse, retranchant tout ce qui est en *trop* pour le transférer au *pas-assez*, uniformisant toute diversité, élaguant tout privilège, enrôle l'hétérogène de la qualité

1. *Id.*, p. 100.
2. Bergson, *Les deux sources de la morale et de la religion*, 1984, p. 68.
3. Rawls, *op. cit.*, p. 117.

dans l'homogène de la quantité[1] ». L'égalitarisme bute donc, au moment de déterminer ce qui est juste, sur l'hétérogène et le qualitatif, c'est-à-dire sur les différences. La justice consiste à donner à chacun le sien, comme le dit Spinoza : « celui-là est appelé juste, qui a une volonté constante d'attribuer à chacun le sien[2] ». Le problème reste entier : s'il faut donner à chacun ce qui lui revient, qu'est-ce qui revient à chacun ?

La solution qui vient immédiatement à l'esprit consiste à diviser les biens par le nombre de bénéficiaires potentiels. J'ai soixante croissants, nous sommes trente : il faut donner deux croissants à chacun. C'est là le cas de ce que les Grecs appelaient l'égalité arithmétique, celle qui consiste à diviser de façon égale selon « la mesure, le poids et le nombre » (voir texte n° 1). « On s'accordera sur la répartition des citoyens, le nombre et la nature des classes entre lesquelles on les divisera ; et parmi ces classes on distribuera la terre et les habitations avec le plus d'égalité possible[3]. » La législation athénienne a pris ce visage isonomique avec Clisthène qui est le responsable de l'introduction du système des tirages au sort des fonctions publiques qui visait à éviter les groupes de pression. Or ce tirage au sort relève pour Platon d'une égalité égalitariste et irréfléchie, qui consiste à donner à n'importe qui une charge importante et qu'il n'est pas nécessairement capable de remplir : Socrate lui-même proteste de n'avoir su remplir qu'imparfaitement le rôle qui lui avait été confié.

Cette réserve ouvre sur les deux limites fondamentales de l'égalité arithmétique. En premier lieu, le tirage au sort destiné à garantir l'égal accès des citoyens aux fonctions publiques considère de façon impersonnelle tous ces citoyens comme substituables les uns aux autres, comme des unités commensurables : appliquer les mathématiques au statut de la femme (dans la loi sur la parité), ou au temps de travail (dans l'idée du partage de ce temps), c'est céder à la même idée selon laquelle chacun peut remplacer chacun, au détriment, et c'est là la seconde limite, des différences. Chacun est-il également qualifié pour exercer des responsabilités publiques ? Faut-il voter pour une femme parce que c'est une femme ou parce qu'elle est le meilleur candidat possible tous sexes confondus ? Faut-il croire que, dans l'entreprise, n'importe quelle tranche horaire du travail de l'un complète adéquatement le travail de l'autre ? Il est manifeste que l'égalité mathématique rencontre ici l'écueil de la différence, parce qu'elle risque de les écraser sur son passage comme autant d'obstacles sur sa route alors même que la différence n'est pas nécessairement synonyme d'inégalité. Le droit à la différence est à lui seul le signe de l'insuffisance du pur idéal mathématique.

c. L'égalité géométrique

Sur la lancée de sa critique de l'égalité clisthénienne, Platon propose de lui substituer une autre formulation : l'égalité géométrique. Cette égalité consiste à coefficienter la distribution, donnant « à chacun selon sa nature » (voir texte n° 1). Mais qu'est-ce que la nature de chacun et comment se détermine-t-elle ? l'exemple des soixante

1. Jankélévitch, *Les vertus et l'amour*, « Champs-Flammarion », tome 2, 1986, p. 37.
2. Spinoza, *Traité politique*, II § 23, GF-Flammarion, 1966, p. 24.
3. Platon, *Les Lois*, 737c, Budé-Les Belles lettres, 1975, p. 93.

croissants met cette difficulté en pratique : devrai-je donner quatre croissants au lieu de deux à celui qui a très faim même s'il ne contribue jamais au bien commun, ou à celui qui contribue le plus au bien commun même s'il est en pleine indigestion ? La question ici posée est celle du critère de l'égalité géométrique, c'est-à-dire de la prise en compte de la différence. Quelle différence faut-il prendre en compte, et au nom de quoi ?

À condition d'échapper à l'arbitraire du distributeur, on peut distinguer grossièrement deux critères cohérents. Le premier serait le mérite. On pourra dire en construisant une analogie que l'architecte doit être mieux rémunéré que le cordonnier, parce qu'il semble plus difficile de construire une maison que de fabriquer une chaussure : l'architecte est au cordonnier ce que la maison est à la chaussure. Ce critère présente l'inconvénient de sembler entériner les faits, selon le sens que l'on donne à la notion de mérite : c'est en tout cas ce qui se passe si l'on dit, à propos d'un match de football, que l'équipe qui a gagné est la meilleure en tant qu'elle a gagné. Dans ce cas, le mérite n'est qu'un travestissement du fait, il n'est que le nom que l'on donne au succès et qui ne garantit en rien que ce succès soit juste. L'autre sens de la notion de mérite (celui qu'on invoque quand on dit que l'équipe qui a perdu aurait mérité de gagner) échappe à cette impasse, mais il reste difficile à déterminer : qui en est juge ? Il n'est d'ailleurs pas dit qu'il y ait plus de mérite à perdre en manifestant de la valeur qu'à gagner sans en manifester.

Le second critère, qui sera mobilisé en cas de refus du précédent, pourrait être celui du besoin. C'est là naturellement un critère qui reprend à son compte l'idée que le droit doit corriger le donné plutôt que le suivre. Il faudrait donc donner à chacun selon ses besoins plutôt qu'à ses mérites. L'adoption d'un tel critère peut pourtant faire craindre le développement de l'assistanat, et pose surtout le problème de l'identification des besoins. En effet, là encore, l'identification des besoins ne peut que nous mener vers une certaine diversité, ou même vers une différence prononcée. S'il faut donner le plus à celui qui a le plus besoin, comme dans ce que l'on a appelé la discrimination positive aux États-Unis, alors la justice non seulement s'accommode des différences, mais dans une certaine mesure peut les rechercher. Mais c'est là le signe que nous ne sommes plus dans le cadre d'une distribution initiale, et que la justice se conçoit au contraire comme une correction d'une situation donnée.

III. La justice comme équité

Le simple fait qu'on puisse chercher à coefficienter l'égalité signifie que pour nous il y a des égalités injustes et de justes inégalités. Or, comment dire qu'il y a des inégalités justes sans être suspect de justifier l'inégalité en général ?

a. Justice correctrice et distributrice

Le modèle de la distribution ne suffit pas à rendre raison du problème de la justice : nous sommes toujours déjà en situation, il y a du donné. L'intérêt du modèle de la distribution est qu'il tend, en suspendant la question de la correction du donné, à poser la question de la justice comme une question de pur principe : c'est la fonction de la notion d'état de nature chez les contractualistes, que Rawls veut reformuler comme situation originelle par l'idée d'un voile d'ignorance : si j'ignore les contingences de l'avenir et du donné, je suis conduit à dégager des principes qui valent quelle que soit la situation. C'est toute la différence entre une justice attributive, qui doit gérer la répartition d'une quantité donnée, et un principe qui garantit dans tous les cas une juste procédure.

La prise en compte du donné, c'est la prise en compte du fait qu'il y a toujours, à tout moment, une situation plus défavorisée qu'une autre. Rawls formulera donc deux principes de la justice (voir le texte n° 7) : le premier dispose que chaque personne a un droit égal au système de libertés le plus étendu pour tous. Mais ce principe, tel qu'il est à l'œuvre dans la conception libérale de l'égalité des chances, risque d'approfondir les inégalités en prolongeant les effets de la « loterie sociale et naturelle[1] ». Faut-il pour autant proscrire les inégalités ? Le second principe de Rawls ajoute que les inégalités ne sont tolérables qu'à partir du moment où elles sont à l'avantage de tous, et donc aussi (et peut-être en premier lieu) à l'avantage du plus défavorisé.

Les inégalités sont donc acceptables du moment que la situation du plus défavorisé s'en trouve améliorée, même si pour autant l'égalité n'est pas réalisée. La notion de justice se trouve ainsi profondément disjointe de celle d'égalité, ce qui permet de parer aux soupçons les plus provocateurs, lesquels voyaient volontiers le désir de justice comme déguisement de la frustration jalouse. Ainsi, Nietzsche suggère que « revendiquer l'égalité des droits, comme le font les socialistes de la caste assujettie, n'est plus du tout l'émanation de la, justice, mais bien de la convoitise[2] ». Hayek en écho étaye sa critique de l'idée de justice sociale sur le fait que cette idée s'adresse à des sentiments beaucoup plus intéressés. Mais à ce compte, le soupçon d'hypocrisie est réversible : est-ce la recherche de la justice sociale qui déguise la jalousie, ou est-ce cette démystification elle-même qui déguise hypocritement le désir de perpétuer l'ordre donné et de lui trouver justification ?

b. Holisme et individualisme

Il semble qu'il faille ici tenter de s'élever au-delà de la question des motivations psychologiques individuelles si l'on veut examiner la question de l'inégalité juste. Puisqu'en effet l'adoption d'une mesure correctrice ne manque jamais d'avoir un effet positif sur les uns et donc un effet négatif sur les autres, il faut tâcher de raisonner d'une façon qui prenne en compte l'interdépendance des situations individuelles. L'alternative du holisme et de l'individualisme fournit à cet égard un outil précieux. Vouloir déterminer ce qui est désirable pour une société tout entière, c'est adopter, du moins à première vue, un point de vue holiste, si on entend par là, à partir du grec *holos*, une conception du tout, de la globalité. La partie peut être sacrifiée au nom de l'intérêt supérieur du tout : l'inégalité est alors justifiée par la justice.

1. Rawls, *op. cit.*, § 12, p. 104.
2. Nietzsche, *Humain, trop humain*, I, § 451, Folio, 1988, p. 270.

L'attitude individualiste dispose au contraire que l'individu préexiste à la société, et ainsi la partie au tout. Il s'agit d'abord de prendre en compte les intérêts de l'individu : aucun individu ne peut alors être valablement sacrifié aux intérêts d'un tout. C'est le sens du second principe de justice chez Rawls : les inégalités ne sont tolérables que dans la mesure où elles profitent aussi (et même en premier lieu) au plus défavorisé. Admettons que tous pris ensemble aient 1 000, le plus riche 100 et le plus pauvre 2. Est-il plus acceptable de passer à 1 500 si le plus riche passe à 300 et que le plus pauvre reste à 2, ou de passer à 1 200 si le plus riche passe à 200 mais que le plus pauvre monte à 4 ? Le holisme trouvera le premier scénario plus juste, alors que l'individualisme préférera le second.

c. La justesse

Même si la façon de l'orienter fait nécessairement question, l'égalité doit être corrigée pour pouvoir prétendre concrètement au statut de critère pour la justice. Cette idée d'une correction nécessaire est ce qui sépare justement l'égalité de l'équité, définie par Aristote comme un correctif de l'égalité (voir texte n° 8). La justice ne se définit donc qu'en aval des mathématiques, comme d'ailleurs elle se définit en aval de la loi : aucune loi donnée, à supposer que le droit positif soit source de justice, ne peut être appliquée telle quelle dans le jugement si l'on veut que le jugement fasse sens et soit juste.

La justice renvoie ainsi au problème du jugement. Il ne suffit pas en effet d'appliquer un critère (celui de l'égalité) ou une norme (celle du droit positif) pour être juste ; encore faut-il avoir cette disposition à la justice qui définit le juste. Si les règles ne suffisent pas pour juger, si les exemples quoique certes utilisés, ne sont que les « béquilles[1] » du jugement, c'est qu'il faut un don naturel, un talent particulier. Ainsi « le jugement est un don particulier qui ne peut pas du tout être appris, mais seulement exercé[2] ». Aristote évoquait déjà cette sagesse pratique qui n'est pas un résultat : « ce qu'on appelle enfin jugement, qualité d'après laquelle nous disons des gens qu'ils ont un bon jugement ou qu'ils ont du jugement, est la correcte discrimination de ce qui est équitable[3] ».

Ce qui est équitable n'est pas ce qui est égal, et juger, ce n'est pas appliquer un instrument mathématique d'égalité : le jugement du roi Salomon, qui pour départager deux mères potentielles d'un enfant, propose de le trancher en deux pour le donner à celle qui préfère renoncer, n'est pas pour rien le modèle de cette sagesse pratique[4] où Kant retrouve la notion de bon sens. Il ne suffit donc pas de raisonner pour juger : « tout le monde est capable de raisonner, fort peu de gens de juger[5] ». C'est au fond le juste qui fait la justice, parce qu'il a cette disposition à juger en fonction du bien,

1. Kant, *Critique de la Raison pure,* « Quadrige », Puf, 1984, p. 149.
2. Kant, *id.*, p. 148.
3. Aristote, *Éthique à Nicomaque*, VI, 2, 1143 a 18, Vrin, 1990, p. 303.
4. Ceux qui en voudraient d'autres exemples étudieront avec bonheur le gouvernement de Sancho Pança dans le second livre de *Don Quichotte*.
5. Schopenhauer, cité par Nietzsche, *Humain, trop humain*, I, « Folio »,Gallimard, 1988, p. 207.

disposition qui ne se déduit d'aucune règle. En ce sens, il faut pour conclure définir la justice comme justesse.

Textes

1. Platon

Comment définir une juste égalité ?

Il y a en effet deux égalités, qui portent le même nom mais en pratique s'opposent presque, sous bien des rapports ; l'une, toute cité et tout législateur arrivent à l'introduire dans les marques d'honneur, celle qui est égale selon la mesure, le poids et le nombre ; il suffit de la réaliser par le sort dans les distributions ; mais l'égalité la plus vraie et la plus excellente n'apparaît pas aussi facilement à tout le monde. Elle suppose le jugement de Zeus et vient rarement au secours des hommes, mais le rare secours qu'elle apporte aux cités ou même aux individus ne leur vaut que des biens ; au plus grand elle attribue davantage, au plus petit, moins, donnant à chacun en proportion de sa nature et, par exemple, aux mérites plus grands, de plus grands honneurs, tandis qu'à ceux qui sont à l'opposé pour la vertu et l'éducation, elle dispense leur dû suivant la même règle.

Platon, *Les lois*, 757 a, Les Belles Lettres, 1975, p. 116-117.

2. Hayek

La différence entraîne-t-elle nécessairement l'injustice ?

Il y a évidemment une grande différence entre un pouvoir à qui l'on demande de placer les citoyens dans des situations matérielles égales (ou moins inégales) et un pouvoir qui traite tous les citoyens selon les mêmes règles dans toutes les activités qu'il assume par ailleurs. Il peut en vérité surgir un conflit aigu entre ces deux objectifs. Comme les gens diffèrent les uns des autres en de nombreux attributs que le gouvernement en peut modifier, celui-ci serait obligé de traiter chacun fort différemment des autres pour que tous obtiennent la même situation matérielle. Il est incontestable que pour assurer une même position concrète à des individus extrêmement dissemblables par la vigueur, l'intelligence, le talent, le savoir et la persévérance, tout autant que par leur milieu physique et social, le pouvoir devrait forcément les traiter de façon très dissemblable pour compenser les désavantages et les manques auxquels il ne peut rien changer directement. Et d'autre part, la stricte égalité des prestations qu'un gouvernement pourrait fournir à tous dans cet ordre d'idées conduirait manifestement à l'inégalité des situations matérielles résultantes.

Hayek, *Droit, législation et liberté 2*, « Quadrige », Puf, 1995, p. 98-99.

3. Platon

[c'est le sophiste Calliclès qui parle]

Certes, ce sont les faibles, la masse des gens, qui établissent les lois, j'en suis sûr. C'est donc en fonction d'eux-mêmes et de leur intérêt personnel que les faibles font les lois, qu'ils attribuent des louanges, qu'ils répartissent des blâmes [...] Et quand on dit qu'il est injuste, qu'il est vilain, de vouloir avoir plus que la plupart des gens, on s'exprime en se référant à la loi. Or, au contraire, il est évident, selon moi, que la justice consiste en ce que le meilleur ait plus que le moins bon et le plus fort plus que le moins fort. Partout il en est ainsi, c'est ce que la nature enseigne, chez toutes les espèces animales, chez toutes les races humaines et dans toutes les cités ! Si le plus fort domine le moins fort et s'il est supérieur à lui, c'est là le signe que c'est juste.

Platon, *Gorgias*, 483 b, GF-Flammarion, 1987, p. 212-213.

4. Nietzsche

À quelles conditions le mot justice a-t-il un sens ?

Parler de justice et d'injustice *en soi* n'a point de sens ; une infraction, une violation, un dépouillement, une distinction en soi, ne pouvant être évidemment quelque chose d'« injuste », attendu que la vie procède *essentiellement*, c'est-à-dire dans ses fonctions élémentaires, par infraction, violation, dépouillement, destruction et qu'on ne saurait l'imaginer procédant autrement. Il faut même s'avouer quelque chose de plus grave encore : c'est que, au point de vue biologique le plus élevé, les conditions de vie par quoi s'exerce la protection légale, ne peuvent jamais être qu'exceptionnelles en tant qu'elles sont des restrictions partielles de la volonté de vie proprement dite qui tend à la domination, et qu'elles sont subordonnées à sa tendance générale sous forme de moyens particuliers, c'est-à-dire de moyens de créer des unités de domination toujours *plus grandes*.

Nietzsche, *Généalogie de la morale*, « Idées », Gallimard, 1964, p. 106.

5. Pascal

Il est juste que ce qui est juste soit suivi, il est nécessaire que ce qui est le plus fort soit suivi. La justice sans la force est impuissante : la force sans la justice est tyrannique. La justice sans force est contredite, parce qu'il y a toujours des méchants ; la force sans la justice est accusée. Il faut donc mettre ensemble la justice et la force ; et pour cela faire que ce qui est juste soit fort, ou que ce qui est fort soit juste. La justice est sujette à dispute, la force est très reconnaissable et sans dispute. Ainsi on n'a pu donner la force à la justice, parce que la force a contredit la justice et a dit qu'elle était injuste, et a dit que c'était elle qui était juste. Et ainsi ne pouvant faire que ce qui est juste fût fort, on a fait que ce qui est fort fût juste.

Pascal, *Pensées*, 298, GF-Flammarion, 1976, p. 137.

6. Hume

La justice vaut-elle au-delà du nécessaire ?

Que sont la fureur et la violence de la guerre, sinon une suspension de la justice entre parties belligérantes, qui perçoivent que cette vertu ne leur est plus d'aucune *utilité* ni d'aucun avantage ? Les lois de la guerre, qui succèdent alors à celles de l'équité et de la justice, sont des règles calculées pour l'avantage et l'utilité, dans l'état particulier où se trouvent à ce moment-là les hommes [...] Inversons, dans n'importe quelle circonstance significative, la situation des hommes, produisons l'extrême abondance ou l'extrême nécessité, implantons dans le cœur humain la modération parfaite et la parfaite humanité, ou bien la rapacité et la malice achevées : en rendant la justice totalement *inutile*, on en détruit totalement, par là même, l'essence, et l'on en suspend l'obligation pour l'humanité.

Hume, *Enquête sur les principes de la morale*, III, GF-Flammarion, 1991, p. 90.

7. Rawls

Je soutiendrai que les personnes placées dans la situation initiale choisiraient deux principes assez différents. Le premier exige l'égalité dans l'attribution des droits et des devoirs de base. Le second, lui, pose que des inégalités socio-économiques, prenons par exemple des inégalités de richesse et d'autorité, sont justes si et seulement si elles produisent, en compensation, des avantages pour chacun et, en particulier, pour les membres les plus désavantagés de la société. Ces principes excluent la justification d'institutions par l'argument selon lequel les épreuves endurées par certains peuvent être contrebalancées par un plus grand bien, au total. Il peut être opportun, dans certains cas, que certains possèdent moins afin que d'autres prospèrent, mais ceci n'est pas juste. Par contre, il n'y a pas d'injustice dans le fait qu'un petit nombre obtienne des avantages supérieurs à la moyenne, à condition que soit par là même améliorée la situation des moins favorisés. L'idée intuitive est la suivante : puisque le bien-être de chacun dépend d'un système de coopération sans lequel nul ne saurait avoir une existence satisfaisante, la répartition des avantages doit être telle qu'elle puisse entraîner la coopération volontaire de chaque participant, y compris des moins favorisés.

Rawls, *Théorie de la justice*. I, 3, « Points », Seuil, 1997, p. 41.

8. Aristote

La justice : l'égalité ou l'équité ?

Il y a donc bien identité du juste et de l'équitable, et tous deux sont bons, bien que l'équitable soit le meilleur des deux. Ce qui fait la difficulté, c'est que l'équitable, tout en étant juste, n'est pas le juste selon la loi, mais un correctif de la justice légale. La raison en est que la loi est toujours quelque chose de général, et qu'il y a des cas d'espèce pour lesquels il n'est pas possible de poser un énoncé général qui s'y applique avec rectitude. [...] On voit ainsi clairement ce qu'est l'équitable, que l'équitable est juste et qu'il est supérieur à une certaine sorte de juste. De là résulte nettement aussi la nature de l'homme équitable : celui qui a tendance à choisir et à accomplir les actions équitables et ne s'en tient pas rigoureusement à ses droits dans le sens du pire, mais qui a tendance à prendre moins que son dû, bien qu'il ait la loi de son côté, celui-là est un homme équitable, et cette disposition est l'équité, qui est une forme spéciale de la justice et non pas une disposition entièrement distincte.

Aristote, *Éthique à Nicomaque*, Vrin, 1990, p. 266-268.

9. Platon

En quoi les lois pourraient-elles être sacrées ?

T'imagines-tu qu'il y ait entre toi et nous égalité de droits, t'imagines-tu que ce que nous pouvons entreprendre de te faire, tu puisses, toi, en toute justice entreprendre de nous le faire en retour ? Quoi, tu serais égal en droit à ton père et à ton maître, si par hasard tu en avais un, et cela te permettrait de lui faire subir en retour ce qu'il t'aurait fait subir, de lui rendre injure pour injure, coup pour coup, etc. À l'égard de la cité et à l'égard des Lois, en revanche, cela te serait permis, de sorte que, si nous entreprenons de te faire périr parce que nous estimons que cela est juste, tu pourrais, toi, entreprendre, dans la mesure de tes moyens, de nous faire périr, nous, les Lois, et ta cité, et, en agissant de la sorte, tu pourrais dire que ce tu fais est juste, toi qui as de la vertu un souci véritable !

Platon, *Criton* 50e-51b, GF-Flammarion, 1997, p. 221.

Sujets approchés

La revendication du droit à la différence contredit-elle l'exigence d'égalité ?

La justice est-elle compatible avec l'efficacité ?

Dans quelles limites peut-on admettre un droit à la différence ?

Être égaux, est-ce être identiques ?

→ ***Approche commune*** **: ces sujets posent l'idéal de justice comme tiraillé entre deux exigences nécessaires mais difficiles à concilier : l'égalité et la différence. Peut-on établir l'égalité sans écraser la différence ? Peut-on respecter les différences sans déroger à l'égalité ?**

Être juste, est-ce faire comme les autres ?

En quel sens peut-on parler des droits de l'homme ?

Faut-il que le droit suive les mœurs ?

→ ***Approche commune*** **: ces sujets interrogent la position du droit entre deux impératifs : suivre l'évolution des faits (sous peine d'être obsolète) et leur résister (sous peine de ne plus être qu'une chambre d'enregistrement). Le droit n'est-il que la traduction des faits ou bien doit-il s'imposer à eux ?**

Le droit se fonde-t-il sur la réciprocité ?

Pourquoi obéir aux lois ?

Défendre ses droits, est-ce la même chose que défendre son intérêt ?

→ ***Approche commune*** **: Faut-il voir en la loi une règle inconditionnelle ou bien un moyen de défendre ou de conquérir des avantages ? La loi est-elle un moyen ou une fin ?**

Sujet esquissé : N'y a-t-il que ce qui est égal qui est juste ?

Introduction

L'origine étymologique grecque de la justice et l'opinion commune assimilent volontiers la justice à l'égalité. Doit-on pour autant faire de la recherche de l'égalité le souci exclusif de l'attitude de justice ? L'égalité renvoie ici en un sens à l'équivalence, c'est-à-dire à un calcul de valeurs qui introduit l'outil mathématique dans la recherche de la justice. Mais l'égalité aboutit aussi à l'identité des uns aux autres et fait alors fi des différences : doit-on fonder toute justice sur la recherche de l'égalité, au risque d'écraser les différences, ou bien sur la prise en compte des différences, au prix de l'égalité ?

Lignes directrices

1. L'égalité est la source de toute justice.

Dans l'égalité arithmétique prévaut le souci de la plus stricte égalité comme modèle de la justice. Mais une telle égalité court le risque de l'uniformisation, comprenant le divers qualitatif humain comme des quantités substituables (cf. cours II a et b). C'est donc la différence que cette conception ne prend pas en compte. Or serait-il juste de lever l'impôt en divisant la somme à obtenir par le nombre de contribuables ? Certaines égalités peuvent donc être injustes.

2. On peut trouver juste de promouvoir ou de défendre certaines inégalités.

La prise en compte de la différence justifie alors de corriger l'égalité pour la rendre plus juste ou moins injuste : c'est l'égalité géométrique (cf. cours II c), qui peut s'exercer selon diverses orientations. On peut ainsi donner volontairement plus au moins fort (comme dans la discrimination positive) ou plus au plus fort (comme dans l'idéologie libérale). À chaque fois, c'est la prise en compte de la différence qui justifie l'inégalité en l'assumant.

3. Ce qui est juste se définit alors moins par l'égal que par l'équitable. La justice ne se comprend plus alors comme égalité s'il faut entendre par là une stricte égalité mathématique, mais comme équité (voir le texte n° 8) : Aristote dit de l'équitable qu'il est supérieur à une certaine forme (la forme simplement mathématisable) du juste. Dans le domaine éthique, le respect, comme égalité dans la différence, nous donne un modèle de ce qui est juste.

L'État

Définir, Problématiser

Selon que l'État a affaire ou non à une société déjà assemblée et dont la cohérence ne fait pas question, son rôle et son ambition possible seront évidemment différents. Dans le premier cas, l'État fait figure d'institution politique par excellence : il porte et applique la recherche collective d'une fin collective, qu'il s'agisse de la liberté, de la justice, du bonheur, etc. Dans le second cas, l'État doit au contraire considérer sa propre existence institutionnelle comme un résultat fragile et en soi suffisant, qu'il s'agit de perpétuer faute d'une meilleure ambition possible. Ainsi, l'État doit-il rechercher le bonheur ou la vertu des individus, ou bien se contenter d'être ? Cette question est aussi celle de la part de la société qui échappe à l'extension de l'État : **l'État doit-il se soucier des moindres aspects de la vie de la société ou bien se contenter d'assurer la condition de possibilité du fonctionnement autonome de cette société ?**

L'État se définit comme autorité souveraine sur un peuple ou sur un territoire : il s'agit, quelle que soit son ambition, d'une structure, d'un système d'institutions. Qu'il s'agisse de permettre ou de normer, l'État voit nécessairement son autorité se dédoubler. En effet, son autorité est au premier sens politique, c'est-à-dire au sens de la détermination d'objectifs, de fins souhaitables ou au moins possibles. Mais en un second sens, cette autorité se présente aussi comme administrative, au sens de l'application et de la garantie d'une réglementation restrictive. Jusqu'à quel point le politique peut-il résister à l'effet de structure lié à la dimension administrative ? Le pouvoir de l'État n'a-t-il pas tendance à se spécialiser d'une façon qui n'est plus politique, comme administration et gestion ? La structure issue de cette spécialisation ne risque-t-elle pas, par son poids, d'étouffer toute autre fin possible ? **L'État n'est-il plus que structure ou peut-il encore être en mouvement ?**

Développer

I. L'État et sa portée

a. La légitimité de l'État

On comprend la répugnance de l'État à se comprendre comme issu d'une simple addition de volontés individuelles. Il en résulte un risque de soumission de la part de l'État au système prosaïque des besoins, crainte que le phénomène assez récent du sur-développement des échanges ne peut que nourrir : l'État ne risque-t-il pas alors de devenir l'esclave de l'évolution des égoïsmes ? C'est la raison pour laquelle Hegel considère que l'État procède d'autre chose (voir texte n° 2) : si en effet « on confond l'État avec la société civile et si on le destine à la sécurité et à la protection de la propriété et de la liberté personnelles, l'intérêt des individus en tant que tels est le but suprême en vue duquel ils sont rassemblés et il en résulte qu'il est facultatif d'être membre d'un État[1] ». Une telle position fonde ce que l'on appelle l'essentialisme politique, qui prête à l'État une essence qui transcende le contrat. L'étymologie alimente cette conception : le mot « État » est le substantif du verbe être. L'essentialisme affirme ainsi que l'État est ce qui est, ou, dans le vocabulaire hégélien, la réalité effective de l'idée morale. L'État repose alors sur un principe métaphysique qui transcende les volontés individuelles ou même seulement collectives. Le risque encouru est alors bien sûr de laisser ce décrochage entre l'État et les volontés dépasser, sans remède apparent, le seuil de la légitimité.

Le contrat représente une parade à ce risque : la légitimité de l'État est alors non plus transcendante, mais immanente aux co-contractants. Ce n'est plus une idée, mais les règles dont ces co-contractants ont convenu qui légitiment l'État. Ces limites posent la question de savoir ce qui peut advenir une fois qu'elles sont franchies : le viol du contrat par l'État autorise-t-il les citoyens à en sortir à leur tour et à se révolter ? Si la réponse à cette question est négative[2], alors le contractualisme endosse, par le biais de l'idée de souveraineté, la perpétuité transcendante qui caractérise l'essentialisme. Mais dans le cas contraire, les clauses du contrat mettent l'État, à des degrés divers selon le type de régime, à la merci de la volonté citoyenne.

Reste à déterminer comment celle-ci doit s'exprimer. La volonté générale (voir textes n° 3 et 4) suffit-elle à donner par elle-même à l'État sa dimension universelle ? Un écart subsiste entre le général et l'universel, tant que le général peut être relégué du côté de ce qui est simplement supra-individuel, sous la forme du collectif ou du majoritaire. Au contraire, Rousseau entend par volonté générale une volonté universelle qui transcende les individus, par opposition avec la simple accumulation des volontés qu'est ce qu'il appelle la volonté de tous : « il y a souvent bien de la différence entre la volonté de tous et la volonté générale ; celle-ci ne regarde qu'à l'intérêt commun, l'autre regarde à l'intérêt privé, et n'est qu'une somme de volontés par-

1. Hegel, *Principes de la Philosophie du Droit*, § 258, RQ, « Tel », Gallimard, 1940, p. 271.
2. Voir IIb, la question du droit de révolte.

ticulières[1] ». L'intérêt général n'est donc pas réductible à la somme arithmétique des intérêts particuliers : mais en même temps, quel sens aurait une définition de l'intérêt général qui ne rencontrerait aucun des intérêts particuliers ? Pour faire le bonheur de tous, faut-il ne faire le bonheur de personne ?

b. L'ambition de l'État

Le bonheur individuel ne relève pas nécessairement du rôle de l'État. Que ce rôle dérive ou non de l'expression populaire, il peut être conçu de diverses manières, selon une palette de rôles qui va de l'ambition minimale à l'ambition maximale.

L'État peut vouloir être minimal : le courant de pensée qui vise cet objectif est appelé le libéralisme. Ce courant met en son centre la notion de liberté individuelle ; il considère donc que les finalités possibles de l'existence comme la richesse, le bonheur, la vertu ou la paix relèvent strictement du choix individuel. L'État renonce ainsi à faire son affaire du bonheur individuel, mais se charge seulement de garantir les conditions de possibilité de l'épanouissement de la liberté individuelle. Sa mission essentielle consiste donc à prendre toutes les mesures propres à la garantir, ce qui fait qu'on retrouve souvent la sécurité au premier rang des obligations qu'il se donne. Dans le champ de l'économie, un État libéral s'interdira toute intervention, craignant de troubler le libre jeu de l'échange.

L'État libéral s'accompagne nécessairement d'un certain nombre d'inégalités de fait : les favorise-t-il pour autant délibérément ? C'est la notion d'égalité des chances qui doit y pourvoir, même si cette idée n'assure au mieux qu'une variabilité des situations mais en aucun cas la résolution de toutes les situations. L'égalité des chances ne compense donc pas l'inégalité des résultats, mais en rend la perspective plus supportable en montrant qu'elle est une fatalité collective mais pas nécessairement une fatalité individuelle. C'est au contraire en refusant l'inégalité des résultats que l'État peut se vouloir maximal, à partir de l'idée que la non-intervention est une forme de démission. Ainsi au contraire l'État maximal veut-il faire son affaire du bonheur individuel, qu'il s'agit de réaliser en l'incluant dans une fin collective. Lors de la reconstruction des nations européennes après 1945, l'État est ainsi devenu l'État-Providence, celui dont on attendait tout, qu'il restaure le minimum vital comme aussi des régimes de protection sociale et médicale. Encore faut-il admettre le risque d'interventionnisme ou de dirigisme que recouvre l'idée que chacun doit trouver son bonheur dans la fin collective proposée ou imposée.

c. L'État hybride

Lorsqu'il s'agit de protéger ou de promouvoir une fin, l'État peut-il recourir à la force ? Même si le rôle de l'État se limite à la protection des personnes et des biens, il faut pour cela pouvoir appliquer des règles et recourir à la force. L'usage de la force devient-il légitime du moment que c'est l'État qui l'emploie au nom du droit ? Cette

1. Rousseau, *Du Contrat social*, II, 3, GF-Flammarion, 2001, p. 68.

spécificité peut en tout cas faire figure de trait essentiel de l'État, que Max Weber analyse à partir de l'idée d'un monopole de la violence légitime (voir texte n° 7). Employer ici la notion de violence de préférence à celle de force, c'est franchir sciemment le seuil du droit. S'il y a une force du droit, ou même un droit de la force, la violence se définit précisément comme l'au-delà de ce seuil.

Même sans pousser le paradoxe jusqu'à son paroxysme, la question se pose de savoir comment l'État peut concilier le droit et la force. Quelle que soit la vulnérabilité du pouvoir à la tentation d'outrepasser le droit, le simple fait d'avoir à faire respecter le droit par la force et d'attenter aux libertés pour les garantir se présente comme une quasi-contradiction, comme Hayek le relève : le problème de l'ordre s'en trouvera réglé, mais « au moment où, pour ce faire, le pouvoir politique revendique avec succès le monopole de la contrainte et de la violence, il devient aussi la plus grande menace contre la liberté individuelle[1] ». C'est la nature hybride de l'État, dont Nietzsche dit par exemple qu'il est le plus froid des monstres froids. L'ambivalence fondamentale de l'État, qui est aussi celle de l'activité politique, est ici mise en évidence : les impératifs de justice et d'efficacité ne sont pas nécessairement exclusifs l'un de l'autre, même si leur mariage peut avoir de quoi surprendre.

Cette ambivalence ne recouvre rien d'autre que la disjonction du fait et de la valeur, trait caractéristique de l'analyse politique moderne. Puisque la seule mission concevable qui reste à la politique est d'assurer la condition de possibilité même de la communauté (et l'on sait à cet égard le poids, dans la réflexion de Machiavel (voir texte n° 1), de la désunion italienne comparée au modèle de l'État français émergent), alors seul compte l'efficacité dans cette recherche. La responsabilité du prince n'est autre que cette conservation de la communauté. Cet enjeu doit le contraindre à dépasser sa conscience morale, à la sacrifier pour apprendre à faire le mal plutôt que le bien si ce moyen se révèle plus efficace en vue de la fin dont la nécessité s'impose à lui : « un prince, et surtout un prince nouveau, ne peut observer toutes ces choses pour lesquelles les hommes sont tenus pour bons, étant souvent contraint, pour maintenir l'État, d'agir contre la foi, contre la charité, contre l'humanité, contre la religion[2] ». La nécessité de la préservation dévalorise la recherche de ce qui est moral : lorsque Hegel évoque « l'opposition de la morale et de la politique » et « l'exigence que la première commande à la seconde[3] », c'est pour rejeter ce débat d'opinion comme un faux débat. C'est que « le bien d'un État a une bien autre légitimité que le bien des individus et que la substance morale[4] ». Ainsi, vouloir opposer le point de vue moral au point de vue politique, c'est confondre deux exigences : l'exigence morale est reléguée du côté de ce que Hegel appelle la moralité subjective, alors même que la légitimité propre de l'État apparaît maintenant comme morale objective, rivale et supérieure.

1. Hayek, *Droit, Législation et Liberté*, 3, XVIII, « Quadrige », Puf, 1995, p. 153.
2. Machiavel, *op. cit*, chapitre 18, p160.
3. Hegel, *Principes de la philosophie du droit*, § 337, « Tel », Gallimard, 1940, p 363.
4. *Ibid.*

II. L'État de droit et les limites du pouvoir

Si l'exigence morale doit s'effacer devant les moyens nécessaires aux fins politiques, toute la tension de la question se reporte sur ces fins. Si la fin doit toujours justifier les moyens, encore faut-il que la fin soit légitime : et même à admettre que la seule fin possible de la politique soit la préservation de la communauté, ne peut-on soupçonner un pouvoir d'être en position de vouloir éventuellement d'autres fins ?

a. La raison d'État, l'exception ou la règle ?

L'expression de raison d'État est employée lorsque c'est l'État lui-même, dans la nécessité et la légitimité de son existence et de sa conservation, qui justifie ses propres actes : c'est le signe que la raison d'un acte ne doit plus être cherchée dans une moralité devenue extérieure, mais au sein même des exigences inhérentes à l'État. Du point de vue de l'éthique de responsabilité, la moralité d'une action s'évalue aux effets de cette action sur une fin légitime[1]. La formulation même de cet impératif de responsabilité et d'efficacité sous le nom générique d'éthique illustre la façon dont le renversement qui culmine chez Hegel fait de cette morale un impératif rival à celui de l'éthique de conviction. Pour cette dernière, tout repose sur le principe de l'action quels que soient ses effets. Si la raison d'État se présente comme une exception, elle ne représente finalement rien d'autre que l'adoption ponctuelle de l'éthique de responsabilité comme exception à une attitude qui privilégie de façon générale l'étique de conviction.

Mais il faut examiner la possibilité du contraire : si l'éthique de responsabilité prévaut toujours, alors l'immoralité ou le secret des moyens mis en œuvre dans l'action relève non plus de l'exception mais de l'habitude, du mode normal de l'action, même dans les cas qui ne requièrent pas nécessairement, pour être résolus, le recours à des moyens exceptionnels ou inavouables. La culture du secret est alors consubstantielle, par effet de système, aux institutions publiques, au point que même le recours à l'éthique de conviction ne serait plus qu'une ruse de l'éthique de responsabilité. Il existerait donc une logique intrinsèque au pouvoir, qui tend à abstraire celui-ci de toute référence morale, l'enfermant dans la seule sphère de l'efficacité : le pouvoir de l'État relève alors de l'ordre d'une technocratie qui se donne comme fin en soi (voir le texte n° 8). Mais aucune efficacité d'aucun pouvoir n'offre de garantie sur les fins de ce pouvoir : c'est donc l'ambiguïté même de la notion de pouvoir qui se trouve ici mise en cause.

b. Le droit de révolte

Si la fin inconditionnelle de l'activité politique se définit comme perpétuation de la communauté, il est alors à craindre que le droit de révolte ne soit incompatible avec cette exigence. Si en effet l'obéissance aux lois est nécessaire, et si elle se fonde non pas sur la qualité morale de ses lois prises une par une, mais sur l'effet d'ensemble du

---

1. Voir le chapitre sur le devoir.

système, effet qui n'est autre que la conservation, alors la possibilité de la révolte paraît exclue. Cette thèse n'est autre que la concrétisation du mouvement de glissement par lequel l'impératif d'efficacité s'est peu à peu substitué à l'impératif de moralité, reléguant ce dernier au rang de critère second. Descartes le reconnaît, qui semble excuser la sévérité des lois de Sparte du fait de l'efficacité de ses lois : « je crois que, si Sparte a été autrefois très florissante, ce n'a pas été à cause de la bonté de chacune de ses lois en particulier, vu que plusieurs étaient fort étranges, et même contraires aux bonnes mœurs, mais à cause que, n'ayant été inventées que par un seul, elles tendaient toutes à même fin[1] ».

La souveraineté est le principe qui donne à l'exercice du pouvoir sa légitimité : au-delà des personnes qui l'exercent, au-delà des types de régimes, la souveraineté a toujours été pensée, depuis l'apparition de cette notion chez le juriste Jean Bodin[2], comme absolue, perpétuelle et inaliénable. Les arguments employés par Kant, qui veut prohiber toute forme de révolte contre le pouvoir législatif (voir texte n° 5) se fondent de la même manière sur la nécessité d'une souveraineté pérenne. Ce qui marque cet enjeu, c'est le fait que Kant évoque l'impossibilité de se révolter non pas contre le pouvoir exécutif mais contre le pouvoir législatif, qui incarne la souveraineté. Le pouvoir exécutif n'est que l'agent (voir texte n° 5), et ce n'est certes pas cet agent, simple dépositaire passager, qu'il s'agit de protéger : c'est la souveraineté qui doit être continue, ne serait-ce que pour que l'on puisse, dans un cadre continu, changer de souverain. C'est dans le contexte de la république que Kant s'exprime, c'est-à-dire celui d'une séparation entre pouvoir exécutif et pouvoir législatif : le prix que Kant accorde à la pérennité de ce dernier est le signe que c'est la souveraineté qui en dernière analyse interdit la révolte.

L'analyse de Kant consiste à dire, que dans le cas où le pouvoir exécutif est sorti du cadre de ce contrat, le droit à la révolte n'en est pas acquis pour autant : il reste illégitime de répondre à la violence par la violence. La sortie de l'un des deux partenaires du cadre de l'accord initial rend-t-elle sa liberté aux partenaires contractuels ? La réponse négative de Kant repose sur le présupposé que le chef de l'État ne saurait vouloir le mal de ses sujets. Or, Hobbes et Locke ont eux, au contraire, voulu envisager cette hypothèse : « le peuple, les nobles et le roi peuvent pécher en diverses façons contre les lois de nature, comme en cruauté, en injustice, en outrages, et en s'adonnant à tels autres vices qui ne tombent point sous cette étroite signification d'injure[3] », fait valoir Hobbes, que justement Kant cite pour dénoncer les conséquences effrayantes, pour lui, de cette thèse. En réalité, cette conséquence n'est autre que l'ouverture de la possibilité d'une révolte légitime, la souveraineté étant alors transférée au peuple.

1. Descartes, *Discours de la Méthode*, II, GF-Flammarion, 1966, p. 42.
2. *Les six livres de la République*, 1576.
3. Hobbes, *Le citoyen*, VII, 14, GF-Flammarion, 1982, p. 174.

c. La séparation des pouvoirs

Le pouvoir peut-il rester dans les bornes que le droit lui assigne ? Le pouvoir commence lorsque, dans des groupes humains, un ou plusieurs individus ont la capacité effective de commander aux autres ou de s'en faire obéir : il n'y a donc de pouvoir que politique. Certaines circonstances manifestent de façon plus pure cette définition : le cadre d'une armée ou d'une guerre par exemple. Faut-il alors redouter, si le pouvoir militaire devient le paradigme, le prototype de tout pouvoir politique, qu'une certaine tendance du pouvoir le porte à désirer sa forme pure et à y tendre ? Ne faut-il pas alors redouter que les possibilités de révolte légitime de l'assujetti soient réduites à néant ? Il s'agit précisément pour Alain (« Disons donc que le pouvoir, dans le sens réel du mot, est essentiellement militaire[1] ») d'examiner les conditions sous lesquelles il est possible de faire échec à cette tendance présente en tout pouvoir. La forme pure vers laquelle le pouvoir semble devoir tendre échappe aux impératifs du droit. Le pouvoir n'est alors plus un moyen, mais une fin en soi : l'impératif de préservation s'est déplacé insensiblement de la souveraineté à son moyen. Sous le visage de la technocratie, c'est ce risque de la constitution d'une logique au pouvoir, détachée de l'impératif des fins et de la prise en compte du cadre de droit qu'Éric Weil examine.

Classiquement, ce péril est identifié à la concentration des pouvoirs. Montesquieu se propose de le montrer par le recours à l'exemple des républiques italiennes. C'est toujours lorsque les pouvoirs exécutif, législatif et judiciaire sont concentrés dans les mêmes mains, y compris quand il s'agit des mains du peuple, que le citoyen est menacé d'arbitraire. Puisqu'il est impossible de s'en remettre à la probité collective ou à la probité individuelle, la modération doit être recherchée dans le principe de la séparation des pouvoirs, que Montesquieu nomme distribution. « Pour qu'on ne puisse abuser du pouvoir, il faut que, par la disposition des choses, le pouvoir arrête le pouvoir[2] ». Au modèle italien de la concentration des pouvoirs s'oppose le modèle de la Constitution de l'Angleterre. C'est cette référence qui donne naissance à la célèbre théorie de la séparation des pouvoirs, séparation qui n'est pas indépendance, puisqu'il faut bien qu'en cas d'urgence par exemple, la puissance législative puisse « permettre à la puissance exécutrice de faire arrêter les citoyens suspects[3] ». Cet impératif montre qu'il s'agit moins, entre les pouvoirs, d'une division qui les séparerait que d'une distribution qui les rend distincts mais interdépendants. Cette distinction se ramène en définitive à une distinction entre faculté de statuer et faculté d'empêcher : la première se comprend comme « droit d'ordonner par soi-même, ou de corriger ce qui a été ordonné par un autre[4] » ; la seconde comme « droit de rendre nulle une résolution prise par quelque autre[5] ». Ainsi chaque pouvoir fournit-il

---

1. Alain, *Mars ou la guerre jugée*, Gallimard, 1936, chap. 78, p. 178
2. Montesquieu, *L'Esprit des lois*, IX, 4, GF-Flammarion, 1979, p. 293.
3. *Id.*, p. 296.
4. *Id.*, XI, 6, p. 298.
5. *Id.*, p. 299.

à un autre pouvoir sa parade, comme la presse est appelée le quatrième pouvoir depuis l'affaire du Watergate.

III. La démocratie en question

Il est d'usage de se représenter la démocratie libérale comme le meilleur (ou le moins mauvais) régime possible, et comme un aboutissement de l'histoire politique[1]. Pourtant, la prise en compte des critères que nous avons dégagés peut conduire à nuancer ce jugement : quel régime articule le plus idéalement État et Société ?

a. La question du meilleur régime

Il ne s'agit pas ici de dresser une typologie des régimes, mais d'examiner les critères des classifications possibles des formes d'États et de reconsidérer, le cas échéant, les mérites de la démocratie à la lumière de ces critères. Platon se livre à cet exercice dans le huitième livre de la *République*, et aboutit à une classification des formes imparfaites de la constitution politique. Il s'agit, dans l'ordre décroissant, de la timocratie (gouvernement de l'honneur), l'oligarchie (gouvernement de l'argent), la démocratie (gouvernement du peuple), et la tyrannie (gouvernement violent d'un seul). Chacune des trois dernières formes n'est autre qu'une dégradation de celle qui la précède, dégradation qui est liée à l'abus de ce qu'il s'était proposé comme un bien.

Ainsi la timocratie dégénère par excès de force, l'oligarchie par l'amour de l'argent, et la démocratie par excès de liberté. Y a-t-il trop de liberté en démocratie ? La liberté y dégénère-t-elle en licence ? On peut craindre que cette liberté ne soit concédée à des hommes qui n'en sauront pas restreindre l'usage qu'ils en feront : « quand un peuple se sent une soif insatiable de liberté lui dessécher la gorge et que, grâce à de mauvais serviteurs, il peut avaler avidement un breuvage de liberté qu'on n'a pas su couper avec mesure et qui est trop fort pour lui, alors, si les magistrats et les dirigeants ne se montrent pas extrêmement doux et coulants, en lui versant avec abondance cette liberté, il s'en prend à eux, les calomnie, les accuse et les traite de potentats, de rois et de tyrans[2] ». Le registre métaphorique de l'enivrement nous conduit ici à une régression à l'infini de la surenchère : la liberté qui est le socle de la démocratie la menace rapidement d'anarchie.

b. République et démocratie

Rousseau le souligne lui-même : il y a divers degrés de démocraties, selon la proportion de citoyens et de législateurs. « La Démocratie peut embrasser tout le peuple ou se resserrer jusqu'à la moitié[3] ». La participation du peuple en grand ou en très grand nombre renforce la difficulté et la fragilité de ce régime, qui serait plus approprié à des dieux. Dans sa forme même, le gouvernement démocratique ne manque en

1. C'est la base de la téléologie historique de Fukuyama dans *La Fin de l'Histoire et le dernier homme*.
2. Cicéron, *La République*, I, 63, Les Belles Lettres, 1989, p. 51.
3. Rousseau, *op. cit.*, III, 3, p. 104.

effet pas d'inconvénients : comment y comprendre la soumission des volontés particulières à la volonté générale ? Le modèle du suffrage majoritaire garantit-il la qualité et la justice de ce qui sort des urnes ? Toute idée est-elle bonne du moment qu'elle émane d'une majorité ? Il faut considérer ici que, de même qu'il y a des despotes éclairés, il doit bien aussi y avoir des démocrates dans l'erreur. Hayek identifie alors le problème sous-jacent qui n'est autre que celui de l'arbitraire, pour proclamer de façon un peu provocatrice que « si "démocratie" veut dire gouvernement par la volonté arbitraire de la majorité, je ne suis pas un démocrate[1]. »

La contrainte exercée par une majorité (qui peut avoir tort) sur une minorité (qui peut avoir raison) constitue ici une limite intéressante du modèle démocratique. Kant relève ainsi ce qu'il considère comme le destin despotique de toute démocratie, en ce qu'elle « fonde un pouvoir exécutif où tous décident au sujet d'un seul, et, si besoin est, également contre lui (qui par conséquent n'est pas d'accord), par suite une forme d'État où tous, qui ne sont pourtant pas tous, décident — ce qui met la volonté universelle en contradiction avec elle-même[2] ». Le critère au nom duquel la démocratie est ainsi critiquée est le critère républicain. Kant distingue en effet d'un côté des formes de gouvernement (autocratie, aristocratie et démocratie), et de l'autre côté des manières de gouverner : or il semble ici que même la séparation des pouvoirs ne protège pas la démocratie contre ce risque de contradiction interne.

L'analyse libérale de Hayek, dans une direction plus contemporaine, va peut-être plus loin encore. Il s'agit pour lui de dénoncer le glissement des démocraties actuelles vers le clientélisme catégoriel, ou vers ce qu'il appelle une démocratie de marchandages. La règle de la majorité a en effet à ses yeux ceci de pervers qu'elle ne peut que se trahir. Il est en effet rapidement impossible à un gouvernement « de se cantonner dans le service des visées qui ont l'accord formel d'une majorité d'électeurs. Il est constamment obligé d'assembler et maintenir unie une majorité, en accédant aux demandes d'une multitude d'intérêts sectoriels[3]. » Ainsi l'exigence de perpétuation de l'État et l'exigence de justice rentrent-elles de façon frontale en contradiction dans les démocraties parlementaires, toute majorité ne pouvant rester cohérente, d'après cette analyse, qu'au prix d'une plongée à peu près inévitable vers le privilège.

c. Démocratie : forme ou critère ?

Sans qu'il soit nécessaire d'en adopter la radicalité, cette analyse peut être retenue en ce qu'elle rencontre la mauvaise image qui est celle de la démocratie contemporaine, précisément accusée de ne jamais rester assez démocratique. Nous avons manifestement affaire ici à une dissociation d'une certaine image idéale par rapport à la réalité, ce qui est d'ailleurs bien le présupposé de l'analyse de Hayek : « le mot de démocratie, bien que nous l'utilisions tous, a cessé d'exprimer une conception déterminée[4] ». L'idéal et la réalité ne coïncident plus.

1. Hayek, *op. cit.*, p. 47.
2. Kant, *Vers la paix perpétuelle*, GF-Flammarion, 1991, p. 87.
3. Hayek, *op. cit.*, p. 118.
4. *Id.*, p. 47.

Insensiblement, l'usage idéal du terme consolide le déplacement de son sens. La valeur de l'idéal démocratique est en effet une valeur négative, au sens où la démocratie peut être pensée comme un seuil de sauvegarde contre la tyrannie ou le despotisme par la vertu. Ainsi, plutôt qu'une forme de gouvernement, la démocratie serait devenue ce que Kant appelait une manière de gouverner : ainsi une monarchie constitutionnelle est peut-être plus proche, moralement, de cet idéal démocratique (alors que techniquement elle n'est pas une démocratie) que les démocraties populaires de l'ex-bloc de l'Est, qui pouvaient en porter le nom tout en étant dépourvues de cet esprit.

Textes

1. Machiavel

Comment le prince doit-il gouverner ?

Combien il serait louable chez un prince de tenir sa parole et de vivre avec droiture et non avec ruse, chacun le comprend : toutefois, on voit par expérience, de nos jours, que tels princes ont fait de grandes choses qui de leur parole ont tenu peu de compte, et qui ont su par ruse manœuvrer la cervelle des gens ; et à la fin ils ont dominé ceux qui se sont fondés sur la loyauté. Vous devez donc savoir qu'il y a deux manières de combattre : l'une avec les lois, l'autre avec la force ; la première est propre à l'homme, la seconde est celle des bêtes ; mais comme la première très souvent, ne suffit pas, il convient de recourir à la seconde. Aussi est-il nécessaire à un prince de savoir bien user de la bête et de l'homme. Puis donc qu'un prince est obligé de savoir bien user de la bête, il doit parmi elles prendre le renard et le lion, car le lion ne se défend pas des rets, le renard ne se défend pas des loups. Il faut donc être renard pour connaître les rets et lion pour effrayer les loups. Ceux qui s'en tiennent simplement au lion n'y entendent rien. Un souverain prudent, par conséquent, ne peut ni ne doit observer sa foi quand une telle observance tournerait contre lui, et que sont éteintes les raisons qui le firent promettre. Et si les hommes étaient tous bons, ce précepte ne serait pas bon ; mais comme ils sont méchants et ne te l'observeraient pas à toi, toi non plus tu n'as pas à l'observer avec eux.

Machiavel, *Le Prince*, XVIII, GF-Flammarion, 1980, p. 159.

2. Hegel

En quoi l'État diffère-t-il de la société civile ?

L'État est la réalité en acte de l'Idée morale et objective — l'esprit moral comme volonté substantielle révélée, claire à soi-même, qui se connaît et se pense et accomplit ce qu'elle sait et parce qu'elle sait [...] L'État, comme réalité en acte de la volonté substantielle, réalité qu'elle reçoit dans la conscience particulière de soi universalisée, est le rationnel en soi et pour soi : cette unité substantielle est un but propre absolu, immobile, dans lequel la liberté obtient sa valeur suprême, et ainsi ce but final a un droit souverain vis-à-vis des individus, dont le plus haut devoir est d'être membres de l'État. Si on confond l'État avec la société civile et si on le destine à la sécurité et à la protection de la propriété et de la liberté personnelles, l'intérêt des individus en tant que tels est le but suprême en vue duquel ils sont rassemblés et il en résulte qu'il est facultatif d'être membre d'un État.

Hegel, *Principes de la Philosophie du Droit*, § 257-258, « Tel », Gallimard, 1940, p. 270-271.

3. Hobbes

Existe-t-il une volonté générale ?

La seule façon d'ériger un tel pouvoir commun, apte à défendre les gens de l'attaque des étrangers, et des torts qu'ils pourraient se faire les uns aux autres, et ainsi à les protéger de telle sorte que par leur industrie et par les productions de la terre, ils puissent se nourrir et vivre satisfaits, c'est de confier tout leur pouvoir et toute leur force à un seul homme, ou à une seule assemblée, qui puisse réduire toutes leurs volontés, par la règle de la majorité, en une seule volonté. Cela revient à dire : désigner un homme, ou une assemblée, pour assumer leur personnalité ; et que chacun s'avoue et se reconnaisse comme l'auteur de tout ce qu'aura fait ou fait faire, quant aux choses qui concernent la paix et la sécurité commune, celui qui a ainsi assumé leur personnalité, que chacun par conséquent soumette sa volonté et son jugement à la volonté et au jugement de cet homme ou de cette assemblée. Cela va plus loin que le consensus, ou concorde : il s'agit d'une unité réelle de tous en une seule et même personne, unité réalisée par une convention de chacun avec chacun passée de telle sorte que c'est comme si chacun disait à chacun : *j'autorise cet homme ou cette assemblée, et je lui abandonne mon droit de me gouverner moi-même, à cette condition que tu lui abandonnes ton droit et que tu autorises toutes ses actions de la même manière*. Cela fait, la multitude ainsi unie en une seule personne est appelée une RÉPUBLIQUE.

Hobbes, *Leviathan*, Sirey, 1971, p. 177

4. Rousseau

Il y aura toujours une grande différence entre soumettre une multitude, et régir une société. Que des hommes épars soient successivement asservis à un seul, en quelque nombre qu'ils puissent être, je ne vois là qu'un maître et des esclaves, je n'y vois point un peuple et son chef ; c'est si l'on veut une agrégation, mais non pas une association ; il n'y a là ni bien public ni corps politique. [...] Un peuple, dit Grotius, peut se donner un roi. Selon Grotius un peuple est donc un peuple avant de se donner à un roi. Ce don même est un acte civil, il suppose une délibération publique. Avant donc que d'examiner l'acte par lequel un peuple élit un roi, il serait bon d'examiner l'acte par lequel un peuple est un peuple. Car cet acte étant nécessairement antérieur à l'autre est le vrai fondement de la société. En effet, s'il n'y avait point de convention antérieure, où serait, à moins que l'élection ne fût unanime, l'obligation pour le petit nombre de se soumettre au choix du grand, et d'où cent qui veulent un maître ont-ils le droit de voter pour dix qui n'en veulent point ?

Rousseau, *Du Contrat social*, I, 5, GF-Flammarion, 2001, p. 55.

5. Kant

A-t-on le droit de se révolter ?

Toute opposition au pouvoir législatif suprême, toute révolte destinée à traduire en actes le mécontentement des sujets, tout soulèvement qui éclate en rébellion est, dans une république, le crime le plus grave et le plus condamnable, car il en ruine le fondement même. Et cette interdiction est inconditionnelle, au point que quand bien même ce pouvoir ou son agent, le chef de l'État, ont violé jusqu'au contrat originaire et se sont par là destitués, aux yeux du sujet, de leur droit à être législateurs, puisqu'ils ont donné licence au gouvernement de procéder de manière tout à fait violente (tyrannique), il n'en demeure pas moins qu'il n'est absolument pas permis au sujet de résister en opposant la violence à la violence. En voici la raison : c'est que, dans une constitution civile déjà existante, le peuple n'a plus le droit de continuer à statuer sur la façon dont cette constitution doit être gouvernée. Car, supposé qu'il en ait le droit, et justement le droit de s'opposer à la décision du chef réel de l'État, qui doit décider de quel côté est le droit ? Ce ne peut être aucun des deux, car il serait juge dans sa propre cause. Il faudrait donc qu'il y eût un chef au-dessus du chef pour trancher entre ce dernier et le peuple, ce qui se contredit.

Kant, *Théorie et pratique*, Vrin, 1967, p. 42.

6. Aristote

L'État est-il en charge du bonheur individuel ?

Mais devons-nous dire que le bonheur d'un État est le même que celui de l'homme individuel, ou qu'il n'est pas le même ? C'est ce qui reste à discuter. Mais ce point également est clair, car tout le monde s'accordera à reconnaître qu'il y a identité. Ceux qui placent, en effet, dans la richesse la vie heureuse pour l'individu, attribuent aussi la félicité à l'État pis dans son entier si cet État est lui-même riche ; et ceux qui prisent par-dessus tout la vie de type tyrannique diront aussi que l'État le plus heureux est celui qui étend sa domination sur le plus grand nombre de peuples ; si, enfin, on admet que l'individu est heureux par sa vertu, on dira également qu'un État plus vertueux est aussi plus heureux. Mais il y a dès lors deux questions qui requièrent examen : la première, c'est de savoir quel mode de vie est plus désirable, la vie du citoyen engagé dans les affaires publiques et y prenant une part active, ou plutôt la vie que mènerait un étranger et affranchie de tout lien de société ; vient ensuite la question de savoir quelle constitution, quelle manière d'être d'un État, doit être reconnue comme étant la meilleure, soit qu'on juge désirable que tous sans exception participent aux affaires de la cité, ou qu'on préfère en écarter quelques individus et y admettre la majorité seulement.

Aristote, *La politique*, VII, 2, Vrin, 1982, p. 472.

7. Weber

« Tout État est fondé sur la force », disait un jour Trotski à Brest-Litovsk. En effet, cela est vrai ; S'il n'existait que des structures sociales d'où toute violence serait absente, le concept d'État aurait alors disparu et il ne subsisterait que ce qu'on appelle, au sens propre du terme, l'« anarchie ». La violence n'est évidemment pas l'unique moyen normal de l'État — cela ne fait aucun doute —, mais elle est son moyen spécifique. De nos jours la relation entre État et violence est tout particulièrement intime. Depuis toujours les groupements politiques les plus divers — à commencer par la parentèle — ont tous tenu la violence physique pour le moyen normal du pouvoir. Par contre il faut concevoir l'état contemporain comme une communauté humaine qui, dans les limites d'un territoire déterminé — la notion de territoire étant une de ses caractéristiques —, revendique avec succès pour son propre compte *le monopole de la violence physique légitime.*

Weber, *Le savant et le politique*, 10/18, 1963, p. 124-125.

8. Weil

L'État, outil ou structure ?

L'incompétence et l'inefficacité ne constituent pas les seules tares toujours à craindre. Le danger n'est pas moins grand d'une compétence qui ne connaît pas ses propres limites et d'une efficacité qui devient but pour elle-même. Ce qui selon la propre technique de l'administration est commode n'est pas régulièrement — ou même d'ordinaire — préférable pour la communauté-société et l'État, et l'efficacité de l'administration entre facilement en conflit avec celle de la société quand, se concentrant sur la qualité de son propre travail, elle néglige les conditions requises pour rendre fertile le travail de ceux qu'elle administre. Toute administration est menacée de sclérose et de formalisme ; quand elle échappe au contrôle du gouvernement et entraîne celui-ci, comme un organe maladivement grossi fausse l'équilibre du corps entier, il y a une forte chance que l'initiative de ceux qui travaillent et organisent le travail sur le plan de la société cessera de produire ses effets, puisque chacun se trouvera enchaîné par des règlements qui ne servent qu'au confort de l'administration.

Weil, *Philosophie politique*, Vrin, 1996, p. 152-153.

Sujets approchés

Peut-on tout attendre de l'État ?

L'État vise-t-il le bonheur des individus ?

L'État ne sert-il qu'à empêcher le plus fort de régner ?

La politique n'est-elle que l'expression de l'économie ?

→ ***Approche commune*** **: L'État doit-il faire son affaire du bonheur individuel, au risque d'étouffer l'économie par ses interventions, ou bien au contraire doit-il se contenter d'en garantir les conditions de possibilité, au risque de ratifier les inégalités économiques ?**

La politique n'est-elle que l'art de capter les passions ?
La propagande politique est-elle un obstacle à l'exercice de la démocratie ?
Que vaut, en politique, la règle de la majorité ?
L'opinion peut-elle être le guide du pouvoir politique ?
Le gouvernement par le peuple signifie-t-il nécessairement la liberté ?

→ ***Approche commune* : Ces sujets interrogent la démocratie pour revenir sur une idée reçue qui en fait le meilleur régime politique possible. La démocratie est-elle le règne du peuple ou la tyrannie de l'opinion ?**

L'usage du mot raison dans la raison d'État se justifie-t-il ?
L'union de la force et du droit est-elle contre nature ?
La justice est-elle compatible avec l'efficacité ?

→ ***Approche commune* : L'État est-il contraint de se contenter de se maintenir ou bien doit-il viser le bien commun en un sens moral ? Quelle mission de l'État doit primer : l'efficacité ou la justice ?**

Faut-il préférer la révolte à la résignation ?
La politique doit-elle être subordonnée au droit ?
L'ordre politique exclut-il la violence ?

→ ***Approche commune* : La politique est-elle une zone de non-droit, d'exception au droit, qui donne à l'État le privilège de la violence légitime, ou bien au contraire la position de l'État lui donne-t-elle un devoir moral de modèle ? L'exigence d'efficacité de l'État transcende-t-elle son devoir de justice ?**

Sujet esquissé : L'État est-il chargé du bonheur des individus ?

Introduction

Il y a déjà vingt ans qu'une majorité politique française ne s'est plus proposé explicitement de changer la vie, comme si cette virtualité devait dorénavant être reléguée du côté de l'idéal utopique. Mais dans le même temps, les revendications catégorielles qui défendent les avantages acquis ne désarment pas. La question de savoir si la charge de l'État inclut le bonheur individuel pose la question de la vocation de l'État et de l'extension de son rôle : ce rôle est-il outrepassé si l'État doit garantir le bonheur de chacun, ou bien au contraire l'abandon de cette ambition marquerait-il un échec de l'État ? Le bonheur est-il une affaire privée ou une affaire publique ?

Lignes directrices

1. Si l'État doit se préoccuper du bonheur, ce n'est pas de celui de chacun individuellement : le bonheur collectif auquel l'État doit s'atteler est une figure de l'interprète général. On peut se référer à la distinction de Rousseau entre la volonté générale et la volonté de tous, simple agrégation des volontés particulières (voir textes 3 et 4). En pratique démocratique, satisfaire la majorité peut revenir à brimer la minorité. Il paraît donc difficile d'envisager de satisfaire tout le monde à la fois, le bonheur commun que l'État peut viser se comprend ainsi dans une perspective holiste plutôt qu'individualiste.

2. L'État doit prendre à sa charge la question du bonheur individuel. Ainsi Aristote identifiait-il le bonheur de l'État et celui des individus, dispensant d'avance l'État de viser toute autre fin. Le dirigisme économique et politique (cf. cours I b) peut être appelé à l'appui de cette thèse. Refusant de ratifier l'inégalité des résultats du marché, l'État entend assurer le bonheur de chacun en intervenant dans l'économie et la vie privée, quitte à ce que cela l'amène à réaliser mon bonheur contre mon gré : le bonheur de chacun ne risque-t-il pas en effet de consister en quelque chose de différent ?

3. L'État n'a pas à se mêler de la question du bonheur individuel, parce que cette question précisément relève de chaque individu. L'État qui raisonne ainsi est l'État libéral, qui met en son centre l'idée de liberté individuelle et qui se contente de garantir les conditions de possibilité par chacun de son bonheur. Le bonheur n'est plus quelque chose de public (voir le texte n° 6), mais quelque chose de privé.

La liberté

Définir, Problématiser

Chacun a tôt fait de remarquer (pour les déplorer) les limites de sa liberté, et d'épingler la contradiction inhérente à l'idée de liberté : d'un côté, en théorie, la liberté est ce qui me permet de faire ce que je veux, et m'ouvre l'infinité des possibles : il n'est de liberté qu'absolue. Mais cette conception courante de la liberté, d'après laquelle être libre, c'est faire ce que je veux, ce qui me plaît, s'avère rapidement insatisfaisante : la liberté est souvent comprise comme liberté du n'importe quoi. Or en pratique la liberté admet des obstacles, des limites, et on ne peut comprendre la liberté que dans le cadre du rapport à ses limites, à ses contraires : d'absolue, la liberté devient à présent relative, quitte à ce que l'idée d'une liberté limitée apparaisse comme une contradiction dans les termes. **La liberté est-elle absolue ou relative ?**

La liberté s'oppose d'abord à la détermination, et l'homme est au cœur de cette opposition : on peut le comprendre en effet comme déterminé à la fois par des lois naturelles qui le dominent (ses besoins, sa finitude) et par des règles culturelles qui le brident (lois civiles, morales, etc.). Le déterminisme analyse tous les phénomènes d'une série en les réduisant à des lois, à des relations de cause à effet. Il paraît donc incompatible avec la liberté, qui consiste à être soi-même la cause de ses actes. L'homme paraît donc inscriptible au sein d'un déterminisme, ce qui prendrait à revers la conception courante qui fait de la liberté l'essence de l'homme. L'homme est-il vraiment libre, ou bien ce que nous appelons la liberté n'est-elle que notre refus d'un déterminisme que nous n'admettons pas ? **Les hommes sont-ils fondamentalement libres ou déterminés ?**

La liberté se heurte donc à des butoirs, qu'ils soient biologiques ou dérivés de la vie en société. On peut alors se demander ici si la liberté est autre chose qu'une belle abstraction : que signifie encore cette notion si l'on est handicapé, prisonnier, pauvre ? la liberté est-elle de droit ou de fait, est-elle un concept théorique ou pratique ? La question se pose surtout si les contraintes sociales et morales dont la société fourmille sont une entrave à la liberté ; mais ne peut-on au contraire les comprendre comme ce dont la liberté se nourrit ? La liberté est-elle un droit absolu immédiat, ou est-elle au contraire quelque chose à conquérir, à mériter et à cultiver ? **Est-elle quelque chose de donné, ou faut-il la construire ?**

Développer

I. La liberté comme pouvoir de se déterminer

a. Le libre arbitre

La tradition moderne issue du recommencement cartésien entend la liberté comme libre arbitre, c'est-à-dire comme une liberté de la volonté. Il n'est de liberté que de la volonté, mais cette liberté de la volonté se présente comme une donnée évidente et absolue. De fait, « la liberté de notre volonté se connaît sans preuves, par la seule expérience que nous en avons[1] ». Le problème de la liberté est ainsi indexé sur celui de la volonté : je suis aussi libre qu'il y a d'objets possibles de la volonté. Or je peux tout vouloir, au sens où l'étendue des objets possibles de la volonté est infinie. C'est au point que ma liberté est en quelque manière rivale de la liberté divine : « il n'y a que la seule volonté, que j'expérimente en moi être si grande, que je ne conçois point l'idée d'aucune autre plus ample et plus étendue[2] ».

Si la liberté consiste à porter sa volonté sur un objet plutôt qu'un autre, la décision en devient le prototype : elle en est par excellence le modèle et la preuve. Mais la décision se révèle, en même temps qu'une preuve, comme une épreuve pour la liberté. En effet, tout choix a ceci de cruel qu'il consiste avant tout à exclure : choisir, c'est d'abord dire non, c'est renoncer. Il faudrait, pour pouvoir décider, connaître les effets de chaque possible : « le meilleur projet pour un individu est celui qu'il adopterait s'il possédait une information complète[3] ». Mais nous n'en avons pas le temps : à chaque décision son délai, faute de quoi la vie choisira pour nous. C'est ce qu'éprouve Descartes au moment de refonder la morale : « comme ce n'est pas assez, avant de commencer à rebâtir le logis où l'on demeure, que de l'abattre [...] mais qu'il faut aussi s'être pourvu de quelque autre, où on puisse être logé commodément pendant le temps qu'on y travaillera[4] », l'urgence du réel le contraint à adopter une morale par provision, que l'absence de théorie ultérieure de la morale transforme en provisoire définitif : et combien de provisoire qui dure conservons-nous ainsi dans nos vies ?

Puisqu'enfin ma liberté s'exerce (au double sens où elle s'entraîne et où elle s'applique) à proportion que je fais des choix, il faut conclure que ma liberté s'use d'autant plus que je ne m'en sers pas, et que je dois l'exercer. Or il est si souvent plus confortable de ne pas choisir, de se réfugier dans l'indifférence. Suis-je encore libre quand je ne choisis pas ? Descartes répond que « cette indifférence que je sens, lorsque je ne suis point emporté d'un côté plutôt que vers un autre par le poids d'au-

1. Descartes, *Les Principes de la Philosophie*, § 39, Garnier, tome 3, 1973, p. 114.
2. Descartes, *Méditations métaphysiques*, IV, GF-Flammarion, 1979, p. 139.
3. Rawls, *Théorie de la Justice*, § 63, « Points », Seuil, 1987, p. 458.
4. Descartes, *Discours de la Méthode*, III, GF-Flammarion, 1966, p. 51.

cune raison, est le plus bas degré de la liberté[1] » : en rigueur, je suis libre de ne pas exercer ma liberté, mais je n'ai vraiment le choix que quand j'accepte de choisir. On connaît la fable de l'âne de Buridan, affamé et assoiffé, qui meurt faute d'arriver à choisir entre commencer par l'avoine ou par l'eau. Le paradoxe qui apparaît ici est que, quoique libre, je dois choisir, et que je suis donc, d'une certaine façon, selon la célèbre formule de Sartre, « condamné à être libre », au sens où « nous ne sommes pas libres de cesser d'être libres[2] ». La liberté, comme évidence absolue, renvoie ainsi à l'angoisse qui me saisit devant le poids et l'infini des possibles, devant la difficulté d'assumer ma liberté.

b. Le problème de la volonté

C'est que la liberté de la volonté doit affronter l'infini des possibles. Si elle ne veut pas se laisser déterminer, elle peut aller, pour faire la preuve de son absoluité, jusqu'à la gratuité : l'acte gratuit, sans raison ni justification possible. C'est l'acte que commet Lafcadio de Baraglioul, le héros des *Caves du Vatican* de Gide, qui jette hors du train un vieil homme qu'il ne connaît pas. Comme le disait Nietzsche, « le criminel sera donc puni pour avoir fait usage de son libre arbitre, c'est-à-dire parce qu'il aura agi sans motif là où il aurait dû agir pour quelque motif[3] ». La volonté veut ici montrer, dans la gratuité de l'acte, son absolue indétermination : mais comment peut-elle alors se déterminer, si toutes les raisons apparaissent comme autant de déterminations ? L'angoisse de la liberté, c'est bien justement que tout soit possible, y compris l'absurde. C'est l'ambiguïté du vertige, qui est à la fois peur de tomber et envie de tomber, non point par esprit suicidaire, mais parce que finalement même la peur de souffrir et de mourir ne m'empêche pas d'éprouver la possibilité de sauter comme ouverte pour ma liberté.

Sur quoi la volonté peut-elle bien se porter ? Pour Platon, seulement et nécessairement sur le bien, puisque nul n'est méchant volontairement. Voilà qui désamorce le problème de la compatibilité entre ma liberté et celle des autres : nos libertés convergent, puisque nous ne voulons jamais tous que le bien. Certes, il y a le cynisme, mais il peut être déniaisé en « truisme misanthropique », comme disait Jankélévitch : « celui-là même qui veut le mal veut le mal comme un bien [...] le cynisme le plus diabolique, qui croit vouloir le mal gratuitement et parce que c'est le mal [...] apparaît comme un vertuisme désenchanté, devenu sacrilège par dépit[4] ». Si le cynisme n'est que le dépit amoureux de la vertu, vouloir et vouloir le bien sont une seule et même chose. Finalement, la possibilité de préférer le mal au bien n'existe qu'au titre d'une virtualité théorique qui ne peut être choisie que par provocation : « lorsqu'une raison très évidente nous porte d'un côté, bien que, moralement parlant, nous ne

1. Descartes, *Méditations métaphysiques*, IV, GF-Flammarion, 1979, p. 139.
2. Sartre, *L'Être et le Néant*, « Tel », Gallimard, 1943, p. 494.
3. Nietzsche, *Humain, trop humain*, tome 2, § 23, « Folio-Essais »,Gallimard, 1988, p. 191.
4. Jankélévitch, *Le Sérieux de l'Intention*, Champs-Flammarion, 1983, p. 44.

puissions guère choisir le parti contraire, absolument parlant, néanmoins, nous le pouvons[1] ».

Pourtant, force est de constater que la liberté n'est devenue un problème philosophique à part entière qu'à partir du moment où l'anthropologie politique a admis que la volonté pouvait être volonté du mal. Ainsi Machiavel justifie-t-il les mensonges du prince par la nature humaine : « et si les hommes étaient tous bons, ce précepte ne serait pas bon ; mais comme ils sont méchants et ne te l'observeraient pas à toi, toi non plus tu n'as pas à l'observer avec eux[2] ». La volonté peut vouloir n'importe quoi, y compris le mal. Certes, vouloir le mal pour le mal serait diabolique[3] : mais n'y a-t-il pas que nous qui puissions l'être ? N'y a-t-il pas qu'à l'homme que revient le sinistre privilège de pouvoir être inhumain ?

c. La liberté en actes

La liberté de la volonté doit faire face à une seconde limite : c'est celle de l'acte. En effet, à bien lire une formule cartésienne telle que « il suffit de bien juger pour bien faire[4] », force est de remarquer que la question de l'accomplissement y apparaît comme une formalité secondaire indigne d'intérêt. Or, l'acte ne saurait se réduire à l'intention : il admet aussi la dimension du résultat. C'est que l'effectuation n'est jamais une formalité, et que l'habitude ne banalise jamais jusqu'au bout l'accomplissement. Comme le disait René Char, « l'acte est toujours vierge, même répété[5] ». Or c'est bien cet accomplissement que la tradition classique semble avoir relégué au second plan, alors qu'« entre l'intention et l'acte, il y a l'abîme de l'effort personnel, et nul autre que moi ne peut le franchir à ma place[6] ». Ainsi « la décision d'agir n'enveloppe pas (même en puissance) l'exécution[7] ». Pas question de dire que l'intention vaut l'action, ni de dire, une fois qu'il en est (facilement) jugé : c'est comme si c'était fait !

On dit pourtant bien souvent que c'est l'intention qui compte, et on le dit pour dédouaner de son piteux résultat l'action de l'autre. Pourtant, si je peux pouvoir revendiquer pour moi le bénéfice de mes résultats, c'est que je veux être reconnu comme en étant la cause. Et ceci ne peut manquer de me rendre responsable de mes résultats, même (et peut-être surtout) quand ils sont très loin de nos intentions. Car l'acte « est encore le succès qui déteint rétroactivement sur l'intention, sans être seulement ce qui résulte en fait de l'intention à titre de post-scriptum ou de conséquence[8] ». Le caractère involontaire d'un homicide est peut-être une circonstance atténuante, mais il n'en demeure pas moins un crime, quand bien même il n'aurait pas été voulu. Il ne s'agit pas pour autant de tomber dans le piège de l'obsession de l'im-

1. Descartes, *Lettre au Père Mesland du 9 février 1645*, Garnier, tome 3, 1973, p. 552.
2. Machiavel, *Le Prince*, XVIII, GF-Flammarion, 1980, p. 160.
3. C'est la thèse kantienne dans *La Religion dans les limites de la simple raison*.
4. Descartes, *Discours de la Méthode*, III, GF-Flammarion, 1966, p. 55.
5. René Char, *Seuls demeurent*, « La Pléiade », 1983, p. 155.
6. Jankélévitch, *op. cit.*, p. 187.
7. *Ibid.*
8. *Id.*, p. 197.

putabilité, comme si ce qui nous arrivait mettait toujours en jeu la responsabilité de quelqu'un (c'est pourtant bien un trait du juridisme contemporain) : cette conception ne sert pas davantage la cause de la liberté que la mythologie de l'intention.

II. Liberté et déterminisme

a. La liberté comme illusion

L'intellectualisme de la conception du libre arbitre absolutise la volonté et met hors-jeu les déterminations. Mais si l'on se place du point de vue de ces dernières, le libre arbitre peut aussi bien être une pure illusion. C'est la thèse qui accompagne le déterminisme naturaliste de Spinoza : comme la nature est par définition la dimension dont la liberté est absente, on peut aller jusqu'à réfuter purement et simplement le libre arbitre à condition de supposer que tout est nature. Ainsi, « les hommes se croient libres pour cette seule cause qu'ils sont conscients de leurs actions et ignorants des causes par où ils sont déterminés[1] ». Sous prétexte que je me vois agir, j'induis à tort que je suis la cause de mes actes, refusant ainsi la vérité dérangeante du déterminisme : le libre arbitre relève alors typiquement de l'illusion, parce qu'il est investi de notre désir : il est tout de même plus gratifiant de pouvoir revendiquer pour soi le résultat de ses propres actes.

C'est bien l'orgueil humain qui est en cause : pour Nietzsche par exemple, l'idée de libre arbitre ne résulte jamais que d'une invention « téméraire » et « néfaste[2] » en ce qu'elle a voulu attirer l'intérêt des dieux qui se seraient rapidement lassés de la détermination : les philosophes n'ont pas daigné se contenter de leur offrir « le spectacle d'un monde aussi déterministe[3] ». Cette thèse a certes le mérite de la simplicité : « écoutez discuter ensemble deux philosophes dont l'un tient pour le déterminisme et l'autre pour la liberté : c'est toujours le déterministe qui paraît avoir raison [...] On dira toujours de lui qu'il est simple, qu'il est clair, qu'il est vrai[4] ». Mais c'est là une conception à laquelle on peut à son tour reprocher ce qu'elle reproche à son opposée : ne peut-il là aussi s'agir d'une théorie consolante ?

Il s'agit ici de distinguer déterminisme et destin. Dans le déterminisme, il s'agit de lier entre eux tous les phénomènes par des lois constantes et invariables : tous les actes des hommes seraient donc des effets. Le destin, lui, suppose la prédétermination complète des événements, et ne laisse aucune place à la liberté, ramenant la seule attitude lucide au fatalisme. C'est la question de la prévisibilité qui fait la nuance entre les deux notions. Même un déterminisme (culturel et non plus naturel) comme celui de Freud fait la part des choses. Son analyse de l'enfance de Léonard de Vinci met certes en lumière l'influence décisive de sa naissance illégitime et de la possessivité de sa mère, mais elle demeure incapable de ramener à ces seuls facteurs son

1. Spinoza, *Éthique*, II, 2, scolie, GF-Flammarion, 1965, p. 139. Voir aussi la lettre LVIII, GF-Flammarion, tome 4, 1966, p. 304 *sq*.
2. Nietzsche, *Généalogie de la Morale*, II, 7, « Idées », Gallimard, 1964, p. 95.
3. *Id.*, p. 96.
4. Bergson, *La pensée et le mouvant*, « Quadrige », Puf, 1938, p. 33.

œuvre, si bien qu'il doit conclure : « il nous faut reconnaître ici une marge de liberté que la psychanalyse demeure très impuissante à réduire[1] ». Que les phénomènes soient déterminés ne les rend pas pour autant prévisibles : peut-être le déterminisme, même le plus radical, n'est-il donc pas radicalement incompatible avec la liberté.

b. Les limites de la causalité déterministe

La question de savoir si l'homme est libre ou déterminé forme l'une des quatre antinomies kantiennes, l'une de ces questions qui forment un butoir pour la raison humaine tant chaque branche de l'alternative peut à son tour être démontrée : la thèse et l'antithèse en présence y sont compossibles, c'est-à-dire possibles en même temps. Ainsi l'antithèse reprend-elle à son compte la thèse du déterminisme intégral : « il n'y a pas de liberté, mais tout arrive dans le monde uniquement suivant les lois de la nature[2] ». Pourtant très vite un problème logique se présente : si chaque phénomène a sa cause, alors à son tour cette cause doit en admettre une, et ainsi de suite (voir texte n° 7). La thèse du déterminisme se heurte donc à une régression à l'infini.

Outre cette impasse logique, on peut aussi la considérer comme suspecte à un autre titre. En effet, la réduction de nos comportements à ce qui est factuel et déterminable n'a-t-elle pas pour corollaire une certaine déresponsabilisation ? N'est-ce pas par là une réduction du poids de notre liberté qui est visée ? Ce serait là typiquement ce que Sartre nommerait une conduite de mauvaise foi : « ce déterminisme, défense réflexive contre l'angoisse, ne se donne pas comme une intuition réflexive. Il ne peut rien contre l'évidence de la liberté, aussi se donne-t-il comme croyance de refuge, comme le terme idéal vers lequel nous pouvons fuir l'angoisse[3] ». Il est donc bien plus facile, en un sens, de s'en remettre à une détermination aveugle que d'avoir à faire des choix, que d'assumer sa liberté.

c. Une causalité libre ?

Pourtant à son tour, l'idée que la causalité naturelle admette des limites à son règne pour laisser exister une liberté ne manque pas de poser problème. Il s'agit de la thèse, que Kant exprime de la façon suivante : « la causalité selon les lois de la nature n'est pas la seule dont puissent être dérivés tous les phénomènes du monde. Il est encore nécessaire d'admettre une causalité libre pour l'explication de ces phénomènes[4]. » Il peut paraître curieux de parler de la liberté en termes de causalité : Bergson d'ailleurs soulignera qu'à utiliser pour la liberté le vocabulaire du déterminisme, on commet un contresens qui ne peut manquer de donner raison à ce dernier (voir texte n° 1).

---

1. Freud, *Un souvenir d'enfance de Léonard de Vinci*, « Idées », Gallimard, 1977, p. 148.
2. Kant, *Critique de la Raison pure*, « Quadrige », Puf, 1984, p. 349.
3. Sartre, *op. cit.*, p. 76.
4. Kant, *op. cit.*, p. 348.

Mais la difficulté essentielle est ailleurs, et c'est Kant lui-même qui la repère. En effet, la liberté suppose « une puissance de commencer soi-même un état[1] », une « causalité inconditionnée qui commence à agir d'elle-même[2] », et pose ainsi le problème de la « spontanéité absolue de l'action[3] ». Être libre, être la cause de ses actes, ce serait donc inaugurer absolument une série causale : mais si je me représente ma petite enfance comme une ère de dépendance, et mon âge adulte comme une liberté, quand ai-je commencé à être libre ? Quand bien même l'acte libre n'est pas le premier qui émane de moi ou qu'on m'ait imputé, « le vouloir est la spontanéité purement initiale[4] ». Il y a donc un instant de la liberté, un fiat, qu'on comprend d'autant moins qu'on cherche à le référer à la série naturelle qui l'a précédé : « la liberté n'est reconnaissable ni par anticipation ni de manière posthume, ni avant ni après : elle doit être saisie *pendant*[5] ».

Reste que, de l'extérieur, il a bien fallu interrompre la série causale naturelle. Si le rouage que je suis quitte la place qui lui a été assignée par une nécessité absolue, « je cesse d'être ce rouage, je deviens un être indépendant[6] ». Être la cause de ses actes, ce serait donc aussi être capable d'interrompre absolument la série des causes naturelles, s'arracher à la nature. Hannah Arendt comprend ainsi la liberté, non pas comme libre arbitre, « liberté de choix qui arbitre et décide entre deux données, l'une bonne et l'autre mauvaise[7] », mais comme une liberté de commencement et de commenceur, « la liberté d'appeler à l'existence quelque chose qui n'existait pas auparavant, qui n'était pas donné, pas même un objet de connaissance ou d'imagination[8] ». La liberté s'arrête donc bien là où commence la détermination mécanique, comme le faisait valoir le *Phédon* : « que l'on dise que, si je ne possédais pas des choses comme les os, les tendons et les autres que je possède, je ne serais pas capable de faire ce que j'aurais résolu, on dira la vérité ; mais dire que c'est à cause de cela que je fais ce que je fais et qu'ainsi je le fais par intelligence, et non par le choix du meilleur, c'est faire preuve d'une extrême négligence dans ses expressions[9] ».

III. Liberté et contrainte

a. L'indétermination absolue

Interrompre la causalité naturelle n'est pas l'abolir : le rêve de l'indétermination absolue est pourtant bien une figure onirique de la liberté, que Kant a épinglée : « la colombe légère, lorsque, dans son libre vol, elle fend l'air dont elle sent la résistance, pourrait s'imaginer qu'elle réussirait bien mieux encore dans le vide[10] ». L'analogie se

1. *Id.*, p. 349.
2. *Ibid.*
3. *Id.*, p. 350.
4. Jankélévitch, *op. cit.*, p. 252.
5. *Id.*, p. 53.
6. Schelling, *Essais*, Aubier, 1979, p. 51.
7. Arendt, *La crise de la culture*, « Folio-Essais »,Gallimard, 1972, p. 196.
8. *Id.*, p. 196-197.
9. Platon, *Phédon*, 99a-b, GF-Flammarion, 1965, p. 157.
10. Kant, *op. cit.*, p. 36.

lit aisément : la colombe est aussi l'homme, le libre vol est aussi la liberté en action, la résistance de l'air figurant la contrainte. Le vide représente alors l'illusion d'une vie sans contraintes, de l'inconditionné, de l'indétermination absolue. Naturellement, la colombe oublie que l'air qui la freine est aussi ce qui la porte, et nous en tirerons ci-dessous les leçons. Retenons pour l'instant que l'illusion de l'absence de contraintes n'est autre que la « liberté du vide[1] », comme le disait Hegel, et que les contraintes peuvent être aussi autre chose que des contraintes.

C'est donc le moment d'interroger cette notion, et de se demander d'abord si la contrainte est objective. Prenons l'exemple de deux patients assis dans la salle d'attente d'un dentiste, et à qui l'on vient annoncer que le médecin ne pourra venir. Pour l'un d'eux, qui souffre d'une rage de dents, cette absence est une contrainte, alors que pour l'autre, l'enfant accompagné de sa mère et pour qui cette visite s'annonçait comme une torture, ç'aurait été au contraire la présence du dentiste qui aurait été contraignante. Donc, la contrainte n'est pas objective : elle renvoie à l'impression d'une diminution de ma liberté. La corvée est de l'ordre de la contrainte : en m'obligeant à l'aider, tel ami me fait perdre un temps précieux dont je me plais à imaginer que je l'aurais bien employé : telle est la contrainte, représentation psychologique plutôt que détermination objective.

Le rêve du vide, c'est le rêve de l'indétermination, d'une situation vierge. Mais cette dernière expression apparaît comme une contradiction dans les termes : nous sommes inexorablement pris dans un réseau de facteurs donnés, qui sont toujours déjà là. C'est le décalage qu'invoque Rousseau dès les premières lignes de son *Contrat Social* : « l'homme est né libre, et partout il est dans les fers[2] ». Faut-il pour autant dénoncer l'évolution culturelle de l'homme, et le penser par la norme d'un état de nature originaire ? Ce degré zéro de facteurs déterminants n'existe pas : être en situation, c'est faire face à des facteurs prédéterminants toujours donnés d'avance. La liberté n'est qu'en situation.

b. La contrainte comme ressource

La prise en compte de l'existence têtue des contraintes peut nous mener à une définition de la liberté comme liberté négative. En délimitant le domaine et les degrés de liberté, c'est en effet à une définition négative de la liberté que nous aboutissons, c'est-à-dire à l'absence de son contraire. Ainsi Hobbes définit-il, dans son anthropologie mécaniste, la liberté de la façon suivante : « les mots de *liberty* ou *freedom* désignent proprement l'absence d'opposition (j'entends par opposition : les obstacles extérieurs au mouvement)[3] ». Cette liberté négative s'entend comme le domaine stable de ce qui échappe à la détermination, ménageant un dosage savant et sage entre les libertés et les déterminations : « il n'est pas bon d'être trop libre. Il n'est pas

1. Hegel, *Principes de la Philosophie du Droit*, § 5, R., « Tel », Gallimard, 1940, p. 59.
2. Rousseau, *Du Contrat social*, I 1, « Classiques Garnier », 1989, p. 250.
3. Hobbes, *Leviathan*, II, 21, Sirey, 1971, p. 221.

bon d'avoir toutes les nécessités[1] ». Mais cette conception de la liberté négative suppose la fixité de la distinction entre ce qui est déterminé et ce qui ne l'est pas.

Or, si nous faisons retour à l'analogie kantienne de la colombe, nous comprenons que ce qui s'est présenté une fois comme contrainte peut se présenter autrement : par vent de face, l'air est une contrainte, et par vent portant, c'est l'inverse. Puisque la liberté n'est qu'en acte, et il n'y a pas d'acte sans moyens, alors les contraintes aussi sont des moyens. L'apprentissage technique est justement ce qui transforme en arme ce qui se présente d'abord comme une contrainte. Ainsi Wittgenstein, qui dit que « la grammaire donne au langage le degré de liberté nécessaire[2] », nous permet de penser la contrainte comme une ressource. Lorsque Léonard de Vinci disait de la perspective qu'elle est la bride et le gouvernail de la peinture, il explicitait la contrainte à la fois, par cette double métaphore, comme une limite et comme une chance : et peut-être faut-il en effet comprendre les règles artistiques (les rimes et la métrique du sonnet, les règles des trois unités au théâtre) comme des chances plutôt que comme des cadres répressifs. Le génie artistique n'est-il pas, plutôt que celui qui se réfugie dans l'hermétisme de la singularité radicale, celui qui, à partir des mêmes règles que les autres, arrive à aller plus loin ? La liberté n'est plus alors le contraire des contraintes, mais le résultat de leur maîtrise : il n'est pas de liberté qui n'ait assimilé des contraintes.

De droit absolu et immédiat, la liberté devient donc ici le résultat d'une médiation, quelque chose qui se gagne : elle n'est plus donnée mais à construire. Je ne suis plus libre d'origine et de droit, mais ma capacité à le devenir est inscrite en moi depuis le début, quitte à être mal développée. C'est que la liberté se mérite et se cultive : la contrainte peut donc être inversée en étape d'un apprentissage, celui par lequel je deviens libre. Valéry le disait bien sur la création poétique : mes contraintes sont mes ressources.

c. Indépendance et interdépendance

Ce paradoxe d'une liberté qui renonce à être absolue, c'est aussi celui d'une liberté qui renonce à ne se croire absolue que quand elle fait ce qui lui plaît. Aristote mettait déjà cette thèse sur le compte d'une « définition erronée de la liberté », lorsqu'il s'agit de dire que « la liberté consiste à faire tout ce qu'on veut[3] ». La liberté ne peut valablement être définie comme indépendance, tant il paraît inévitable que « quand chacun fait ce qu'il lui plaît, on fait souvent ce qui déplaît à d'autres[4] », comme le dit Rousseau. La liberté ne consiste donc pas à ne dépendre de rien, puisque c'est impossible : mais il s'agit de savoir de quoi nous ne voulons pas dépendre, comme dans la conception kantienne de la liberté comme autonomie. Au lieu de l'hétéronomie qui résulte de la domination sur nous de notre affectivité qui

1. Pascal, *Pensées*, 379, GF-Flammarion, 1976, p. 155.
2. Wittgenstein, *Remarques philosophiques*, « Tel », Gallimard, 1975, p. 72.
3. Aristote, *La Politique*, 1310a30 *sq.*, V 9, Vrin, 1982, p. 390.
4. Rousseau, *Lettres écrites de la Montagne*, VIII, « L'Intégrale », Seuil, 1971, p. 467.

nous détermine, il s'agit d'indexer la volonté sur la seule raison, garante de notre liberté.

Il apparaît donc qu'on puisse être libre et gagner en liberté en s'obéissant. C'est donc que liberté et dépendance ne sont pas incompatibles. C'est toute la différence entre obéir et servir, dont se plaint La Boétie : quel malheur en effet de voir que c'est la servitude qui est volontaire, et de « voir un nombre infini de personnes non pas obéir, mais servir[1] ». La distinction est ensuite reprise à son compte par Rousseau : « un peuple libre obéit, mais il ne sert pas ; il a des chefs et non pas des maîtres ; il obéit aux lois, mais il n'obéit qu'aux lois et c'est par la force des lois qu'il n'obéit pas aux hommes[2] ». Obéir au chef, c'est obéir à la loi que je me suis prescrite, autant dire n'obéir qu'à moi-même, à la contrainte que j'ai approuvée ; alors que céder devant la force du maître c'est renoncer à sa liberté. Le contrat social transforme ainsi l'indépendance en interdépendance, qui maintient la liberté tout en l'articulant avec la justice.

Textes

1. Bergson

La liberté n'est-elle qu'une illusion ?

On appelle liberté le rapport du moi concret à l'acte qu'il accomplit. Ce rapport est indéfinissable, précisément parce que nous sommes libres. On analyse, en effet, une chose, mais non pas un progrès ; on décompose de l'étendue, mais non pas de la durée. Ou bien, si l'on s'obstine à analyser quand même, on transforme inconsciemment le progrès en chose, et la durée en étendue. Par cela seul qu'on prétend décomposer le temps concret, on en déroule les moments dans l'espace homogène ; à la place du fait s'accomplissant on met le fait accompli, et comme on a commencé par figer en quelque sorte l'activité du moi, on voit la spontanéité se résoudre en inertie et la liberté en nécessité. C'est pourquoi toute définition de la liberté donnera raison au déterminisme.

Bergson, *Essai sur les données immédiates de la conscience*, « Quadrige », Puf, 1985, p. 165.

2. Kierkegaard

L'idée du déterminisme est-elle supportable ?

Le déterministe, le fataliste sont des désespérés, qui ont perdu leur moi, parce qu'il n'y a plus pour eux que de la nécessité. C'est la même aventure qu'à ce roi mort de faim, parce que sa nourriture se changeait toute en or. La personnalité est une synthèse de possible et de nécessité. Sa durée dépend donc, comme la respiration, d'une alternance de souffle. Le moi du déterministe ne respire pas, car la nécessité pure est irrespirable et asphyxie bel et bien le moi. Le désespoir du fataliste, c'est, ayant perdu Dieu, d'avoir perdu son moi [...] Par suite, le culte du fata-

1. La Boétie, *Discours de la Servitude volontaire*, GF-Flammarion, 1983, p. 133.
2. Rousseau, *id.*

liste est au plus une interjection et, par essence, mutisme, soumission, impuissance de prier. Prier, c'est encore respirer, et le possible est au moi, comme à nos poumons l'oxygène.

Kierkegaard, *Traité du Désespoir*, « Tel », Gallimard, 1990, p. 386.

3. Leibniz

Entre déterminisme et liberté, quelle articulation ?

Nous voulons agir, à parler juste, et nous ne voulons point vouloir ; autrement nous pourrions encore dire que nous voulons avoir la volonté de vouloir, et cela irait à l'infini. Nous ne suivons pas aussi toujours le dernier jugement de l'entendement pratique, en nous déterminant à vouloir, mais nous suivons toujours, en voulant, le résultat de toutes les inclinations qui viennent, tant du côté des raisons que des passions, ce qui se fait souvent sans un jugement exprès de l'entendement. Tout est donc certain et déterminé par avance dans l'homme, comme partout ailleurs, et l'âme humaine est une espèce *d'automate spirituel*, quoique les actions contingentes en général, et les actions libres en particulier, ne soient point nécessaires pour cela d'une nécessité absolue, laquelle serait véritablement incompatible avec la contingence.

Leibniz, *Essais de Théodicée*, I, § 51-52, GF-Flammarion, 1969, p. 132.

4. Lucrèce

Si tous les mouvements sont enchaînés dans la nature, si toujours d'un premier naît un second suivant un ordre rigoureux ; si, par leur déclinaison, les atomes ne provoquent pas un mouvement qui rompe les lois de la fatalité et qui empêche que les causes ne se succèdent à l'infini, d'où vient donc cette liberté accordée sur terre aux êtres vivants, d'où vient, dis-je, cette libre faculté arrachée au destin, qui nous fait aller partout où la volonté nous mène ? Nos mouvements peuvent changer de direction sans être déterminés par le temps ni par le lieu, mais selon que nous inspire notre esprit lui-même. Car, sans aucun doute, de tels actes ont leurs principes dans notre volonté et c'est de là que le mouvement se répand dans les membres [...] C'est dans le cœur que le mouvement a son principe ; c'est de la volonté de l'esprit qu'il procède d'abord, pour se communiquer de là à tout l'ensemble du corps et des membres.

Lucrèce, *De la Nature*, II, Seghers, 1967, p. 145.

5. Épictète

Partage des choses : ce qui est à notre portée, ce qui est hors de notre portée. À notre portée le jugement, l'impulsion, le désir, l'aversion : en un mot, tout ce qui est notre œuvre propre ; hors de notre portée le corps, l'avoir, la réputation, le pouvoir : en un mot, tout ce qui n'est pas notre œuvre propre. Et si ce qui est à notre portée est par nature libre, sans empêchement, sans entrave, ce qui est hors de notre portée est inversement faible, esclave, empêché, étranger. Donc, rappelle-toi : si tu estimes libre ce qui par nature est esclave, et propre ce qui est étranger, tu seras entravé, tu prendras le deuil, le trouble t'envahira, tu feras des reproches aux dieux comme aux hommes, mais si tu estimes tien cela seul qui est tien, étranger, comme il l'est en effet, ce qui est étranger, personne, jamais, ne te contraindra, personne ne t'empêchera.

Épictète, *Manuel*, I, 1, GF-Flammarion, 1997, p. 63.

6. Sartre

Sommes-nous libres de ne pas l'être ?

Par sa projection même vers une fin, la liberté constitue comme être au milieu du monde un *datum* particulier qu'elle a à être. Elle ne le choisit pas, car ce serait choisir sa propre existence, mais par le choix qu'elle fait de sa fin, elle fait qu'il se révèle de telle ou telle façon, sous telle ou telle lumière, en liaison avec la découverte du monde lui-même. Ainsi, la contingence même de la liberté et le monde qui environne cette contingence de sa propre contingence ne lui apparaîtront qu'à la lumière de la fin qu'elle a choisie, c'est-à-dire non pas comme existants bruts, mais dans l'unité d'éclairage d'une même néantisation. Et la liberté ne saurait jamais ressaisir cet ensemble comme pur *datum*, car il faudrait que ce fût en dehors de tout choix et, donc, qu'elle cesse d'être liberté. Nous appellerons *situation* la contingence de la liberté dans le *plenum* d'être du monde en tant que ce *datum*, qui n'est là que *pour ne pas contraindre* la liberté, ne se révèle à cette liberté que comme *déjà éclairé* par la fin qu'elle choisit.

Sartre, *L'Être et le Néant*, « Tel », Gallimard, 1943, p. 544.

7. Kant

Le déterminisme est-il logiquement cohérent ?

Si l'on admet qu'il n'y a pas d'autre causalité que celle qui repose sur les lois de nature, tout *ce qui arrive* suppose un état antérieur auquel il succède infailliblement d'après une règle. Or, l'état antérieur doit être lui-même quelque chose qui soit arrivé (qui soit devenu dans le temps, puisqu'il n'était pas auparavant), puisque s'il avait toujours été, sa conséquence n'aurait pas non plus commencé d'être, mais aurait toujours été. La causalité de la cause par laquelle quelque chose arrive est donc elle-même quelque chose d'arrivé, qui suppose, à son tour, suivant la loi de la nature, un état antérieur et sa causalité, et celui-ci, un autre état plus ancien, etc. Si donc tout arrive suivant les simples lois de la nature, il n'y a toujours qu'un commencement subalterne, mais jamais un premier commencement, et par conséquent, en général, aucune intégralité de la série du côté des causes dérivant les unes des autres. Or, la loi de nature consiste en ce que rien n'arrive sans une cause suffisamment déterminée *a priori*.

Kant, *Critique de la Raison pure*, « Quadrige », Puf, 1984, p. 348.

8. Hegel

Être libre, est-ce faire ce que l'on veut ?

Ceux qui considèrent la pensée comme une faculté particulière indépendante, séparée de la volonté conçue elle-même également comme isolée et qui de plus, tiennent la pensée comme dangereuse pour la volonté, et surtout la bonne, montrent du même coup d'emblée qu'ils ne savent rien de la nature et de la volonté [...] Sans doute l'aspect de la volonté défini ici — cette possibilité absolue de m'abstraire de toute détermination où je me trouve ou bien où je me suis placé, cette fuite devant tout contenu comme devant une restriction — est ce à quoi la volonté se détermine. C'est ce que la représentation pose pour soi comme liberté et ce n'est ainsi que la liberté négative ou liberté de l'entendement. C'est la liberté du vide.

Hegel, *Principes de la Philosophie du Droit*, § 5, R, « Tel », Gallimard, 1940, p. 59.

Sujets approchés

La liberté peut-elle être un fardeau ?

Peut-on avoir peur de la liberté ?

Y a-t-il un vertige de la liberté ?

En quoi peut-il être commode d'invoquer une détermination ?

La liberté est-elle possible sans le courage ?

→ ***Approche commune* : Ces sujets mettent en exergue le poids de la liberté, la difficulté d'exercer et d'assumer ses choix. La liberté est-elle pour nous une malédiction ou une chance ?**

Obéir me dégage-t-il de toute responsabilité ?

Nier la liberté est-ce retirer toute signification à la morale ?

L'hypothèse de l'inconscient contredit-elle l'exigence morale ?

Puis-je ne pas savoir ce que je fais ?

→ ***Approche commune* : Sous prétexte que ma liberté serait limitée ou inexistante, ne suis-je plus pour autant responsable de ce qui émane de moi ? Adopter le déterminisme, est-ce faire preuve de lucidité ou se déresponsabiliser à bon compte ?**

Est-il contradictoire d'affirmer qu'il faut contraindre pour libérer ?

Être libre consiste-t-il à se suffire à soi-même ?

Obéir est-ce renoncer à être libre ?

L'ordre s'oppose-t-il à la liberté ?

L'originalité exclut-elle toute influence ?

→ ***Approche commune* : Ces sujets interrogent notre relation à la contrainte : s'agit-il, pour être libre, de refuser la contrainte ou au contraire d'apprendre à la maîtriser ?**

Quel rôle joue mon corps dans l'expression de ma liberté ?

Sommes-nous toujours libres dans nos décisions ?

Peut-on être plus ou moins libre ?

L'affirmation de ma liberté peut-elle se concilier avec le principe du déterminisme naturel ?

→ ***Approche commune* : L'évidence du déterminisme naturel laisse-t-elle une place à la liberté ? Sommes-nous libres ou déterminés ?**

A-t-on besoin d'apprendre à être libre ?
La spontanéité est-elle systématiquement synonyme de liberté ?
Si nous désirons être libres, qu'est-ce qui nous empêche de l'être ?
Le savoir garantit-il la liberté ?
L'homme est-il libre ou doit-il s'efforcer de le devenir ?

→ ***Approche commune* : La liberté est-elle un droit absolu ou immédiat, ou quelque chose qui se gagne et se mérite dans le temps ? La liberté est-elle donnée ou à construire ?**

Sujet esquissé :
Être libre, est-ce faire ce que l'on veut ?

Introduction

Il paraît évident que faire ce que l'on veut, c'est être libre. Si je ne fais pas ce que je veux, c'est qu'on m'en empêche, et donc que quelque chose ou quelqu'un m'empêche d'être libre. Ici, c'est la définition même de la liberté qui est en cause ; la question posée part d'une définition, la plus courante (« faire ce que l'on veut »), et la met en cause, en ménageant la possibilité qu'elle soit insuffisante. Cette définition courante fait de la liberté l'absence d'obstacles à la réalisation de ma volonté, bref l'absence de contraintes. Or il existe évidemment toutes sortes de contraintes : des limites physiques, des prescriptions légales ou morales, etc. Toute la question est donc de savoir si la liberté est bien l'absence de contraintes, ou si au contraire il se peut que la liberté se nourrisse des contraintes ; ou, en d'autres termes, si la liberté est quelque chose qui est donnée d'avance et qui ne supporte aucune entrave, ou si au contraire la liberté est quelque chose qui se mérite et qui se construit.

Lignes directrices

1. Être libre, c'est faire ce que l'on veut.

La volonté comme faculté subjective. Être libre, c'est décider, par un acte de volonté qui s'incarne dans un choix. Si je n'ai plus le choix entre plusieurs possibilités, ce n'est plus une liberté mais une résignation ou une indifférence qui s'exprime, c'est-à-dire de bas degrés de liberté. La liberté de choix, c'est ce qu'on appelle le « libre arbitre » (cf. cours I a).

Mais : ne faut-il pas soumettre la volonté à la raison, seule capable d'émettre des impératifs acceptables par tous ?

2. Être libre, c'est consentir librement à quelque chose de nécessaire. Cette seconde thèse reconnaît l'existence d'un certain nombre de nécessités et de limites : je ne fais pas toujours ce que je veux parce que je suis naturellement ou physiquement limité : c'est la liberté négative (cf. cours III b).

Mais il faut essayer d'instaurer entre les deux termes (liberté et contrainte) une relation plus dynamique et plus riche.

3. La liberté se conquiert en surmontant les contraintes, non en les refusant.

> Il n'y a plus de liberté s'il n'y a pas de contraintes. La liberté ne s'oppose aux contraintes que dans la mesure où les contraintes justement la servent. La liberté de l'artiste ne consiste pas à refuser les contraintes techniques, mais à les accepter pour mieux les tourner à son avantage (cf. cours III b) Le grand dessinateur n'est pas celui qui refuse les règles du dessin, mais celui qui les maîtrise à un point tel qu'il en fait ce qu'il veut.

Le devoir

Définir, Problématiser

Le devoir est un verbe substantivé : le devoir correspond à ce que je dois faire. Le verbe devoir est pris ici au sens de l'obligation plutôt que de la nécessité. Quel sens y aurait-il à parler de devoir pour les besoins naturels ? La nuance est fine mais décisive : du côté de la nécessité, il n'y a ni liberté ni choix, alors que je suis encore libre dans l'obligation, puisque je peux toujours ne pas faire mon devoir. Devoir signifie alors : devoir vouloir, ou s'obliger. Dans le devoir, c'est donc moi qui m'oblige librement. Pourtant bien des devoirs sont impérieux au point de paraître nécessaires : j'ai plus souvent l'impression dans le devoir d'être obligé que de m'obliger. Suis-je capable de m'obliger au point de faire mienne la règle qui m'oblige ? Est-ce qu'au contraire les règles du devoir me restent toujours extérieures ? **Le devoir peut-il vraiment être libre, ou bien n'est-il jamais consenti que sous la contrainte ?**

L'aspect contraignant que revêt le devoir vient aussi de ce sur quoi il porte, de son contenu : au nom de quoi arriverais-je à faire miennes des règles que je ne reconnais pas ? On voit par là la nécessité, pour le devoir, d'être universel. Faute de cette universalité, nous serions confrontés au relativisme moral, qui ne peut manquer de dégénérer en désert axiologique. Si en effet chacun a sa notion du juste, l'idée même d'une règle commune à laquelle on puisse s'obliger ferait figure de convention arbitraire : faire son devoir ne serait jamais alors que faire acte d'hypocrisie. **Le devoir est-il arbitraire, ou bien trouve-t-il en nous un réel fondement ?**

Développer

I. Quelle formulation pour la morale ?

Comme ensemble de règle de conduites, la morale est l'horizon naturel de la notion de devoir. Faire son devoir, ce n'est jamais qu'être moral, et vice-versa. La question du devoir se reporte alors sur cette notion de morale : quelles règles peuvent-elles être universelles ?

a. Devoir et finalité

En un premier sens, nous avons le devoir de préparer l'avènement d'un certain nombre de bonnes fins (le bien, la paix, la santé, etc.) ou au moins de ne pas les compromettre. Tous nos devoirs s'articulent donc autour de cette finalité que nous visons, et qui est donc en un premier sens la norme du devoir. Il s'agit d'une morale dite téléologique, celle qui nous voit agir en fonction d'une fin à maximiser. C'est là la devise du courant de pensée qui s'appelle l'utilitarisme : « la doctrine qui donne comme fondement à la morale l'utilité ou le principe du plus grand bonheur, affirme que les actions sont bonnes ou sont mauvaises dans la mesure où elles tendent à accroître le bonheur[1] ». Nos actes ne seront donc pas jugés en eux-mêmes, mais en fonction de la valeur de leurs effets pour la fin visée. Par exemple, le médecin pourra donc mentir à un patient atteint d'une maladie incurable s'il sait qu'il précipiterait sa perte en lui révélant la vérité.

La célèbre formule, héritée de l'analyse de Machiavel, qui dit que « la fin justifie les moyens » prend tout son sens dans ce cadre. La responsabilité du prince chez Machiavel n'est autre que cette conservation de la communauté. Cet enjeu doit le contraindre à dépasser sa conscience morale, à la sacrifier pour apprendre à faire le mal plutôt que le bien si ce moyen se révèle plus efficace en vue de la fin dont la nécessité s'impose à lui : « un prince, et surtout un prince nouveau, ne peut observer toutes ces choses pour lesquelles les hommes sont tenus pour bons, étant souvent contraint, pour maintenir l'État, d'agir contre la foi, contre la charité, contre l'humanité, contre la religion[2] ». Faire son devoir, c'est ici accepter d'en passer par de mauvais moyens au nom d'une bonne fin, savoir sacrifier sa bonne conscience et prendre ses responsabilités. C'est pour cette raison que Weber nomme cette conception morale l'« éthique de responsabilité » (voir le texte n° 1). Sans doute la pratique politique en donne-t-elle le plus d'illustrations. Machiavel, qui fut le premier penseur de l'efficacité politique, dit par exemple que « s'il s'agit de délibérer du salut de la république, un citoyen ne doit être arrêté par aucune considération de justice ou d'injustice[3]. »

Cette morale de la responsabilité est donc aussi une morale de l'efficacité. Or cette dernière est incertaine, car les conséquences d'une décision sont toujours opaques. Faut-il alors s'en remettre à l'expertise technique de celui qui sait les prévoir ? On voit bien que cela consiste par exemple à réduire la politique à une technocratie, et le mal qui en résulte. De plus, la finalité au nom de laquelle tel ou tel acte immoral peut être commis est toujours discutable : si la finalité qui fonde le devoir varie, alors le problème du relativisme moral est bien plutôt déplacé que résolu.

---

1. Mill, *L'Utilitarisme*, Champs-Flammarion, 1964, p. 48.
2. Machiavel, *op. cit*, chapitre 18, p. 160.
3. Machiavel, *Discours sur la première décade de Tite-Live*, IXLI, « La Pléiade », 1952, p. 474.

b. L'universalité du devoir : l'éthique de conviction

Kant récuse qu'on puisse fonder le devoir sur un calcul téléologique : même dans le cas où un assassin me demande de lui confirmer la présence des miens pour qu'il les tue, qui sait dire si le calcul qui me fait lui mentir donnera le résultat espéré ? C'est la raison pour laquelle Kant dit au contraire qu'« une action accomplie par devoir tire sa valeur morale non pas du but qui doit être atteint par elle, mais de la maxime d'après laquelle elle est décidée[1] ». Plutôt que de suspendre le devoir à des fins qui peuvent toujours être débattues, il s'agit donc de fonder la moralité sur la valeur que peut revêtir un acte par lui-même. La morale ici n'est plus téléologique mais déontologique, elle se fonde sur ce qu'il convient de faire. Ainsi le pacifiste réclame le désarmement, quitte à faiblir dangereusement son pays, parce qu'au-delà de cette conséquence il s'agit d'une chose bonne en elle-même. C'est la raison pour laquelle Weber appelle cette éthique une éthique de conviction (voir le texte n° 1).

La formulation kantienne du devoir refuse donc la soumission à une fin, ou même à quelque autre condition que ce soit : il s'agit d'un devoir inconditionné et universel, qui échappe ainsi à toute discussion sur son contenu. Le seul devoir digne d'être érigé en loi morale est justement celui qui est universalisable. Sa formule est donc la suivante : « je dois toujours me conduire de telle sorte *que je puisse aussi vouloir que ma maxime devienne une loi universelle* » (voir le texte n° 2). Refusant alors de faire de la règle ou d'autrui le moyen qui permet d'accéder à une certaine fin (puisque le devoir se définit sans elle), Kant est logiquement conduit à une seconde formulation de cet impératif catégorique : « Agis de telle sorte que tu traites l'humanité aussi bien dans ta personne que dans la personne de tout autre toujours en même temps comme une fin, et jamais simplement comme un moyen[2]. » C'est là la formule du respect, véritable source de l'intention morale, au point que les actes conformes au devoir sont « pratiquement indiscernables des actes inspirés par le respect du devoir[3] ».

c. Le devoir requiert-il des saints ?

La théorie kantienne de la morale réfute tous les mobiles empiriques (plaisir, bonheur) de la moralité, pour n'admettre qu'un motif, un sentiment moral : le respect. Malgré son statut de sentiment, le respect n'a rien de facile ou d'agréable : il s'agit certes d'un sentiment, mais d'un sentiment moral, « exclusivement produit par la raison[4] ». Comment parvenir à respecter l'autre sans rabrouer son amour-propre ? Ainsi le respect est-il chargé d'une valeur négative : « tribut que nous ne pouvons refuser au mérite », le respect est « si peu un sentiment de plaisir qu'on ne s'y laisse aller qu'à contre-cœur à l'égard d'un homme[5] ».

Le devoir doit me coûter, sans quoi ce n'est plus d'un devoir qu'il s'agit, au point qu'on peut faire de cette pénibilité un critère distinctif (voir le texte n° 4). « Le

1. Kant, *Fondements de la Métaphysique des Mœurs*, Delagrave, 1977, p. 98.
2. *Idem*, p. 150.
3. Jankélévitch, *Traité des Vertus*, I, Champs-Flammarion, 1983, p. 83.
4. Kant, *Critique de la Raison pratique*, « Quadrige », Puf, 1985, p. 80.
5. *Idem*, p. 81.

devoir, dans le royaume de Dieu, est devenu un plaisir innocent et une heureuse fonction de l'être moral. Le devoir ne coûte plus rien et cesse par conséquent d'être un "devoir[1]" ». Montaigne retrouve ce qui est non seulement une caractéristique mais un critère : « il semble que le nom de la vertu présuppose de la difficulté et du contraste, et qu'elle ne peut s'exercer sans partie[2] ». Ainsi ne peut-on appeler vertu le fait de « se laisser, par une heureuse complexion, doucement et paisiblement conduire à la suite de la raison[3]. »

Voilà peut-être un trait essentiel du devoir : sa nécessaire pénibilité. Le déplaisir qui l'accompagne n'en est sans doute pas qu'un inconvénient, mais aussi et surtout un indice. Jankélévitch dit bien que le devoir qui ne coûte plus rien « cesse par conséquent d'être un devoir[4] ». Le devoir ne peut donc être un plaisir et rester un devoir. Ce trait projette au centre de l'analyse la notion de conscience morale, qui est ici comme l'ombre portée du devoir. Le devoir mérite donc d'autant mieux son nom que le bonheur en est absent : voilà en apparence au moins le devoir et le bonheur devenus, pour chacun, signes de l'absence de l'autre. Inversement, l'excès de bonheur semble devoir mettre en cause la vertu, comme par le fait d'une définition qui voudrait que ces deux termes s'excluent mutuellement : « N'est-ce pas un misérable animal que l'homme ? À peine est-il en son pouvoir, par sa condition naturelle, de goûter un seul plaisir entier et pur, encore se met-il en peine de le retrancher par le discours[5]. »

II. La conscience morale

Manifestation du devoir en chacun, la conscience morale n'en fait pas moins question : s'agit-il là de ce qu'il y a en nous de plus noble ou au contraire d'un travestissement de ce qu'il y a de plus vil ?

a. La conscience est-elle fondamentalement morale ?

Il est temps à présent d'interroger cette présence du devoir dans la conscience. Qu'est cette conscience morale ? Faut-il croire que toute conscience est morale d'emblée ? Dire que la conscience est essentiellement morale, c'est définir la conscience par un sens moral inné. C'est à partir de ce postulat que Rousseau définit la conscience comme « instinct divin » : « il est donc au fond des âmes un principe inné de justice et de vertu, sur lequel, malgré nos propres maximes, nous jugeons nos actions et celles d'autrui comme bonnes ou mauvaises, et c'est à ce principe que je donne le nom de conscience[6] ». Pareil principe ouvre la voie à la métaphore du tri-

1. Jankélévitch, *op. cit.*, p. 127.
2. Montaigne, *Essais*, II, 11, « Folio »,Gallimard, 1965, p. 120.
3. À laquelle Montaigne lui-même attribue le peu de mérite de sa propre vertu (voir texte n° 4).
4. Jankelevitch, *op. cit.*, p. 127.
5. Montaigne, *op. cit.*, I, 30, p. 297.
6. Rousseau, *Émile*, IV, GF-Flammarion, 1966, p. 376.

bunal intérieur, puisque dans la mauvaise conscience je suis à la fois ce qui juge et ce qui est jugé.

Que je puisse être, moi, l'unité de cette dualité, à la fois sujet et objet, voilà qui fait tout le mystère de la conscience morale. Que je puisse me juger alors que c'est aussi moi qui ai fait paraît si paradoxal que nous sommes souvent tentés de voir dans ce dédoublement un intrus, c'est-à-dire que l'un des deux, le juge ou le jugé, serait intrus. La mauvaise conscience est juge et partie, en elle je suis le sujet et l'objet : n'y a-t-il pas là contradiction ? le remords relève-t-il d'un strict for intérieur, ou bien suppose-t-il la médiation de l'autre, comme si je ne pouvais avoir honte de moi que par la médiation du regard d'autrui ? Après tout, comme le disait La Rochefoucauld, un petit arrangement avec soi est toujours possible : « nous oublions aisément nos fautes lorsqu'elles ne sont sues que de nous[1] ». Mais même la seule recherche de la bonne conscience, d'un accord confortable avec moi-même, ne tient pas lieu à elle seule d'attitude morale, sauf à tomber dans les excès de ce que Hegel appelle la belle âme, satisfaite de la pureté de son intériorité, mais au prix de l'inaction et du refus de monde (voir le texte n° 7).

b. La conscience morale comme intériorisation

Lorsque je m'oblige, je commande à ma propre personne : je me dis « tu dois ». Mais cette voix est-elle bien la mienne ? Est-il sûr que c'est encore bien moi qui parle ? Dans ce dialogue, suis-je encore des deux côtés ou bien l'une des deux voix n'est-elle pas la mienne ? Sur cette voie, nous serions conduits à soupçonner le devoir comme intériorisation de l'autorité des autres : c'est la thèse de Freud, qui voit dans le devoir un pur acquis, issu de l'intériorisation d'un extérieur : « le petit enfant est, comme on le sait, amoral, il ne possède pas d'inhibitions internes à ses pulsions qui aspirent au plaisir. Le rôle qu'assumera plus tard le surmoi est d'abord joué par une puissance extérieure, par l'autorité parentale [...] Ce n'est que par la suite que se forme la situation secondaire, que nous considérons trop volontiers comme normale, où l'empêchement extérieur est intériorisé, où le surmoi prend la place de l'instance parentale et où il observe, dirige et menace désormais le moi exactement comme les parents le faisaient auparavant pour l'enfant[2]. » Le surmoi est cette instance porteuse de l'autorité morale extérieure : ainsi le devoir n'est-il rien d'autre que l'expression en moi de l'autorité des autres.

La fable de l'anneau de Gygès, à laquelle recourt Glaucon pour illustrer la thèse des sophistes dans la *République*, fait du devoir un rituel destiné à des tiers (voir le texte n° 8) : doté de cette bague qui rend son porteur invisible, personne ne serait en position de résister à la tentation de l'impunité : ce n'est donc pas par choix, mais par contrainte que nous faisons nos devoirs. Le devoir est donc non seulement contraint, mais encore hypocrite, puisqu'il ne consiste qu'en une comédie destinée aux yeux des spectateurs. L'injustice étant plus avantageuse que la justice aux yeux des sophistes,

1. La Rochefoucauld, *Maximes*, 196, Le Livre de Poche, 1991, p. 110.
2. Freud, *Nouvelles Conférences d'Introduction à la Psychanalyse*, Gallimard, 1984, p. 87.

ce n'est qu'en se contraignant qu'on y peut (injustement) renoncer. Mais la fable ne nous place-t-elle pas dans une situation fantasmatique d'invisibilité qui rendrait à nouveau le devoir nécessaire si elle était partagée par tous ?

Attisée par le fantasme de l'invisibilité solitaire, notre imagination devrait être atterrée par l'idée de l'invisibilité des autres, qui nous replace dans la position de victimes qui en appelleront au respect, par ces autres, de leurs devoirs. C'est le rêve de l'égoïsme fantasmatique, qu'on pourrait formuler en détournant la formulation de l'impératif kantien : *Agis de telle sorte que tu puisses être le seul à violer la loi que tous les autres observent.* Comme la fable de l'anneau de Gygès, cette maxime montre bien qu'il n'y a d'avantage et de plaisir à violer la loi que si elle est suivie par ailleurs. Les truands du film de Sacha Guitry, *Assassins et Voleurs*, se plaignent ainsi amèrement de la malhonnêteté croissante de la société : plus qu'aucun autre, le voleur compte sur l'honnêteté des autres.

c. Le devoir comme vengeance déguisée

Il peut nous arriver, ayant maille à partir avec une quelconque autorité, de soupçonner (à tort ou à raison) celui qui en est investi d'en abuser, et de n'exercer son métier que pour assouvir des penchants au sadisme et à la cruauté. Si le devoir déguise, ce n'est peut-être pas notre volonté de mal faire (une volonté mauvaise qui ne peut désirer que ce qui est amoral), mais une occasion de faire le mal : invoquer le devoir de l'autre recouvre peut-être de la cruauté de la part de celui qui le rappelle. Le devoir serait alors non seulement hypocrite, mais parfaitement amoral, ce qui se présente comme moral n'étant plus qu'un déguisement de ce qui l'est le moins. C'est la thèse de Nietzsche, qui dénonce dans le devoir une sanctification de la vengeance sous le nom de justice. « Le dernier domaine conquis par l'esprit de justice est celui du ressentiment, de l'esprit réactif[1]. » Loin d'être moral, le devoir ne donne donc de voix qu'à ce qu'il y a de plus bas en l'homme : le désir d'être cruel, et de l'être hypocritement sous le masque du devoir. Le devoir doit donc être compris comme oppression de ce qu'il y a de plus vivant en nous : la conscience morale n'est autre qu'un refus de la vie, notion que tout l'effort de pensée de Nietzsche a voulu mettre en son centre.

Le devoir, quand on le fait observer aux autres, ne serait donc rien d'autre qu'une occasion de satisfaire quelque chose de bas avec l'alibi de la morale : en faisant faire son devoir à l'autre, je suis en position de punir et de commander. Ainsi le devoir n'est-elle que le mot noble pour la vengeance, comme si la notion même de devoir n'avait été inventée que pour « sanctifier la *veangeance* sous le nom de *justice*[2] ». Or, les notions de droit, de devoir et de justice, note encore Nietzsche, devraient être à l'opposé de tout sentiment réactif : ce dernier n'exprime en fait de justice que la recherche chez l'autre d'une souffrance équivalente à la nôtre, sur le modèle de la loi du talion. Faut-il en conclure que c'est le vice qui nous mène au devoir ?

1. Nietzsche, *Généalogie de la Morale*, II, « Idées », Gallimard, 1964, p. 103.
2. *Idem*, p. 102.

III. Le devoir comme convention hypocrite

Le comportement moral met toujours en jeu le rapport à autrui, la justice est la vertu de l'homme en société et non de l'homme seul (pour cette raison, Hobbes disait que la justice est une vertu « extrinsèque » plutôt qu'« intrinsèque[1] »). N' y a-t-il pas lieu alors de redouter que la justice ne soit qu'une image, un apprêt destiné à donner le change, et que finalement tout comportement juste ne soit qu'hypocrite ?

a. L'avantage de la justice

Au moment de faire ou non notre devoir, résisterons-nous à la tentation d'évaluer l'avantage qui en résultera pour nous, tranformant ainsi le devoir en moyen ? La discussion du *Gorgias* met ainsi aux prises Socrate à Polos. Ce dernier soutient qu'il vaut mieux, à choisir, commettre l'injustice que la subir, alors que Socrate soutient le contraire. Ce qui vaut mieux renvoie en réalité chez chacun des protagonistes à une conception différente de l'avantageux : pour Polos, c'est le profitable, alors que pour Socrate c'est le bien. Le propos du dialogue consiste donc à dire qu'il est moralement préférable de ne pas commettre l'injustice même si commettre l'injustice peut être profitable. On peut en retrouver l'écho dans l'éthique kantienne de conviction, telle qu'elle est appliquée à la question du mensonge : ce n'est pas parce que le mensonge est parfois et imprévisiblement utile (au menteur comme à celui à qui l'on ment) que le mensonge ne reste pas fondamentalement injuste et contraire au devoir.

La position sophistique est donc aporétique, elle débouche sur une contradiction : il n'est avantageux de ne pas faire son devoir que dans la mesure même où l'on compte sur les autres pour faire le leur ; mais dès que le viol des règles deviendrait l'attitude la plus communément répandue, elle cesserait d'être avantageuse pour celui qui la suit. Le mépris du devoir suppose donc le devoir et son observation.

b. Le double fond du cynisme

Le cynisme qui fait fi du devoir peut être à son tour démystifié comme dépit amoureux du devoir. S'il faut dénoncer le devoir comme une convention, ne peut-on penser que l'attitude qui entend en prendre le contre-pied ne soit tout aussi conventionnelle ? Kant analyse finement, en ce sens, l'apparence morale : les hommes « adoptent l'apparence de l'affection, du respect d'autrui, de la déférence, du désintéressement, sans tromper personne, car chacun entend bien parmi les autres que le cœur n'y a point de part[2] » reconnaît d'abord son analyse. Mais l'imposture, si imposture il y a, consiste moins à suivre ces règles qu'à feindre de ne pas devoir les suivre : « par le fait que des hommes jouent ces rôles, les vertus qu'ils se sont, un certain

1. Hobbes, *Leviathan*, I, 13.
2. Kant, *Anthropologie du point de vue pragamatique*, I, 1, § 14, « La Pléiade », tome 3, 1986, p. 969.

temps, contentés d'affecter, finissent bien par être éveillées, et elles passent dans leur disposition d'esprit[1] ».

Celui qui croit sortir de l'imposture ment encore, car la critique de l'immoralité du devoir suppose la morale. Jankélévitch prend l'exemple de La Rochefoucauld, dénonçant l'altruisme comme visage de l'égoïsme pour évoquer ce qu'il appelle le dépit amoureux du cynisme : la démystification du devoir n'est qu'un hommage que le vice rend à la vertu (voir le texte n° 6), comme pour lui dire qu'elle est vertueuse de la mauvaise manière. Ainsi « la vertu des hommes est bien mensonge, mais ce mensonge lui-même se définit par rapport à une inaccessible sincérité[2] ».

c. Infinité du devoir

Avec le devoir rien n'est jamais acquis. Jankélévitch montre que l'on n'en a jamais fini avec le devoir : « ce qui est fait n'est jamais fait, ce qui est fait reste à faire ; ce qui est fait, se défaisant au fur et à mesure, doit être sans cesse refait[3] ». Il faudrait une conception bien fausse du devoir, comme celle que Nietzsche dénonce, pour croire qu'on puisse jamais s'être acquitté de son devoir. Les métaphores du langage courant trahissent en effet un (faux) espoir de ce genre : on croit s'acquitter du devoir comme d'une dette morale, métaphores qui relèvent du modèle économique. « Le sentiment du devoir, de l'obligation personnelle a tiré son origine [...] des plus primitives relations entre individus, les relations entre acheteur et vendeur, entre créancier et débiteur : ici la personne s'opposa pour la première fois à la personne, *se mesurant* de personne à personne[4]. »

Pas plus qu'il n'y a un droit au bonheur, le devoir n'est une dette dont on se débarrasse en s'en acquittant, sur le modèle de la transaction économique, comme on dit parfois d'un ex-prisonnier qu'il a « payé sa dette » à l'égard de la société. À l'instar de la responsabilité, que le juridisme ambiant cherche à limiter, le devoir n'a son sens le plus haut que comme horizon infini.

Textes

1. Weber

Quelle formulation pour le devoir ?

Toute activité orientée selon l'éthique peut être subordonnée à deux maximes totalement différentes et irréductiblement opposées. Elle peut s'orienter selon l'éthique de la responsabilité ou selon l'éthique de la conviction. Cela ne veut pas dire que l'éthique de la conviction est identique à l'absence de responsabilité et l'éthique de la responsabilité à l'absence de conviction. Il n'en est évidemment pas question. Toutefois il y a une opposition abyssale entre l'attitude de celui qui agit selon les maximes de l'éthique de conviction — dans un langage religieux nous

1. *Id.*
2. Jankélévicth, *Traité des Vertus I*, Champs-Flammarion, 1983, p. 46.
3. Jankélévicth, *op. cit.*, p. 243.
4. Nietzsche, *op. cit.*, p. 96.

dirions : « le chrétien fait son devoir et en ce qui concerne le résultat de l'action il s'en remet à Dieu » —, et l'attitude de celui qui agit selon l'éthique de responsabilité qui dit : « nous devons répondre des conséquences prévisibles de nos actes ». Vous perdrez votre temps à exposer, de la façon la plus persuasive possible, à un syndicaliste convaincu de la vérité de l'éthique de conviction que son action n'aura d'autre effet que celui d'accroître les chances de la réaction, de retarder l'ascension de sa classe et de l'asservir davantage, il ne vous croira pas.

Weber, *Le Savant et le Politique*, 10/18, 1963, p. 206.

2. Kant

Mais quelle peut bien être cette loi dont la représentation, sans même avoir égard à l'effet qu'on en attend, doit déterminer la volonté pour que celle-ci puisse être appelée bonne absolument et sans restriction ? Puisque j'ai dépossédé la volonté de toutes les impulsions qui pourraient être suscitées en elle par l'idée des résultats liés à l'observation de quelque loi, il ne reste plus que la conformité universelle des actions à la loi en général, qui doit seule lui servir de principe ; en d'autres termes, je dois toujours me conduire de telle sorte que je puisse aussi vouloir que ma maxime devienne une loi universelle. Ici donc, c'est la simple conformité à la loi en général (sans prendre pour base quelque loi déterminée pour certaines actions) qui sert de principe à la volonté, et qui doit même lui servir de principe, si le devoir n'est pas une illusion vaine et un concept chimérique.

Kant, *Fondements de la Métaphysique des Mœurs*, Delagrave, 1985, p. 102-103.

3. Weil

Le devoir moral peut-il être en même temps devoir de bonheur ?

Le devoir envers soi-même se détermine comme le devoir d'être heureux en tant qu'être raisonnable. La formule ne manquera pas de choquer. En effet, quoi de plus contraire, de plus mutuellement exclusif, que les concepts de devoir et de bonheur ? Le devoir n'est-il pas la négation du bonheur, le refus d'en envisager seulement la possibilité ? Et le bonheur n'est-il pas, avant toute chose, l'absence de cette contrainte intérieure par laquelle s'exprime le sentiment du devoir ? De telles observations [...] ne voient pas [...] que l'usage courant, très différent en effet de l'usage philosophique, conduit à des paradoxes insolubles. Le problème moral naît du sentiment du malheur moral, c'est-à-dire, du sentiment que la vie est devenue insensée : en un mot, le début de la réflexion est la recherche du bonheur. On oublie également que ce qui d'ordinaire est considéré comme bonheur, la satisfaction des besoins et des désirs naturels ou historiques, est un but qui, s'il est atteint, l'est à la faveur de circonstances entièrement fortuites : toute l'expérience de l'humanité, antérieure à toute réflexion morale, se résume en ces plaintes répétées de génération en génération, de civilisation en civilisation, qui exposent le malheur de l'homme qui cherche son bonheur dans ce qui ne dépend pas de lui.

Weil, *Philosophie morale*, § 16, Vrin, 1998, p. 101.

4. Nietzsche

Sur quoi la morale est-elle fondée ?

C'est parce que les philosophes de la morale ne se sont fait qu'une idée grossière des faits moraux, en les isolant arbitrairement ou en les réduisant à la moralité de leur entourage, de leur état, de leur époque, de leur climat et de leur contrée [...] Par une étrange anomalie, ce qui a toujours fait *défaut* à la « science de la morale », c'est le problème même de la morale : on n'a jamais soupçonné qu'il y avait là quelque chose de problématique. Ce que les philosophes ont désigné du nom de « fondement de la morale » et qu'ils se sont crus obligés de fournir, n'a jamais été, si on y regarde de près, qu'une forme raffinée de *foi* naïve dans la morale établie ; c'était présenter comme un donné une morale déterminée, et même en fin de compte une manière de nier qu'on *eût le droit* d'envisager cette morale comme un problème ; c'était dans tous les cas le contraire d'un examen, d'une analyse, d'une mise en doute, d'une vivisection de cette foi.

Nietzsche, *Par-delà bien et mal*, § 186, « Idées », Gallimard, 1971, p. 108.

5. Montaigne

La vertu est-elle vertueuse si elle n'a pas de mérite ?

Pour dire un mot de moi-même. J'ai vu quelquefois mes amis appeler prudence en moi ce qui était fortune ; et estimer avantage de courage et de patience, ce qui était avantage de jugement et opinion ; et m'attribuer un titre pour autre, tantôt à mon gain, tantôt à ma perte. Au demeurant, il s'en faut tant que je sois arrivé à ce premier et plus parfait degré d'excellence, où de la vertu il se tait une habitude, que du second même je n'en ai fait guère de preuve. Je ne me suis mis en grand effort pour brider les désirs de quoi je me suis trouvé pressé. Ma vertu, c'est une vertu, ou innocence pour mieux accidentelle et fortuite. Si je fusse né d'une complexion plus déréglée, je crains qu'il fût allé piteusement de mon fait. Car je n'ai essayé guère de fermeté en mon âme pour soutenir des passions, si elles eussent été tant soit peu véhémentes. Je ne sais point nourrir des querelles et du débat chez moi. Ainsi je ne me puis dire nul grand merci de quoi je me trouve exempt de plusieurs vices.

Montaigne, *Essais*, II, 11, « Folio », Gallimard, 1965, p. 127.

6. Jankélévitch

Le cynisme, refus indépassable du devoir ?

La déception de La Rochefoucauld devant l'imposture et l'hypocrisie universelles n'impliquent-elles pas tacitement un certain idéal univoque de pureté qui est pour ainsi dire le système de référence de cette dialectique ? Le fait même que jamais un seul exemple de vertu purement désintéressée n'ait été observé dans toute l'histoire de l'homme, ce fait n'exclut nullement selon Kant l'idée d'un désintéressement-limite et d'une norme régulatrice valable pour tous les hommes. Ainsi donc, la vertu des hommes n'est que mensonge, mais ce mensonge lui-même se définit par rapport à une inaccessible sincérité. La modestie n'est qu'une affectation et une vanité déguisée, mais la vanité à son tour sous-entend une humilité fondamentale. Toute intention dissimule en elle-même une autre intention plus profonde et de signe contraire : sou la bonne intention, on peut toujours retrouver une mauvaise intention larvée, et sous la mauvaise de nouveau une bonne.

Jankélévitch, *Traité des vertus*, I, Champs-Flammarion, 1983, p. 46.

7. Hegel

Pourquoi la belle âme en reste-t-elle à la conviction ?

Il lui manque la force de l'aliénation, la force de faire de soi une chose et de supporter l'être. Elle vit dans la peur de souiller la splendeur de son intérieur par l'action et l'existence, et pour préserver la pureté de son cœur, elle fuit le contact de l'effectivité, et persiste dans l'impuissance obstinée à renoncer à son Soi-même effilé jusqu'à l'extrême abstraction et à se donner de la substantialité, ou encore à transformer sa pensée en être et à se confier à la différence absolue. L'objet creux qu'elle se fabrique, elle ne le remplit donc que de la conscience de la vacuité ; son activité, c'est le languir qui ne fait que se perdre dans un devenir où il devient objet inconsistant, et qui, retombant en soi-même par-delà cette perte, ne se trouve que comme perdu — dans cette pureté transparente de ses moments, elle est ce qu'on appelle une *belle âme* malheureuse dont l'ardeur se consume et s'éteint en soi-même, et s'évanouit en une brume informe qui se disperse dans les airs.

Hegel, *Phénoménologie de l'Esprit*, Aubier, 1991, p. 434.

8. Platon

Ne suivons-nous nos devoirs que par hypocrisie ?

[c'est Glaucon qui parle au nom des sophistes, NDLR]

Nous ne trouverons aucun homme d'une trempe assez forte pour rester fidèle à la justice et résister à la tentation de s'emparer du bien d'autrui, s'il pouvait impunément prendre au marché ce qu'il voudrait, entrer dans les maisons pour s'accoupler à qui lui plairait, tuer les uns, briser les fers des autres, en un mot être maître de tout faire comme un dieu parmi les hommes. En cela, rien ne le distinguerait du méchant, et ils tendraient tous deux au même but, et l'on pourrait voir là une grande preuve qu'on n'est pas juste par choix, mais par contrainte, vu qu'on ne regarde pas la justice comme un bien individuel, puisque partout où l'on croit pouvoir être injuste, on ne s'en fait pas faute. Tous les hommes en effet croient que l'injustice leur est beaucoup plus avantageuse individuellement que la justice, et ils ont raison de le croire, si l'on s'en rapporte aux partisans de la doctrine que j'expose. Si en effet un homme, devenu maître d'un tel pouvoir, ne consentait jamais à commettre une injustice et à toucher au bien d'autrui, il serait regardé par ceux qui seraient dans le secret comme le plus malheureux et le plus insensé des hommes. Ils n'en feraient pas moins en public l'éloge de sa vertu, mais à dessein de se tromper mutuellement dans la crainte d'éprouver eux-mêmes quelque injustice. Voilà ce que j'avais à dire sur ce point.

Platon, *République*, II, 360 b-d, GF-Flammarion, 1966, p. 109-110.

Sujets approchés

Y a-t-il une hypocrisie du devoir ?
N'accomplit-on jamais son devoir que malgré soi ?
Qui est fondé à me dire « tu dois » ?
Peut-on être libre sans être moral ?

→ ***Approche commune*** **: Le devoir n'est-il que l'intériorisation d'une contrainte extérieure ? Le devoir n'est-il alors jamais consenti que sous la contrainte, ou une libre adhésion au devoir est-elle concevable ?**

Le bien et le mal ne sont-ils que des conventions ?
Les devoirs de l'homme varient-ils selon les cultures ?
L'obligation morale n'est-elle qu'une obligation sociale ?

→ ***Approche commune*** **: L'apparente relativité des normes de devoir semble tirer le devoir vers l'arbitraire : le devoir n'est-il qu'une convention arbitraire ou bien sa nécessité est-elle fondée en nous ?**

À quoi savons-nous que notre devoir est accompli ?
Le sentiment du devoir accompli suffit-il à définir la moralité ?
Le bonheur réside-t-il dans la bonne conscience ?

→ ***Approche commune*** **: Ces sujets mettent en cause la possibilité même de s'acquitter de son devoir, de déterminer un seuil de bonne conscience au-delà duquel le devoir est accompli. Mais en a-t-on jamais fini avec son devoir ? Le devoir est-il quelque chose de fini ou d'infini ?**

Sujet esquissé : Qui est autorisé à me dire « tu dois » ?

Introduction

Le libellé lie d'emblée la question du devoir à celle de l'autorité. En précisant cette question de l'autorité sur la légitimité de la source du devoir, la question est personnalisée : nous cherchons qui pourrait bien avoir le droit, ce qui sous-entend que le devoir pourrait bien ne jamais trouver de voix qui ait sur moi autorité, si ce n'est la mienne. Est-ce à moi de me dire que je dois, ou à quels autres puis-je reconnaître ce pouvoir, et au nom de quoi ? Le devoir procède-t-il en moi d'un élan intérieur ou n'est-il que l'intériorisation d'une contrainte extérieure ?

Lignes directrices

1. Il n'y a que moi qui aie le droit de me dire que je dois. Le devoir est ici fondé sur la souveraineté et la liberté de celui qui agit plutôt que sur la soumission à une autorité extérieure : le devoir est une affaire entre moi et moi. Dans le choix des modèles de la formulation du devoir (cf. cours I a et b), ce n'est pas d'autorités extérieures qu'il est question mais de principes. Pourtant, le choix des principes peut tout aussi bien être dénoncé comme l'effet de la société, comme l'intériorisation des exigences de l'autre (cf. cours II b).

2. On peut référer le devoir à une autorité que nous reconnaissons, par exemple en tant qu'elle nous paraît fondée sur la nature. Ainsi puis-je répondre à celui qui entend m'intimer un ordre qu'il n'est pas mon père, ou reprocher au conseilleur son paternalisme. Cela suppose que la figure du père (la famille est ici le cercle naturel de l'autorité) est de celles qui peuvent me dire que je dois (cf. la question du lien entre famille et société).

3. En laissant celui à qui j'ai consenti à déléguer mes pouvoirs me dire que je dois, je ne fais que m'obéir à moi-même.

Le cercle de l'autorité est ici culturel, par exemple politique : avec Rousseau, l'obéissance n'a rien d'aliénant dans la mesure où j'obéis à la loi à laquelle j'ai consenti. Ce n'est donc plus à quelqu'un mais à quelque chose d'impersonnel que j'obéis : en obéissant au chef (et non au maître), c'est par la force des lois que je n'obéis qu'aux lois et non pas aux hommes (cf. le cours sur la liberté).

Le bonheur

Définir, Problématiser

Le bonheur se présente plutôt comme une fin. Le bonheur est même la fin universelle : le bonheur est ce que tout le monde veut (« tous les hommes recherchent d'être heureux ; cela est sans exception ; quelques différents moyens qu'ils y emploient, ils tendent tous à ce but[1] »). Sans être jamais le moyen d'une autre fin, il est l'enjeu apparent ou caché de toutes les autres fins. Mais cette fin universelle est-elle accessible ? Arrivons-nous jamais à être heureux ? Puisqu'il semble souvent que non, que la vraie vie est ailleurs, il faut savoir ce qui est en cause : si c'est le bonheur qui est difficile d'accès (aucun de nos efforts ne suffisant à s'en approcher), alors nous devons redoubler d'efforts pour construire notre bonheur. Mais c'est peut-être l'homme qui est inaccessible au bonheur : là où nous cherchons à construire le bonheur, il suffirait au contraire de s'y montrer accessible, toute circonstance de la vie donnant une chance de bonheur à qui saura le vivre. **Le bonheur est-il quelque chose de donné ou de construit ?**

Il semble bien difficile de donner au bonheur un contenu identifiable : cela tient d'abord à ce qu'il semble que pour chacun de nous, le bonheur appelle des représentations différentes, comme si chacun avait le sien et que les bonheurs ne communiquaient pas : le bonheur est menacé par le relativisme. Mais cela tient aussi à ce que nous ne sommes pas nécessairement capables de reconnaître notre bonheur autrement qu'après coup : je peux parfois dire que j'ignorais mon bonheur. Comment le reconnaître et l'identifier ? Le bonheur n'est-il qu'une idée fugace ou bien y a-t-il des signes, des critères du bonheur ? **Sommes-nous parfois heureux, ou n'avons-nous jamais affaire qu'à l'idée du bonheur ?**

Le bonheur est parfois frivole : devrions-nous avoir honte d'être heureux ? Le souci du devoir fonctionne-t-il comme obstacle à la recherche du bonheur ? Ce qui nous procure du bonheur est-il inversement proportionnel à ce qui est vertueux ? Du point de vue du devoir, le souci du bonheur peut apparaître frivole, ce qui laisse supposer que le devoir entraîne nécessairement une dose de déplaisir alors que le bonheur se caractériserait par le plaisir. Mais c'est oublier que le devoir peut être source

1. Pascal, *Pensées*, 425, GF-Flammarion, 1976, p. 165.

de satisfaction, et que les divers déplacements de sens des deux termes permettent de penser leur articulation en bien des sens, ce qui donne à ce chapitre toute sa matière. L'accomplissement du devoir suppose-t-il la mise à l'écart de la question du bonheur, ou au contraire la recherche du bonheur est-elle le premier devoir et donc la condition de l'accomplissement des autres ? **Pour le devoir, le bonheur est-il un obstacle ou une chance ?**

Développer

I. Bonheur et malheur

L'opinion commune nous dirait ici qu'il faut présenter cette articulation comme une disjonction : nous sommes heureux ou malheureux. L'existence serait donc destinée à être dominée par l'un ou l'autre de ces termes. Lequel est la règle, lequel l'exception ?

a. Le bonheur comme exception

Une première définition possible du bonheur serait ici une définition négative, et définirait le bonheur par l'absence de son contraire. Ici, on appelle bonheur les trêves et les rémissions de nos malheurs : le malheur est le fil directeur de l'existence, mais ça et là le ciel brièvement se dégage et nous sommes fugacement heureux. Ainsi Montaigne dit-il que « notre bien-être, ce n'est que la privation d'être mal[1] ». Ce qui fait le malheur continu de l'homme dans la vision qu'en a Pascal, c'est l'ennui : non seulement les soucis dont toute existence est traversée, mais l'ennui existentiel qui est le propre de la condition humaine : « l'homme est si malheureux, qu'il s'ennuierait même sans aucune cause d'ennui, par l'état propre de sa complexion[2] ». Cet ennui ne peut être interrompu que par l'action qu'il entreprend pour s'en détourner, s'en divertir : il faut se détourner de l'ennui par l'action, s'en remettre à « la plongée dans le tourbillon des affaires en vue de l'affairement même[3] ».

Tel est le sens de ce que l'on nomme le divertissement pascalien (voir le texte n° 5), qui fait du bonheur une exception au malheur. Le malheur est la règle, le bonheur un répit bref et incertain, tant nous ne pouvons nous réfugier de l'ennui que dans le divertissement au sens pascalien, c'est-à-dire fuir l'absurdité de la vie par l'affairement et le tourment. Le devoir, au sens non strictement moral, mais au sens étendu des obligations, devient alors une figure à la fois de ce malheur et de ce divertissement : comme souci et comme affairement, le devoir hypothèque notre bonheur. Nos pensées sont affairées, nous avons toujours plus urgent à faire que de savourer notre bonheur et autre chose à penser. Comme souci, le devoir devient alors l'autre du bonheur pensé comme étonnement. Nous construisons des obligations et des

1. Montaigne, *Essais*, II 12, GF-Flammarion, 1979, p. 159.
2. Pascal, *Pensées*, 139, GF-Flammarion, 1976, p. 89.
3. Scheler, *Mort et Survie*, Aubier, 1952, p. 40.

soucis qui nous éloignent du bonheur donné. Blasés par les occupations, nous ne savons plus nous étonner.

Cette thèse repose sur l'idée pessimiste, ou en tout cas l'esprit de sérieux (tonalité qu'on retrouve chez Hegel disant que l'histoire n'est pas le lieu du bonheur) selon lesquels sa nature prédispose davantage l'homme au malheur qu'au bonheur : l'homme semble ainsi fait pour être malheureux : « ou l'on pense aux misères que l'on a ou à celles qui nous menacent. Et quand on se verrait même assez à l'abri de toutes parts, l'ennui, de son autorité privée, ne laisserait pas de sortir du fond du cœur, où il a des racines naturelles, et de remplir l'esprit de son venin[1] ». Freud affiche une position analogue (voir aussi le texte n° 8) lorsqu'il montre que le premier horizon humain est celui de la souffrance, qui relègue celui du bonheur au second plan : « on s'estime déjà heureux de s'être sauvé du malheur, d'avoir échappé à la souffrance [...] De façon tout à fait générale, la tâche de l'évitement de la souffrance repousse à l'arrière-plan celle du gain du plaisir[2]. » Le bonheur ne se présente donc pas comme une réalité positive : il n'est que le nom que nous donnons à l'interruption de son contraire, le malheur, qui, lui, existe positivement comme horizon inévitable de l'existence humaine.

b. Bonheur et conscience

On peut imputer cet état de choses à l'existence de la conscience : ce serait la conscience elle-même qui ferait notre malheur, comme conscience de la mort. Merleau-Ponty disait ainsi que « toute conscience est donc malheureuse, puisqu'elle se sait vie seconde, et regrette l'innocence d'où elle se sent issue[3] ». La distinction de Merleau-Ponty est entre exister et vivre : exister est bien moins que vivre, puisqu'il nous faut toujours nous mettre en quête d'un sens qui reste absent : comme le bonheur, la « vraie vie » est toujours ailleurs, plus loin et plus tard. Le bonheur serait réservé à celui qui est à l'extrême limite de la conscience, comme le nouveau-né, qui ne se rend pas encore compte de ce qui l'attend : le bonheur est insouciance mais la conscience est souci. Au lieu d'être là où je suis et quand je suis, je suis toujours au-delà : je ne suis jamais à ce que je fais, jamais à mon bonheur.

Ce qui fait de l'expression de « conscience malheureuse » une sorte de pléonasme nous est expliqué par Hegel dans la construction de l'identité. C'est comme non-coïncidence à soi que la conscience est fondamentalement malheureuse : « La conscience malheureuse est la conscience de soi, comme essence doublée et encore seulement empêtrée dans la contradiction[4] ». Tiraillée entre l'en-soi et le pour-soi, la conscience attend la reconnaissance pour se réconcilier avec elle-même. C'est en tant qu'elle est scindée que la conscience est malheureuse, comme « essence doublée » qui cherche à refaire son unité. Tout se passe donc comme si la conscience

1. Pascal, *Pensées*, 139, GF-Flammarion, 1976, p. 89.
2. Freud, *Le malaise dans la culture*, « Quadrige », Puf, 1997, p. 19.
3. Merleau-Ponty, *Sens et Non-sens*, Gallimard, « Nrf », 1996, p. 83-84.
4. Hegel, *Phénoménologie de l'Esprit*, tome 1, trad. Jean Hyppolite, Aubier, 1941, p. 176

interdisait structurellement le bonheur, en tout cas à l'homme ; mais d'un autre côté, n'y a-t-il pas de bonheur qu'humain ?

c. Bonheur et conscience du bonheur

Devant les inconvénients de la conscience, on peut toujours rechercher un expédient pour la fuir : les paradis artificiels détournent, abolissent ou désinhibent la conscience en vue du bonheur. Le plaisir pur veut abolir la conscience, mais la conscience n'aura de l'orgie que de mauvais souvenirs : « on hésite entre un plaisir qui est pur à la seule condition de rester inconscient et une conscience du plaisir qui a presque nécessairement un goût très amer[1] ». Mais devra-t-on appeler bonheur un moment dont je ne me suis pas aperçu ? Pourra-t-on dire d'un bonheur dont je n'ai pas eu conscience que c'était un bonheur ? Faut-il alors conclure que le bonheur n'est qu'une illusion rétrospective, comme lorsque l'on dit après coup : j'ignorais mon bonheur ? Mais alors nous nous heurtons à un autre obstacle : un bonheur dont nous ne nous apercevons pas n'en est pas vraiment un, sinon il faudrait envier le bonheur des objets, qui ne se rendent compte, eux, de rien. Il n'y aurait donc pas plus de bonheur sans conscience que de conscience heureuse : l'aporie du bonheur consiste donc en ceci que la conscience est la condition du bonheur (pour être heureux il faut que je le sache) et qu'en même temps elle l'interdit (il n'y a pas de conscience heureuse).

Canguilhem dresse ainsi une analogie entre le bien moral et la santé, pour leur trouver ceci de commun que « nul n'est sain se sachant tel[2] ». Il en serait de même pour le bonheur : « on n'est jamais si heureux ni si malheureux qu'on se l'imagine[3] », on s'exagère toujours nos malheurs comme nos bonheurs, comme si ces expériences ne cernaient pas leur objet mais le situaient au contraire toujours dans l'outrance et la surenchère. La mesure de mon bonheur m'échappe dans le présent : Jankélévitch nous montre ainsi que « le bonheur [...] n'a pas de présent, mais seulement un passé et un futur[4] ». Ce n'est que quand je perds mon bonheur que je sais *a posteriori* que j'aurais dû m'en estimer heureux : ce serait là le signe que justement le bonheur ne se signale pas comme tel, que rien ne manifeste sa présence de façon perceptible : le bonheur n'est donc ni un objet de la perception, ni un objet de la raison, mais de l'imagination. Comme tel, il paraît devoir échapper à toute stratégie visant à l'obtenir, puisqu'au fond on ne sait pas, autrement qu'en rêve, ce que c'est que le bonheur : « il n'y a donc pas à cet égard d'impératif qui puisse commander, au sens strict du mot, de faire ce qui rend heureux, parce que le bonheur est un idéal, non de la raison, mais de l'imagination, fondé uniquement sur des principes empiriques, dont on attendrait vainement qu'ils puissent déterminer une action[5] ».

---

1. Jankélévitch, *Traité des Vertus*, I, Champs-Flammarion, 1983, p. 71.
2. Canguilhem, *Le normal et le pathologique*, « Quadrige », Puf, 1966, p. 180.
3. La Rochefoucauld, *Maximes*, 49, Le Livre de Poche, 1991, p. 84.
4. Jankélévitch, *op. cit.*, p. 66.
5. Kant, *Fondements de la Métaphysique des Mœurs*, Delagrave, 1985, p. 132.

II. La conquête du bonheur

Quelle stratégie est de nature à nous approcher du bonheur : faut-il se mettre en quête du bonheur ou le laisser venir ?

a. Le bonheur comme promesse

Le bonheur a quelque chose à voir avec la question du désir. Comment le désir sera-t-il heureux ? Un double péril le menace : mourir en tant que désir, c'est-à-dire être satisfait ; et en même temps, mourir de désir, c'est-à-dire n'avoir été jamais satisfait. Toute stratégie savante du désir se méfie de la jouissance, et Rousseau montre par exemple qu'on n'est paradoxalement heureux qu'avant de l'être (voir le texte n° 8). Ainsi le désir n'entrevoit-il le bonheur que dans l'imminence de sa satisfaction, quand il échappe au malheur de la frustration sans avoir encore perdu ses rêves. Ce n'est pas par hasard que tous les couples considèrent le début de leur amour comme leur moment magique, comme l'élan que tout ce qui suit cherchera à entretenir : le bonheur n'existe alors que comme promesse de lui-même, de même que Stendhal définit l'amour comme une promesse de bonheur plutôt que comme bonheur. C'est l'instant de bonheur, qui le fait surgir comme interruption du temps, comme éternité d'un moment : la promesse de bonheur ne sera pas tenue, mais elle aura été éternelle.

Kant a donné une figure de ce bonheur du juste-avant : c'est l'enthousiasme, comme capacité de déceler des signes du règne des fins, dans la philosophie de l'histoire ; ou comme mode de présentation de l'idée, dans celle du jugement de goût. « L'Idée du bien accompagnée d'émotion se nomme enthousiasme. Cet état d'âme semble à ce point sublime que l'on prétend communément que sans lui on ne peut rien faire de grand[1]. » Certes, Kant ne manque pas de refermer bien vite cette lucarne du bonheur, renvoyée à la confusion du pathologique ; mais en son sens historico-politique comme en son sens esthétique, l'enthousiasme décèle là où il n'y a encore rien à voir, voit le bonheur de la fin et de la satisfaction avant que nous ne le gâchions en le vivant. Il est alors prudent de s'en tenir à ce juste-avant, comme dans les contes de fées, qui ne s'intéressent qu'au règlement des obstacles qui empêchent le prince et la princesse de se retrouver, la suite étant renvoyée, par une ellipse temporelle, à l'après-récit : ils furent heureux et eurent beaucoup d'enfants.

b. La chasse et la prise

Même si on le suppose acquis, le bonheur est rare et fragile : il a toujours à craindre l'arrivée inopinée toujours possible du malheur (voir le texte n° 6), au point qu'on peut se demander, comme Épicure ou Aristote[2], si l'on ne peut dire d'un homme qu'il a été heureux qu'une fois qu'il est mort, tant le liard de vie qui me reste encore peut me réserver quelque catastrophe à venir ? Même la recherche active du

1. Kant, *Critique de la Faculté de juger*, § 29, Vrin, 1984, p. 108.
2. Voir notamment l'*Éthique à Nicomaque*, I, 11.

bonheur semble rendre le bonheur indéfini, le repoussant plus loin à mesure qu'elle le cherche. C'est la critique que fait Scheler de la stratégie hédoniste, celle qui dont le comportement peut se définir par « la fuite devant la souffrance, la tentative pour atteindre, par la force de la volonté, un surcroît de plaisir[1] ».

C'est que ce calcul est toujours déçu, parce que la recherche du bonheur a le pouvoir paradoxal de le faire fuir : « il y a des choses qui, précisément, ne s'obtiennent pas quand elles sont devenues le but conscient de l'activité ; et des choses qui arrivent d'autant plus sûrement qu'on avait voulu les éviter. Il en est ainsi du bonheur et de la souffrance. Le bonheur fuit le chasseur dans des régions de plus en plus lointaines ; et la souffrance se rapproche d'autant plus du fuyard qu'il la fuit avec plus de crainte[2]. » Il en va du bonheur comme des objets quotidiens que nous cherchons, ou des mots que nous avons sur le bout de la langue : il semble que nous soyons destinés à ne les trouver que précisément lorsque nous renonçons à les chercher. Le bonheur trouve ici sa figuration la plus fine dans le mythe d'Orphée, qui ne peut regarder Eurydice sans la condamner, et qui doit donc y renoncer pour ne pas la perdre. Jankélévitch y revient avec Scheler puis Proust : « si la souffrance poursuit le fuyard, dit Max Scheler, le bonheur fuit le chasseur ; Proust lui aussi parle de "l'impuissance où on est de trouver du plaisir quand on se contente de le chercher". Disons à notre tour : la conscience l'éloigne en prétendant le retenir, ou le manque en voulant le forcer[3]. »

c. Le bonheur comme étonnement

La chasse vaut donc peut-être mieux que la prise, mais elle sera malheureuse et de prendre et de ne pas avoir pris : c'est peut-être que la chasse elle-même se méprend sur la nature même du bonheur. Un plaisir programmé n'est plus un plaisir : le bonheur n'est peut-être plus alors de l'ordre de ce qu'il faut construire, mais de l'ordre du donné. Admettons que le bonheur soit dans l'amour : l'amour se trouve mais ne se cherche pas, pour parodier Picasso, la rencontre ne signifie rien si elle est organisée. Comme la rencontre, le bonheur est d'une absolue contingence, rien ne le détermine ni ne le prévoit. Le bonheur nous étonne et nous prend par surprise, et il suppose donc, pour être et pour être vécu, la capacité à être étonné, la disponibilité pour notre propre étonnement. Or la façon dont nous vivons, toute faite de gestion d'un temps balisé d'avance par les projets, les ambitions et les habitudes, semble s'y opposer : nous ne sommes pas faits pour le bonheur parce que nous ne savons pas le mériter. Nous avons rarement du temps pour le bonheur, parce que le temps planifié est celui où l'étonnement n'a plus de place.

Nous courons et capitalisons, et l'acquisition forcenée nous empêche de découvrir : « Non, non, pas acquérir. Voyager pour t'appauvrir. Voilà ce dont tu as besoin[4] ». Notre être social est tourné vers l'avoir, car « nous sommes pleins de

1. Scheler, *Le Sens de la Souffrance*, Aubier, p. 54-55.
2. *Id.*, p. 55.
3. Jankélévitch, *op. cit.*, p. 99.
4. Michaux, *Poteaux d'angle*, Gallimard, 1981,

choses qui nous jettent au-dehors. Notre instinct nous fait sentir qu'il faut chercher notre bonheur hors de nous[1] ». Mais il y a maintes façons d'être au monde, et l'étonnement qualifie l'être, ce que nous sommes, et non l'avoir, tant les objets de nos désirs finiront par nous lasser. L'étonnement, c'est l'excès de l'être sur l'avoir : voilà pourquoi l'époque est à la redécouverte des petits bonheurs, des premières gorgées de bière ou d'autres euphories miniatures : il n'est point besoin des grandes ou des très grandes choses pour être heureux.

III. Bonheur et devoir

a. Le bonheur comme horizon nécessaire du devoir

Si le bonheur est une fin universelle qui se subordonne toute autre fin, ne sommes-nous moraux qu'en vue du bonheur ? La recherche de la bonne conscience, par exemple, ne figure-t-elle pas cet état d'une conscience heureuse (soulagée) et morale ? L'impératif de santé permet peut-être d'articuler les notions de devoir et de bonheur, se trouvant du côté du bien-être et du bonheur comme santé physique, et du côté du devoir comme santé morale. Ainsi peut-on se demander si au fond devoir et bonheur, loin d'être seulement articulables, ne seraient pas les noms de deux métaphores de la même chose.

Il faut prendre en compte à cet égard la position des sagesses antiques, et de la valeur que stoïciens et épicuriens ont mise au premier plan de leur exigence : l'ataraxie, l'absence de troubles. L'ataraxie est-elle la fin du devoir ou la fin du bonheur ? La morale stoïcienne (voir le texte n° 2) met le bien et la vertu au premier rang, les distinguant du bonheur en vue duquel les actes vertueux sont pratiqués : l'ataraxie est la fin, le bonheur est ce qui l'accompagne. Dans la morale épicurienne (voir le texte n° 3) au contraire, c'est le plaisir qui est recherché, l'ataraxie venant se subordonner à cette fin. Ainsi le bonheur accompagne le primat du devoir (chez Épictète) et le devoir accompagne le primat du bonheur (chez Épicure). Ces deux sens de l'articulation analytique des concepts mettent en jeu leur convergence.

La façon dont la théorie kantienne de la morale fonde le devoir n'admet de motifs du devoir que rationnels. Ainsi la théorie kantienne du devoir le définit comme autonomie (voir le texte n° 1) : la raison commande directement à la volonté, comme faculté supérieure de désirer. Le sentiment de plaisir et de peine, qui se préoccupe du bonheur, relève de la faculté inférieure de désirer, qui relève de l'hétéronomie. Or la moralité ne peut se fonder sur des principes empiriques, mais seulement sur des principes rationnels. Il s'agit donc de procéder à une distinction entre devoir et bonheur, distinction fondée sur le fait que la doctrine du bonheur « est tout entière fondée sur des principes empiriques qui ne forment même pas la plus petite partie[2] » de la doctrine du devoir. Écarter la recherche du bonheur est donc un préalable absolu à toute définition du devoir, et en cela au moins, dans cette étape initiale, le bonheur

1. Pascal, *Pensées*, 464, *op. cit.*, p. 181.
2. Kant, *Critique de la Raison pratique*, « Quadrige », Puf, 1985, p. 98.

doit être mis de côté, ce qui ne signifie pas que la raison pratique ne s'en préoccupera plus : « cette distinction du principe du bonheur et du principe de la moralité n'est pas pour cela une opposition, et la raison pure pratique ne veut pas qu'on renonce à toute prétention au bonheur, mais seulement, qu'aussitôt qu'il s'agit de devoir, on ne le prenne pas du tout en considération[1] ». C'est finalement l'attitude vis-à-vis d'une fin qui distingue le plus nettement ces deux impératifs. L'impératif moral n'est le moyen d'aucune fin, il se porte inconditionnellement sur ce qui est moral, c'est-à-dire universalisable. L'impératif du bonheur vise une fin alors que l'impératif du devoir ne se laisse pas détourner par la considération d'une fin.

b. Le devoir responsable du bonheur

Faut-il que le bonheur, chassé de l'impératif moral au moment de sa formulation et de son application, doive nécessairement venir l'accompagner ? Kant examine, pour la réfuter, cette articulation analytique des concepts de devoir et de bonheur, pour réfuter du même coup épicuriens et stoïciens. La formulation épicurienne de cette articulation est pour Kant la suivante : le devoir est subordonné au bonheur, c'est le bonheur qui est la cause de la moralité, et la moralité n'est qu'un effet, comme si « celui qui cherche son bonheur se trouvait vertueux en se conduisant ainsi[2] ». La formulation stoïcienne serait alors la suivante : le bonheur ne fait qu'accompagner le devoir tout en lui restant subordonné, le devoir est la cause et le bonheur n'est qu'un effet, « comme si celui qui suit la vertu se trouvait heureux *ipso facto* par la conscience d'une telle conduite[3] ».

La première affirmation doit pour Kant être écartée, le désir du bonheur ne peut constituer le mobile de la morale, faute de quoi nous serions placés en situation d'hétéronomie. La seconde n'est pas absolument fausse, mais elle reste indéterminable : la maxime de la vertu n'est pas la cause efficiente du bonheur à tout coup, aucun enchaînement de ce type n'existant nécessairement dans le monde. Le facteur déterminant qui empêche de tenir compte du bonheur dans la définition du devoir paraît donc être son caractère indéterminable : « par malheur, le concept du bonheur est un concept si indéterminé que, malgré le désir qu'a tout homme d'arriver à être heureux, personne ne peut jamais dire en termes précis et cohérents ce que véritablement il désire et il veut[4] ». Le bonheur ne peut être l'effet prévisible d'aucune attitude s'il n'est pas déterminable en lui-même.

Si la liaison ne peut être analytique, elle sera, pour Kant, synthétique, la notion de souverain bien devant envelopper le bonheur dont le souci n'est jamais absent de l'homme. Incompatible avec la formulation du devoir du fait de son caractère empirique, impossible à assigner comme effet nécessaire du devoir du fait de son caractère indéterminable, le bonheur ne peut plus être qu'espéré. Mais en même temps, la prise en compte du désir du bonheur, même si elle ne peut en garantir la satisfaction,

1. *Id.*, p. 99.
2. Kant, *Critique de la Raison pratique*, *op. cit.*, p. 122.
3. *Ibid.*
4. Kant, *Fondements…*, *op. cit.*, p. 131.

émarge néanmoins au nombre des responsabilités de la raison. Kant présente cette charge de la raison comme un tribut qu'il faut consentir à notre animalité : « l'homme est un être de besoins, en étant qu'il appartient au monde sensible et, sous ce rapport, sa raison a certainement une charge qu'elle ne peut décliner en vue du bonheur de cette vie[1] ». Notre condition rend inévitable une synthèse de deux concepts qui, du strict point de vue analytique, ne peuvent pour Kant être accordés.

c. Un devoir de bonheur ?

Cette responsabilité de la raison peut-elle être elle-même qualifiée de devoir ? La prise en compte nécessaire du bonheur, même sur le compte de la condition, peut-elle finalement, comme par ricochet, faire figure de partie intégrante du devoir[2] ? Cela reviendrait à parler d'un devoir que nous aurions vis-à-vis de notre propre bonheur, ce que même Kant ne nie pas tout à fait : « assurer son propre bonheur est un devoir (au moins indirect) ; car le fait de ne pas être content de son état, de vivre pressé par de nombreux soucis et au milieu de besoins non satisfaits pourrait devenir aisément une grande tentation d'enfreindre ses devoirs[3] ». Voilà le bonheur qui accède au rang de devoir, non pas immédiatement, mais de façon médiate. La *Critique de la Raison pratique* relève elle aussi cet argument selon lequel il ne faudrait pas que le malheur ne déchaîne l'immoralité, tout en ajoutant une idée différente : « ce peut être même à certains égards, un devoir de prendre soin de son bonheur : d'une part parce que le bonheur (auxquels se rapportent l'habileté, la santé et la richesse) fournit des moyens de remplir son devoir[4] ».

L'impératif assertorique peut donc devenir le lieutenant de l'impératif catégorique. Si le bonheur peut bien contribuer à alimenter la morale, c'est aussi qu'il vaut mieux, à choisir, que ce soit le bonheur qui nous rende moraux plutôt que le malheur. Il s'agit en effet de veiller à ce que le malheur ne devienne pas le mobile inavoué de la moralité : la moralité ne peut être réductible à l'aigreur, ce qui impose de ménager au bonheur une place dans la morale. Faute de cela, toute théorie de la morale et du devoir prêterait le flanc aux démystifications cyniques, promptes à n'y voir qu'un déguisement de la convoitise ou de la jalousie.

---

1. Kant, *Critique...*, *op. cit.*, p. 63.
2. Voir à partir de cette question le texte n° 3 du chapitre sur le devoir.
3. Kant, *Fondements...*, p. 97.
4. Kant, *Critique...*, *op. cit.*, p. 99.

Textes

1. Kant

Le bonheur donne-t-il à la morale sa fin ?

Plus une raison cultivée s'occupe de poursuivre la jouissance de la vie et du bonheur, plus l'homme s'éloigne du vrai contentement. Voilà pourquoi chez beaucoup, et chez ceux-là mêmes qui ont fait de l'usage de la raison la plus grande expérience, il se produit, pourvu qu'ils soient assez sincères pour l'avouer, un certain degré de misologie, c'est-à-dire de haine de la raison. En effet, après avoir fait le compte de tous les avantages qu'ils retirent, je ne dis pas de la découverte de tous les arts qui constituent le luxe ordinaire, mais même des sciences (qui finissent par leur apparaître aussi comme un luxe de l'entendement), toujours est-il qu'ils trouvent qu'en réalité ils se sont imposé plus de peine qu'ils n'ont recueilli de bonheur [...] Le jugement de ceux qui limitent fort et même réduisent à rien les pompeuses glorifications des avantages que la raison devrait nous procurer relativement au bonheur et au contentement de la vie, n'est en aucune façon le fait d'une humeur chagrine ou d'un manque de reconnaissance envers la bonté du gouvernement du monde, mais qu'au fond de ces jugements gît secrètement l'idée que la fin de leur existence est toute différente et beaucoup plus noble, que c'est à cette fin, non au bonheur, que la raison est spécialement destinée, que c'est à elle en conséquence, comme à la condition suprême, que les vues particulières de l'homme doivent le plus souvent se subordonner.

Kant, *Fondements de la Métaphysique des Mœurs*, Delagrave, 1985, p. 92.

2. Épictète

Bonheur et vertu : lequel des deux mène à l'autre ?

Ne subissent point de contrainte ceux qui sont au pouvoir de la personne morale ; sont soumis à la contrainte ceux qui échappent à ce pouvoir. Et c'est pourquoi, s'il place son bien et son intérêt en ces seuls objets, en ceux qui ne subissent point de contrainte et dont il est le maître, il sera libre, content, heureux, invulnérable, généreux, pieux, reconnaissant envers Dieu pour tout, n'incriminant jamais aucun des événements, ne blâmant personne. Si, au contraire, il place son bien et son intérêt dans les objets extérieurs, indépendants de lui, il subira nécessairement des contraintes et rencontrera des obstacles, il sera l'esclave de ceux qui détiennent en leur pouvoir ces choses qu'il a admirées ou qu'il redoute ; il sera nécessairement impie, car il se croira lésé par Dieu, il se montrera injuste et cherchera à se procurer plus que sa part, et nécessairement aussi il sera bas et mesquin.

Épictète, *Entretiens*, IV, 7, « Tel », Gallimard, 1991, p. 324.

3. Épicure

Quand donc nous disons que le plaisir est le but de la vie, nous ne parlons pas des plaisirs des voluptueux inquiets, ni de ceux qui consistent dans les jouissances déréglées, ainsi que l'écrivent des gens qui ignorent notre doctrine, ou qui la combattent et la prennent dans un mauvais sens. Le plaisir dont nous parlons est celui qui consiste, pour le corps, à ne pas souffrir et, pour l'âme, à être sans trouble. Car ce n'est pas une suite ininterrompue de jours passés à boire et à manger, ce n'est pas la jouissance des jeunes garçons et des femmes, ce n'est pas la saveur des poissons et des autres mets que porte une table somptueuse, ce n'est pas tout cela qui engendre la vie heureuse, mais c'est le raisonnement vigilant, capable de trouver en toutes circonstances les motifs de ce qu'il faut choisir et de ce qu'il faut éviter, et de rejeter les vaines opinions d'où provient le plus grand trouble des âmes. Or, le principe de tout cela et par conséquent le plus grand des biens, c'est la prudence.

Épicure, *Lettre à Ménécée*, « Intégrales », Nathan, 1998, p. 79.

4. Platon

Le bonheur vient-il du plaisir sans mesure ?

Suppose qu'il y ait deux hommes qui possèdent, chacun, un grand nombre de tonneaux. Les tonneaux de l'un sont sains, remplis de vin, de miel, de lait, et cet homme a encore bien d'autres tonneaux, remplis de toutes sortes de choses. Chaque tonneau est donc plein de denrées liquides qui sont rares, difficiles à recueillir et qu'on n'obtient qu'au terme de maints travaux pénibles. Mais, au moins, une fois que cet homme a rempli ses tonneaux, il n'a plus à y reverser quoi que ce soit ni à s'occuper d'eux ; au contraire, quand il pense à ses tonneaux, il est tranquille. L'autre homme, quant à lui, serait aussi capable de se procurer ce genre de denrées, même si elles sont difficiles à recueillir, mais comme ses récipients sont percés et fêlés, il serait forcé de les remplir sans cesse, jour et nuit, en s'infligeant les plus pénibles peines. Alors regarde bien, si ces deux hommes représentent chacun une manière de vivre, de laquelle des deux dis-tu qu'elle est la plus heureuse ? Est-ce la vie de l'homme déréglé ou de l'homme tempérant ?

Platon, *Gorgias*, 493e-494a, GF-Flammarion, 1987, p. 232-233.

5. Pascal

Faut-il blâmer les hommes de rechercher le bonheur ?

Leur faute n'est pas en ce qu'ils cherchent le tumulte, s'ils ne le cherchaient que comme un divertissement ; mais le mal est qu'ils le recherchent comme si la possession des choses qu'ils recherchent les devait rendre véritablement heureux, et c'est en quoi on a raison d'accuser leur recherche de vanité ; de sorte qu'en tout cela et ceux qui blâment et ceux qui sont blâmés n'entendent pas la véritable nature de l'homme. Et ainsi, quand on leur reproche que ce qu'ils recherchent avec tant d'ardeur ne saurait les satisfaire, s'ils répondaient, comme ils devraient le faire s'ils y pensaient bien, qu'ils ne recherchent en cela qu'une occupation violente et impétueuse qui les détourne de penser à soi, et que c'est pour cela qu'ils se proposent un objet attirant qui les charme et les attire avec ardeur, ils laisseraient leur adversaire sans repartie. Mais ils ne répondent pas cela, parce qu'ils ne se connaissent pas eux-mêmes. Ils ne savent pas que ce n'est que la chasse, et non la prise, qu'ils recherchent.

Pascal, *Pensées*, 139, GF-Flammarion, 1976, p. 88.

6. Leopardi

Y a-t-il des bornes au malheur ?

Il n'est pas de malheur humain qui ne puisse croître. Alors qu'il se trouve un terme à cela même qu'on appelle bonheur. Il peut se trouver un homme parfaitement chanceux qui ne peut rien désirer de plus, dont le bonheur ne puisse s'étendre. Auguste était dans ce cas. Mais un homme si malheureux, qui ne puisse imaginer de plus grand malheur, malheur non seulement imaginaire, non seulement possible, mais réalisé bien souvent dans tel ou tel individu, pour telle ou telle partie, un tel homme n'existe pas. Le destin peut bien dire à beaucoup « je n'ai pas de plus grand pouvoir de te faire du bien », mais personne ne peut jamais se vanter de dire au destin « tu n'as pas la force de me nuire davantage et d'augmenter mes douleurs ». L'espoir peut faire défaut, mais jamais la crainte ne fera défaut. Le désespoir même ne suffit pas à rassurer l'homme. Personne ne peut se vanter ou s'indigner véridiquement en disant « je ne puis être plus malheureux que je ne suis ».

Leopardi, *Philosophie pratique*, Rivages poche, 1998, p. 177.

7. Freud

L'homme est-il fait pour le bonheur ?

On notera que c'est simplement le programme du principe de plaisir qui pose la finalité de la vie. Ce principe domine le fonctionnement de l'appareil animique dès le début ; de sa fonction au service d'une finalité, on ne saurait douter, et pourtant son programme est en désaccord avec le monde entier, avec le macrocosme aussi bien qu'avec le microcosme. De toute façon, il n'est pas réalisable, tous les dispositifs du Tout s'opposent à lui ; on aimerait dire que le dessein que l'homme soit « heureux » n'est pas contenu dans le plan de la « création ». Ce qu'on appelle bonheur au sens le plus strict découle de la satisfaction plutôt subite de besoins fortement mis en stase et, d'après sa nature, n'est possible que comme phénomène épisodique. Toute persistance d'une situation désirée par le principe de plaisir ne donne qu'un sentiment d'aise assez tiède ; nos dispositifs sont tels que nous ne pouvons jouir intensément que de ce qui est contraste, et ne pouvons jouir que très peu de ce qui est état. Ainsi donc nos possibilités de bonheur sont limitées déjà par notre constitution.

Freud, *Le malaise dans la culture*, « Quadrige », Puf, 1997, p. 18-19.

8. Rousseau

Pourquoi le bonheur nous échappe-t-il toujours ?

Tant qu'on désire on peut se passer d'être heureux ; on s'attend à le devenir : si le bonheur ne vient point, l'espoir se prolonge, et le charme de l'illusion dure autant que la passion qui le cause. Ainsi cet état se suffit à lui-même, et l'inquiétude qu'il donne est une sorte de jouissance qui supplée à la réalité, qui vaut mieux peut-être. Malheur à qui n'a plus rien à désirer ! Il perd pour ainsi dire tout ce qu'il possède. On jouit moins de ce qu'on obtient que de ce qu'on espère, et l'on n'est heureux qu'avant d'être heureux. En effet, l'homme, avide et borné, fait pour tout vouloir et

> peu obtenir, a reçu du ciel une force consolante qui rapproche de lui tout ce qu'il désire, qui le soumet à son imagination, qui le lui rend présent et sensible, qui le lui livre en quelque sorte, et, pour lui rendre cette imagination plus douce, le modifie au gré de sa passion. Mais tout ce prestige disparaît devant l'objet même ; rien n'embellit plus cet objet aux yeux du possesseur ; on ne se figure point ce qu'on voit ; l'imagination ne pare plus rien de ce qu'on possède, l'illusion cesse où commence la jouissance.

Rousseau, *La Nouvelle Héloïse*, VI, GF-Flammarion, 1967, p. 527-528.

Sujets approchés

Le bonheur n'est-il qu'une illusion ?
Le bonheur est-il inaccessible à l'homme ?
Faut-il s'abstenir de penser pour être heureux ?
En quel sens parle-t-on d'un droit au bonheur ?
Le bonheur est-il promesse de bonheur ?
Faut-il rechercher le bonheur ?
Est-ce un devoir de rechercher le bonheur ?

→ ***Approche commune*** **: Le bonheur est-il un droit absolu et immédiat, ou une fin indéfinie ? La première hypothèse le suppose identifiable, la seconde le suppose à construire : le bonheur est-il donné ou bien faut-il le construire ?**

Est-ce parce qu'on est malheureux qu'on est méchant ?
L'homme injuste peut-il être heureux ?
Pourquoi faudrait-il être heureux ?
Peut-on à la fois être moral et rechercher le bonheur ?
La recherche du bonheur peut-elle fonder la vie morale ?
Est-ce un devoir de rechercher le bonheur ?
Faire son devoir sans être heureux, est-ce toute la morale ?
La recherche du bien-être peut-elle être une fin morale ?
Avons-nous des devoirs envers nous-mêmes ?

→ ***Approche commune*** **: L'accomplissement du devoir suppose-t-il la mise à l'écart de la question du bonheur ou au contraire la recherche du bonheur est-elle le premier devoir et donc la condition de l'accomplissement des autres ? Pour le devoir, le bonheur est-il un obstacle ou une chance ?**

Sujet esquissé : Le bonheur est-il inaccessible à l'homme ?

Introduction

La question est ici de savoir si le bonheur nous dépasse, si la condition humaine est faite de telle sorte que nous ne puissions prétendre au bonheur. Mais la question recouvre en fait une ambiguïté fondamentale : si le bonheur est hors de portée, est-ce de son fait ou du nôtre ? Est-ce le bonheur qui ne nous est pas accessible, aucun de nos efforts pour le construire n'arrivant à ses fins, ou bien au contraire est-ce nous qui ne sommes pas accessibles au bonheur, incapables que nous sommes de nous montrer assez simples et bien disposés pour rencontrer ce bonheur qui nous tend les bras ? Le bonheur est-il quelque chose de donné ou de construit ?

Lignes directrices

1. Le bonheur est inaccessible à l'homme, parce qu'il n'existe que comme exception ou comme répit par rapport à une norme qui est le malheur (cf. cours I a). La construction de cette exception est globalement vouée à l'échec, ce qu'on peut penser à partir de l'ennui pascalien par exemple.

2. Le bonheur n'est pas inaccessible à l'homme qui peut le construire. Les sagesses stoïciennes tendent ainsi vers l'idéal asymptotique de l'ataraxie. Le problème réside alors dans la multiplicité des voies qui s'offrent à nous au moment de conquérir notre bonheur (faut-il le trouver dans la vertu, dans le plaisir, dans la richesse, etc.) et dans la fragilité de ce bonheur toujours susceptible d'être remis en cause et détruit : faut-il, comme le demande Aristote, attendre qu'un homme soit mort pour pouvoir dire qu'il a été heureux ? (cf. cours II b)

3. Ce n'est pas le bonheur qui est inaccessible à l'homme, mais l'homme qui est inaccessible au bonheur. Là où le bonheur est étonnement, nous avons perdu la capacité de nous étonner, par excès de complication, par ce contresens qui consiste à vouloir construire le bonheur alors qu'il ne peut que se donner. Le paradoxe du bonheur est alors qu'il suppose quelque chose comme le dédain du bonheur.

Repères

Le nouveau programme introduit la notion de repères. Il s'agit d'une liste, non limitative, de distinctions conceptuelles opératoires, qui peuvent être impliquées dans des chapitres divers. Le tableau ci-dessous en explicite la formulation et en dégrossit le sens fondamental. Il indique, de façon non exhaustive, les mises en œuvres de ces distinctions dans les chapitres du cours.

Absolu/Relatif

Ce qui est absolu n'a besoin que de soi pour être et pour être conçu. Par opposition, ce qui est relatif a besoin d'autre chose que de soi-même pour être ou pour être conçu. Par exemple, Dieu est l'être absolu, de qui tout autre être dépend, par opposition aux autres êtres, qui lui sont relatifs. Se demander si une certaine chose est absolue ou relative, c'est se mander s'il existe un être en soi de cette chose ou si elle est toujours relative à une autre. Par exemple, si le mouvement est absolu, le détour est relatif.
Occurrences en problématisation : la conscience, l'inconscient, la liberté, la matière et l'esprit.

Abstrait/Concret

L'abstrait se définit comme ce qui est irréductible à l'expérience et à la réalité sensible. Le concret est au contraire ce dont je peux faire l'expérience en quelque manière. Par exemple, les trois stylos qui sont sur mon bureau sont concrets, mais le chiffre « 3 » est quelque chose d'abstrait.
Occurrences en problématisation : l'art, le temps, la matière et l'esprit.

En acte/En puissance

L'acte est à la puissance ce que l'effectivité complète est à la virtualité. Ce qui est en acte est pleinement réalisé dans toutes ses potentialités, alors que ce qui est en puissance ne fait que se préparer à être. Par exemple, le gland n'est qu'un chêne en puissance, il n'est que ce qui remplit les conditions nécessaires pour le devenir : mais tous les glands ne deviennent pas des chênes. Être ceci ou cela en puissance est une condition nécessaire mais non suffisante pour le devenir. On appelle alors actualisation le passage de la puissance à l'acte, du virtuel au réel.
Occurrences en problématisation : la liberté, le désir.

Analyse/Synthèse

Les notions d'analyse et de synthèse renvoient à deux méthodes distinctes de raisonnement. L'analyse (d'un verbe grec qui signifie décomposer, dissoudre), part d'un tout pour le décomposer en chacune de ses parties. La synthèse (d'un verbe grec qui signifie mettre ensemble) part au contraire des éléments pour remonter vers le tout. Lorsque je recherche les

facteurs par lesquels un nombre est divisible (par exemple pour vérifier si c'est ou non un nombre premier), je me livre à une opération analytique. Lorsque je fais une addition, je me livre à une opération synthétique.
Occurrences en problématisation : la démonstration, théorie et expérience.

Cause/Fin

Les notions de cause et de fin, prises ensemble, renvoient à deux types d'explication. La cause est une explication par l'amont, qui se présente comme ce qui a directement produit ce que l'on cherche à expliquer, qui est alors un effet. La fin est une explication par l'aval qui explique la chose par un but, une finalité vers laquelle elle est censée tendre. Dans le domaine du vivant, le mécanisme est une explication par la cause alors que le vitalisme est une explication par la fin. À la question « pourquoi ? », je peux répondre « parce que » (en répondant ainsi par la cause) ou « pour » (en répondant ainsi par la fin). Par exemple : pourquoi est-ce que j'arrête de fumer ? Parce que le médecin me l'ordonne (cause) et pour être en meilleure santé (fin).
Occurrences en problématisation : l'histoire, le vivant.

Contingent/Nécessaire/Possible

Ce qui est nécessaire est ce qui ne pourrait être autrement. Ce qui est contingent, au contraire, est ce qui pourrait être autrement ou ne pas être. Ce qui est possible est ce qui n'est pas, mais qui pourrait être : l'existence du possible, sans être avérée ni nécessaire, ne fait pas contradiction. Il ne faut pas confondre, malgré l'usage courant, le nécessaire avec l'utile ou le souhaitable. Par exemple, ma mort est nécessaire (c'est le résultat d'un programme physico-chimique inexorable), mais sa date est contingente (parce qu'elle peut dépendre en partie de moi) : aussi improbable (et peu souhaitable...) qu'il puisse paraître, mon décès dans cinq minutes reste parfaitement possible.
Occurrences en problématisation : l'histoire, le langage, l'existence.

Croire/Savoir

La croyance est une attitude d'adhésion et d'affirmation qui ne dispose pas de preuve pour établir la réalité ou la vérité de ce qu'elle affirme. Le savoir, lui, repose sur une preuve. La distinction entre croire et savoir est alors entre ce dans quoi une vérité semble accessible et ce dans quoi aucune certitude ne paraît accessible. Dans les sciences, il y a du savoir, alors qu'en amour, il n'y a que de la croyance, aussi intense puisse-t-elle être.
Occurrences en problématisation : la religion, la vérité.

Essentiel/Accidentel

L'essence est ce qui fait qu'une chose est ce qu'elle est, ce qui ne peut être retranché de sa définition sans perdre la chose elle-même. Au contraire, une caractéristique accidentelle d'une chose est contingente pour cette chose : elle pourrait ne pas être sans que la chose dont on parle en soit fondamentalement changée. Se demander, par exemple, si les sens sont toujours trompeurs, c'est se demander si la fausseté est une caractéristique essentielle de la perception, comme s'il y avait dans la nature même de la perception quelque chose qui fait qu'on ne peut que s'y tromper, ou si la fausseté est une caractéristique accidentelle de la perception, ce qui ouvre la possibilité qu'elle puisse, ne serait-ce qu'une fois, accéder au vrai.
Occurrences en problématisation : la religion, la vérité.

Expliquer/Comprendre

Dans cette distinction, l'explication signifie la détermination par les causes, alors que la compréhension interprète le sens. Cette distinction fait donc figure de ligne de partage entre les sciences de la nature, qui déterminent leurs objets par des lois, et les sciences de l'esprit ou sciences humaines, qui interprètent des signes.
Occurrences en problématisation : l'interprétation, l'inconscient, le vivant.

En fait/En droit

La notion de fait renvoie à ce qui est, alors que celle de droit renvoie à ce qui devrait être. Analyser ce qu'il en est « en fait » suppose implicitement qu'on le fasse à partir de ce qui devrait être « en droit », c'est-à-dire d'une norme permettant de penser ce fait. Par exemple, la notion d'existence est difficile à penser dans la mesure où je n'existe que de fait : aucune norme, aucun droit ne me permet véritablement de faire face à ce fait.
Occurrences en problématisation : la démonstration, le droit et la justice, théorie et expérience, le vivant.

Formel/Matériel

La forme donne ses déterminations et ses limites à ce qui sans elle resterait indéterminé et indéfini. La forme peut alors, dans l'usage courant, se comprendre comme contenant et la matière comme contenu. La tradition classique a pensé la prééminence d'une forme préalable à la matière, mais avec l'impressionnisme en art, on peut penser la forme comme étant au contraire le résultat de la matière.
Occurrences en problématisation : l'art, la démonstration, la matière et l'esprit.

Genre/Espèce/Individu

Le genre renvoie à un terme qui en englobe d'autres et qui possède par rapport à eux une extension plus grande. Par exemple, le genre des mammifères englobe l'espèce des macaques et des chimpanzés. L'individu est le plus petit élément de chaque espèce, celui qu'on ne peut diviser et celui au-delà duquel le dénombrement n'a plus lieu d'être. À l'intérieur de chaque genre, les espèces et les groupes d'individus peuvent être distingués les uns des autres par des différences spécifiques. Par exemple, toutes les productions artistiques individuelles appartiennent au genre des productions techniques : pour dire en quoi l'art se distingue de la technique, il faut identifier la différence spécifique qui le distingue des productions techniques en général.
Occurrences en problématisation : l'art, le vivant.

Idéal/Réel

La distinction entre idéal et réel est proche de la distinction entre abstrait et concret : l'idéal est irréductible au réel et ne peut pas faire l'objet d'une expérience possible. Un nombre est abstrait, il est donc une idéalité : dans la réalité, on ne rencontre pas de nombre. La différence spécifique de cette distinction réside en ce que l'idéal est également porteur d'une valeur normative, et en vient donc à désigner un devoir-être. La distinction entre idéal et réel ajoute, en ce sens, à l'abstrait et au concret les valeurs portées par la distinction en droit /en fait. Par exemple, on peut dire du bonheur qu'il est un idéal, si l'on veut dire par là qu'on ne le rencontre jamais vraiment tout en ne cessant jamais de le rechercher.
Occurrences en problématisation : l'art, le bonheur, le désir.

Identité/Égalité/Différence

C'est la notion de différence qui permet de distinguer l'identité de l'égalité. L'égalité admet les différences, alors que l'identité entre deux choses suppose qu'il n'y ait aucune différence entre elles. Il n'y a qu'en mathématiques qu'une identité est aussi une égalité (par exemple, les identités remarquables sont des égalités comme $(a + b)^2 = a^2 + b^2 + 2a$). En revanche, quand nous défendons l'idéal d'une égalité entre les hommes, nous ne les prenons pas pour des êtres identiques : mon voisin n'est pas mon clone. L'égalité de droits entre les hommes n'a justement de sens que dans le respect de leurs différences et de l'identité de chacun.
Occurrences en problématisation : la justice et le droit.

Intuitif/Discursif

La distinction entre l'intuitif et le discursif peut se comprendre à partir de celle de l'analyse et de la synthèse. Une démarche intuitive consiste dans la saisie directe et synthétique d'un tout, alors qu'une démarche discursive est une construction progressive et analytique de la pensée. On peut, par exemple, se demander si une démonstration logique peut ne reposer que sur une analyse discursive formelle ou bien si elle peut s'autoriser le recours à l'intuition, comme la figure de l'exercice de géométrie en joue le rôle.
Occurrences en problématisation : la démonstration, la religion.

Légal/Légitime

La légalité est une notion technique : c'est la conformité à un code réglementaire écrit, à un droit positif. La légitimité, en revanche, se comprend comme conformité à un ordre moral. Par exemple, protester contre l'injustice d'une loi, c'est juger la légalité à partir de la légitimité.
Occurrences en problématisation : la justice et le droit, le devoir.

Médiat/Immédiat

L'image du médiateur peut nous aider à comprendre la différence entre ce qui est immédiat et ce qui résulte d'une médiation. L'intervention d'un médiateur suppose qu'un processus faisant intervenir une tierce personne est nécessaire pour accorder deux groupes de personnes et arriver à un but. Ainsi, ce qui est médiat est le résultat d'un processus ayant impliqué un intermédiaire. Par exemple, notre liberté en tant qu'être humain n'est pas immédiate : nous devons en passer par la médiation du travail. Ce qui est immédiat n'a donc besoin d'aucun temps ni d'aucun processus pour être obtenu. L'immédiat est donné tel quel, alors que ce qui est médiat a été construit.
Occurrences en problématisation : la perception, le bonheur, la liberté.

Objectif/Subjectif

Le subjectif et l'objectif ne s'opposent pas nécessairement : c'est le cas par exemple si l'on appelle subjectif ce qui relève d'une propriété de la pensée. L'objectivité comme accord entre les esprits trouve sa racine dans chaque subjectivité. En revanche, subjectif et objectif s'opposent si l'on entend par objectif ce qui existe en dehors de nous et par subjectif ce qui n'existe qu'en nous. C'est ainsi que l'on pourra se demander si le temps existe sur le mode de l'objectivité (la montre, le calendrier) ou sur le mode de la subjectivité (les mêmes dix minutes sont courtes en vacances et longues en cours).
Occurrences en problématisation : l'art, le temps.

Obligation/Contrainte

L'obligation renvoie à ce qui m'est imposé de façon impérative, que ce soit par une règle civile ou par moi-même. De son côté, la contrainte est davantage une modalité psychologique, qui associe à un objet, un événement ou un facteur, l'impression pénible d'une restriction de ma liberté. Ainsi, je peux être obligé sans être contraint, comme par exemple lorsque la loi m'impose un comportement que j'approuve et que je ne me représente pas comme un obstacle.
Occurrences en problématisation : la liberté, le travail, le devoir.

Origine/Fondement

La distinction entre l'origine et le fondement a la même valeur que celle qui peut exister entre le commencement et l'origine lorsque ces deux termes ne sont pas synonymes. Dans cette distinction, l'origine est assimilée au commencement en tant que commencement de fait, alors que le fondement renvoie à ce qui est validé par une norme, à ce qui vaut en droit.

Dans une relation amoureuse, on peut ainsi distinguer une origine de fait (une date de début, par exemple celle à laquelle nous nous sommes embrassés, et qui sera retenue comme anniversaire) et un fondement de droit, qui correspond à la réalité d'un sentiment réciproque. Dans le coup de foudre, origine et fondement sont confondus ; dans le mariage arrangé, il arrive qu'un fondement finisse par justifier l'origine, c'est-à-dire qu'on finisse par aimer son conjoint.
Occurrences en problématisation : le langage, l'histoire.

Persuader/Convaincre

Les deux activités que sont l'art de persuader et l'art de convaincre produisent le même effet, c'est-à-dire l'accord d'un interlocuteur. La distinction vient de ce que persuader quelqu'un signifie l'amener à un accord sur une idée qui n'est pas nécessairement vraie ou sincère. Alors que le fait de convaincre revient à démontrer à l'autre la vérité et la validité d'une position. Le verbe persuader peut être péjoratif et inclut la possibilité d'une manipulation ou d'une contrainte, alors que la conviction en appelle à al raison et à la vérité. Par exemple, cette distinction est un enjeu fondamental de l'usage du langage : on peut se demander si le but d'un dialogue est de gagner et d'avoir le dernier mot ou d'aboutir à la vérité (voir l'opposition platonicienne entre la dialectique et la rhétorique).
Occurrences en problématisation : le langage.

Ressemblance/Analogie

La ressemblance suppose une comparaison directe entre deux termes, alors qu'une analogie suppose la mise en relation de quatre termes. Dans une analogie, ce ne sont pas les quatre termes qui sont comparés entre eux mais seulement les relations qui les unissent deux par deux. Ainsi quatre est à deux ce que seize est à huit (c'est-à-dire le double), sans que pour autant ces nombres se ressemblent.
Occurrences en problématisation : autrui.

Principe/Conséquence

Le principe est la proposition première d'un raisonnement ou d'une théorie, que ce soit en sciences (le principe de la relativité), en morale (le principe de la responsabilité) ou en logique (le principe d'identité). Le principe se présente alors comme cause première d'un édifice argumentatif, dont se déduisent des effets, c'est-à-dire des conséquences. L'enjeu de la distinction est donc de déterminer quel est leur ordre logique, par exemple pour distinguer une origine d'un fondement : le principe n'est pas toujours au commencement dans les faits, mais il

est toujours le fondement en droit. Par exemple, de la violence on peut se demander si elle est première ou seconde, principe ou conséquence, ou encore cause ou effet.
Occurrences en problématisation : la démonstration, la religion.

En théorie/En pratique

La théorie renvoie à une connaissance spéculative et abstraite, potentiellement désintéressée, au sens où le savoir comme fin en soi s'y suffit à lui-même. Le souci du pratique correspond à la recherche d'applications. On peut par exemple se demander si la recherche physique est théorique ou pratique (au sens où elle aurait en vue une utilité et une application technique de ses résultats). Dans ses autres sens, la distinction épouse le sens de la distinction « en droit » / « en fait ».
Occurrences en problématisation : la technique, la liberté.

Transcendant/Immanent

Une chose est immanente à une autre quand elles relèvent du même degré ou du même niveau de réalité, alors qu'une chose est transcendante à une autre lorsqu'elle relève d'un degré de réalité supérieur, d'un autre ordre. Le Dieu des religions judéo-chrétiennes est transcendant, alors que les dieux d'Homère sont immanents, et viennent goûter avec les hommes aux plaisirs terrestres.
Occurrences en problématisation : la religion, la conscience, l'État, le devoir.

Universel/Général/Particulier/Singulier

Ce qui est universel vaut pour la totalité, alors que ce qui est général s'applique sans exception, mais seulement à l'intérieur d'un même genre. Ainsi tous les êtres vivants sont mortels (c'est donc universel), mais la possession d'un nombril ne vaut qu'à l'intérieur du genre des mammifères, et n'est donc que générale. Le particulier s'oppose au général et le singulier s'oppose à l'universel. Ce qui est particulier ne concerne qu'une partie des éléments d'un genre. Enfin, ce qui est singulier ne concerne absolument qu'un seul élément d'un genre.
Occurrences en problématisation : la société, théorie et expérience.

Index

Noms propres

Notions

Table des matières

Aubin Imprimeur
LIGUGÉ, POITIERS

Achevé d'imprimer en mai 2003
N° d'impression L 65266
Dépôt légal, mai 2003
Imprimé en France